D1116526

АЛЕКСАНДРА МАРИНИНА
АМ

АЛЕКСАНДРА

МАРИНИНА

ТОТ, КТО ЗНАЕТ

ПЕРЕКРЕСТОК

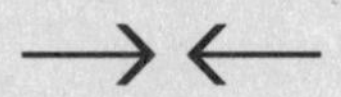

МОСКВА, «ЭКСМО-ПРЕСС», 2002

УДК 882
ББК 84(2Рос-Рус)6-4
М 26

Серийное оформление художника *С. Курбатова*

Серия основана в 1997 г.

Маринина А. Б.

М 26 Тот, кто знает: Роман-эпопея в 2-х книгах. Перекресток. — М.: Изд-во ЭКСМО-Пресс, 2002. — 432 с. (Серия «Детектив глазами женщины»).

ISBN 5-04-009797-2

В причудливый узор сплетаются судьбы кинорежиссера Натальи Вороновой, следователя Игоря Мащенко и сибирского журналиста Руслана Нильского. Коренная москвичка Наталья живет в коммунальной квартире и опекает всех, кто нуждается в ее помощи, от пожилой одинокой соседки до рано осиротевшей девочки. Выросший в благополучной состоятельной семье Игорь становится следователем и волею случая соприкасается с загадочным убийством старшего брата Руслана Нильского. Руслан же посвящает свою жизнь тому, чтобы разобраться в тайне гибели брата и узнать правду о его смерти. Любовь, ненависть, случайные встречи, взаимные подозрения и искренние симпатии связывают этих людей. И только открывшаяся в конце концов истина расставляет все на свои места.

УДК 882
ББК 84(2Рос-Рус)6-4

ISBN 5-04-009797-2

Она до сих пор помнила прикосновения его пальцев к своему телу, и ту ноющую боль, которая растекалась по коже, и ослепляющее жжение, которое стихало от звуков его голоса. Из памяти полностью стерлось, что и как он делал, но воспоминания о том, что она при этом чувствовала, не делались с годами тусклыми и размытыми, наоборот, эти воспоминания, то и дело возвращаясь к ней, становились все ярче и вызывали отвращение к себе самой, острое чувство вины и желание заплакать и напиться.

Часть 5

ПЕРЕКРЕСТОК, 1992—1993 гг.

НАТАЛЬЯ

— Я боюсь, Андрюша.

Она впервые набралась смелости сказать об этом вслух, но легче не стало. Сердце забилось где-то в горле, как бывало в детстве и юности во время экзаменов, а позже — во время ответственных разговоров с вышестоящими начальниками. Правда, сейчас перед ней не экзаменатор и не руководитель, а друг. Доброе круглое лицо Андрея Ганелина выражает сочувствие и готовность выслушать и помочь, взять на себя тяжесть решения проблемы, но в том и беда, что эту проблему придется решать ей самой вместе с мужем и никто третий здесь не поможет. Андрей всегда был для нее окрашен в песочно-желтый цвет. Сначала Наташа думала, что это цвет тепла и покоя, когда отбрасываешь от себя каждодневные хлопоты и можешь бездумно валяться на горячем песке черноморского пляжа, понемногу выдавливая из себя и утапливая в зыбучем месиве накопившиеся за год раздражение, усталость и боль от крупных и мелких разочарований. И только несколько лет спустя Наташа, в очередной раз глядя на Андрея, вдруг подумала: «Он как губка. Я выливаю на него свои эмоции, а он их впитывает. Такая желтенькая губка, которой мама вытирала воду с кухонного стола».

Через три дня — Новый год, завтра приедет Вадим, но не на праздники, как обычно, а теперь уже насовсем. Он получил назначение на должность старшего преподавателя в учебный центр в Обнинске, в 100 километрах от Москвы, и отныне будет жить дома, с женой и детьми. Десять и даже пять лет назад Наташа прыгала бы от радости в предвкушении этой новой счастливой жизни, но сегодня, в канун 1992 года, она поняла, что боится.

В последние три года Ганелин, став относительно состоятельным человеком и обзаведясь машиной, перед праздниками помогал Наташе с поисками продуктов к столу. Сегодня ей пришлось вскакивать ни свет ни заря, потому что Андрей собрался отвезти ее к семи утра к магазину «Колбасы» на Дмитровском шоссе. Магазин открывался в восемь, и если в семь утра занять очередь, то был шанс купить хорошие продукты — колбасу, сосиски, разные копчености, и к празднику, и на каждый день. Деликатесы завозили ежедневно, но хватало их примерно часа на три торговли, поэтому важным было приехать как можно раньше, чтобы оказаться в первой сотне покупателей. Они приехали к семи, отстояли на улице длинную очередь, то и дело бегая минут на десять в машину погреться, набили сумку продуктами, потом еще полдня мотались по городу в надежде найти на опустошенных перед Новым годом прилавках то, что нужно, а заодно и елку купить. К пяти часам вернулись, выгрузили покупки в холодильник, обвязанную веревками елочку поставили в угол в прихожей, съели приготовленный Бэллой Львовной обед и теперь сидели в Наташиной комнате, пили кофе и обсуждали приготовления к новогодней ночи. Конечно, придут Инна с Гришей и Юлечкой и, как обычно, притащат очередную «невесту» для своего холостого друга Ганелина. Супруги Гольдман уже оставили надежду женить Андрея, но по-прежнему, зная, что Наташа приглашает его на Новый год, старались обеспечить дамой хотя бы на время праздника. Андрей морщился, отнекивался, махал руками и уверял, что дама для разговоров ему не нужна, за столом и без того много приятных собеседников, а потанцевать он может и с Ирочкой, но Инна каждый раз строго говорила, что Ира — взрослая девушка, у нее своя жизнь и свои друзья и нельзя рассчитывать на то, что она просидит всю ночь с ними. И вообще, за столом, дескать, должен быть порядок, Вадим, в конце концов, не слепой, и присутствие одинокого неженатого мужчины в своем доме может ему не понравиться. Этот аргумент Андрею был понятен, и он мужественно терпел необходимость быть милым и ухаживать за очередной кандидаткой.

— Давай, я помогу елку поставить, — предложил Андрей.

— Не нужно, — отмахнулась Наташа, — посиди, отдохни. Завтра Вадим приедет, поставит.

Вот в этот момент она и произнесла то, что таила в себе весь последний месяц, с тех пор как стало точно известно о переводе мужа из Западной Лицы в Обнинск.

— Я боюсь, Андрюша.

— Чего ты боишься? Что не уживешься с собственным мужем? — засмеялся тот.

— Нет, не этого... Хотя и этого тоже. Понимаешь, он любит свою лодку и свой реактор. Ему больше ничего не интересно. Но он нормальный мужчина и хочет жить со своей семьей и воспитывать своих сыновей. А совместить это невозможно. То есть нет, не так... Это возможно совместить только в том случае, если бы я пожертвовала своей работой и своей карьерой, наплевала бы на свои обязательства заботиться о Бэлле и Ирочке, взяла мальчиков и уехала к Вадиму в Лицу. Наверное, я должна была именно так и сделать. Но я не сделала. Тогда он решил пожертвовать своей работой, наплевать на лодки и реакторы и ехать сюда. Ему придется каждый день ездить по два часа на электричке в Обнинск и столько же вечером обратно, заниматься неинтересной работой и жить рядом со знаменитой женой, у которой то съемки, то премьеры, то депутатские заботы и которая кусочки свободного времени кроит на лоскутки, чтобы заниматься не только мужем и детьми, но и соседями. В Западной Лице он был капитаном первого ранга Вадимом Алексеевичем Вороновым, человеком уважаемым и авторитетным, а здесь он превратится просто в мужа Натальи Вороновой и станет даже не главой семьи, а еще одним из тех, о ком я должна заботиться. И я боюсь, что он мне этого не простит.

— Ему нужно идти в бизнес, — убежденно произнес Ганелин.

— По твоим стопам? — усмехнулась Наташа. — Или ты его к себе возьмешь охранником?

— Ты напрасно смеешься. Твой Вадим — умный и энергичный человек, я уверен, что у него все получится. Зато он начнет зарабатывать намного больше тебя, и вся твоя известность и политизированность уже не будут иметь никакого значения, потому что не ты, а он будет содержать семью. Вот посмотришь, не пройдет и года, как ты превратишься в жену крупного бизнесмена Воронова. Тогда тебе нечего будет бояться.

— Ты прав, Андрюшенька, как всегда, прав. Но Вадим на это не пойдет. У него менталитет другой. Он — морской офицер в четвертом поколении, для него служить Родине — это честь, это в генах у него сидит. И я не знаю, что должно случиться, чтобы он захотел и смог переломить себя. Я и люблю его за то, что он именно такой, а не какой-то другой. Для него существует понятие воинской чести, чести офицера, поэтому он и продолжает служить, хотя в том бардаке, в каком мы все сегодня оказались, уже многие про честь забыли, только о деньгах и думают. Я не про тебя говорю, с тобой все понятно... Не принимай на свой счет. Андрюша, — она внезапно сменила тему, — неужели тебе не надоело меня любить? Мне иногда кажется, что ты просто дуришь нас всех, прикрываешься липовыми чувствами, которые якобы ко мне испытываешь, а сам...

— А сам потихоньку делаю свое черное дело, да? — рассмеялся Андрей. — Интересная версия. И какое это дело?

Наташа тоже рассмеялась в ответ. С Андреем было не страшно шутить на любые темы, он адекватно реагировал на юмор и не страдал излишней обидчивостью. И его влюбленность в Наташу не была закрыта для обсуждения, он легко говорил об этом как о чем-то раз и навсегда решенном, не подлежащем изменению и в то же время абсолютно нормальном и не постыдном. Он не млел, не краснел и не заикался в ее присутствии, не одолевал телефонными звонками в самое неподходящее время, не заваливал букетами цветов и подарками на глазах у окружающих, не дежурил под окнами и не вымаливал свиданий. Он просто любил ее, не требовал ответа на свою любовь, вообще ничего не требовал, ни особого внимания, ни понимания, и старался быть Наташе хорошим добрым другом, который не отягощает своими проблемами и немедленно берется решать ее собственные. Андрей не скрывал своих чувств и даже подшучивал над ними, и насмешливое недоумение окружающих — в первую очередь Инны и Гриши Гольдман — постепенно сменилось невольным уважением. Об этой безответной и безнадежной любви знали и Бэлла Львовна, и Ира, и родители Инны, и ее тетка Анна Моисеевна. Только Вадим не знал. Когда он бывал в Москве, Ганелин появлялся лишь при жесточайшей необходимости или в случае официального приглашения в гости.

— Ну, я не знаю... Мало ли. Может, ты скрытый гомосексуалист, и, вот чтобы к тебе не приставали насчет женитьбы, ты всем говоришь, что, мол, безответно влюблен в меня. Имей в виду, — шутливо продолжала Наташа, — с первого января для тебя наступают черные дни. Все, что ты для меня делал, теперь будет делать Вадим, и у тебя не будет поводов со мной видеться.

Она невольно сказала двусмысленность, но поняла это не сразу, а когда поняла, то от души расхохоталась, и вслед за ней расхохотался Андрей.

— Господи, Андрюша, — она осторожно вытерла выступившие от смеха слезы, стараясь не размазать тушь на ресницах, — почему мне с тобой так легко? Я уже давно ни с кем так не смеюсь, как с тобой. С другими мне приходится быть строгой, деловитой, даже жесткой, дашь слабину — тут же на шею сядут. А с тобой я чувствую себя совершенно свободно. У меня даже секретов от тебя нет, ты мне уже не друг, а подружка.

— Ну, один-то секрет у тебя есть даже от меня, — заметил он серьезно.

Наташа, расслабленная и развеселившаяся, не заметила перемены в его голосе и продолжала шутить:

— Ты имеешь в виду секрет моей неиссякаемой привлекательности для тебя?

— Нет, другой. Ты знаешь, о чем я говорю. Неужели так и не расскажешь никогда?

— Прости. — Наташа тоже стала серьезной. — Это не моя тайна. Была бы моя — обязательно рассказала бы. А так — не могу.

ИГОРЬ

Он не хотел просыпаться, как не хотел этого все последние годы. Проснуться означало начать новый день. Рабочий день. А он ненавидел свою работу, хотя и справлялся с ней, причем справлялся настолько лихо, что его то и дело поощряли то премиями, то благодарностями, то почетными грамотами, даже очередное звание присвоили досрочно. Капитан милиции Игорь Мащенко был одним из лучших, если не лучшим в своем подразделении, но работу, которую выполнял ежедневно и добросовестно, он все-таки не любил. Тягостна она была ему, не интересна, не нужна. Но изменить свою жизнь и перейти на другую работу он не мог.

Мало того, что сегодня снова нужно идти на работу, так еще и Новый год надвигается, а это означает, что нужно идти к Женьке Замятину. Четыре раза в год, четыре визита, четыре встречи — это тот минимум, сокращать который нельзя. Новый год, 23 февраля — День Советской Армии, Женькин день рождения и день смерти Генки Потоцкого. Вернее, не смерти, а гибели, геройской гибели в Афганистане. На каждую встречу с Женькой Игорь шел как на казнь, сам Женька ему тоже уже давно был не нужен и не интересен, и их воспоминания об общем школьном детстве, когда жив был еще Генка Потоцкий, когда они собирались поступать в летное училище, а потом становиться космонавтами, — и воспоминания эти были ему не нужны. Но не ходить к Замятину он не мог.

— Сынок, пора вставать!

В комнату заглянула мама, и в открытую дверь сразу же потянуло вкусными запахами жарящихся сырников с изюмом, свежемолотого кофе и еще сладковатым ароматом шампуня — мама только что вымыла голову, и этот запах исходил от ее мокрых волос.

Как обычно по утрам, настроение у Игоря было мрачным, да и какое же может быть иное настроение перед рабочим днем, наполненным делами и заботами, от которых мутит, просто выть хочется. К вечеру Игорь веселел, понимая, что все заканчивается и до следующего рабочего дня можно расслабиться. Но утром он бывал в тяжком расположении духа.

— Ты сегодня поздно придешь? — спросила Елизавета Петровна, когда он сел завтракать.

— Поздно. Сегодня надо к Женьке съездить, с Новым годом поздравить. А что, я тебе нужен?

Хорошо бы, у мамы нашлись неотложные дела, которые никак, ну просто никак невозможно сделать без помощи сына. Тогда можно было бы не ездить сегодня к Женьке, отложить до завтра. Правда, они уже договорились, Игорь вчера звонил другу и предупредил, что сегодня заедет, но можно и передоговориться. А Женька, если повезет, скажет, что завтра никак не может, а послезавтра не сможет сам Игорь... и проблема рассосется сама собой, до 23 февраля.

— Сегодня должны новую мебель привезти, я хотела, чтобы вы с папой ее собрали и поставили. Хочется Новый год встретить в новой обстановке, а то живем как на вокзале. Но если ты занят, тогда сборку отложим до завтра. Или я попрошу кого-нибудь из соседей помочь.

Елизавета Петровна хлопотала у плиты, дожаривая сырники и поглядывая на турку с кофе. Уловив момент, когда темно-коричневая пенка начала угрожающе быстро подниматься, она ловко сняла турку с раскаленного диска электроплиты.

— Я постараюсь пораньше вернуться, — пообещал Игорь. — Или позвоню Женьке, извинюсь, скажу, что приду в другой раз.

— Нет-нет, сынок, не надо откладывать, раз договорился — иди. У Жени и без того мало радостей в жизни, поздравь его с Новым годом, подарок вручи. Что ты ему подаришь?

— Зажигалку. Дорогую, импортную. А что отец не встает? У него сегодня выходной?

Сырники были сладкими, но Игорь еще полил их сверху клубничным вареньем. Вот теперь вкус стал как надо, и это несколько примирило его с действительностью. Еще пятнадцать минут можно поглощать завтрак и пить кофе и не думать о постылой работе.

— Папа встанет попозже, ему сегодня к двенадцати, — пояснила мать, присаживаясь за стол напротив Игоря. — Между прочим, ему удалось устроить Верочку на работу.

— Мои поздравления, — пробурчал Игорь.

Он терпеть не мог, когда родители пытались заговорить с ним о бывшей жене. И что за манера: сын с невесткой давно расстался, а они все еще считают ее чуть ли не членом семьи, обсуждают ее дела, помогают. Елизавета Петровна, словно и не замечая недовольного тона Игоря, продолжала рассказывать:

— Очень хорошая работа, в одной фирме, торгующей медицинскими препаратами. Как раз Верочке по специальности. И платят хорошо, не то что в поликлинике.

— Мама! — Игорь с отвращением отодвинул от себя тарелку с недоеденными сырниками, они колом вставали в горле и казались уже не вкусными, а противными. — Я не хочу ничего слышать о Вере. Мне это не интересно. Она меня бросила, а теперь ты хочешь, чтобы я интересовался ее жизнью и беспокоился о ее трудоустройстве?

— Сынок, но ведь ты сам виноват в том, что она тебя бросила, — с упреком произнесла мать. — Ты чудовищно обращался с ней, ни одна нормальная женщина этого не вынесла бы. Ты приходил домой пьяным и кричал на нее. Ты изменял ей...

При последних словах голос матери дрогнул, словно даже

мысль о подобном поведении сына была ей невыносима, а уж озвучивание ее требовало и вовсе непосильного напряжения. Конечно, она говорила правду, Игорь позволял себе и напиваться, и орать на Веру. И насчет супружеских измен — тоже правда. Но разве он виноват в том, что не может на протяжении длительного времени испытывать интерес к одному и тому же человеку? Ему быстро надоедали и женщины, и друзья. Он уставал от них. И отчего-то был уверен, что вот уж следующая его женщина окажется такой, которая прикует его внимание к себе всерьез и надолго, заводил новую интрижку, влюблялся, но чувство остывало даже быстрее, чем ему хотелось бы. То же самое происходило и с друзьями, он вовлекался в близкие доверительные отношения и очень скоро начинал испытывать откровенную скуку в обществе этого человека. Как он был влюблен в Верочку! Тогда, в 1984 году, когда он женился на ней, ему казалось, что нет никого на свете лучше ее, добрее, нежнее, умнее. И уже через два года, привезя ее в Москву, начал тяготиться молодой женой. Родители поначалу были в ужасе, ну как же, привез в столицу какую-то провинциалку из сибирской Тмутаракани, теперь ее еще и прописывать нужно, а она обживется, осмотрится, да и вильнет хвостом на сторону, потом придется жилплощадь делить, квартиру разменивать. Конечно, со временем они к Вере привыкли и даже по-своему привязались, особенно Елизавета Петровна: все-таки коллеги, обе врачи, есть что пообсуждать за ужином. Игорь никак не ожидал, что Вера уйдет, сама уйдет, и уже тем более не ожидал, что его мать и отец начнут принимать столь деятельное участие в ее судьбе. Виктор Федорович использовал все свои связи, чтобы выбить бывшей невестке жилье, и Вера в прошлом году получила однокомнатную квартиру где-то на окраине, так что обошлось без размена родительских хором. Теперь вот на работу ее пристроил, на фирму...

— Нам с папой стыдно за тебя, за твое поведение, поэтому мы считаем своим долгом хоть как-то искупить твою вину перед Верой, — говорила между тем Елизавета Петровна. — Разумеется, мы не были в восторге от твоего выбора, ты мог бы и в Москве найти себе жену не хуже, но в конце концов ты привел ее в наш дом, мы ее приняли, а потом ты начал вести себя совершенно недопустимо. Да, мы с папой не одобряли твоего выбора, но это не означало, что ты мог вести себя как последний хам! И между прочим, она родила тебе ребенка, а от алиментов при разводе отказалась.

— Мама, не делай из Веры воплощение благородства, — поморщился Игорь, медленно допивая кофе. — Она отказалась от алиментов только потому, что вы с папой пообещали ее финансово поддерживать, причем в размерах, значительно превышающих двадцать пять процентов моей ментовской зарплаты. А судья, к которому папа предварительно сходил с букетом цветов и пачкой дефицитных билетов в театры, согласилась развести нас в течение пяти минут и без всяких дурацких сроков на примирение, но при условии, что у сторон не будет имущественных споров и претензий на алименты. И в конце концов, она сейчас прекрасно устроена, с квартирой, с работой. Что ты от меня хочешь? Чтобы я ползал перед ней на коленях и умолял вернуться?

— Прекрати! Мы с папой хотим, чтобы наш сын вел себя как мужчина. Если ты привез Веру сюда и стал отцом ее ребенка, то ты не имеешь права отворачиваться от нее и лишать поддержки. Ты выгнал ее из дома с ребенком на руках...

— Она сама ушла! Не надо передергивать.

— Да, она сама ушла, но ты создал такие условия, при которых она не могла больше оставаться в нашем доме...

Этот разговор возникал с мучающей Игоря периодичностью, и он начинал догадываться, почему мама так болезненно реагирует на ситуацию. Она заставила себя полюбить Веру, потому что таков был выбор ее сына, и теперь она, как человек добрый и порядочный, вынуждена продолжать поддерживать невестку и внука, потому что ее сын оказался, мягко говоря, не на высоте. Иными словами, он, Игорь, навязал своим родителям Веру, сначала притащил ее в Москву, а потом разлюбил и фактически вынудил уйти. К маленькому сыну он никаких особенных чувств не испытывал, во всяком случае интерес его к ребенку был не настолько силен, чтобы добиваться у Веры разрешения на встречи с Павликом. Этого родители тоже понять не могли и регулярно навещали внука, привозя с собой горы игрушек, фруктов и конфет. Игорь с ними ни разу не ездил. Ему не хотелось видеть Веру, она была ему больше не интересна.

День, так неудачно начавшийся с неприятного разговора, продолжал складываться в том же стиле. Ночью ударил мороз, и машина никак не хотела заводиться, Игорь бился над непокорным двигателем минут сорок и в результате опоздал на службу. На этот день у него были назначены две очные ставки, а до этого еще три допроса, вызванные люди сидели в коридоре перед дверью его кабинета, злые и напряженные. И снова, как и каждое утро, идя по длинному коридору с выкрашенными чудовищного цвета масляной краской стенами и выщербленным полом, Игорь испытал приступ тошноты. Господи, как же он ненавидит свою работу!

Он кое-как дотянул до конца рабочего дня и отправился к Замятину. Лучше уж отмучиться сегодня и на два месяца забыть о нем. Не станет он звонить и переносить встречу.

Женька жил все там же, где и раньше, когда еще в школе учился. Вместе с ним жили мать и сестра с двумя детьми. Некоторое время назад еще и муж сестры был, но теперь он искал супружеского счастья с новой женой.

— Проходи, Игоречек, — приветливо пригласила Женькина мать, открывая дверь. — А Женя тебя уже давно ждет.

Ждет! Эти слова резанули Игоря как ножом. Как бы он хотел никогда больше не переступать порог этого дома, никогда не видеть больше Жеку, не разговаривать с ним, не вспоминать о Генке. Забыть обо всем и устраивать свою жизнь так, как хочется. Но разве он может перестать приходить, если Женька ждет?

Женька выкатился ему навстречу в инвалидной коляске. Вместо ног — две культи. Протезы у него есть, но плохого качества, ходить в них больно, кожу натирают, поэтому дома Женька предпочитает их не надевать. Испитое, рано постаревшее лицо чисто выбрито — видно, к приходу Игоря постарался.

— Здорово. — Женька, не вынимая сигареты из угла рта, протянул ему руку. — Чего так поздно? Я уж думал, вообще не придешь.

— На работе задержался.

— Что, на передовом фланге борьбы с преступностью? Не щадя живота своего? Пять минут не доработаешь — и бандитизм захлестнет страну?

И это, как и утренний разговор с матерью, повторялось из раза в раз и тяготило Игоря. Он сам мог бы сказать куда больше резких и язвительных слов о ненужности своей работы, о ее полной бесполезности, о продажности милиционеров и всесилии криминала, обладающего деньгами, связями и силой, о смехотворности усилий государства обуздать наглых и вооруженных до зубов преступников при помощи робких, плохо обученных и связанных по рукам и ногам многочисленными инструкциями и приказами сотрудников милиции. Он знал все это гораздо лучше Женьки. И потому не хотел больше работать следователем. Вообще работать в органах внутренних дел не хотел. Но и уйти не мог, потому что нужно было изо всех сил делать вид, что выбрал свою профессию по призванию, а не по возможностям отца устроить в вуз. Ведь не должен он был поступать на юрфак! Не должен, потому что, во-первых, не испытывал к юриспруденции ни малейшего интереса, а во-вторых, они же договорились с Генкой и Женей, что вместе пойдут в армию, а потом снова будут поступать в летное училище. Ребята сделали так, как договаривались, а он их обманул. Струсил, испугался армии, поддался на уговоры родителей и малодушно сбежал в Томск поступать в университет. Кто же мог предполагать, что через несколько месяцев наша страна ввяжется в афганскую войну и ребята попадут в самое пекло? Генка Потоцкий погиб, Жека Замятин остался без ног. И только Игорь Мащенко здоров, весел и благополучен.

Самым страшным было чувство вины, которое грызло Игоря день и ночь с того самого момента, когда он узнал о том, какая участь постигла его друзей. Конечно, если бы он не струсил и пошел вместе с ними служить в армии, это вряд ли изменило бы судьбу Генки и Жеки. Все равно они попали бы в Афганистан, а там никто никаких гарантий не дает... Но это был уже второй его трусливый поступок. А вот первый, тот, что не давал ему покоя, действительно изменил всю их жизнь. Та «двойка» по математике не была случайной. Игорь сделал все возможное для того, чтобы его письменная работа была оценена именно так. Делал нелепейшие ошибки и старался показать, что ничегошеньки в этой науке не понимает. Он не хотел становиться летчиком, жить в казарме и подчиняться уставу. И не смел сказать об этом друзьям. Тогда ему казалось, что он придумал очень здорово: ребята поступят и будут учиться в летном училище, а он вернется домой. Но они, верные принципам мушкетерского братства, забрали свои документы. Вместе — так вместе. Не можем вместе учиться — будем вместе служить. Игорь пытался их отговорить, но Генка, а вслед за ним и Жека твердо стояли на своем. Вот и получалось, что Игорь струсил, испугался тягот армейской жизни, и поэтому погиб Генка. А Жека остался без ног. Все случилось из-за него. Он во всем виноват.

И теперь ему приходится доказывать и Женьке, и самому себе, что он искренне и горячо хотел стать следователем, поэтому и поступил на юридический. Что работа следователя — смысл всей его жизни, что желание стать летчиком было всего лишь юношеской ошибкой, романтическим порывом, за которым не было на самом деле ничего, даже элементарных способностей, вот и по математике он «пару» схватил. Он просто вовремя спохватился, понял, что хочет быть не летчиком, а следователем, что только в этом его истинное призвание. Поэтому он не стал дожидаться очередного призыва на военную службу вместе с друзьями, а подал документы в университет. Это было той новой правдой, которую Игорь выдумал сам для себя, когда узнал о том, что случилось с его друзьями. Для себя, для тех, кто знал о Генке и Жеке, и для самого Жеки Замятина.

Будь проклят тот день, когда он встретил на улице Колобашку! Это случилось четыре года тому назад. Игорь работал следователем в Москве и готовился поступать в адъюнктуру Академии МВД СССР, далее по плану следовало написание диссертации, ее защита и затем спокойное и размеренное преподавание уголовного права вдали от ночных вызовов на происшествия, окровавленных трупов и прочих прелестей практической работы. В то время еще не было Закона о милиции, согласно которому любой сотрудник мог в любой момент снять с себя погоны и уйти на гражданку. Тогда, в 1987 году, поступившие на службу в МВД обязаны были оттрубить положенные 25 лет и только потом думать об уходе. И Игорь Мащенко, попавший на следственную работу и вообще в орбиту юридической профессии исключительно волею случая, хотел оставшиеся 22 года (3 он уже отслужил) провести в относительно комфортных условиях научной и педагогической деятельности при погонах, зарплате, льготах и перспективах на высокую пенсию. Будущее в тот момент казалось ему если и не радужным, то вполне удовлетворительным. И вдруг Колобашка... Этот идиот Колбин, встретившийся ему случайно на улице. И тут же затараторивший об одноклассниках, кто, где и кем работает, кто на ком женился, у кого какие дети. Оказалось, Колобашка всеми интересовался, и этого интереса Игорь понять не мог. Одноклассники — пройденный этап, они остались в прошлом, а жить надо будущим. После возвращения из Сибири в Москву сам он ни разу не позвонил ни Генке Потоцкому, ни Жеке Замятину. Они были ему не нужны. И он боялся выяснения отношений, упреков в том, что не сдержал слова, не выполнил их общую договоренность. Игорь просто сделал вид, что таких друзей у него никогда не было. Тем более за время его учебы в университете родители ухитрились еще раз сменить квартиру, переехали в другой район, и теперь у них были не только четыре комнаты вместо трех, но и другой номер телефона. Этот номер не знали ни Генка, ни Жека, и Игорь успокоился. Сам он их искать не станет, а они его, даже если захотят, не найдут. Номер телефона Виктора Федоровича Мащенко (а телефон зарегистрирован на отца) в справочной службе не давали, отцовские связи оказались полезными и в этом вопросе.

Игорь понимал, что последует за этой встречей. Активный и общительный (и когда только он успел таким стать? Ведь в классе он был изгоем, с которым никто не хотел дружить), Колобашка если не сегодня, то уж завтра-то наверняка побежит к Жеке и расскажет о встрече с Игорем. Игорь теперь знает о том, что Генка погиб, а у Жеки нет обеих ног. И в такой ситуации Игорь просто не может не объявиться. Чтобы как-то объяснить свое поведение, Игорь сказал Колобашке, что только-только, буквально на днях, вернулся в Москву из Кемеровской области, где работал все это время по распределению. Наврал, конечно, в Москве он был уже два года. Но ведь обязательно возникнет вопрос: почему столько лет не звонил друзьям? Потому и не звонил, что находился далеко, в сибирской глуши.

Но теперь выхода уже не было, пришлось звонить Жеке и ехать на первую встречу с ним. Жека Замятин, балагур и весельчак, превратился в угрюмого, ядовитого и злобного типа, постоянно находящегося в легком подпитии. Говорить он мог только о войне в Афгане, о том, как погиб у него на глазах Генка Потоцкий, о том, как ему самому оторвало ноги, о том, как убивали моджахедов и как гибли советские солдаты, как воровали командиры, как рвались снаряды, как свистели пули. Слушать об этом Игорю не хотелось. И не потому, что было не интересно, нет, он был мужчиной и не мог не интересоваться войной. Но каждое Жекино слово как будто перерезало внутри у Игоря еще один нерв, еще один кровеносный сосуд, еще одну жилу, ведь он был виноват в том, что его товарищи попали туда, где творится кошмар, где ежедневный и ежечасный ад выжигает остатки человеческого и оставляет только обросший мясом скелет, одетый в камуфляж. Он виноват, потому что испугался и добился «двойки» на экзамене, чтобы не поступить в училище. Он виноват, потому что не признался в этом ребятам, как только они заговорили о дружеской солидарности и о том, что заберут свои документы и тоже не будут поступать, коль их товарищ так бесславно провалился. Он виноват в том, что все так случилось. Виноват, виноват, виноват...

И единственным спасением от этого постоянно ноющего чувства вины была убежденность в нужности своей работы, в правильности ее выбора, в том, что следствие — это его призвание. Насмешливый и ехидный взгляд Жеки Замятина преследовал Игоря днем и ночью, и когда он работал, и когда вел машину, и когда спал, и когда занимался любовью с Верой или еще с кем-нибудь. Он не стал поступать в адъюнктуру. Что он скажет Жеке, если вдруг окажется, что истовый борец с преступностью, самоотверженный следователь Мащенко осел в тихой заводи академической кафедры? Грош цена тогда будет всем его рассуждениям об ошибках юности и выборе профессии.

«Я не виноват в том, что случилось, — через некоторое время говорил себе Игорь. — Я же не виноват в том, что они хотели быть летчиками, а я этого никогда не хотел. Я хотел быть юристом, я хотел заниматься расследованием преступлений, выводить на чистую воду и предавать суду негодяев и подонков, воров и убийц, мошенников и бандитов. Да, я поступил нехорошо, сознательно провалившись на экзаменах, но это простительно, ведь мне было всего семнадцать, и у меня тогда не хватило мужества начистоту поговорить со своими друзьями. Я не хотел поступать в летное училище, я хотел стать юристом, следователем, но я был слишком молод для того, чтобы набраться храбрости и заявить об этом друзьям, которых я боялся потерять. Я дорожил их дружбой, но у меня были собственные устремления и желания, с которыми они не захотели считаться, они полностью подчинили меня себе и вертели мной, как куклой, а я любил их, искренне любил. Они были по-юношески жестоки, и, если бы я отказался поступать вместе с ними в летное училище, они посчитали бы меня слабаком. Отказаться я не мог, но и летать не хотел, я хотел поступать на юридический, и для этого мне пришлось пойти на обман. Моя вина только в этом. Все остальное они сделали сами, они сами принимали решение забрать документы и идти служить в армию вместе со мной, они хотели подчинить мою жизнь своим правилам. Но я отстоял свое право на самостоятельные решения, я хотел стать юристом — и стал им. Я люблю свою работу, я считаю ее нужной и полезной, и я буду ею заниматься, чего бы мне это ни стоило».

Сформулировав такой постулат, Игорь немного успокоился. Теперь чувство вины стало менее острым, зато с перспективами карьеры наступил полный тупик. Нужно оставаться на следственной работе. Не хочется, а придется. Стоит ему согласиться на более приятную и менее хлопотную должность, как снова вылезет и расправит крылья чувство вины — страшная хищная птица, которая начнет долбить его мозг своим острым, пропитанным ядом крючковатым клювом.

Он отказался от адъюнктуры, потом еще от нескольких очень привлекательных со всех точек зрения предложений. У Игоря Мащенко была явная склонность к научной и аналитической работе, его звали и в штабные подразделения, где всегда нужны аналитики, и в научные институты, и на преподавательские должности, но каждый раз он, стиснув зубы, вежливо отказывался. Он — прирожденный следователь, хорошо, что он вовремя разглядел в себе эту склонность и правильно выбрал профессию, которую менять не собирается.

А потом приняли Закон о милиции, и все сотрудники, мало-мальски помнящие право и знающие, что такое договор, или умеющие заниматься охраной и организацией безопасности, валом повалили в коммерческие структуры. И снова на Игоря посыпались предложения — на этот раз от бывших коллег, мол, давай к нам, у тебя такие мозги, ты же собаку съел на экономических преступлениях, ты прекрасно разбираешься в бухгалтерских документах и финансовых хитростях, зарплатой не обидят — для начала две тысячи долларов в месяц, а там и побольше. Две тысячи долларов в месяц по сравнению с тогдашней зарплатой Игоря, равнявшейся в пересчете на всем понятный эквивалент сорока долларам, выглядели просто фантастикой, о которой даже мечтать не приходится. Он до крови закусывал губы, стискивал кулаки и... отказывался. Он докажет, что не струсил тогда, а поступил так, как велело сердце. Он выбирал профессию не абы какую, не из страха перед армией, а сознательно. И отступить от этого Игорь уже не мог.

Он ненавидел всех. Жеку Замятина — за то, что сломал ему жизнь. И еще за то, что сам Жека сломал ему, Игорю, карьеру. Колбина-Колобашку — за его дурацкую общительность и информированность. Свою работу — за то, что не любил ее, но вынужден был ею заниматься. Своих женщин — за то, что они не умели слишком долго удерживать его интерес и тем самым подвигали его на разрыв, измены и связанную с этим нервотрепку. Он ненавидел даже своего отца — за то, что тот настоял и отправил Игоря в Томск поступать на юрфак, потому что в других вузах договориться о приеме документов сына не смог. Был бы другой институт — была бы другая профессия и другая работа, может быть, не такая тягостная, не такая ненавистная.

...В этот вечер накануне Новогодних праздников они с Женькой снова говорили о войне и пили за упокой души погибших. Женька с интересом расспрашивал о громких преступлениях, сообщениями о которых пестрели с некоторого времени все газеты и о которых со смаком рассказывали тележурналисты, Игорь со знанием дела комментировал эту информацию, и снова пили за успехи в борьбе с преступностью и за неподкупность капитана милиции Мащенко, который не польстился на легкие деньги, а зарабатывает свой горький хлеб на тяжелой, нервной и малооплачиваемой работе.

Домой Игорь вернулся около полуночи, и состояние его нельзя было назвать трезвым даже при очень большом желании и абсолютной слепоте.

ИРИНА

Отношение к Новому году у нее было сложным. Вообще-то она всегда любила этот праздник, любила даже больше, чем свой день рождения, потому что день рождения касается только тебя, а Новый год — он для всех, и все к нему готовятся, и все люди в последнюю неделю декабря становятся веселыми, и заботы у всех радостные — купить подарки, приобрести что-то красивое из одежды, достать продукты к столу. Но потом, после праздника, наступало грустное время, когда с елки потихоньку опадают иглы, и ты понимаешь, что надо бы снять яркие переливающиеся игрушки, упаковать в коробки и спрятать на антресоли, а саму елку, унылую и засохшую, выбросить на помойку. Сама процедура снятия игрушек и выбрасывания елки неизменно, с самого детства, вызывала у Иры горькие рыдания. Сейчас она уже совсем взрослая, даже замужем побывала, а слезы все равно наворачиваются.

— Иринка, разбери игрушки, ладно? — на ходу попросила Наташа, надевая дубленку и застегивая сапоги. — А Вадик вечером елку выбросит.

Конечно, все работают, у всех дела, на кого ж еще спихнуть горестное мероприятие, если не на Иру? У нее сессия, она дома сидит, к экзаменам готовится. Правда, часа в три мальчики, Саша и Алеша, придут из школы, можно было бы им поручить разобраться с елкой, но они ведь обязательно что-нибудь разобьют, а потом еще и порежутся осколками. Не дети, а ходячая катастрофа. Младший, Алешка — тот поспокойнее, обстоятельный, дотошный, никогда ничего не разбивает, но ходит за Сашей как привязанный, а тот — ураган какой-то энергетический, песчаная буря в пустыне, носится по квартире, сшибая все на своем пути. Если есть хоть что-нибудь на этом пути, что можно сломать или разбить, он непременно сломает и разобьет, более того, если после такой аварии остается хотя бы малейший осколочек, можно дать стопроцентную гарантию, что этот осколочек окажется в Сашиной ноге или в руке. А уж если таких осколков несколько, то и Алешке достанется, это и к гадалке не ходи.

Тяжко вздохнув, Ира решила в первую очередь выполнить грустную работу, чтобы она не отравляла целый день. В их квартире давно уже не пользовались ключами от дверей в комнаты, друг от друга ничего не запирали, а в случае необходимости пользовались простенькими задвижками, ведь мальчишки такие непосредственные, могут вломиться к Наташе с Вадимом или к Ире, когда у нее в гостях молодой человек. Войдя в одну из двух комнат, принадлежащих Вороновым, в ту, где стояла елка, Ира бросила взгляд на зеркальную дверцу шкафа. И конечно же, застряла минут на двадцать. Надо худеть, черт возьми, куда это годится — в ее возрасте иметь такие пышные формы! В Наташины вещи не влезает, а это существенный момент, потому что тряпки у сестры-соседки — дай бог каждому в это время повального дефицита. Наташка добрая, всегда дает любую шмотку поносить, но ведь ее, шмотку эту, еще натянуть на себя надо. Килограммов, пожалуй, шесть, а то и все восемь необходимо срочно убрать. Да и в институте намекают, что будущей актрисе следует следить за фигурой. А как следить, если Наташка такие торты вкусные печет? И картофельные пирожки с мясом, которые постоянно делает Бэлла Львовна, тоже сбросу веса не способствуют. Да и кавалеры Ирины не балуют девушку разнообразием кулинарных предложений, от приглашений в ресторан Ира отказывается, там обязательно спиртное наливать будут, а ей нельзя, совсем нельзя, ну ни капельки, Наташка убьет, если запах учует, да и самой противно. Альтернативой ресторану может служить только заведение, где сплошные пирожные, торты, взбитые сливки и прочие жироотлагающие безобразия.

«С сегодняшнего дня сажусь на диету, — решила Ира, поворачиваясь перед зеркалом и критически оглядывая бока и спину с намечающимися предательскими складками. — Праздники закончились, теперь до 8 марта — ни-ни, ни граммулечки сладкого. Кто сказал, что у меня силы воли не хватит? Если уж я пить бросила, то с этим-то и подавно справлюсь».

Пить она бросила, это верно. Хотя и тянуло порой ужасно, но она приняла решение и твердо его выполняла. За столом поднимала рюмку вместе со всеми, выпивала несколько глотков вина — и на этом все. Но чего стоило ей принять это решение!

Школу она закончила еле-еле. После смерти маленькой Ксюши Ира на несколько недель впала в тяжелейшую депрессию, а потом не выдержала, написала покаянную записку и вскрыла себе вены. Она не знала, что кровь имеет обыкновение сворачиваться, вступая в контакт с кислородом, да и время выбрала неудачное, бабка Полина ушла в магазин и вернулась раньше времени, в очереди стоять не стала — силы не те. Вернулась и увидела внучку с разрезанными руками. Поскольку бабка, да будет ей земля пухом, мозги все к тому времени уже пропила окончательно, она и не сообразила, что на самом деле произошло, и, вместо того, чтобы вызывать «Скорую», кинулась звонить Наташе на работу. Счастье, что та оказалась на месте. И счастье, что поняла все правильно. Очень скоро в их квартире появился Андрей Константинович со своим саквояжиком. Крови Ира потеряла немного, больше, конечно, страху натерпелась. Если бы бабка «Скорую» вызвала, Иру бы наверняка в «психушку» запихнули, в то время всех, кто пытался покончить с собой, полагалось считать психически больными. А так и не узнал никто, кроме близких.

Андрей Константинович тогда записку нашел и Наташе отдал. Ира очень хорошо помнит тот разговор, который состоялся у нее с соседкой. Узнав, что Наташа прочла записку, в которой Ира просит прощения за смерть Ксюши и кается в том, что сделала, девушка не стала ждать, сама пошла к соседке. Наташа собиралась в детский сад за сыновьями, была пятница — время их забирать. Ира поняла, что явилась не вовремя, но не в ее правилах было откладывать выполнение принятого решения. Пусть эти решения и не всегда правильные, но уж выполнять их она считала своим долгом.

— Ты меня ненавидишь? — прямо спросила она.

Наташа подняла на нее измученные запавшие глаза.

— Нет, я просто устала от тебя. Я от тебя смертельно устала. Только-только отплакала Ксюшу — и вот тебе, пожалуйста, еще и ты со своими фокусами. Ты дашь мне когда-нибудь жить спокойно?

— Я не об этом.

— А о чем?

— О Ксюше. Ты читала записку, ты теперь все знаешь.

— Я и раньше это знала. Все было очевидно. Ты плохо ее одела, Ксюша замерзла, как только ребенок переохлаждается, он мгновенно цепляет любой вирус... Что ты от меня хочешь?

Ира растерялась. В самом деле, чего она хотела от Наташи? Чтобы та сказала, что прощает ее? Ну, на это и надеяться нечего, такое не прощают. Чего же тогда? Чтобы сказала в глаза все, что думает о ней? Что ненавидит ее и видеть больше не хочет? Тоже как-то... Сомнительно. Тогда зачем она пришла?

— Я очень виновата, Натулечка, — пробормотала Ира, — я даже умереть хотела, потому что я так виновата... Скажи мне, что я должна сделать, чтобы загладить вину? Я все сделаю, честное слово, честное-пречестное, ты только скажи!

— Эту вину невозможно загладить, — сухо произнесла Наташа. — Но я буду тебе благодарна, если ты хотя бы перестанешь трепать мне нервы. Возьмись за ум, закончи школу нормально. И не пей.

Не пей! Легко сказать. А что же делать, если на сердце такая тяжесть, такая боль, такое невыносимое чувство вины? Она даже с Володей не может по-человечески общаться, чуть что — начинает плакать, раздражаться, кричит на него. Только водка немного помогает, снимает эту тяжесть и боль. Да что там говорить, не «немного», а действительно помогает. Первое время после неудачного самоубийства Ира пила потихоньку у себя в комнате, с бабкой Полиной за компанию. Потом, во время летних каникул, когда не нужно было ходить в школу, снова прилепилась к Люле и прочим своим дружкам. Наташа бегала за ней по всему Арбату и прилегающим переулкам, запирала на ключ, брала честное слово, что это в последний раз, ругала, умоляла, но толку не было. Ира упрямо молчала, требуемого «честного слова» не давала и раскрывала рот только для того, чтобы сквозь зубы обозвать соседку «сукой». И при первой же возможности снова напивалась. Просто удивительно, как она сумела закончить школу. Все говорят, что мозги у нее хорошие, что она способная, вот при такой чумовой жизни и вытянула аттестат, правда, со сплошными «тройками», но все-таки это был именно аттестат, а не справка об окончании средней школы, с которой ни в один институт не возьмут.

После выпускного вечера Ира загуляла аж на целую неделю. После этого загула она долго приходила в себя, потом как-то одновременно выяснилось, что ей нужно лечиться от венерического заболевания и делать аборт. А потом, когда и аборт, и лечение остались позади, Наташа сказала:

— Я больше не могу этого выносить. И не собираюсь ставить тебе ультиматумов. Завтра ты пойдешь на работу.

— На какую работу? — удивилась Ира.

О работе с момента окончания школы и речи не было, сначала гуляла, потом опохмелялась, потом боролась с последствиями.

— На любую. На какую захочешь. Но лучше всего — на ту, которую тебе найду я. Чтобы ты была все время у меня на виду. Если ты сама не в состоянии справиться с собственной жизнью, то мне придется водить тебя за ручку.

Вообще-то против работы Ира ничего не имела, она понимала, что сидит вместе со своей бабкой-алкоголичкой на шее у семьи Вороновых и пора бы уже начать содержать себя самой. Все работают, почему она должна жить как-то иначе? А что до друзей и выпивки, так это как-нибудь решится, все же устраиваются с этим делом, и она устроится.

Наташа привела ее на телевидение и устроила ассистентом звукооператора. Ума у Иры хватало на то, чтобы не находиться на работе в подпитии, но в свободное время она давала себе волю. Работа сменная, ведь на телевидении звукооператоры, как и все, работают с раннего утра и до глубокой ночи, поэтому свободное время у девушки бывало то утром, то вечером, то днем, и далеко не всегда Наташа могла за ней проследить.

Однажды соседка взяла ее с собой на «Мосфильм». Собственно, случалось это регулярно, если Ира в это время не работала. Но в тот раз случилось то, что перевернуло все сознание девушки. Наташа в кабинете разговаривала с каким-то кинодеятелем, а Ира в ожидании слонялась по длинному коридору, разглядывая фотографии-кадры из известных фильмов, которыми были увешаны все стены.

— О! — Возле нее остановились двое мужчин.

В одном из них Ира узнала известного молодого кинорежиссера, недавно прогремевшего на всю страну.

— Вот то, о чем я тебе говорил! — сказал режиссер своему спутнику, огромного роста полному дядьке с бородой. — Теперь понимаешь, что мне нужно? Кстати, а вы кто?

Последний вопрос был адресован Ире, которая с интересом прислушивалась к разговору.

— Кто, я? — переспросила она. — Ира.

— С ума сойти! Ира! Это профессия или должность? — забасил бородатый и тут же сам себе ответил: — Впрочем, это не имеет ровным счетом никакого значения. У вас есть полчаса?

— Не знаю, надо у Наташи спросить. Она там, — девушка показала рукой на массивную дверь.

— Кто такая Наташа? — тут же начал напирать бородатый. — Мама, сестра?

— Воронова, — только и сумела выдавить из себя Ира.

— Ах, Воронова! — почему-то обрадовался режиссер. — Наталья Александровна?

— Ну да.

— Момент!

Он решительно потянул за ручку двери и скрылся в кабинете, а через минуту вышел, лучезарно улыбаясь.

— Все в порядке, Наталья вас отпустила. За мной!

— Куда? — испугалась Ира, хотя сердце ее сладко замерло.

Вот оно, то, о чем грезит каждая или почти каждая девушка. Случайная встреча со знаменитым режиссером, один острый взгляд, брошенный мимоходом, и тут же приглашение сниматься в кино. Он сказал, полчаса? Наверное, ее ведут делать кинопробы.

Но никаких кинопроб не было. Ее сразу посадили к гримеру, молодому парню, который почти ничего не делал, только прическу изменил и тон-пудру наложил. И сразу же после этого ее повели в павильон, где была выстроена декорация, имитировавшая какое-то общественное место, не то отделение милиции, не то больницу. Коридор со стульями и дверьми, на стульях сидят люди разного возраста и по-разному одетые.

— Вы сидите вот здесь, — стал объяснять ей режиссер, — вам плохо, голова болит или еще что-нибудь в этом роде. Мимо вас проходит мужчина, вот этот, — он показал на стоящего неподалеку актера, болтающего с бородатым толстяком, — вы пытаетесь схватить его за руку и говорите: «Але, мужик». Все. Поняли? Только два слова: «Але, мужик». И за руку хватаете.

— Поняла, — послушно кивнула Ира.

— Давайте попробуем.

Они два или три раза прорепетировали сцену, Ира хватала актера за руку и несчастным голосом произносила:

— Але, мужик...

Актер брезгливо отдергивал руку и быстро проходил дальше. Когда режиссер остался доволен репетициями, сняли несколько дублей. Весь эпизод занимал ровно три секунды.

— Спасибо, девушка, — поблагодарил ее бородатый. — Можете чувствовать себя свободной. Вас проводить?

— Не надо, я найду дорогу, — улыбнулась Ира. — Я здесь часто бываю, не заблужусь.

Ей казалось, что если она бывает здесь часто, то этот бородатый, а вместе с ним и режиссер должны отнестись к ней как-то по-другому, как к своей, что ли... Но он, казалось, пропустил ее реплику мимо ушей.

— Ну и хорошо. Я Наталье позвоню насчет денег.

— Каких денег? — не поняла она.

— Вам же причитается гонорар за съемки.

Он больше не сказал ей ни слова, повернулся и помчался в другой конец павильона решать какие-то важные кинематографические задачи. Ира поняла, что о ней здесь уже все забыли, и побежала в другой корпус, туда, где ее оставила Наташа.

— Ну как, — спросила Наташа, когда вышла наконец из начальственного кабинета, — сняли тебя в эпизоде?

— Сняли, — гордо подтвердила Ира, бодро вышагивая рядом.

— Трудно было?

— Да чего там трудного-то? Элементарно, Ватсон! Еще и гонорар обещали заплатить. Как ты думаешь, много дадут?

— Три рубля, — бросила Наташа, не останавливаясь. — Или меньше.

— Сколько-сколько?!

Ира даже задохнулась от возмущения. Ее снимали как настоящую актрису, гримировали, причесывали, репетировали, и за все это заплатят только каких-то несколько жалких рублей? Не может быть!

— На больше ты не наработала.

Несколько следующих дней Ира только и делала, что рассказывала на работе, как она стояла в мосфильмовском коридоре, как к ней подошел «Сам» с помощником, как ее взяли сниматься в эпизоде... Счастью ее не было предела, она уже видела себя на звездном олимпе в окружении известных актеров. Она, такая красивая и стройная, молодая и талантливая, стоит на сцене в длинном вечернем платье с голыми плечами, а кто-нибудь ужасно заслуженный, например, Глузский или Лановой, вручает ей цветы и статуэтку — символ победы в конкурсе на лучшую женскую роль. И ручку ей целует. А она благодарит и ослепительно улыбается...

Через несколько дней Наташа снова взяла ее на «Мосфильм». На этот раз она не оставила Иру в коридоре, а повела в просмотровый зал, такой же, как в кино, только маленький. В зале уже сидело много народу, среди них Ира увидела и режиссера, и его бородатого помощника, и гримера, который ее готовил к съемке, и актеров. Наташа села вместе с ней сзади, режиссер приветливо помахал им рукой и улыбнулся. Через некоторое время погас свет, на экране возникло изображение, и Ира поняла, что сейчас идет рабочий просмотр отснятого материала. Вот актер, которого она хватала за руку, поднимается по лестнице и идет по коридору. Коридор тот самый, Ира сразу его узнала, значит, сейчас и она появится на экране... Но что это? Какая-то страшная толстая девка с уродливым опухшим лицом и нечесаными патлами. Они что, сняли другую актрису в этом эпизоде? Да нет, одежда на ней та, в которой была Ира, это же ее джинсы, и ее майка, красная, с глубоким вырезом. Неужели это она тянет руку к проходящему мимо актеру и лопочет:

— Але, мужик...

Эпизод закончился, пошел второй дубль. И снова то же одутловатое, испитое лицо, на котором с трудом можно угадать некоторые признаки красоты, оставшейся в далеком прошлом.

Просмотр длился еще долго, отсматривали и другие эпизоды, но Ира ничего не видела. Она сидела, потрясенная до глубины души. Ее взяли сниматься, потому что она подходит под типаж молодой опустившейся девки, пьяной и грязной, пропившей свою природную привлекательность. Девки, от которой в брезгливом ужасе шарахается герой фильма. Да, она каждый день видела себя в зеркале, но почему-то зеркальное изображение было совсем не таким. В зеркале Ира выглядела намного приличнее. В зеркале она была по-прежнему свежей и красивой. А здесь...

— В зеркале ты видишь себя своими глазами, — спокойно объяснила ей Наташа, когда они возвращались домой. — Ты видишь себя такой, какой хочешь видеть. А камера показывает тебя такой, какой тебя видят люди со стороны.

— Значит, и ты меня тоже видишь такой... кошмарной? — недоверчиво спросила Ира.

— И я. И все остальные. И мужчины на улице. И сотрудники телевидения.

Наташа была удивительно безжалостна, Ире даже показалось, что соседка намеренно старается ударить ее побольнее. Она собралась в первый момент обидеться, но не успела, потому что на поверхность сознания всплыло мгновенное решение: так больше нельзя, надо завязывать.

Должно было случиться много всего, чтобы это решение вызрело в ее глупой легкомысленной голове. Скандалы, приводы в милицию, смерть Ксюши, попытка свести счеты с жизнью, аборт и лечение от гонореи. Но единственное, что послужило детонатором, случилось сегодня. Ира приняла решение. И свято его выполняла...

Да, выполняла. Как бы трудно ни было. Так неужели она не справится с тягой к сладкому? Элементарно, Ватсон!

* * *

Потолки в их квартире высокие, дом-то старой постройки, еще дореволюционной, и елку Вадим всегда старался найти повыше. Наряжать ее приходилось при помощи стремянки и снимать игрушки, соответственно, тоже, но Ире лень было возиться с лесенкой, и она решила обойтись обычным стулом. В крайнем случае, если не достанет до елочной макушки, можно пару книжек потолще на стул положить. Хорошо, что никто не видит ее акробатических художеств! Наташка разоралась бы, а старенькая Бэлла Львовна — та вообще с инфарктом слегла бы, у них в квартире до сих пор жива легенда о том, как сын Бэллы Львовны Марик, которого Ира совсем не помнит, тоже наряжал елку, стоя на стуле с книгами, упал и сломал руку. Да когда это было-то! Сто лет назад. А до сих пор все помнят и боятся, чуть что надо достать — сразу за стремянкой бегут, перестраховщики. Тоже мне, нашли кого сравнивать, Марика какого-то и ее, Иру. Марик, судя по рассказам очевидцев, был маменькиным сынком, за Бэллочкину юбку держался, не отрываясь, и вообще, книжный червь, мальчик-всезнайка, учитель математики. Такие никогда спортом не занимаются, падать не умеют, а чуть чихнут или пальчик поцарапают — им сразу консилиум из лучших врачей собирают. То ли дело Ира, никогда на болячки свои внимания не обращает, с высокой температурой на работу ходит. А уж падала она сколько раз! И коленки расшибала, и локти — и ничего, всхлипнет пару раз, кровь носовым платочком вытрет и дальше бежит. Про тот случай вообще вспоминать страшно, а ведь доехала до Москвы, сама доехала. И потом, чуть полегчало — уже к друзьям помчалась, хоть и болело все, и ныло, да она и внимания не обращала. Подумаешь! Так что перспектива свалиться со стула ее не пугает ни капельки.

Самый сложный этап — снятие игрушек с верхушки — прошел успешно, Ира поставила на место толстые тома энциклопедии и снова взобралась на стул. И кто ж так замотал нитку серебряного дождя! Теперь за сто лет не распутаешь... Не иначе, Вадик постарался. Конечно, его усердие можно понять, имея такого ребенка, как Сашка, нужно все, что можно, прикреплять намертво, потому как мальчишка, пулей проносясь мимо, задевает все, что на пути попадается. Но не до такой же степени! Разрезать нитку, что ли? Ира переставила стул к противоположной стороне елки и попыталась разделаться с серебряным дождем, не прибегая к кардинальным мерам, но быстро поняла, что для спасения несчастной нитки ей придется каждые полминуты переставлять стул. Нет, это уж слишком! Она порылась в ящике, где у Наташи лежат принадлежности для шитья, достала ножницы. Ну вот, совсем другое дело, три взмаха — и готово. Решительно, быстро и просто.

Девушка уже приступила к нижним лапам, наполовину осыпавшимся и печальным, когда в коридоре затренькал телефон. И тут же послышались неторопливые шаги Бэллы Львовны.

— Я подойду! — во весь голос закричала Ира, бросаясь к двери.

Она ждала звонка своего нынешнего кавалера и, как многие юные девушки, отчего-то боялась, что что-нибудь обязательно пойдет не так, если не она сама снимет трубку. Вихрем промчавшись по коридору, Ира подлетела к висящему на стене аппарату.

— Да, слушаю! — выдохнула она.

— Добрый день. Я могу услышать Наталью Александровну?

Ладони мгновенно вспотели, трубка чуть не выскользнула из ее рук. Она узнала этот голос. Она никогда не разговаривала с ним по телефону, но все равно узнала. Пока жива будет — будет помнить этот низкий баритон, звучный и вызывающий ассоциации с шоколадного цвета бархатом, переливающимся и мягким.

— Она... ее нет, — запинаясь проговорила Ира. — Она на работе. Ей что-нибудь передать?

— Нет-нет, спасибо, ничего передавать не нужно. Я позвоню в другой раз. Скажите, а Ирина все еще здесь живет?

— Да. То есть... это я.

— Ира? — переспросил бархатный голос.

— Да, — уже тверже ответила девушка, ей почти удалось взять себя в руки.

— Ты меня, наверное, не узнала...

— Узнала. Как вы?.. Я хотела спросить, как у вас дела?

— Все хорошо. Я в порядке. А ты как?

— Я тоже в порядке.

Господи, от волнения она не может вспомнить его имя!

— Почему вы позвонили? Что-то случилось?

— Ничего. О Наталье Александровне сейчас много пишут, она стала такой знаменитой. Тут в одной газете появилась фотография, на которой вы вместе. Ты стала еще красивее. Вот... решил позвонить, узнать, как ты.

— Спасибо, я тоже в порядке. В институт поступила.

Кажется, Борис... Черт, отчество никак не вспомнит! Да как же его зовут?!

— Ты молодец. — Бархат стал теплее, теперь голос напоминал Ире коричневый мех норки. — Я за тебя рад.

Иванович! Точно: Борис Иванович!

— Борис Иванович...

— Да, Ирочка?

— Я хотела сказать... то есть... может быть, вам что-нибудь нужно? Помощь или еще что-то... Наташа и я... мы...

— Спасибо, девочка. Я же сказал: у меня все в порядке. И я рад, что у тебя все хорошо.

Она хотела задать вопрос, единственный главный вопрос, который мучил ее все эти годы, но... не решилась. А он уже попрощался и повесил трубку.

Руки тряслись так, что один несчастный шарик Ира снимала с елки минут десять. Как жаль, что Наташки не оказалось дома! Он ведь сначала ее позвал к телефону, она бы подошла, поговорила с ним и наверняка спросила бы о том, о чем не посмела спросить Ира. Ей, обычно такой решительной, без раздумий бросающейся с головой прямо в омут, на этот раз мужество отказало. А Наташка точно спросила бы, она никогда самообладания не теряет. Наташка... Только после смерти бабки Полины Ира начала понимать, какое место в ее жизни занимает соседка. Наташа всю жизнь тащила ее, Иру, на себе, растила, воспитывала, кормила, одевала, вытаскивала из милиции, из пьяных компаний, из всяческих бед и неприятностей. Отчаянно ругала и строго наказывала. Жалела, лечила и помогала. Заставила бросить пить и шляться, и только потом, спустя какое-то время, Ира вдруг осознала, каким невыносимо тяжким грузом висела она на шее у своей соседки. Момент истины блеснул ослепительным лучом и резанул по глазам в тот день, когда Наташа предложила ей подумать о смене фамилии. В шестнадцать лет Ира получила паспорт, в котором стояла фамилия ее матери — Маликова. Теперь же можно было написать в милицию заявление и поменять фамилию, взяв отцовскую.

— Зачем? — недоумевала Ира.

Ей было двадцать, уже больше года прошло, как она после потрясения, связанного со съемками в эпизоде кинофильма, пыталась привести в порядок свою жизнь. Успехи были налицо, во всяком случае, выглядела она теперь куда лучше, серые щеки утратили нездоровую одутловатость и снова приобрели приятный розовато-смуглый оттенок, глаза заблестели, фигура подтянулась. Да и голова заработала, появился интерес к книгам, которые можно было в свободное время всласть почитать и пообсуждать хоть с Наташкой, хоть с Бэллой Львовной.

— Затем, что если рвать с прошлой жизнью — то окончательно, — объяснила Наташа. — Ира Маликова — это глупое безмозглое чудовище, причинившее людям много страданий. Ира Маликова — это трудный подросток, несовершеннолетняя пьянчужка, которую задерживала милиция. Ира Маликова — это маленькая шлюха, не очень-то разборчивая в своих связях. Давай покончим со всем этим, оставим Иру Маликову в прошлом. Пусть теперь живет красивая и умная девушка Ирина Савенич. Подумай над моими словами.

Ира подумала. Глупое безмозглое чудовище, причинявшее людям страдания... Это что, о ней? Несовершеннолетняя пьянчужка, маленькая шлюха — это что, тоже она? Боже мой... Да, с этим трудно спорить, Наташка все правильно говорит, именно такой Ира и была. Когда-то. И Наташка, бедная Наташка, с двумя маленькими детьми на руках, со старой матерью и больным отцом, с вечно отсутствующим мужем и вечно присутствующими заботами и хлопотами, должна была терпеть рядом это чудовище, да не просто терпеть, а еще и вытаскивать из неприятностей, переживать за нее, Иру, тревожиться, беспокоиться, делать с ней уроки, искать по подвалам и подворотням, уговаривать, водить к врачам... Какой ужас. Какой стыд.

На следующий день Ира пошла в милицию и написала заявление о смене фамилии. И тогда же решила, что главная задача ее жизни — вернуть долг соседке. Если будет нужно — она готова умереть за Наташу.

Наташа все время твердила, что нужно получать образование, нужно поступать в институт. Ира и сама с этим соглашалась, но, когда речь заходила о выборе профессии, начинались конфликты. Соседка считала, что Ире нужно учиться в каком-нибудь гуманитарном вузе, к точным наукам у нее особых способностей нет, а вот память у нее блестящая, и она вполне может осилить образование, связанное с чтением большого количества литературы. История, филология, педагогика, психология... Ира же, со свойственной ей мечтательностью и склонностью к подражанию лучшим образцам, заявила, что хочет учиться там же, где училась Наташа, только на актерском отделении.

— Ну какая из тебя актриса, ты сама подумай! — смеялась над ней Наташа.

— А все говорят, что у меня есть способности, — упрямилась девушка. — Все твои сотрудники на телевидении это говорят. Меня даже некоторые известные артисты прослушивали, сама знаешь.

— Ирка, не морочь мне голову! Способности — это ничто.

Нужен талант, а он у тебя есть? У тебя и к филологии есть способности, тебя в школе за сочинения даже иногда хвалили, так что же ты на филфак не хочешь поступать?

— Я хочу быть актрисой, — твердила Ира. — И стану. Вот увидишь. — Остальную часть своих доводов она никогда не оглашала вслух, только мысленно произносила. Она станет актрисой, и не просто какой-нибудь, на вторых и третьих ролях, а самой главной, самой лучшей. Она станет звездой. И будет сниматься у Наташи. Ну и что, что Наташа снимает только документальные фильмы? Одно другому не мешает, сейчас снимает свои публицистические картины, а потом дело и до художественных дойдет. Вот тогда ей и пригодится звезда Ирина Савенич! И сниматься Ира у нее будет бесплатно, никаких гонораров ей не нужно, только бы принести хоть малюсенькую, хоть капелюшечную пользу Наташе. Ира понимала, что произнеси она это вслух — Наталья поднимет ее на смех, поэтому молчала, но при этом не теряла уверенности, что все будет именно так. И во ВГИК она поступит, ведь не зря же говорят, что у нее есть способности. Правда, талантливой ее никто пока не называл, тут Наташка права, но это еще ни о чем не говорит. Вон сколько историй про актеров, которых даже и не принимали в институт по два или три раза, считая бездарными и непригодными к сцене, а они потом становились известными и богатыми. Ира тоже станет известной и богатой и поможет Наташе, пусть не славой, так хоть деньгами...

Погружение в воспоминания помогло ей справиться с дрожью в руках, она и не заметила, как сняла и тщательно упаковала в бумагу и коробки все елочные украшения. Осталось только убрать их на антресоли в прихожей. До Наташиного возвращения еще много времени, Ира успеет принять решение: говорить ей о телефонном звонке или нет. С одной стороны, не хочется Наташку тревожить, а ведь она непременно разволнуется, как всегда бывает, когда приходится вспоминать об ЭТОМ. Но с другой стороны, ведь ничего плохого не произошло. И Борис Иванович сказал, что у него все хорошо. Он в полном порядке. Сказать или не сказать? Как правильно?

НАТАЛЬЯ

Она никак не могла привыкнуть к новым ценам. Премьер-министр Гайдар предупреждал, что лечить экономику собирается шоковой терапией, вот со 2 января и «ахнул» по головам россиян новыми ценами, в два с половиной раза выше прежних, привычных, много лет не менявшихся. А зарплаты между тем остались теми же. То-то радости людям, только что весело встретившим Новый, 1992 год!

Уже конец февраля, с новыми ценами они живут почти два месяца, а Наташа все время сбивается, когда по сложившейся издавна привычке пытается рассчитать, сколько денег ей нужно взять, чтобы купить продукты. Да и в раскладывании купюр по конвертикам все время ошибается, мысленно прикидывая: черный хлеб за 18 копеек и белый батон за 22... Потом спохватывается, пересчитывает. Эх, была бы у нее память, как у Бэллочки! Бэлле Львовне в этом году семьдесят два исполнится, а памяти ее по-прежнему завидуют даже молодые. И Иринке по наследству досталось это ценное качество, которое она, дуреха, не умеет использовать как следует. Впрочем, как знать, поступила девчонка по-своему, хочет стать актрисой, так и для этой профессии память — отнюдь не последнее дело, легче будет роли учить. Настоящим талантом там, правда, и не пахнет, но некоторые способности у Иринки, безусловно, есть. Что ж, будет в кино эпизодницей или в театре «актрисой на выходах», не всем же быть примами, в любом фильме или спектакле есть крошечные рольки, которые тоже должен кто-то играть. Пока что она с громадным удовольствием ходит на занятия по сценическому движению и сценической речи — и слава богу! Хоть делом занята.

Стоя в гастрономе в длинной очереди на вход в отдел самообслуживания, Наташа мысленно возвращалась к сегодняшнему разговору с новым руководством телеканала, на котором она работала. Ей предложили возглавить продюсерскую компанию, которая будет делать для канала публицистические передачи. Сегодня интерес к публицистике, как никогда, высок, об этом красноречиво свидетельствует тот факт, что на Наташины фильмы народ до сих пор ходит в кинотеатры, так что же говорить о телевидении! И ходить никуда не надо, сиди себе дома, укрывшись теплым пледом, с чашечкой чаю в руках, и смотри. И будут смотреть. А рекламодатели будут платить деньги за размещение рекламы во время этих передач. Наталья Воронова зарекомендовала себя как яркий публицист, умеющий достучаться до сердец и умов зрителей, ей и карты в руки.

Предложение было заманчивым. Она наберет сотрудников, создаст команду, даст постоянную работу многим одаренным молодым ребятам, работавшим с ней на «Законах стаи» и «Что такое хорошо». Она будет делать передачи и снимать документальные фильмы, сама выбирая темы, и при этом за государственные деньги, а не за счет Андрея. Конечно, принимать помощь не стыдно, этому ее еще Вадим в свое время научил, тем более не себе же в карман она эти деньги положила и не на тряпки и побрякушки потратила, но все равно чувствовала себя должницей Ганелина, и это угнетало. Особенно теперь, когда Вадим переехал в Москву и все время находится рядом. Наташа сама не знала, почему, но знала точно: пока Вадим был далеко, она могла принимать спонсорскую помощь Андрея, а теперь, когда муж здесь, она этого сделать не сможет. Это неприлично. И никакими доводами разума и логическими построениями она эту уверенность поколебать не могла. Ведь нет никакой разницы, далеко Вадим или близко, все равно он знает, откуда у его жены взялись деньги на съемки, Наташа и не скрывала этого, и Андрей не скрывал. Все знали. Она даже в интервью открыто говорила об этом, не считая такое положение дел постыдным. Но все-таки... Она не может объяснить, у нее не хватает аргументов, просто она так чувствует. Теперь, когда Вадим живет с ней вместе, она не сможет принимать помощь мужчины, давно и безнадежно в нее влюбленного. Никогда она не сможет забыть об этом и делать вид, что Андрей Константинович Ганелин всего лишь генеральный директор фирмы «Центромедпрепарат», который из любви к искусству спонсирует развитие документально-публицистического кино в стране, испытывающей серьезные финансово-экономические трудности.

А сегодняшнее предложение — это выход. Не только для нее, но и для многих других, которых Наташа взяла под свое крыло. Она всех их соберет вместе, у них будет постоянная работа и постоянная зарплата, они смогут, наконец, начать планировать хотя бы ближайшее будущее, понимая, что найдутся деньги на оплату обучения детей в хорошей школе, на лечение родителей и на отдых во время отпуска.

Почему же она не согласилась сразу, во время переговоров? Ведь доводы в пользу положительного решения совершенно очевидны. А она попросила время на «подумать», немного, пару дней. Чего тут думать-то? Неужели ее смутило одно-единственное обстоятельство? Похоже, что именно оно. Одним из новых руководителей оказался Валентин Южаков, ее бывший сокурсник, отчисленный из ВГИКа с четвертого курса. Валька не потерялся в этой жизни, он вообще был парнем энергичным и заводным, а с началом перестройки всплыл сначала в кино, где после учебы во ВГИКе у него была масса знакомых, а теперь вот на телевидении. Наташу он сразу узнал, ведь она была комсоргом курса, всегда на виду. И кинулся к ней, как к родной, называл «Натахой», при всех расцеловал в обе щеки, усадил поближе к себе за длинным начальственным столом. И все время приговаривал, что в такие надежные и проверенные руки отдаст продюсерскую компанию с легкой душой, что Казанцева (он по привычке называл ее девичьей фамилией) не подведет, что она добросовестная и ответственная, а уж какая талантливая! Короче, дифирамбы пел и не скрывал бурной радости от встречи через много лет. Наташу это нервировало, потом начало раздражать, и все полтора часа переговоров она боролась со своим раздражением, стараясь не дать ему выплеснуться наружу.

Вальку Южакова она... ну, не то чтобы не любила, просто... Словом, не хотелось ей работать «под ним», встречаться ежедневно, разговаривать, обсуждать рабочие вопросы. А он явно настроен сблизиться с ней, ведь это так естественно, когда приходишь на новую работу, и вокруг тебя все чужие, и мало кого знаешь, не с кем душевным словом перекинуться. Южаков, что очевидно, вознамерился перекидываться этим самым словом именно с Наташей. А ей этого совсем не хочется. Ну совсем.

Очередь неожиданно быстро продвинулась, Наташа ухватила проволочную корзинку и просочилась в торговый зал. Покупатели кучками стояли у девственно пустых открытых прилавков, ожидая, когда из подсобки вывезут очередной контейнер со сливочным маслом, сыром или колбасой. Продукты в фабричной упаковке стояли свободно, а то, что продавалось на вес, приходилось расфасовывать прямо в магазине, фасовщики не успевали справляться с наплывом покупателей, поэтому и возникали эти дурацкие очереди на вход: в торговом зале полно народу, а к кассам — никого, никто не выходит, все стоят и ждут, когда «выбросят» нужные продукты. Наташе нужно было купить масло и сыр, и она тоже терпеливо дожидалась, когда откроется дверь подсобки и женщина в грязном халате со злым лицом вытолкнет в зал наполненную доверху тележку. Она точно знала, что женщина будет злая и непременно в грязном халате, Наташа часто ходила в этот магазин на проспекте Мира, по пути из Останкина к метро, и женщину, вывозящую тележку в торговый зал, видела много раз.

Минут через двадцать появилась тележка с сыром, покупатели набросились на нее, как стервятники, отпихивая друг друга локтями. Наташе удалось просунуть руку между чьих-то пальто и курток, она не глядя вытащила кусок сыра в белой промасленной бумаге, на краешке которой карандашом была написана цена. Повезло, что успела, ведь тележка опустела почти мгновенно. Теперь еще масла дождаться — и порядок. В такие минуты Наташа с легким изумлением вспоминала свое детство, те времена, когда можно было в магазине попросить сто пятьдесят граммов сыра, который тебе еще и порежут аккуратными тонкими, почти прозрачными ломтиками. Помилуйте, да было ли такое? Ведь было, и сыр резали, и колбасу, и покупали по чуть-чуть, только на сегодня, пока все свежее, а завтра приходили снова. Кажется, что все это осталось в какой-то другой жизни. Если сегодня попросить продавца порезать сыр, он сначала наорет на тебя, а потом вызовет психиатрическую «неотложку» или милицию.

Заполучив в жестокой борьбе вожделенный кусок сливочного масла, Наташа бросила в корзинку две бутылки «можайского» молока, кефир и ряженку и встала в очередь к кассе. Через полчаса, трясясь в вагоне метро, она поймала себя на том, что почти счастлива. Удалось успеть в магазин до закрытия, удалось урвать сыр и масло — и она уже счастлива. Какие там высокие цели и благородные стремления, какая там борьба за идеалы демократии и свободу слова! За последний час она даже не вспомнила ни разу о том, что являлась до недавнего времени народным депутатом СССР, что помимо кино занималась еще и политикой. Семью бы накормить... Цели стали приземленными, стремления — сугубо бытовыми, и борется она в эту минуту не за идеалы и свободы, а за свой домашний очаг. И как-то естественно вслед за этой мыслью пришла другая: какая разница, нравится ей Валька Южаков или не нравится, никакого значения не имеет, как лично она, Наталья Воронова, к нему относится. Значение имеет только то, что его предложение означает постоянную работу для ее команды, для молодых ребят, талантливых, но неустроенных. Что ж, завтра прямо с утра она позвонит Южакову и скажет, что согласна.

С самого утра валил снег, он так и не прекратился к вечеру, и, когда Наташа вышла из метро на «Смоленской», она вдруг увидела совершенно белый город. Надо же, всего каких-нибудь полчаса назад она шла по проспекту Мира и ничего этого не замечала! Видно, мысли о новом предложении так поглотили ее, что она и вокруг не смотрела. А теперь, когда решение принято, у нее словно глаза открылись. Припаркованные у обочин машины накрыты белыми снежными шапками, такие же шапки лежат на голых ветках деревьев, и тротуары, обычно грязноватые, тоже стали белыми. И люди...

Она свернула в переулок и лицом к лицу столкнулась с Бэллой Львовной.

— Ой, Бэллочка Львовна! Вы куда?

Та улыбнулась какой-то тихой, умиротворенной улыбкой.

— Гуляю. Смотрю на арбатские дома. Ты же знаешь, золотая моя, что я — фанатка Арбата. А в такую погоду, как сейчас, лучше всего вспоминается прошлое. Настоящего-то не видно.

Она тихонько засмеялась своим мыслям и взяла Наташу под руку.

— Вот теперь я могу смотреть на дом и мысленно называть его «домом Хитрово», как он именовался при Пушкине, когда Александр Сергеевич нанимал в нем квартиру. А рядом — «профессорский» дом. Ты помнишь, я рассказывала тебе? В нем жил Андрей Белый. А еще раньше — Николай Васильевич Бугаев, основатель Московского математического общества. Марик очень любил этот дом, подолгу гулял вокруг него, стоял, на окна смотрел. Он умел проникаться прошлым, умел чувствовать... И я частенько гуляю здесь и пытаюсь представить, о чем думал мой сын, когда смотрел на этот дом. Наверное, он тогда еще мечтал стать великим математиком. Впрочем, не знаю...

Голос ее дрогнул, и Наташа вдруг остро ощутила боль старой женщины. Двадцать лет прошло с тех пор, как Марик уехал. Двадцать лет Бэлла Львовна не видела своего сына. И как бы она ни крепилась, как бы ни делала вид, что все в порядке, она все равно скучает по нему, тоскует, вспоминает. Каждый день вспоминает. И каждый день заново выстраивает свое отношение к тому, что он уехал, расставшись с ней навсегда. Эта боль от потери ребенка никогда не утихает, теперь Наташа знает точно.

Сумка с продуктами оттягивала руку, пальцы в тонких перчатках онемели, но Наташа молча терпела это неудобство. Пройдет еще немного времени, год, от силы два, и примут закон о свободном выезде из страны и таком же свободном въезде, ведь если страна собирается идти по пути демократии, она не может держать свой народ в железной клетке. Тогда, может быть, Бэллочка поедет в США повидаться с Мариком. Или Марик приедет сюда навестить мать. Но пока рано об этом говорить. Бэллочка — человек не очень здоровый, да и возраст... Доживет ли она до этого закона?

— Пойдемте домой, Бэллочка Львовна, — негромко сказала она. — Вы замерзнете. Да и поздно уже, ужинать пора.

— Да, золотая моя, пойдем, — грустно вздохнула старая соседка.

* * *

Март промелькнул незаметно, наступил апрель, приведя с собой явственные приметы весны. Наташа с головой ушла в работу по формированию своей телекомпании под названием «Голос». Уже запустили первый проект — еженедельную тридцатиминутную программу, в планах была еще ежедневная пятиминутная программа, а если все пойдет удачно, то будут делать и большую часовую программу, которая выходит в эфир один раз в месяц. Наташа убегала на работу рано утром и возвращалась часов в десять вечера. Больше всего в эти дни она боялась, что заболеет Бэлла Львовна, ведь дети и вообще все хозяйство осталось полностью на ней. Даже Вадима, возвращавшегося из Обнинска раньше Наташи, кормила ужином соседка. Это было плохо, неправильно, но Вадим проявлял понимание (ох, надолго ли его хватит?), не ворчал и с интересом выслушивал Наташины рассказы о том, как продвигается работа и какие совершенно неожиданные трудности возникают на ее пути. Муж, в свою очередь, тоже делился впечатлениями от нового места службы и сетовал на то, что после ядерного реактора ему трудно перестроиться на такие понятия, как «учебный план», «расчасовка», «голосовая нагрузка» и «взаимные посещения». Очень скоро Наташа уже знала по именам всех сотрудников цикла, на котором работал Вадим, и со знанием дела участвовала в обсуждении внутренних интриг и проблем всего учебного центра в целом. Они с мужем стали очень дружны, несмотря на то, что проводили вместе совсем мало времени. Ведь раньше, когда они жили в разных городах и встречались три-четыре раза в год, невозможно было держать друг друга в курсе ежедневных проблем. А теперь так удачно совпало, что оба они одновременно начали заниматься новой деятельностью и с самого начала посвящали друг друга во все нюансы и тонкости новой служебной жизни.

Постепенно страх, душивший Наташу перед переездом мужа, стал отступать. Они прекрасно уживаются вместе, особенно теперь, когда Наташа из известного режиссера превратилась в никому не известного администратора-новичка, ставящего на ноги свое первое детище. Еще большой вопрос, получится ли у нее. Даже если все пойдет гладко и подготовленные программы выйдут в эфир и вызовут интерес у телезрителей, Наташина известность как главы телекомпании уже не свалится на Вадима неожиданно, ведь он видит, как трудно все это делается, с какими гигантскими усилиями, с каким нервным напряжением, с неудачами и различного масштаба скандалами и склоками. В быту муж не особенно требователен, во всяком случае пока Наташе удается содержать его и детей в порядке. Стирает белье, гладит его и занимается уборкой она по выходным, в магазины бегает Иринка, а готовит Бэллочка. Она же помогает Саше и Алеше делать уроки. Господи, какое счастье, что они живут в коммунальной квартире и что у них такие соседи! А как бы она управлялась, если бы жила одна? Немыслимо! Дай бог Бэлле Львовне здоровья, а Иринке — сознательности и здравомыслия. Неужели наступила, наконец, светлая полоса в ее жизни, когда все в порядке? Мальчики уже достаточно большие и не требуют постоянного присутствия родителей рядом, Вадим в Москве, уже купил машину, правда, в Обнинск ездит пока на электричке — с бензином проблемы, но все равно машина — это вещь нужная и полезная, Иринка взялась за ум и с удовольствием учится... Не сглазить бы.

* * *

Но она, кажется, сглазила. Вот уже несколько дней она возит с собой в сумке две газеты: «Российскую газету» от 22 апреля и «Известия» от 30 апреля. И в той, и в другой — открытые письма Казимеры Прунскене, бывшего премьер-министра Литвы. «Меня стремятся скомпрометировать», «Я не была агентом КГБ». Нападки на Прунскене начались еще в прошлом, 1991 году, сначала в январе в «Новом времени» появилось сообщение «О непричастности отца К.Прунскене к расстрелу 22 литовских семей», а потом, летом, в «Мегаполис-Экспрессе» опубликовали материал под довольно резким названием «Ври, да не завирайся: протест Прунскене в связи с публикацией порочащих ее отца сведений о его связи с КГБ». Наташа эти материалы читала, но внимания особого не обратила, тем паче скандал заглох, не разгоревшись, и после июньской публикации ничего не последовало. И вот теперь... В течение одной недели — целых два письма. Значит, ничего там не заглохло, Казимеру продолжают травить. Казимеру Прунскене, которая была премьер-министром страны. А что же будет с другими, с теми, кто не премьер-министр и даже не просто министр?

Рядом с Наташей всегда были друзья. С самого рождения — Бэлла Львовна, к которой можно было прибежать с любой проблемой и которая готова была выслушать и дать разумный совет. С семи лет — Инка, верная подружка, готовая примчаться на помощь по первому зову. Потом Вадим, потом, с 1984 года — Андрей Ганелин. Все это близкие, родные люди, и Наташа не только обращалась к ним за помощью, но и сама делала для них все, что могла. Но теперь... Никому из них она не могла бы рассказать о том ужасе, который ее охватил. Ни с кем из них она не могла бы поделиться. Потому что это означало бы утратить их любовь и доверие навсегда. Они не поймут ее и не простят.

Отныне Наташа каждый день с дрожью в пальцах листала газеты, со страхом ожидая увидеть новые публикации. В мае — ничего, вот и июнь почти прошел, ан нет, во второй половине июня снова показало свое ядовитое жало «Новое время»: статья известного журналиста «Кругом одни агенты: о связях с КГБ литовских деятелей, в том числе Прунскене». А 21 июля «Российская газета» задала сакраментальный вопрос: «Была ли Казимера ведьмой КГБ?» Эта формулировка доконала Наташу. Ведьма КГБ! Значит, открыли архивы, проверяют картотеки агентов и вытаскивают на свет божий имена тех, кто сотрудничал с органами госбезопасности. И неважно, совершенно неважно, была ли Казимера Прунскене действительно связана с КГБ, важно другое: этот вопрос вызывает острый интерес, его готовы обсуждать, а тех, кто был информатором КГБ, безжалостно разоблачать. Сегодня Казимера, а завтра она, Наталья Воронова. И всему конец. И ей самой, ее репутации честного публициста, и ее программам, и ее компании. Пострадают ребята, которых она пригласила на работу, которых обнадежила, которые рассчитывают теперь, что им будет, чем заниматься и на что жить и содержать семью. Южаков тут же прикроет компанию, а ребят выгонит на улицу, за ним не заржавеет. Господи, как стыдно! Что же делать? Что делать?

Три месяца она молчала, прятала свой страх поглубже и старалась делать вид, что ничего не происходит. Но больше она не в силах это выносить, ей необходимо хоть с кем-то поделиться, с кем-то поговорить. С кем же? Есть только один человек, который никогда не станет ее осуждать, что бы она ни сделала. Иринка.

...Из задумчивости ее вывел голос девушки-парикмахера:

— Наталья Александровна, что это с вами? Вы же у меня были перед Новым годом, я вас красила и хорошо помню, что седины было совсем немного. А сейчас у вас половина головы седая. Вы не болеете?

— Нет-нет, — торопливо пробормотала Наташа. — Просто нервничаю много, новая работа, новые заботы. А что, действительно много седины?

— Да я ж вам говорю — полголовы.

Наташа по-прежнему ходила в салон к Рите Брагиной, хоть и не ближний свет, на Ленинский проспект ездить приходится, но зато привычно. И мастера у Риты всегда хорошие, и краска импортная. И относятся там к Наташе как к дорогому гостю, чашечку кофе нальют, журнальчик полистать принесут, и постригут тщательно, и прокрасят как следует.

Закончив с волосами, Наташа (тоже по сложившемуся обычаю) зашла к Рите. Рита совсем не старела, по крайней мере так казалось Наташе. Какой была, когда они с мужем Славой выезжали из их квартиры, такой и осталась. Конечно, пристальный взгляд обнаружил бы и сеточку морщин на лице и шее, и слегка расплывшийся овал лица, и потускневшие и ломкие от постоянного окрашивания волосы, но Наташа ничего этого не видела. Для нее Рита по-прежнему была воплощением приветливости и доброжелательности, а именно эти душевные качества прямо-таки потоками изливались на окружающих из ее широко распахнутых голубых глаз.

— Натулик!

Рита легко поднялась со своего массивного вертящегося кресла и обняла бывшую соседку.

— Слушай, я теперь смотрю все твои передачи, — захлебываясь от восторга, защебетала Брагина. — И Славка смотрит. Ты такая умница, Натулик, ты такая молодец, ты даже представить себе не можешь!

«Могу, — мысленно ответила ей Наташа. — Я не умница и не молодец. Я — ведьма КГБ. Где взять силы пережить этот позор? А ведь он неминуем. Если все пойдет так, как идет сейчас, то и до меня доберутся».

— Ты что-то неважно выглядишь, — озабоченно заметила Рита, внимательно разглядывая Наташу. — Нездорова?

— Здорова.

— Дома неладно?

— Да нет, Риточка, все хорошо. Просто на работе устаю, стрессы постоянные и все такое... Телевидение — это, я тебе скажу, тот еще гадючник. Террариум настоящий. А тебе правда наши передачи нравятся? — Наташа постаралась увести разговор в сторону.

Рита еще минут десять в красках расписывала, как все ее знакомые смотрят передачи, подготовленные телекомпанией «Голос», и как потом бурно обсуждают их, часами повисая на телефоне. На прощание Рита, как обычно, сунула Наташе вынутую из сейфа большую коробку дорогих конфет.

— Возьми, Натулик, у меня все равно пропадут, я шоколад не ем, а они все несут и несут. А стрессы надо снимать.

— Как? — тупо спросила Наташа, хотя ей это совершенно не было интересно.

— Спортом заниматься, в бассейн ходить. За город съезди, погуляй, проветрись, кислородом подыши. Или на крайний случай с подружкой задушевной выпей по рюмочке и почирикай часика два о мужиках. Очень помогает.

По дороге домой Наташа то и дело вспоминала данный Ритой совет «почирикать с подружкой» для снятия стресса. Иринка, конечно, не подружка, но все равно она — единственная, с кем можно об этом поговорить. После всего того, что между ними происходило все эти годы, Иринка не будет, просто не посмеет осуждать Наташу. Рита права, нельзя молчать, нужно выговориться, иначе она с ума сойдет. Нужно все рассказать и покаяться, и пусть ее слова услышат уши только одного человека, все равно станет легче.

* * *

Дома уверенность ее дала трещину. Глядя на сыновей, привезенных с Инкиной дачи на два дня «помыться и постираться» и за обе щеки уплетающих крохотные пирожки с капустой, испеченные Бэллой Львовной, Наташа вдруг подумала, что Иринка и в самом деле не подружка ей, а скорее старшая дочь. Давно ли она была такой же вот девчонкой двенадцати лет, энергичной и непоседливой, точь-в-точь как Сашка? На самом деле, давно, десять лет назад. А кажется, будто вчера... Нет, Ира уже не ребенок, ей двадцать два года, она учится в институте, а до этого работала и даже замужем побывала. И пережила она за свои двадцать два года куда больше иных своих ровесников, росла без отца, похоронила мать и бабушку, прошла через пьянки-гулянки и все связанные с этим неприятности вплоть до гинекологических проблем, нашла в себе силы остановиться. Вот что важно: Иринка прошла через серьезнейшую ломку собственной личности, когда сама решила остановиться. Разве Наташа не знает, каких усилий ей это стоило? Разве не знает, как тяжело, как невыносимо трудно было молодой девчонке держать себя в руках и говорить себе «нет» невероятным усилием воли? Знает Наташа, своими глазами видела. И помнит, как приползала в ее комнату обессиленная Иринка и просила:

— Можно, я с тобой посижу, а ты меня за руку подержишь?

Только не выпускай меня из дома, хорошо? А то сорвусь. Сил никаких нет...

И Наташа подолгу сидела рядом с ней, держала за руку и читала ей вслух Хемингуэя, «Острова в океане», «Старика и море» или «Фиесту». И девчонка выдержала. Сумела такое, что иному взрослому мужику не под силу. После этого ее вряд ли можно продолжать считать ребенком.

Но все равно, чего она ждет от разговора с Иринкой? Сочувствия? Утешения? Предложений, как можно решить проблему? Глупо как-то. Наташе просто нужно с кем-то поделиться, и Иринка — единственная подходящая кандидатура, потому что все остальные могут просто отвернуться от нее после всех откровений. А если и не отвернутся, то трещина все равно появится.

Наташа мыла сыновей, замачивала перед стиркой выпачканные в земле и траве шортики, майки, носки и куртки, готовила ужин для Вадима, а мысль ее неотступно крутилась вокруг Иринки. Говорить с ней или не говорить? Есть аргументы «за», но есть и «против». И взвешиванию этих аргументов все время что-то мешает, какая-то не то мысль, не то просто слово или мимолетное ощущение, назойливо вторгающееся в Наташины расчеты. Кстати, а где, собственно говоря, Иринка? Время — десятый час, лето, занятий в институте нет...

«Вот оно! — мелькнуло в голове. — Институт. Вот что все время сбивает меня с толку».

Где сейчас Виктор Федорович Мащенко, преподававший пятнадцать лет тому назад научный коммунизм во ВГИКе? Все еще там же? Но научный коммунизм сейчас не преподают. Ушел? Куда? Сама Наташа боится о нем расспрашивать, может быть, он давно забыл о ней, да и фамилия у нее другая, ведь во время учебы она была Казанцевой, а начни его искать или просто им интересоваться — он может и вспомнить, и сообразить, что Наталья Воронова и есть та самая Наташа Казанцева. И кто знает, к чему эти воспоминания приведут. А Иринка может знать, где Мащенко, или по крайней мере выяснить это. Ира самолюбива до абсурда, во время прохождения туров при поступлении во ВГИК категорически отказалась от любой помощи со стороны Наташи, и потом, когда поступила, ни единым словом не обмолвилась (если не врет, конечно) о том, что близко, почти породственному связана с Вороновой. После преодоления тяги к «прошлой» жизни у девочки появился просто невероятный кураж, ощущение собственной всесильности, уверенность в том, что справится с любой задачей. И пока действительно справляется, и поступила сама, и учится хорошо, и даже хвалят ее педагоги больше, чем ожидалось. Так что скорее всего не врет Иринка, она и в самом деле молчит о Вороновой. Если так, то хорошо. Никому не придет в голову связывать Ирину Савенич с Наташей. Правда, Виктор Федорович однажды видел Иринку, тогда, в театре, но столько лет прошло! Иринке тогда было лет семь, просто невероятно, чтобы кто-то сегодня мог ее вспомнить и узнать.

Значит, с Иринкой надо поговорить. И чем скорее — тем лучше.

* * *

...Наташа сразу же стала комсоргом курса, ведь в те времена понятие «демократических выборов» было весьма относительным, хотя комсоргов и выбирали на комсомольских собраниях открытым голосованием. Просто выносилась кандидатура, рекомендованная комитетом комсомола института, и все дружно поднимали руки «за». А кого же еще мог рекомендовать комитет, если не Казанцеву, имевшую опыт работы в райкоме комсомола и блестящие характеристики? К концу первого курса ее уже ввели в состав комитета комсомола, на втором — избрали в бюро комитета. Бэлла Львовна была очень довольна и все время повторяла, что Наташе необходимо постараться вступить в партию, пока все так удачно складывается.

— Золотая моя, необходимо воспользоваться моментом, пока тебя знают и уважают в институте, — говорила она. — Как только ты окажешься за его стенами, тебе придется снова тратить годы на то, чтобы доказать, что ты достойна стать членом партии. Ты придешь в новый коллектив, где тебя никто не знает, и пройдет много времени, пока ты снова завоюешь уважение и авторитет.

Наташа старалась. Но комсомольская работа отнимала много времени. Да и бог с ним, со временем, она давно уже научилась жить в условиях жесткого цейтнота и при этом все успевать. Главным-то было не это. Наташу угнетала необходимость играть в игры, принятые в среде комсомольских функционеров. Семинары, совещания и активы, особенно выездные, непременно сопровождались застольями и увеселениями интимного характера, увернуться от которых не было никакой возможности. Все попытки уклониться от пьянки вызывали неодобрительное покачивание головой и совершенно недвусмысленные намеки на то, что Наташа «как неродная, а ведь ей еще в партию вступать, кто ж ей даст рекомендацию, кто ее будет поддерживать, если она ставит себя выше коллектива?». Еще до института, во время работы в райкоме, Наташа знала, что райкомовские инструкторы регулярно собираются на всяческие «мероприятия», но ее как вчерашнюю школьницу туда не звали, и о том, что там происходит на самом деле, она могла лишь догадываться по отдельным репликам, сальным смешкам и в огромных количествах потребляемым таблеткам от похмельной головной боли. Теперь же, учась в институте, она испытала эти радости на собственной шкуре. И если от физической близости ей еще как-то удавалось увильнуть, хоть и с огромным трудом и массой ухищрений, то все остальные пункты программы приходилось выполнять на совесть, участвовать в застольях и коллективных посещениях бань и делать вид, что ей весело и интересно, да так старательно притворяться, чтобы никто и не заподозрил, до какой степени ей это тягостно и скучно.

Одно такое «мероприятие» с выездом в Загорск пришлось как раз на время подготовки в экзамену по научному коммунизму. Наташа с трудом успела выучить только половину билетов и явилась на экзамен со страшной головной болью. Ей не повезло, ни одного вопроса в билете она толком не знала, кое-что помнила из лекций, но явно недостаточно для связного ответа. Принимал экзамен профессор Мащенко, моложавый стройный красавец сорока с небольшим лет, предмет обожания некоторых Наташиных сокурсниц. Послушав в течение двух-трех минут ее бессвязный лепет, Виктор Федорович молча полистал Наташину зачетку, закрыл и положил на стол.

— Вы же отличница, Казанцева, — сказал он сочувственно, — что с вами? Вы плохо себя чувствуете?

— Да, — призналась Наташа. — Голова очень болит. Ничего не соображаю.

— Хорошо, — кивнул профессор. — Давайте мы с вами вот как поступим. Вы сейчас пойдите примите какое-нибудь лекарство, а когда головная боль пройдет, приходите снова. Не хочется ставить вам «неудовлетворительно», вы же наверняка готовились. Ведь готовились, правда?

— Правда, — неуверенно солгала Наташа. — Я готовилась. А когда мне подойти? Завтра?

— Какое же может быть «завтра»? — приподнял брови профессор. — Я уже поставил в ведомость номер вашего билета, а ведомость я должен сдать в учебный отдел сразу после экзамена. Поэтому я сейчас поставлю в ведомость и в вашу зачетку оценку «хорошо», а вы мне дадите слово, что сегодня же придете и расскажете все вопросы из этого билета. И по другим темам мы с вами потолкуем. Я понимаю, что головная боль — штука неприятная, и я готов пойти вам навстречу, но при этом должен быть уверен, что эту «четверку» вы действительно заслужили. Очень надеюсь, что вы меня не подведете и придете. Скажем, часа в четыре, я к этому времени освобожусь, и мы с вами побеседуем.

— Спасибо, Виктор Федорович, — искренне поблагодарила Наташа, — я обязательно приду.

Она выскочила из аудитории с пылающими щеками, одолжила у кого-то две таблетки цитрамона и запила их водой из крана в туалете. До назначенного времени еще пять часов, она должна успеть привести мозги в порядок и хотя бы освежить в памяти основные разделы учебника.

Без десяти четыре из аудитории, где профессор Мащенко принимал экзамен уже у второй в этот день группы, вышел последний студент. Наташа робко отворила дверь.

— Можно, Виктор Федорович?

— А, Казанцева! Заходите. Как ваша голова?

— Прошла, — улыбнулась она.

Мащенко сдержал слово и минут тридцать гонял по всем темам курса. На какие-то вопросы Наташе удалось ответить даже блестяще, на какие-то — вполне сносно, ни по одной теме она не «плавала».

— Ну что ж, Наталья... — профессор заглянул в зачетку, — Александровна, мои поздравления и одновременно сожаления. Если бы вы так отвечали утром, я бы с чистой совестью поставил вам «отлично». Жаль, что пришлось испортить вашу зачетку, там ведь никаких оценок, кроме отличных, до сегодняшнего дня не было.

— Ничего, — вздохнула Наташа, — я сама виновата.

— Вот как?

Мащенко заинтересованно смотрел на нее, всем своим видом показывая, что ожидает продолжения и объяснения. Наташа запнулась: не рассказывать же ему о вчерашнем «сабантуйчике» в Загорске, с которого она вернулась домой только в два часа ночи.

— Редко когда мне доводилось слышать такое от студентов, — заметил между тем профессор, — обычно в плохом ответе на экзамене бывают виноваты кто угодно и что угодно, только не они сами. А что же у вас случилось?

— Комсомольский актив, — коротко ответила она. — Его проводили за городом, я поздно вернулась. Можно было, конечно, не поехать, ведь сессия — причина уважительная, но я поехала. Поэтому и говорю, что сама виновата.

— Вот тут вы не правы, Наташа, комсомольская работа — это очень важное и ответственное дело, им пренебрегать нельзя. Другое дело, что подобные мероприятия не должны затягиваться до поздней ночи, тем более если проводятся за городом. Это действительно безобразие. И голова у вас болит после этого. Много пришлось выпить? — неожиданно спросил Виктор Федорович.

Наташа вздрогнула и уставилась на профессора в полном изумлении. Ничего себе вопросик! И как на него отвечать? Врать, что там вообще никто к спиртному не притрагивался? Глупо. Раз задает такой вопрос, значит, прекрасно осведомлен о нравах, царящих в комсомольской среде. Сделать святые глазки и уверять, что все, конечно, перепились, но сама она — ни-ни, ни капли? А как же головная боль? От простуды, что ли?

— Много, — решительно ответила она. — То есть по обычным меркам это немножко, но я плохо переношу спиртное, мне хватило, чтобы потом голова разболелась.

— А зачем же пили? Чтобы сойти за «свою»?

В голосе его Наташа услышала сочувствие и понимание и решила не притворяться. В конце концов, человек и сам все знает, так зачем душой кривить?

— Я должна играть по их правилам. Так сказать, соответствовать. Иначе мне в партию вступить не дадут.

— Да-а-а, — Мащенко задумчиво покивал головой, — я вас понимаю, Наташа. К сожалению, не вы одна в такой ситуации находитесь. А может быть, вам бросить эту затею, а? Пожалейте себя, поберегите.

— А как же вступление в партию?

— Ну зачем вам это, Наташенька? Вы — красивая девушка, выйдете замуж, родите ребенка, будете писать свои сценарии, а если по ним будут снимать удачные фильмы, будете зарабатывать очень много, больше, чем режиссеры. Зачем вам непременно нужно быть членом КПСС? И потом, вы с этим всегда успеете.

Наташа ничего не понимала. И это говорит ей профессор, читающий им курс научного коммунизма? Он считает, что быть членом партии не обязательно? Что человек не должен к этому стремиться? Да он шутит, наверное!

— Вы... шутите? — осторожно спросила она.

Виктор Федорович от души рассмеялся. Зубы у него были белыми, ровными и блестящими, и Наташа с удивлением подумала о том, что никогда раньше не обращала внимания на его мужскую привлекательность, хотя многие девчонки вокруг неоднократно твердили ей об этом.

— Конечно, я шучу, Наташа, — весело подтвердил он. — Мне просто любопытно было, что вы мне ответите. В рамках понимания вами идеологии научного коммунизма. А вы, я смотрю, изрядно подустали от такой активной комсомольской деятельности, а?

— Смертельно, — искренне призналась Наташа. — И времени много отнимает, и вообще... все это...

Когда она вышла из аудитории, то с удивлением обнаружила, что уже половина восьмого. Полчаса Мащенко ее экзаменовал, а остальные три часа разговаривал с ней о самых разных вещах. О комсомольской работе. О роли кино в ее собственной жизни. О том значении, которое киноискусство имеет в современном мире, формируя образцы для подражания как у детей, так и у взрослых. Они вместе наперебой вспоминали, как разошлись в народе и остались на долгие годы фразы из «Бриллиантовой руки», «Джентльменов удачи», «Семнадцати мгновений весны». «Поскользнулся, упал, очнулся — гипс», «Пасть порву, моргалы выколю», «Все под колпаком у Мюллера». Даже в шутку посоревновались, кто больше цитат приведет из одного и того же фильма. По «Джентльменам удачи» победила Наташа, по сериалу о Штирлице — профессор, а на комедии Гайдая разошлись вничью со счетом «восемь — восемь». Сошлись во мнении, что кинематограф сегодня играет важнейшую идеологическую роль, влияет на вкусы, нравы, умы и сердца, стимулирует выбор той или иной профессии, того или иного жизненного пути и нравственных ориентиров. Наташа поделилась своими детскими впечатлениями от фильмов, рассказала, как плакала, когда смотрела ленту Петра Тодоровского «Фокусник», и как была счастлива, когда на вступительных экзаменах во ВГИК ей пришлось писать рецензию именно на этот фильм. Виктор Федорович, в свою очередь, рассказывал, как переживал за героя фильма «Донская повесть», который вынужден был делать выбор между интересами революции и своими личными, и как в молодости хотел быть похожим на героев «Молодой гвардии», и как восхищался силой духа парализованного кораблестроителя из «Неоконченной повести». От силы духа и нравственной стойкости разговор плавно перешел на секретную послевоенную доктрину США по борьбе с СССР. Согласно этой доктрине, как считал Даллес, с нашей страной нужно бороться вовсе не экономическими методами, Вторая мировая война показала, что советский народ непобедим именно благодаря невероятной, невиданной ранее в истории силе духа и стойкости, и никакие экономические и народнохозяйственные трудности не могут сломить эти качества. Для того чтобы победить и подчинить себе СССР, необходимо парализовать источник всех наших побед, добиться разложения нравов, привить культ секса, насилия и жестокости, садизма и предательства в массовой культуре, тогда страну можно будет взять голыми руками. «Литература, театры и кино — все будут изображать и прославлять самые низменные человеческие чувства». Наташа слушала, раскрыв рот, она никогда и нигде не слышала о такой доктрине, а Виктор Федорович объяснил, что это — закрытая информация, об этой доктрине давно, еще с конца сороковых годов, знает советское руководство, но вообще-то распространяться об этом не следует, просто Наташа как сознательная комсомолка, будущий член партии и будущий кинематографист достойна того, чтобы об этом знать.

И как-то совершенно естественно оба пришли к выводу, что в противостоянии американской доктрине по разрушению самосознания советских людей трудно переоценить роль искусства кино. А это означает, что к созданию кинофильмов ни в коем случае нельзя допускать людей идеологически невыдержанных, морально неустойчивых, нравственно уродливых, обладающих дурным вкусом.

А дальше все было совсем просто. Наташа Казанцева не хочет больше участвовать в разнузданной жизни комсомольского актива. Она хочет добросовестно учиться, стать хорошим кинодраматургом, вступить в ряды КПСС. И разумеется, можно избавить ее от выполнения тягостных обязанностей по участию в коллективных пьянках. Она получит рекомендации в партию, и на парткомиссии ее не станут мучить вопросами, а на открытом партсобрании никто не будет возражать против ее приема кандидатом в члены КПСС. Наташа же, в свою очередь, внесет посильную лепту в то, чтобы очистить ряды студентов сценарного отделения ВГИКа от тех, кто может нанести непоправимый вред идейному воспитанию народных масс.

Разумеется, она согласилась. Она не видела ничего предосудительного в том, что предлагал ей Виктор Федорович Мащенко. Наташа Казанцева искренне верила в коммунистические идеалы. Она родилась спустя всего десять лет после окончания войны, и на протяжении всего детства видела людей, прошедших это адское пекло, разговаривала с ними, слушала их рассказы, трогала нежными детскими пальчиками шрамы, оставленные пулями и осколками гранат. Это и ее отец, и мама, и их друзья, и друзья Бэллы Львовны, и сама Бэллочка, воевавшая вместе с мужем и похоронившая его вскоре после войны. И разговоры о силе духа и потрясающей стойкости советских солдат и всего советского народа были для нее не пустым словом. А то, что кино — важнейшее из искусств, так это еще Ленин сказал, всем известно, в каждом кинотеатре ленинские слова на видном месте помещены. И разрушить нравственную целостность и идейную насыщенность советской морали легче и проще всего именно через кинематограф, это же очевидно. Если Наташа Казанцева может сделать хоть что-то полезное, чтобы предупредить проникновение чуждых элементов в киноискусство, то она просто не имеет морального права этого не сделать. И райкомовские инструкторы больше не будут смотреть на нее сальными глазами и предлагать выйти в другую комнату, и ей не придется больше пить ненавистную водку, мешая ее то с шампанским, то с вином, и не придется просиживать часами в душных банях, созерцая далеко не совершенные мужские и женские потные тела, слегка прикрытые полотенцами.

Она не стала доносчицей. Просто один раз в месяц встречалась с Виктором Федоровичем в ГУМе, они не спеша бродили вдоль прилавков и вполголоса беседовали о самых разных вещах, как и в тот, самый первый, раз. Он был интересным собеседником, энциклопедически образованным, умел излагать даже самые сложные вещи просто и понятно и спорить так, что Наташа не чувствовала себя глупой, темной и униженной. Легко и без нажима он предоставлял ей возможность рассказывать о настроениях в среде сокурсников, о том, кто каким кино интересуется, какие образцы для подражания выбирает для себя в западном кинематографе, какие идеи собирается вкладывать в свои будущие сценарии. Это совсем не было похоже на доносы или на беседы агента с резидентом. Просто встретились случайно в крупнейшем универмаге города профессор и студентка из одного вуза и разговорились на профессиональные темы. Ни разу после такой встречи у Наташи не осталось неприятного осадка.

А потом отчислили за неуспеваемость и нарушения дисциплины Вальку Южакова. Еще и из комсомола исключили. Но Валька действительно прогуливал занятия и несколько раз являлся в институт в нетрезвом виде. Собственно, для студентов это не было чем-то из ряда вон выходящим, прогуливали все, кто — постоянно, кто — частенько, кто — изредка. И пьянство было делом обычным. Просто не все попадались. Вальке не повезло, он попался. Правда, за месяц до этого Наташа рассказывала Виктору Федоровичу о том, как Южаков распространялся на тему диссидентской подпольной литературы и строил планы создания диссидентского кино, но «по-умному», чтобы ни один чиновник из Министерства культуры ничего не мог заподозрить, а все крамольные идеи читались бы между строк. Умный поймет, а дурак не заметит. У Вальки был какой-то хитрый канал доступа к «самиздату», запрещенная литература у него не переводилась, и он периодически знакомил с ней своих приятелей-студентов. Об этом, Наташа, конечно, не сказала профессору, это, по ее мнению, уж точно было бы похоже на донос. Но, наверное, Мащенко каким-то образом сам узнал.

В двадцать лет она вступила в партию, Виктор Федорович сдержал слово, и никаких препятствий Наташе не чинили, на парткомиссии обошлись всего двумя вопросами — один по биографии, другой по Уставу КПСС, на партсобрании все прошло еще проще, ведь Казанцеву хорошо знали в институте как отличницу и бессменного комсорга своего курса.

После защиты диплома все тот же Виктор Федорович помог ей устроиться редактором на телевидение, это было огромной удачей. Вообще среди выпускников сценарного отделения считалось крупным везением попасть после окончания института либо на телевидение, либо редактором-стажером на крупную киностудию, например, на «Мосфильм». Многие, не имеющие связей и возможностей, так и оставались свободными художниками с дипломом на руках. А Наташа благодаря профессору Мащенко получила постоянную работу и зарплату, целых 110 рублей. Правда, после вычета налогов оставалось всего 100 рублей 40 копеек, но это было существенно лучше, чем вообще ничего.

Больше она никогда ничего не слышала о Викторе Федоровиче и ни разу с ним не встречалась, даже случайно не сталкивалась.

К двадцати пяти годам Наташа начала понемногу прозревать. Идейная убежденность в правильности коммунистических идеалов стала шататься и рушиться, она пристально вглядывалась в окружающую жизнь и шаг за шагом продвигалась к пониманию того, что ее обманывали. Нет никакой «единой общности людей — советского народа», а есть люди, очень разные и очень непохожие друг на друга, которых насильственно пытаются сделать равными и одинаковыми по образу мыслей и образу жизни, по достатку независимо от трудолюбия и талантливости, по вкусам, пристрастиям и даже внешнему виду. Нельзя высовываться, нельзя выделяться, нельзя быть не таким, как другие. Все должны быть похожими друг на друга, жить в одинаковых домах, в одинаковых квартирах с одинаковой мебелью, одинаково одеваться, любить одни и те же книги и фильмы (о том, какие именно, регулярно сообщали народу через газеты), а также членов правительства и Политбюро ЦК КПСС.

— Бэлла Львовна, я просто не верю, что вы сами этого не видите, — поделилась она как-то своими сомнениями с соседкой.

— Ну почему же, — усмехнулась та, — я отлично все вижу и понимаю, я же не слепая.

— Тогда зачем вы с самого детства заставляли меня быть сначала активной пионеркой, потом активной комсомолкой, советовали как можно скорее вступить в партию? Зачем, если вы понимали, что все это — ложь и демагогия?

— Золотая моя, где бы ты сейчас была, если бы мы с твоими родителями тебя вовремя не вразумили? Твой папа Александр Иванович — умный человек, он понимал, что если позволить хоть капле сомнения проникнуть в твою детскую головку, то ты пропадешь в нашей стране. Ты просто не выживешь. Не сможешь адаптироваться, не сможешь подладиться под существующие правила и нормально устроить свою жизнь. Если бы ты не верила свято во все эти пионерские, комсомольские и партийные дела, ты бы не достигла того, чего достигла. И уж точно не работала бы сегодня на телевидении, можешь мне поверить. На телевидение идейно непроверенных не допускают.

Наташу сжигал стыд. Особенно при воспоминании о Вальке Южакове. Какой она была дурой, как же она позволила так заморочить себе голову! Дала себя завербовать, да-да, завербовать, никаким иным словом она не могла бы назвать то, что сделал с ней Виктор Федорович Мащенко. Он работал на КГБ, это яснее ясного, вербовал среди студентов тех, кто мог стать источником полезной информации и помогать заблаговременно ставить на контроль идейно неблагонадежных будущих кинодеятелей. Именно они, эти неблагонадежные, впоследствии и оставались «свободными художниками». Их ниоткуда не исключали, но никуда и не брали, а написанные ими сценарии ни при каких условиях не могли попасть в редакционный портфель ни одного творческого объединения, ни одной киностудии. Конечно, все это было прикрыто мифической доктриной Даллеса по моральному разложению советского общества, и противостоять выполнению такого плана — дело нужное и правильное, тут сомнений быть не может. Только план-то составлялся когда? Сразу после войны, когда мораль еще была и было, что разлагать. В этой морали была воспитана и сама Наташа, понятия любви к Родине, самоотверженной борьбы за скорейшее наступление коммунизма, честности, добросовестности в делах по принципу «сначала — общественное, а только потом — личное», преданности интересам коллектива, взаимопомощи и взаимовыручки, необходимости выполнять данные обещания были ключевыми во всей ее недолгой пока жизни, и тогда, в середине семидесятых, она ни на секунду не усомнилась в том, что этот же моральный стержень пронизывает все общество. Теперь же, в начале восьмидесятых, она отчетливо видела, что никакой морали и никакой идеологии на самом деле нет. То есть все это есть в партийных документах и в громких словах, произносимых с высоких трибун, а в реальной жизни ничего этого уже давно не осталось, все прогнило и рухнуло, и на месте развалин слабым дымком вьется скрытое недовольство, осколками битого стекла поблескивает ядовитый скепсис да пышным цветом цветут политические анекдоты и вполголоса пересказываемые запрещенные книги. И бороться американцам не с чем. А Вальке Южакову Наташа просто-напросто искалечила жизнь, ведь, будучи исключенным из комсомола, он вряд ли смог устроиться на какую-нибудь более или менее интересную работу, разве что дворником или сантехником, а он такой талантливый...

Чувство стыда, сначала такое острое, с годами притупилось, но окончательно так и не исчезло. А теперь, после газетных публикаций о Казимере Прунскене, к нему прибавился еще и страх. А вдруг где-нибудь, в каких-нибудь архивах есть Наташина фамилия как информатора? Конечно, в этих архивах сотни тысяч фамилий, и совсем не обязательно, что волна скандала поднимется именно вокруг имени Казанцевой-Вороновой, наверняка найдутся люди и поинтереснее. Но есть и другой аспект проблемы: Виктор Федорович Мащенко. В его личном архиве, в его памяти этих имен куда меньше, вероятно, всего пара десятков. И не исключено, что ему для его личных целей понадобится выудить из мутного стоячего пруда золотую рыбку, которая привлечет внимание и поможет решить какую-нибудь проблему, например политическую. Ведь неизвестно, чем он сегодня занимается, к какому политическому течению примкнул и чьи интересы отстаивает и защищает. Если у него есть контакты с телевидением (а они наверняка есть), то он может оказаться втянутым в интриги вокруг рекламных дел. Эти интриги не могли не затронуть и телекомпанию «Голос», и Наташа прекрасно понимала, что если кто-нибудь захочет ее убрать, то выуженная из глубин мащенковского пруда рыбка окажется весьма кстати. К столу, так сказать, с пылу с жару...

Шел второй час ночи. Наташа дождалась, пока Иринка явится домой с очередного романтического свидания, она не хотела откладывать разговор. Сыновья давно видят пятнадцатый сон, Вадим тоже заснул — он очень рано встает, в пять утра, чтобы к девяти быть на службе в учебном центре, поэтому вечером может дотерпеть максимум до одиннадцати часов, потом засыпает мертвым сном. Наташа погасила свет, взяла книжку и ушла в Иринкину комнату дожидаться соседку. Дождалась. И едва та переступила порог, начала рассказывать. Нет, не ошиблась она в своей девочке, ни разу на всем протяжении Наташиной исповеди на лице у Ирины не мелькнуло даже тени презрения, отвращения или негодования. Только внимание, сочувствие и готовность помочь.

ИРИНА

Все это казалось ей таким знакомым... Нет, совершенно определенно, она тоже слышала эти слова о доктрине по разрушению самосознания советских людей. Но где она их слышала? И показаться ей не могло, память Иру пока ни разу не подвела.

— Не, Натулечка, твой профессор тебя не обманул, доктрина не мифическая, — задумчиво проговорила Ира. — Я что-то такое слышала, только не могу вспомнить, где и от кого. Сейчас, погоди минутку, я мысли поворошу...

Взгляд ее остановился на вырезанных из газет публикациях, которые Наташа выложила на стол. Ну конечно, она читала об этом в газете! И не так уж трудно вспомнить, в какой именно, ведь Ира газеты вообще почти никогда не читает, только если телевизионную программу посмотрит или материал о чем-нибудь уж очень скандальном. Несколько дней назад Ира, возвращаясь домой поздно вечером, купила у какой-то бабульки, торгующей возле метро, батон белого хлеба и три пучка зелени — петрушка, укроп, зеленый лук. Зелень бабулька завернула в газету. Дома девушка выложила пакет с витаминной травкой на стол в кухне, вскипятила чайник и села выпить чайку с только что купленным хлебом, намазанным вареньем. Газетный текст оказался прямо перед глазами, и Ира от нечего делать бегала глазами по строчкам. Точно. Именно так все и было.

Она сорвалась с места и помчалась на кухню. Заглянув в холодильник, убедилась, что пакет с остатками зелени все еще лежит внизу, в овощном ящике, быстро переложила единственный оставшийся в живых пучок петрушки в полиэтиленовый мешочек, расправила газетный лист, стряхнула с него комочки земли. Вот она, статья под названием «...И предатели нашлись». Ох, как круто завернули! Прямо уж и предатели! Но Наташка обязательно должна это прочитать, и нечего ей стыдиться и волноваться, ведь она боролась с предателями, а не с друзьями.

— Нашла, — радостно объявила Ира, входя в комнату с газетой в руках. — Это «Литературная Россия» за 31 июля. Я ж помню, что совсем недавно это читала. Здесь приводятся слова Даллеса, вот послушай, я тебе прочитаю: «Посеяв там хаос, мы незаметно подменим их ценности фальшивыми и заставим их в эти фальшивые ценности верить. Мы найдем своих единомышленников, своих союзников и помощников в самой России. Эпизод за эпизодом будет разыгрываться грандиозная по своему масштабу трагедия гибели самого непокорного на земле народа, окончательного необратимого угасания его самосознания». Каково, а? Тут еще дальше есть интересное: «Литература, театры и кино — все будут изображать и прославлять самые низменные человеческие чувства. Мы будем всячески поддерживать и поднимать так называемых художников, которые станут насаждать и вдалбливать в человеческое сознание культ секса, насилия, садизма, предательства, — словом, всякой безнравственности». Во дает! Так, что там дальше-то... А, вот еще: «Хамство и наглость, ложь и обман, пьянство и наркомания, животный страх друг перед другом и беззастенчивость, предательство, национализм и вражду народов, прежде всего вражду и ненависть к русскому народу — все это мы будем ловко и незаметно культивировать. И лишь немногие, очень немногие будут догадываться или даже понимать, что происходит». Ни фига себе! Выходит, в КГБ не дураки сидели, раз поняли, что происходит.

Она чувствовала, что говорит не то и не о том, что Наташе нужны от нее какие-то другие слова, но не могла понять и придумать, что же ей сказать, чтобы стереть выражение затравленности и ужаса с ее красивого лица. Наташке плохо, ей страшно, она мучается, она пришла к ней за помощью, а Ира даже не знает, чем и как ей помочь. Хотя что значит — не знает?

Знает. Прекрасно знает. И сделает.

* * *

Ей без труда удалось узнать, что профессор Мащенко с недавнего времени во ВГИКе больше не работает, он теперь заместитель главного редактора журнала «Депутат». Та же общительная тетенька из учебного отдела института доверительно сообщила, что у Виктора Федоровича есть сын, между прочим, разведенный. И при этом как-то странно посмотрела на Иру. Но та не растерялась.

— Я потому и спрашиваю, — с ходу начала она плести. — Познакомилась тут с одним, с виду такой приличный, а как узнал, что я во ВГИКе учусь, так и заявляет, что якобы у него папаша здесь работал. Я решила проверить, врет или нет? А то сейчас время сами знаете какое, нарвешься еще на бандита какого-нибудь.

— Как зовут? — живо поинтересовалась ее собеседница. — Игорем?

— Сказал, что Игорем, — наобум брякнула Ира.

— Тогда не врет. У Виктора Федоровича сына Игорем зовут.

— А он не бандит?

— Да ты что, наоборот, он в милиции работает.

Первый шаг был сделан. Для второго уже нужны были деньги, но это не столь сложная проблема, деньги у Иры есть, нынешний ее воздыхатель, богатенький Буратино, как раз недавно, ко дню ее рождения, подарил ей двести долларов, чтобы она купила себе что-нибудь фирменное из одежды и обуви. Сам он в женских шмотках ни фига не понимал, поэтому за полгода плотных ухаживаний ни разу не сделал ей подарка-сюрприза. Всегда говорил: «Я хочу подарить тебе пальто. Поедем — выберешь». Или сапоги. Или сумочку. Или просто давал деньги. Он был щедрым, сексуально озабоченным и невыносимо скучным, но Ира предпочитала его общество обществу своих ровесников, она уже давно поняла, что молодые люди ее совсем не интересуют. С ними, конечно, было о чем потрепаться, они были веселыми и разделяли ее вкусы, но мысль о физической близости с ними мгновенно вгоняла Иру в уныние. Ей нравились мужчины постарше.

Сунув в сумочку две стодолларовые купюры, Ира отправилась искать своего знакомого Азамата, продавца из коммерческой палатки, который постоянно нуждался в деньгах. Легенда родилась сама собой во время разговора с сотрудницей учебного отдела, осталось только чуть-чуть отточить ее, сделав пригодной для Азамата.

— Азаматик, — начала она, для порядка купив у него две пачки сигарет «Мальборо», одноразовую зажигалку и бутылку ликера «Амаретто», — у меня к тебе дело. Тебе ведь нужны деньги?

— Спрашиваешь! — хохотнул смуглокожий симпатичный парень. — А кому они не нужны?

— Правильно, Азаматик, всем мужчинам нужны деньги. А что нужно женщинам?

— Как что? Мужчины, у которых есть деньги.

— Поправочка: женщинам нужны мужчины. Желательно в качестве мужей. И желательно с деньгами. Желательно, но не обязательно. Главное, чтобы женщина его любила. Короче, Азаматик, я присмотрела себе одного кадра. Знаю, как зовут, знаю, где работает его папаня. Больше ничего не знаю. А познакомиться хочется. Очень перспективный кадр. Поможешь?

— Познакомиться? — вздернул густые брови Азамат.

— Нет, это уж я как-нибудь сама. Мне нужно узнать, где мой

суженый живет, где работает и каким маршрутом добирается из дома на работу и обратно.

— Сто пятьдесят баксов, — немного подумав, изрек Азамат.

— Живодер ты! Хорошо, сто пятьдесят, но тогда с фотографиями, чтобы я была уверена, что ты ничего не напутал. А то принесешь мне сведения про совершенно другого мужика, и что я с ними делать буду? А денежки тю-тю. Значит, так, сто сейчас, остальные пятьдесят — когда сделаешь то, о чем я прошу.

— Справедливо, — кивнул продавец. — А когда надо-то?

— Побыстрее, Азаматик. У меня сейчас каникулы, время свободное есть. А то в сентябре занятия начнутся, тогда мне его не выловить. Ты запиши себе: Игорь Викторович Мащенко, лет примерно тридцать. Говорят, работает в милиции, но это не точно.

— Обалдела?! — зашипел на нее Азамат. — Ты чего, меня посылаешь за ментом следить? Мне жить пока не надоело.

— Да перестань. — Ира мысленно обругала себя за то, что не предусмотрела реакцию молодого кавказца и не продумала заранее объем выдаваемой ему информации. — Во-первых, еще не факт, что он мент, это мне так сказали, но могли и соврать или напутать что-то. А во-вторых, я же не прошу тебя за ним следить, мне от него ничего не надо. Ты только выясни адрес, где он работает, где живет, на какой машине ездит или, может, на метро или на автобусе. Больше от тебя ничего не требуется. Ладно, не дрейфь, записывай дальше. Отец, Мащенко Виктор Федорович, доктор наук, профессор, заместитель главного редактора журнала «Депутат». На вот, держи, — она вытащила из сумки и протянула Азамату свежий номер журнала, — там написан адрес редакции и всякие телефончики, если вдруг понадобится.

— Если мент, тогда двести баксов, — продолжал упрямиться Азамат. — Риск все-таки.

— Ой, ну какой там риск! Ты же не преступник.

— Двести.

— Ну хорошо, — сдалась Ирина. — Только все равно сто сейчас и сто потом.

Судя по тому, что в течение нескольких последующих дней в палатке торговал не Азамат, а его сменщик, работа шла, задание выполнялось. Наконец, в очередной раз проходя мимо палатки, Ира увидела за стеклом витрины знакомый профиль.

— Ну как? — Она просунула голову в окошечко.

— Привет, — заулыбался Азамат. — Как в лучших домах. Заходи.

Он отодвинул щеколду и открыл боковую дверь. Парень был невысоким и щуплым, и ему вполне хватало места в тесной палатке, заставленной изнутри блоками сигарет, бутылками с ликерами и спиртом «Ройял», коробками с конфетами и колбасами. Крупной рослой Ирине пришлось стоять неподвижно, чтобы ничего не уронить и, не дай бог, не разбить.

— Получи своего суженого. Вот адрес, где живет, вот адрес, где работает, вот номер машины, а это фотографии. Две штуки. Больше не стал делать, чтобы не рисковать. Погляди, он — не он?

— Он, — коротко ответила Ира, едва взглянув на снимок.

Конечно, это он, Игорь. Хотя прошло полтора десятка лет с той их единственной встречи в Большом театре, на «Спартаке», и ему было лет пятнадцать-шестнадцать, а самой Ире — семь, но она все равно вспомнила это лицо и узнала его. Есть люди, которые с годами меняются до неузнаваемости, вот Наташка, например. Если взять ее фотографии пятнадцатилетней давности и сравнить с ней сегодняшней, то только очень близкие друзья и родственники, которые видели ее на протяжении этого времени каждый день, скажут, что это один и тот же человек. А есть люди, которые почти совсем не меняются, и Игорь Мащенко, что очевидно, из их числа.

Она отдала Азамату оставшиеся сто долларов, сунула полученный от него конверт в сумку и вышла на улицу. На просчитанном ею пути было пять этапов, пять шагов. Два уже сделаны. Осталось еще три.

* * *

Ира ужасно замерзла, она ушла из дома утром, когда вовсю светило солнышко и предупреждения синоптиков о похолодании во второй половине дня казались сказочно-надуманными. «И вообще, синоптики всегда ошибаются», — думала девушка, натягивая джинсы и трикотажную маечку на тонких бретельках. Однако на этот раз прогноз сбылся, небо затянуло облаками, после обеда задул холодный ветер, кожа на плечах и руках у Иры покрылась мерзкими мурашками и приобрела сомнительной приятности синеватый оттенок. Можно было бы, конечно, вернуться домой и предпринять новую попытку на следующий день, но не в ее правилах было отступать от принятых решений. Раз начала — доведет до конца. Тем более машина Игоря Мащенко — белый «Форд Сьерра» — вот она, стоит, родименькая, хозяина дожидается. А завтра еще большой вопрос, будет ли она здесь стоять. Может, он по делам куда-нибудь в другое место отправится. Черт бы его взял, этого супердобросовестного трудоголика, ну сколько можно на работе торчать? Так и будет там сидеть, пока всех преступников не переловит, что ли? Время — девятый час, все приличные люди уже давно дома перед телевизорами сидят, «Санта-Барбару» смотрят.

Наконец он появился. Ира ускорила шаг, чтобы оказаться

возле машины чуть раньше него. Когда Игорь Мащенко поравнялся с ней, девушка задумчиво разглядывала «Форд», осторожно водя пальчиком по пыльному капоту.

— Что вы хотите здесь найти?

Ира сделала вид, что вздрогнула от неожиданности, обернулась, улыбнулась виновато.

— Это ваша машина?

— Моя.

— А можно, я у вас кое-что спрошу?

Игорь открыл заднюю дверь, бросил на сиденье «дипломат» и вопросительно глянул на Иру.

— Спрашивайте.

— Понимаете, я машину выбираю, — начала она.

— Чтобы угнать? — с улыбкой осведомился Игорь.

Он стоял перед открытой передней дверью и нетерпеливо постукивал по ней пальцами. «Чувство юмора у него есть, — отметила Ира. — Учтем».

— Чтобы купить. Но я не знаю... Мне сказали, что я могу рассчитывать на три тысячи долларов. И советуют покупать такой же «Форд», как у вас. Как вы думаете?

— Это вы должны думать, а не я, вам же машину покупать. Я-то свой выбор уже сделал.

— Но все-таки... Вот такую, как у вас, я могу купить за три тысячи? Только новую, не подержанную.

— Это вряд ли. Я свою брал за две с половиной, но она — пятилетка. Новую за такие деньги вы не найдете.

— Да? — разочарованно протянула Ира. — Ой, я не хочу подержанную, мне новую хочется... А вы точно знаете, что за три тысячи новую не купить?

— Абсолютно точно.

— Ну ладно. — Она обреченно вздохнула. — Тогда буду покупать такую же, только красную.

— Не получится, — усмехнулся Игорь.

— Тоже не получится? А почему? Красные дороже, что ли?

— Да нет, просто у этой модели базовые цвета — белый, серый и кофе с молоком. А если хотите красный, то надо или перекрашивать, или делать специальный заказ на заводе-изготовителе, но это уж за совсем бешеные бабки.

— А что же делать? — Ира посмотрела на него с детской растерянностью. — Я хочу обязательно красную.

— Тогда берите «Опель Кадет», у него цена примерно такая же, но базовые цвета — белый, серый и ваш любимый красный.

— «Опель Кадет»? — задумчиво переспросила она. — А у него какой объем двигателя?

В глазах Игоря мелькнул неподдельный интерес. На это и было рассчитано: сначала показаться полной дурой, которая выбирает машину не по ходовым качествам, а по цвету, а потом неожиданно продемонстрировать кое-какие специальные познания. Человеку всегда намного интереснее то, о чем ему приходится менять свое мнение. Думал так, а потом оказалось иначе... Интересно, любопытно, запоминается.

— У «Опеля» — один и шесть, — ответил он.

— А у вашего «Форда» — один и восемь. Ладно, несущественно. А салон? У меня ноги длинные, и вообще... — она смущенно улыбнулась, — сами видите. Я в «Опель» помещусь?

— Поместитесь, — рассмеялся Мащенко. — Можете прикинуть по моей машине, у них салоны примерно одинаковые. Я же помещаюсь, а я все-таки повыше вас. Хотите сесть?

— Да неудобно, — засмущалась Ира. — Я и так вас задержала.

— Все равно же вы меня уже задержали, — резонно возразил он. — Две минуты никакой роли не сыграют. Садитесь.

«И не мелочный, — подумала Ира, устраиваясь на переднем сиденье. — И не хам. Очень даже приятный мужичок. Мог бы быть и покрасивее, конечно. Зато рост хороший. Рост — это моя вечная проблема».

— Господи! — Она обхватила себя руками и принялась растирать ладонями посиневшие от холода плечи. — Только сейчас поняла, какой холод на улице.

В течение десяти-пятнадцати минут они еще пообсуждали особенности базовой комплектации различных иномарок, Ира живо заинтересовалась автомобилями «BMW» пятой и седьмой серий, но грустно сникла, когда ее собеседник авторитетно заявил, что на этих машинах ездят в основном бандиты.

— Нет, я так не хочу. А вот про «Ауди-100» я еще подумаю, все-таки оцинкованный кузов — это полезная штука. И синий цвет — тоже неплохо, мне даже кажется, что это лучше, чем красный. А вы точно знаете, что мне денег хватит?

— Должно хватить, только это будет не пятилетка, а постарше, лет девяти-десяти. Ну, если очень повезет, то помоложе.

После такого разговора с замерзшей красивой девушкой было бы просто странным, если бы владелец машины не предложил подвезти ее хотя бы до метро. Игорь, естественно, предложил. И Ирина, также естественно, с искренней благодарностью и вполне объяснимым смущением это предложение приняла.

Третий шаг был сделан.

* * *

До следующего шага пришлось ждать больше двух месяцев. За это время Наташа показала Ире еще несколько публикаций о скандале вокруг сотрудничества Казимеры Прунскене с КГБ. 16 сентября в «Комсомольской правде» опубликовали интервью под названием «К.Прунскене отвергает обвинение» и в предисловии указали, что Верховный суд Литвы вынес вердикт, согласно которому Прунскене обвиняется в регулярном сотрудничестве с КГБ как в начале восьмидесятых, так и во время перестройки и борьбы Литвы за независимость. На следующий же день, 17 сентября, появилось еще одно интервью с Казимерой, на этот раз в «Российской газете» под названием «Я не буду жертвовать собою...». И еще через неделю, 23 сентября, — новое интервью «Охота на ведьм началась с меня», уже в «Литературке». Меньше чем за десять дней — целых три материала, да в таких разных по направленности и политической ориентации изданиях! Это говорит о том, что тема сотрудничества видных людей с КГБ волнует сегодня всех, без исключения, и интерес к проблеме не просто не утихает, а, напротив, становится все глубже. Наташа буквально почернела на глазах.

А Игорь между тем регулярно звонил Ирине, но встречаться им удавалось далеко не каждый день, у него было много работы, у нее — много занятий, да и скучный богатый поклонник требовал внимания, ведь не пошлешь же его к черту ни с того ни с сего и на неопределенное время, дескать, ты меня отпусти на вольный выпас к другому мужчине, а потом я вернусь, а ты мне все простишь. Наконец, как-то в пятницу вечером Игорь предложил:

— Давай завтра пообедаем где-нибудь, а потом поедем ко мне.

— А твои родители? — без обиняков спросила Ира, понимая, что приглашает он ее отнюдь не для того, чтобы знакомить с папой и мамой.

— Их не будет. Принимаешь предложение?

— Принимаю, — улыбнулась она.

«Ну вот, — подумала Ира, переступая порог просторной четырехкомнатной квартиры, в которой обитала семья профессора Мащенко, — я уже на полпути к четвертому шагу». Обещание Игоря, что «родителей не будет», ее не смутило. Рано или поздно они придут, и ее задача — задержаться в квартире достаточно долго, чтобы с ними познакомиться. Поэтому одевалась она в этот день с расчетом на то, чтобы произвести должное впечатление на отца и мать Игоря. Нескольких встреч с молодым следователем было явно недостаточно для того, чтобы точно представлять себе их вкусы и предпочтения, поэтому действовала Ира наугад, больше полагаясь на интуицию и надеясь на собственное актерское мастерство. Ни в коем случае не юная нимфа и не веселенькая вертихвостка, но и не мрачная роковая женщина, каких матери даже под угрозой расстрела не пожелают в жены своим сыновьям. Серьезная молодая женщина с грустной (не с трагической, а именно с грустной) биографией, целеустремленная, коренная москвичка с собственной жилплощадью, уже побывавшая замужем и оттого не страдающая комплексом старой девы, стремящейся любыми путями заполучить вожделенный штамп в паспорте, — вот какое впечатление она должна произвести на родителей Игоря.

Сам Игорь был слишком молод, чтобы нравиться ей, но Ира честно притворялась, что все хорошо и даже просто здорово. Когда все закончилось, она долго нежилась в постели, изображая «светлую печаль» и давая Игорю немного вздремнуть. За время их непродолжительного знакомства она успела заметить, что он не особенно многословен и терпеть не может назойливой болтовни, и сделала соответствующие выводы. То есть Игорь Мащенко вовсе не был угрюмым молчуном, и если начинал что-то рассказывать, то делал это довольно красочно, подробно и с юмором, но если у него не было настроения болтать, то не следовало приставать с расспросами или пытаться самой что-то говорить. Лучше молчать тихонечко, изредка отпуская нейтральные реплики, не требующие пространных ответов. В противном случае он начинал раздражаться и злиться, а злить его и раздражать Ире совсем не хотелось. Вот и сейчас она молча лежала рядом с ним, легонько поглаживая кончиками пальцев его руку, и ни слова не произносила. Очнувшись от дремы, Игорь тоже молчал, глядя в потолок.

— Я могу задать тебе вопрос? — неожиданно спросил он.

— Конечно.

— Кто дает тебе деньги на машину?

Она вопрос предвидела, и ответ был давно готов. Странно, что Игорь так долго ждал, прежде чем спросил. Ведь Ира еще в ту, самую первую, встречу дала ему понять, что деньги эти — не ее, откуда у студентки, да к тому же сироты, может быть такая сумма? Впрочем, это можно понять. Пока ты просто водишь девушку в ресторан или в театр, она тебе вроде как не принадлежит, а когда ты лег с ней в постель, то тут уж надо прояснить отношения собственности.

— Мой бывший муж. Ты же знаешь, я была замужем.

— Он до сих пор тебя любит? С чего это он делает тебе такие подарки?

В его голосе появилось недоверие, но пока еще слишком ленивое, чтобы быть опасным.

— Чтобы делать подарки, не обязательно любить женщину, достаточно просто хорошо к ней относиться. Он действительно хорошо ко мне относится, мы не сделали друг другу ничего плохого. Уже после нашего развода его мама тяжело заболела, и я сидела с ней все свое свободное время. Потом помогала с похоронами, с поминками. Мы же не враги с ним. Вот он и решил сделать мне что-нибудь приятное. А что, тебя от этого коробит? Тебе неприятно, что я куплю машину на его деньги и буду на ней ездить?

— Я еще не решил, — уклонился от ответа Игорь. — Но согласись, это не совсем обычная ситуация.

— Согласна, — кротко ответила Ира, хотя совершенно не была с этим согласна. Но ее истинное мнение никакого значения в этот момент не имело. Значение имело только одно: она должна понравиться этому человеку настолько, чтобы он ввел ее в свой дом в качестве постоянной гостьи и предоставил ей возможность общаться со своими родителями. Главным образом, с отцом. И для достижения этой цели ни в коем случае нельзя начинать открытую борьбу за собственные мнения, вкусы и точки зрения. Нужно подлаживаться таким образом, чтобы стать комфортной для Игоря. А для этого, как Ира успела понять, нужно не так уж и много. Быть неболтливой и ненавязчивой, не звонить самой и ничего не требовать, ни в чем не проявлять инициативы и ни за что не упрекать. Вот и все, что ему требуется от женщины.

— Видишь ли, — смиренным тоном продолжала она, — я приняла предложение взять деньги на машину, потому что в тот момент рядом со мной не было мужчины, и этот подарок не мог никого оскорбить. Я же не подозревала, что встречу тебя. Если ты собираешься продолжать встречаться со мной, то я, разумеется, откажусь от машины.

— И потом будешь об этом сожалеть? И говорить, что из-за меня осталась без колес и вынуждена ездить на метро?

Так, начинается! Этот типчик тоже из породы тех, кто пытается сидеть на двух стульях. Хочет, чтобы ради него приносились жертвы, но чтобы потом их в этом никто не упрекал. И на елку влезть, и задницу не ободрать. Ах, если бы можно было открытым текстом сказать ему все, что Ира по этому поводу думает! Но нельзя. Надо затаиться и притворяться. Создавать образ, который его не испугает.

— Игорь, если я откажусь от машины, то не потому, что ты об этом попросил, а потому, что я сама так решила. А вину за последствия собственных решений я не имею обыкновения перекладывать на других. Ты меня с кем-то спутал, — в меру холодно произнесла она, отнимая пальцы от его руки и играя обиду.

Обиду он почувствовал, поэтому резко повернулся к ней, обнял, зарылся лицом в спутанные густые кудри.

— Извини, Ириша.

Она ответила на его жест, ответила страстно и порывисто, ведь нужно было потянуть время, постараться, чтобы ее застали здесь родители Игоря. Ира очень старалась. Еще неизвестно, пригласит ли он ее в свой дом еще раз. Может быть, будет брать ключи у приятелей, как делают многие. Или квартиру снимет. Или захочет приходить к ней, в коммуналку, а это уж никак нельзя, он может случайно нарваться на Наташку, узнать ее, потом дома расскажет, что познакомился с Вороновой, известным кино- и телепублицистом. И связь Иры с Наташей станет для всех очевидной. А может быть, он утратит к ней интерес и больше вообще не позвонит и не захочет встречаться. В любом случае сегодняшний шанс познакомиться с отцом Игоря может оказаться единственным и последним, и упускать его нельзя ни в коем случае.

Второй акт Барбизонского балета (как Ира про себя называла любовные утехи) длился по понятным причинам заметно дольше, после чего утомленный любовник проспал целый час, предоставив своей подруге возможность как следует рассмотреть комнату. Результатами осмотра Ира осталась довольна. Комната просторная, светлая, обставленная хорошей мебелью, не особенно дорогой, отечественной, но зато удобной и вполне симпатичной. Все стены завешаны полками с книгами. Широченный раскладывающийся вперед диван в собранном состоянии представлял собой мягкий «уголок», к которому прилагались два низких глубоких кресла и пуф с большим квадратным стеклом, хочешь — используй как сиденье, хочешь — как стол. В данный момент это был именно стол, на нем стояла затейливая керамическая пепельница и радиотелефон с автоответчиком — писк моды на пике стоимости. Иру поразило отсутствие каких бы то ни было фотографий, которые в других домах, где она бывала, обычно в изобилии стояли за стеклами книжных полок. Ну ладно, фотку бывшей супружницы можно и не держать у себя перед глазами, это дело понятное, но ведь Игорь говорил, что у них есть ребенок. Врал, что ли? Или настолько равнодушен к сыну? Вот урод-то! Да если бы у нее был сын, она бы все стены во всей квартире его изображениями обклеила, чтобы глаз все время на них останавливался и радовался.

Ира тихонько выскользнула из-под одеяла и побежала в ванную. Это было, конечно, весьма рискованное предприятие, кто его знает, в какой момент вернутся родители, но она понадеялась на везенье. Вернувшись, оделась, выбрала книгу, которая показалась ей правильной — «Сто лет одиночества» Маркеса, — и уселась в кресло. Первые две страницы одолела с трудом, никак не могла продраться сквозь длиннющие многострочные предложения, а потом и не заметила, как оказалась во власти магнетически завораживающей прозы. И очнулась только тогда, когда раздался деликатный стук в дверь и приятный женский голос произнес:

— Игорек, мы вернулись!

«А ничего у него предки, тактичные, — мелькнуло в голове у девушки, — увидели в прихожей мое пальто и туфли и не стали врываться к сыну. Пора действовать».

Она видела, как Игорь приоткрыл глаза и собрался было что-то сказать, но не стала дожидаться, быстро вскочила с кресла и с открытой книгой в руках вышла из комнаты. Мизансцена сложилась в голове заранее, теперь нужно было ее правильно отыграть. Голос должен быть мягким, приятным. И никакого смущения.

— Добрый вечер, меня зовут Ириной. Игорь спит, а я вот читаю тихонько, чтобы ему не мешать.

Перед Ирой стояла приятная женщина лет пятидесяти с небольшим, чуть полноватая, с приветливым лицом. На губах — помада в цвет модной оправы очков. В ушах — маленькие золотые сережки без камней, изящные и оригинальные. И такое же кольцо на руке. Стрижка сделана явно у хорошего мастера. А спортивного покроя брюки и длинный тонкий пиджак из такой же ткани куплены совершенно точно не на Рижском рынке.

— Елизавета Петровна, — представилась она вполголоса. — Вы не находите, что моего сына надо бы разбудить?

— Пусть поспит, — с улыбкой ответила Ира, — наверное, он очень устает за рабочую неделю. Раз спит — значит, организм требует отдыха. А я не скучаю.

Она показала на раскрытую книгу, которую держала в руке. Но у Елизаветы Петровны были свои представления о гостеприимстве, которые Ира вполне разделяла. Во всяком случае, эти представления ее полностью устраивали.

— Это не дело. Ну куда это годится? Игорь спит, а вы сидите рядом и охраняете его. Пойдемте пить чай. Виктор! — Она повысила голос и повернула голову в сторону двери, ведущей в одну из комнат. — Познакомься с нашей гостьей.

Когда Игорь, сонный и слегка помятый, появился в столовой, то застал идиллическую картину вечернего чаепития. Ирина оживленно разговаривала с Виктором Федоровичем, по возможности подробно отвечая на его вопросы о ВГИКе и работающих в нем преподавателях и педагогах: кто ушел, кто остался, кого повысили в должности, кто женился, кто спился...

Придя домой, Ира постучалась к Наташе, поманила ее пальцем в коридор.

— Я с ним разговаривала, — сообщила она.

— С кем? — не сообразила Наташа.

— Да с Мащенко твоим. Сегодня с родителями познакомилась.

— Ну и?..

— Ну и ничего. Про институт расспрашивал, сам кое-что рассказывал, но о тебе ни слова. Я так и не поняла, помнит он тебя или нет, и если помнит, то знает, что ты — та самая Воронова, или не знает. В общем, пока темный лес. Но дорожку я проторила.

— Ох, Ирка...

Наташа привалилась к стене, словно у нее не было сил стоять. Лицо у нее стало одновременно напряженным и ужасно несчастным, и у Иры сердце разрывалось при виде больных глаз соседки.

— Чего «ох, Ирка»-то? Ну чего? — возмущенно зашептала девушка.

— Неправильно мы с тобой делаем. Ты с Игорем спала?

— А то! Он же меня домой не чаю попить пригласил.

— Ты спала с мужчиной, который тебе не нравится, ради того, чтобы...

— Да перестань ты! — яростным шепотом прервала ее Ира. — Во-первых, он мне очень даже нравится. Симпатичный, при должности, при машине, из хорошей семьи, высокий. И морда вполне ничего. Если хочешь знать, я бы за него даже замуж вышла. И выйду, если позовет. А во-вторых, я уже ввязалась в бой. Что ж мне теперь, опустить копье и идти домой? Я так не умею. Раз я приняла решение, то пойду до конца.

— Да решение-то неправильное...

— Предложи другое. Что, молчишь? Мы с тобой сколько раз это обсуждали! Если бы было другое решение, мы бы вместе обязательно додумались. А мы не додумались. Значит, его нет. И вообще, Натулечка, все отлично! Игорь Мащенко — чем не муж? Прекрасная партия. Все равно же мне нужно замуж выходить рано или поздно, так лучше за него, чем за бандюка какого-нибудь отмороженного. Я не Джульетта Мазина, гениальный режиссер вроде Феллини на мне вряд ли женится, а Игорек — классный вариант. Зато я все время буду при папане и смогу держать руку на пульсе.

— На каком еще пульсе? — устало спросила Наташа.

— На пульсе событий. Когда живешь с человеком бок о бок, то много всякого интересного про него узнаешь. И хорошего, и, между прочим, плохого, и даже очень плохого. Видишь, кто к нему приходит, слышишь, о чем он разговаривает по телефону, и все такое. Если он соберется пасть раскрыть насчет тебя, я найду, чем его заткнуть.

— Ирка! — в ужасе ахнула Наташа. — Что ты такое говоришь?!

— Я дело говорю, — жестко ответила Ирина. — А ты все еще живешь коммунистическими представлениями о честности и порядочности. Сейчас, Натулечка, время другое. И эти представления пора выкинуть на помойку.

— Не смей так говорить! Честность и порядочность в человеческих отношениях никто не может отменить. Иначе мы перестанем быть людьми и превратимся в скотов.

— Ах, какие мы благородные! А то, что с тобой случилось, — это что, по-твоему, проявления честности и порядочности? Они сначала морочили людям головы, вбивали им железными молотками идеи про строительство коммунизма и его врагов, вы им поверили, потому что трудно было не поверить при такой отлаженной системе промывания мозгов. Поверили и вели себя в соответствии с этой верой. А теперь оказывается, что то, что вам внушили, это плохое, неправильное, а тот, кто искренне поверил, тот дурак или подонок. Это что, по-твоему, честно? Это же все равно, что подпоить человека незаметно, таблетку ему какую-нибудь подсунуть в вино, потом обобрать, раздеть, выпустить голым на улицу и выставить на всеобщий позор. Вот как с тобой поступили! А ты еще о порядочности говоришь. Они с тобой так — и ты с ними так же.

В коридор выглянул Вадим, улыбнулся весело.

— Девчонки, вы что, с ума сошли — в коридоре шептаться? Идите в комнату.

— Да мы о девичьем, — тут же нашлась Ира, быстро натягивая на лицо выражение лукавого смущения. — Я насчет очередного поклонника советуюсь.

— Заходи, — пригласил Вадим, распахивая дверь пошире, — я тоже хочу поучаствовать в обсуждении. Имей в виду, никакому бандиту я тебя не отдам. Только в хорошие руки, как породистого щенка.

— Вот! — Ира многозначительно посмотрела на Наташу. — О чем я тебе и говорила. Сейчас Вадим тебе популярно объяснит, что лучшего мужа, чем Игорь, мне не найти. И я женю его на себе, вот увидишь.

— И откуда в тебе столько самонадеянности? — усмехнулась Наташа.

— Это не самонадеянность, Натулечка, а уверенность в своих силах. В этом смысле я вся в тебя. Твое же воспитание-то, не чье-нибудь.

РУСЛАН

Если верить будильнику, то было четыре часа сорок пять минут утра, но будильник наверняка врал, не могло быть всего без четверти пять, ведь полночь была так давно, наверное, неделю назад... Руслан просыпался каждые двадцать-тридцать минут, зажигал свет, смотрел на будильник и разочарованно откидывался на подушку. Еще так рано, до семи утра, когда в киосках появляются газеты, еще ждать и ждать. А ждать уже не было сил.

Он все-таки написал статью о Вороновой. Большую, хорошую, совершенно непохожую на все то, что писали о Наталье Александровне раньше. Эту статью ему никто не заказывал, Руслан писал ее на свой страх и риск ради собственного удовольствия. Внимательно изучил все ее киноработы, записал на видеомагнитофон все передачи студии «Голос» и постарался вывести психологический портрет Вороновой, сопоставляя увиденное с тем, что она говорила в своих интервью и что он сам смог узнать о ней. Разумеется, Руслан свято держал данное обещание, и в статье не появилось ни слова из того, о чем ему поведала любительница собак Анна Моисеевна Левина. Но выводы из сказанного ею он сделал, эта информация помогла ему лучше понять Воронову.

Материал писался долго, восемь месяцев, но Руслан и не торопился, ведь после множества публикаций в связи с приездом Вороновой в Кемеровскую область должно было пройти время, чтобы такая статья оказалась востребованной. Первым побуждением Руслана было сделать эту статью разгромной. В любом произведении, будь то литература, музыка, живопись или кино, можно найти уйму мелких недостатков и слабых мест, а при помощи ехидства и язвительности можно эти мелкие недостатки превратить в устрашающие по своим масштабам пороки. Если же воспользоваться излюбленным в журналистике приемом подтасовки и перетасовки фактов, то вместо всем известной Натальи Вороновой читателю можно представить просто монстра какого-то.

Но злобный порыв быстро прошел. Фактов, выявляющих нечестность Вороновой и ее связи с криминалом, ему раздобыть не удалось. Тайну ее отношений с Ириной он тоже не раскрыл. Таким образом, сделать имя на разоблачении известного человека пока не удается. Но это и не к спеху. Может быть, лучше использовать Воронову в совсем других целях? И написать для этого хороший материал, вдумчивый, оригинальный, основательный.

Руслан работал тщательно и неторопливо, а когда материал был готов, отнес его для начала Елене Винник. Та обещала к завтрашнему дню прочесть. Наутро она смотрела на Руслана совсем другими глазами.

— Я и не подозревала, что ты такой, — сказала Лена.

— Какой?

— Талантливый. Ты жутко талантливый, Русланчик, просто до ужаса. Мне даже страшно рядом с тобой сидеть. То, что ты написал, — это фантастика! Но...

— Что — но? — напрягся Руслан. — Не пойдет?

— Для нашей «вечерки» — нет, слишком серьезно. Но я не допущу, чтобы такой материал пропал. Он слишком хорош. У тебя есть идеи, куда его предложить?

— Да я вообще-то к нам хотел... — растерялся он.

— И думать забудь! — категорично заявила Елена. — Ну сам подумай, что такое наша «вечерка»? Кто ее читает, если по большому счету? Только жители нашего города. И то не все. А я хочу, чтобы твою статью прочли люди во всей стране.

— Да зачем? — изумился Руслан.

Такие наполеоновские планы ему и в голову не приходили.

— Дурачок ты, — Елена ласково потрепала его по затылку. —

Если у тебя такой дар, такой талант, то ты должен работать не в нашей газете, а где-нибудь в Москве, в серьезном издании. Но для этого тебя должны заметить. Кто же тебя заметит, если ты публикуешься в городской газете? Оставь мне статью, я свяжусь со своими знакомыми, посоветуюсь, куда ее можно пристроить.

Примерно через неделю Елена, возбужденно блестя глазами, сообщила, что статьей заинтересовался ее знакомый из журнала «Огонек» и вчера она послала ему материал по факсу. Еще через несколько дней стало известно, что знакомому материал очень понравился и он будет предлагать его руководству журнала. Руководство думало долго, но к концу октября пришла радостная новость: статья одобрена и поставлена в план на январь 1993 года. То есть в один из четырех первых номеров, в какой конкретно — уточнят позже.

Но в декабре Лена легла в больницу на сохранение, звонить в Москву своему знакомому ей было неоткуда, и в каком именно номере журнала появится статья Руслана Нильского «Одинокий голос женщины», так и осталось неуточненным. В их городе журнал поступал в продажу по понедельникам, и вот уже два понедельника Руслан вскакивал ни свет ни заря и мчался в ближайший газетный киоск за свежим номером «Огонька». Статьи не было. Сегодня снова понедельник, и он снова не спит, ворочается, волнуется, пристально смотрит на будильник, будто пытается усилием мысли заставить стрелки двигаться быстрее. А они, словно назло, замерли на месте.

Руслан вылез из постели, не обращая внимания на царящую в комнате ледяную сырость, натянул спортивный костюм и отправился на кухню готовить завтрак. Еще только шесть часов, но если не торопясь позавтракать, побриться и вымыть пол в каморке-лаборатории, то можно протянуть этот последний час.

К киоску он подошел без десяти семь и встал в конец небольшой очереди. Неподалеку, метрах в двухстах, платформа, у которой останавливается электричка, и многие хотят перед поездкой запастись свежими газетами. Некоторых из стоящих в очереди людей Руслан уже знал в лицо, видел их здесь и в прошлый понедельник, и в позапрошлый. Наконец пришла киоскерша и мучительно долго, как ему показалось (на самом деле — всего несколько минут) распаковывала пачки с газетами и журналами и раскладывала их на прилавке. Нетерпение сжигало Руслана. Будет сегодня статья или нет? Будет или нет? Ладно, решил он, если не сегодня, тогда уж точно — в следующий раз. Сказали же: в один из первых четырех номеров. А сегодня в продаже уже третий.

Буквально выхватив из рук киоскерши журнал, Руслан отошел на два шага и тут же принялся листать его. Есть! Вот она! И его имя — крупными цветными буквами на глянцевой бумаге.

— Молодой человек, сдачу-то берите! — крикнула ему киоскерша.

Он очнулся. Сдача? Какая сдача? Ах, да... Руслан порылся в карманах, доставая деньги.

— Дайте мне еще пять номеров.

И все-таки не удержался. Добавил дрожащим от восторга и гордости голосом:

— Здесь моя статья. Надо друзьям подарить.

Киоскерша и головы не подняла, считая деньги, а люди из очереди поглядывали на Руслана с интересом и даже, как ему мнилось, с уважением. Надо же, такой молодой, а уже в «Огоньке» печатается.

В течение следующих пяти дней он получал поздравления и чувствовал себя на седьмом небе. А в пятницу вечером уехал домой, в Камышов, повидаться с матерью, похвастаться перед ней своими достижениями.

Домой он теперь наведывался редко, жизнь в большом городе привлекала его куда сильнее, нежели монотонное существование в провинциальном захолустье. Все друзья его теперь здесь, в Кемерове, и подружки тоже. Но по матери Руслан скучал.

Увидев статью, мать расплакалась, потом крепко расцеловала сына, прижала к себе.

— Ну вот, теперь могу доживать свой век спокойно, — всхлипывая, проговорила Ольга Андреевна. — Ты на собственных ногах стоишь. Тебя в люди вывела.

— Погоди успокаиваться, — пошутил Руслан, — я, может, еще учиться пойду. На факультет журналистики буду поступать, на вечернее отделение. И вообще, мамуля, что значит — век доживать? Ты у меня еще молодая совсем, красивая. Глядишь, и замуж тебя выдадим. А то неприлично прямо получается, двух сыновей родила, а замужем не была ни разу. Надо хоть разочек, для порядка, а?

— Да какое там «замуж»! — замахала руками мать. — Мне шестьдесят скоро, а ты все о глупостях.

— Во-первых, еще не скоро, только через три года, — возразил он, — а во-вторых, сколько же можно несчастному Семену Семеновичу голову морочить? И не стыдно тебе? Вы уже лет пять, по-моему, встречаетесь, с тех пор, как я в Кемерово уехал. Вот и зарегистрируйтесь, живите как люди.

Это было правдой, Семен Семенович, знавший Ольгу Андреевну еще по совместной работе в исполкоме, давно овдовел и трогательно ухаживал за матерью Руслана, а с тех пор, как младший сын вырос и она осталась одна, частенько оставался ночевать в уютном домике Нильских. Руслан и от природы был не ревнив, а уж то обстоятельство, что он никогда не знал собственного отца, сделало его абсолютно терпимым к любым проявлениям личной жизни матери. Хотя были вещи, о которых он начал задумываться, только став взрослым. Например, о том, почему его маму, «дважды мать-одиночку», не подвергли общественному остракизму и двигали по служебной лестнице, даже выбрали парторгом в отделе. Первого сына, Михаила, она родила от совершенно непотребного типа. Отец же самого Руслана, надо думать, был ничем не лучше, коль сыном не интересовался, знать о себе не давал, а сама Ольга Андреевна его не искала и ничего о нем не рассказывала, поскольку гордиться, по всей вероятности, тут было нечем. Общественное мнение должно было непременно закрепить за Ольгой Нильской репутацию дамочки, не особо разборчивой в связях. Может, так оно и случилось, когда Руслан был еще маленьким, но в те годы, когда он начал более или менее ориентироваться в окружающей жизни, его мама была человеком уважаемым и всему городу известным. Стало быть, общественное мнение не было поддержано местной партийной властью и советскими органами, и Ольге Андреевне доверили ответственную работу в исполкоме. Почему? Неужели благодаря ее выдающимся деловым качествам? Возможно. А возможно, и благодаря совсем другим обстоятельствам. Прояснение этих обстоятельств, кстати заметим, было одной из целей нынешнего визита Руслана домой.

— Мамуля, ты меня деньгами не выручишь? — спросил Руслан через несколько часов после приезда, выспавшись с дороги и съев огромную яичницу из свежих, только утром снесенных яиц — любимое с детства лакомство.

— Конечно, сыночек, — с готовностью кивнула мать. — А что, у тебя крупная покупка намечается?

— В Москву надо съездить. Хочу взять несколько дней за свой счет и смотаться в столицу.

— А что у тебя за дела в Москве? — поинтересовалась Ольга Андреевна. — Уж не девушку ли ты там завел, когда год назад ездил?

Можно было бы и солгать, но это в планы Руслана не входило.

— Ну какая девушка, мамуля, что ты! У меня их и в Кемерове достаточно. Я хочу встретиться с Вороновой и поговорить с ней. В прошлый раз она отказалась со мной встречаться, но я ее понимаю, она человек известный, занятой, а кто я такой? Никто. Какой ей смысл тратить на меня время? А теперь я приду к ней с этой статьей. Уверен, она не откажется меня принять. Я хочу попросить ее о помощи.

— О помощи? — Рука Ольги Андреевны с едва заметными пигментными пятнышками — первыми предвестниками старения — с ласковой заботой легла на его руку. — У тебя что-то случилось, сыночек? Какая помощь тебе нужна?

— Мама, у меня это «что-то» случилось девять лет назад. У меня отняли брата, любимого старшего брата. И я хочу выяснить, почему, по какой причине. Мне назвали имя убийцы, более того, его наказали, и он отсидел, хотя и явно меньше положенного. Но их объяснения меня не удовлетворяют. Я и тогда не верил, и сейчас не верю в то, что Мишка мог напиться и приставать к незнакомым людям. Да, я верю в то, что его убил этот подонок Бахтин, но я хочу знать правду. Я хочу знать, почему он убил моего брата. Какие между ними были личные счеты? В чем Мишка перешел ему дорогу? В чем помешал ему? Скажу тебе больше, я уверен, что Мишка знал о Бахтине что-то очень компрометирующее, и Бахтин просто убрал его как свидетеля. Я хочу это выяснить — и я выясню. Но со мной никто не станет разговаривать, если мне не помогут люди, пользующиеся авторитетом. Вот для этого мне и нужна Наталья Воронова. Так ты одолжишь мне денег?

По мере того как Руслан говорил, лицо Ольги Андреевны все больше мрачнело и, казалось, старилось прямо на глазах.

— Сыночек, — она умоляюще смотрела на Руслана, губы дрожат, на глазах слезы, — я прошу тебя, не нужно. Не трать ты силы на это. И деньги не трать, они ведь у нас не лишние. Ты все это себе напридумывал, ты же с детства увлекался детективами, вот тебе и мерещатся всякие тайны там, где их нет. Мишеньку не вернуть, и не надо ворошить прошлое. Ну пожалуйста!

— Я хочу узнать правду, — упрямо повторил Руслан. — И не пытайся меня отговорить, я все равно сделаю так, как считаю нужным. Скажи, а ты раньше не знала этого Бахтина?

Вопрос застал Ольгу Андреевну врасплох. Слезы моментально высохли, теперь она смотрела на сына с испугом. Кажется, подтверждаются самые худшие предположения Руслана. Неужели он угадал, и Бахтин на самом деле — не кто иной, как его отец? А мать до сих пор любит его, потому и не хочет, чтобы усилиями Руслана на Бахтина обрушились еще более тяжкие обвинения, новое следствие, новый суд и новый срок? Похоже, очень похоже... Во всяком случае, то, что она родила Руслана от Бахтина, объясняет и ее вполне успешную служебную карьеру, он же в прошлом из комсомольских вожаков, значит, нажал на нужные кнопочки, чтобы поддержать мать своего внебрачного ребенка в обмен на ее молчание о его отцовстве. Логично получается. Тогда тем более интересно, на каком пути, вокруг какого объекта могли пересечься пути папаши Бахтина и сына его давней возлюбленной Ольги Нильской.

— Н-нет, — дрожащим голосом ответила мать, — я его не знала. А почему ты спросил?

— Да так... — Руслан пожал плечами. — Просто подумал, а вдруг он и есть мой отец? Забавно вышло бы.

— Что же в этом забавного? Я что-то перестала тебя понимать, сыночек.

Она не говорит «нет», она ничего не отрицает! Если бы все было не так, мать сразу же сказала бы об этом, а она, видите ли, интересуется, что же в этом забавного. Точно, Бахтин — отец Руслана. Ну ничего, если мать сейчас не признается, Руслан найдет способ это выяснить точно.

— Что ж тут непонятного? Если, допустим, ты знала Бахтина, а он сначала убил одного твоего сына, а потом другой твой сын снова проторит ему дорожку в тюрьму, то это прекрасный сюжет для романа или пьесы. Куча совпадений, как и положено в классической мелодраме. Вот я и говорю, что забавно вышло бы, как в кино. И знаешь, мамуля, мне кажется, что ты его знала.

— Да с чего ты взял?!

В голосе матери явственно слышалась паника, и это не укрылось от внимательного слуха Руслана.

— Ни с чего, — он мягко улыбнулся, обнял мать за плечи, — просто предположил. А ты уже и переполошилась. Так что, не знакома ты с Бахтиным?

— Я же сказала — нет!

Теперь к панике примешалось и раздражение, и этот эмоциональный «компот» все сильнее пробуждал интерес Руслана. Что-то тут не так. Ну-ка поднажмем посильнее, посмотрим, что получится.

— Ну нет — так и нет. Впрочем, ты, может быть, забыла.

Вы когда-то встречались, но много лет назад, ты просто не помнишь его. Ты же много работала, много разъезжала по области, то слеты, то активы, то совещания, то конференции, то обмен опытом. Разве упомнишь всех, с кем встречаешься? Я Бахтина найду, он сейчас в Кемерове обитает, да и спрошу у него. Ты его забыла, а он тебя, может быть, и помнит.

Он слишком увлекся, разыгрывая из себя следователя на допросе, и не заметил, как перешагнул ту черту, за которой сын и мать перестают быть родными людьми и превращаются в непримиримых врагов. Глаза Ольги Андреевны смотрели на него с ледяной ненавистью.

— Я запрещаю тебе. Ты слышишь, Руслан? Я запрещаю тебе так думать и так говорить. И не смей больше копаться в прошлом.

Мать вышла из комнаты, хлопнув дверью. Руслан с усмешкой глядел на выкрашенную белой масляной краской дверь. Она ему запрещает! До чего все-таки смешными бывают люди, думают, что могут кому-то что-то запретить исключительно силой своего авторитета. Запретить можно только силой принуждения, не выполнишь — накажут. Пример тому — Уголовный кодекс, где четко перечислено все, что делать нельзя, а если нарушишь запрет и сделаешь — тебя посадят. Вот это действительно запрет. А когда вот так, голословно, уповая на собственную родительскую власть... Глупо. Неужели мама в самом деле думает, что если она скажет Руслану: «Не смей», то он и не посмеет? Ему скоро 23 исполнится, он давно живет один, далеко от матери, сам зарабатывает, сам себя содержит, его статью уже в Москве напечатали, в самом популярном и любимом в народе журнале, а она все еще считает его ребенком, которому можно что-то запретить. Смешно!

* * *

Петр Степанович Дыбейко по-прежнему оставался для Руслана дядей Петей, хотя и занимал уже должность заместителя начальника городского отдела милиции в Камышове. В свои тридцать шесть лет он не только основательно расплылся, но и обрел некую важность и даже вальяжность, которые, правда, легко слетали с его широкого лица, как только дело касалось не службы, а личных отношений.

— Здорово, здорово, — юношеским тенорком приговаривал он, обнимая Руслана и похлопывая его по спине. — Ты, говорят, статью какую-то написал? Сам-то я не прочел, а вокруг все гудят, обсуждают твой успех.

— Да так, ерунда, — скромно потупился Руслан.

— Как же ерунда? — возмутился Дыбейко. — Ничего не ерунда, ты дурака-то не валяй. Такой журнал! Его, считай, в каждом доме читают. Ну а с главным твоим вопросом как, двигается дело? Или ты забросил это?

— Не забросил. Просто рано было. А теперь, я думаю, можно вплотную им заняться. Дядя Петя, у меня к вам вопрос... необычный немножко. Можно?

— Валяй, — разрешил Петр Степанович.

— Вы не знаете, кто мой отец?

Широкое лицо Дыбейко не выразило ни удивления, ни возмущения. Можно подумать, он всю жизнь только и ждал этого вопроса, уже и ответ заранее приготовил. Но это, конечно же, было не так, просто Петр Степанович давно научился владеть собой и эмоций, даже самых невинных, наружу не выплескивать. Единственной реакцией на неожиданный вопрос было всего лишь несколько секунд молчания.

— А мама твоя что говорит? — ответил он вопросом на вопрос.

— Ничего не говорит.

— Ясное дело. Тогда я по-другому спрошу: тебе сколько лет? Двадцать два?

— Точно.

— И что же ты, впервые за двадцать два года этим вопросом заинтересовался? Не верю. И не поверю никогда.

— Дядя Петя, ну какая разница, интересовался я этим раньше или нет? Важен результат: есть вопрос, ответ на который я хочу знать. Так вы знаете, от кого меня мама родила или не знаете?

— Не знаю, — покачал головой Дыбейко, — вот ей-крест, не знаю. Но меня беспокоит твой внезапный интерес. Что случилось, Руслан? Почему ты вдруг заговорил об этом? Мишкиного отца ты, как я помню, сам нашел, а своего и не пытался искать. Или пытался, но мне не говорил?

— Не пытался, — признался Руслан. — Я как Мишкина отца, Колотырина этого, увидел, так испугался, что мой может оказаться таким же или еще хуже. На фига он мне сдался в таком случае? Ни мне отец, ни маме муж, только позор один и мучения.

— Резонно, — согласился Петр Степанович. — А теперь что же? Перестал бояться? Или как?

— А теперь я кое о чем подумал, кое-что прикинул и пришел к выводу, что если бы мой отец был вторым Колотыриным, то маму никогда не выбрали бы парторгом и по работе в исполкоме не двигали бы. Получалось бы, что она двух детей пригуляла случайным образом неизвестно от кого. Как же она может быть образцом моральной устойчивости?

— И это резонно, — снова кивнул Дыбейко. — И дальше что? Ты решил выяснить, кто этот большой начальник и не поможет ли он тебе в твоих поисках?

Проницательность дяди Пети всегда удивляла Руслана. С виду эдакий увалень, поперек себя шире, кажется — не только живот, но и мозги жиром обросли, ан нет, вглубь глядит и самую сердцевину дела видит. Руслану даже как-то не по себе стало.

— У меня, собственно, две идеи на этот счет, — несмело начал он.

— Ну-ка, ну-ка, послушаем, — подбодрил его дядя Петя. — Да не мнись ты, говори, чего уж теперь стесняться.

Руслан и сам не ожидал, что вдруг так оробеет. Одно дело — думать и совсем другое — произносить вслух. С грехом пополам он, запинаясь и путаясь в словах, изложил Петру Степановичу суть. Если его отец действительно человек с положением и связями, то он может походатайствовать, где нужно, чтобы Руслану дали возможность ознакомиться с уголовным делом об убийстве его брата. Или чтобы люди, которые что-то об этом знают, поговорили с журналистом. Это первая идея. А вторая идея в том, что его отец — сам Бахтин, убийца Михаила Нильского. И как себя в этом случае вести, он не очень хорошо понимает. Не обращаться же к нему с просьбой помочь выяснить, как все было на самом деле, все равно не скажет, а может еще и головорезов своих на Руслана натравить, не посмотрит, что это его внебрачный сын. От такого подонка всего можно ожидать.

— Все сказал? — спросил Дыбейко, выслушав его.

— Пока все.

— Теперь я скажу, а ты меня послушай. От кого тебя Ольга Андреевна родила — мне неведомо, честное слово даю. Только сил на его поиски ты не трать.

— Почему?

— А потому. Сам рассуди: двадцать два года ты на свете прожил, а этот человек не считал нужным открыто признаваться в своем отцовстве и тебе помогать. Уж я не знаю, по каким причинам, но причины эти веские были. И если они продолжали быть вескими на протяжении двадцати двух лет, то вряд ли на двадцать третьем году что-то изменилось. Шансов нет, Руслан. Даже если ты его вычислишь и найдешь, он ни за что не признается, а доказать ты ничего не сможешь, если только по суду, да и то ни один суд за это дело не возьмется. Какой смысл? Ты уже совершеннолетний, алименты на твое содержание взимать не нужно, так зачем суд будет время тратить на то, чтобы удовлетворить твое запоздалое любопытство? К тому же для этого необходимо, чтобы мама твоя, Ольга Андреевна, назвала его имя, а она же его не называет, верно?

— Верно.

— Так что коль не хочет этот человек, твой отец, признавать тебя своим сыном, то и не признает, хоть ты в лепешку расшибись. И никакой помощи ты от него не дождешься. Резонно?

— Похоже, да, — не мог не согласиться Руслан.

Как у дяди Пети все ловко складывается! А самому Руслану это отчего-то в голову не пришло.

— Теперь насчет Бахтина. Уж не знаю, мог он стать твоим отцом или не мог, но обращаться к нему бессмысленно. Если и было что-то в их отношениях с твоим братом, что его оправдывает, он бы на следствии об этом сказал, чтобы лишний срок не получить. А если есть что-то, что усугубляет его вину, то он же не полный идиот, чтобы об этом распространяться. Тебе нужно найти адвоката.

— А зачем мне адвокат? — удивился Руслан. — Я же ничего преступного не совершил и не собираюсь совершать.

— Балда ты, — добродушно хмыкнул Дыбейко. — Я говорю об адвокате, который на суде защищал Бахтина. У адвокатов почти всегда бывают крепкие связи в судах, и если ты ему понравишься и он захочет тебе помочь, то попросит председателя суда разрешить тебе ознакомиться с некоторыми делами из судебного архива. Понял теперь? Только ты глупостей-то не наделай, не вываливай ему всю правду-матку, не говори, что хочешь Бахтина в землю зарыть по самое некуда. Не то не видать тебе архива как своих ушей. Скажи ему, что собираешь материал для статьи о недобросовестности следователей и вообще о плохой работе милиции, вот в этом деле тебе адвокаты — первейшие помощники. Он и сам тебе всякие случаи из своей жизни понарасскажет, и уголовные дела назовет, в которых полно всяких милицейских нарушений. Первым делом, конечно, те дела, в которых он участвовал. Если в деле Бахтина были нарушения и недоработки, так этот адвокат сам тебе его на блюдечке с золотой каемочкой поднесет. И ни в коем случае не заикайся, что ищешь только одно архивное дело — об убийстве своего брата. Вообще про Мишку молчи. Адвокат может оказаться дружком самого Бахтина и сразу же ему донесет, что ты интересуешься делом. Что фамилии у вас одинаковые — это ерунда, столько лет прошло, что адвокат и не вспомнит, тем более что это фамилия не подзащитного, а потерпевшего. Адвокат этот тебя, конечно, спросит, а где, мол, официальное письмо из редакции на имя председателя суда и все такое прочее. А ты ему в ответ на это скажешь, что главный редактор категорически против разоблачений работников милиции и готовить такой материал тебе запрещает, но ты его все равно готовишь для какого-нибудь другого издания, потому как тема эта сегодня самая что ни на есть животрепещущая. Усвоил? Вон любую газету открой — только ленивый об милицию ноги не вытер. Так что твой журналистский порыв никого удивить не должен.

Руслан мучительно вспоминал, как выглядел адвокат Бахтина и как его звали, но вспомнить не мог. В четырнадцать лет он еще слишком мало разбирался в судебной процедуре, чтобы понимать, кто есть кто, кроме судьи и народных заседателей. Их было легко отличить, они сидели рядом за длинным столом. Потом был еще какой-то человек в темно-синей форме, не милицейской, а какой-то другой. И еще какие-то люди. Но Руслан тогда кипел ненавистью к убийце брата и думал только о том, расстреляют его или нет. Хорошо бы, приговорили к расстрелу! Из происходящего на процессе он почти ничего не слышал и тем более не помнил. Но мама, наверное, помнит адвоката и знает, как его зовут.

Однако Ольга Андреевна, так и не смягчившаяся после произошедшей накануне стычки с сыном, в подробности вдаваться не пожелала, и хотя и ответила на вопрос, но сделала это сухо и немногословно.

— У Бахтина не было адвоката, — сказала она, поджав губы.

— То есть как — не было? — не поверил Руслан. — Не может быть. Ты, наверное, не помнишь. Убийство — статья серьезная, по ней большие сроки светят, ни один нормальный человек, обвиняемый в убийстве, без адвоката на суд не выходит. Ну вспомни, мамуля!

Он старательно делал вид, что забыл о конфликте и не видит отчуждения на материнском лице, и не слышит холода в ее голосе.

— У Бахтина адвоката не было, — повторила Ольга Андреевна. — И вспоминать тут нечего. Не желаю больше об этом говорить.

Руслан растерялся. Он, конечно, не юрист, но кое-какие книжки читал и вообще проблемами расследования преступлений интересовался и хорошо помнит, что в законе насчет адвокатов написано. Участие защитника обязательно в случаях, когда подсудимый — несовершеннолетний, или когда страдает психическим заболеванием, или когда по статье можно назначить высшую меру, или когда подсудимых несколько и у других адвокаты есть, или когда существует конфликт интересов подсудимых. Во всех остальных случаях участие адвоката — по желанию подсудимого. Бахтин — совершеннолетний и психический здоровый, и по делу шел один, без соучастников. По закону он вполне мог обойтись без адвоката. Но по закону, а не по жизни. Он же разумный человек, обвиненный в тяжком преступлении, зачем же ему рисковать? Адвокат в любом случае не повредит, а может быть, и поможет, срок поменьше дадут. И потом, должен же был кто-то добиваться, чтобы Бахтину дали всего восемь лет вместо положенных (по разумению Руслана) десяти — максимального срока, предусмотренного статьей об убийстве без отягчающих обстоятельств! Есть и третье соображение, тоже из области «жизненных». Бахтин — из начальников, а перед этим в комсомоле активность проявлял, к нему на выручку наверняка друзья-приятели кинулись и первым делом нашли для него самого лучшего адвоката. Не могли же они его бросить на произвол судьбы. А чем в такой ситуации можно помочь? Только давлением на следствие и суд да хорошим адвокатом.

Поужинав, Руслан снова отправился к дому Дыбейко. Петр Степанович расположился перед телевизором и, вооружившись рюмкой водки и домашнего изготовления закуской в виде соленых грибочков и маринованных огурчиков, смотрел хоккей.

— Садись, — услышав голос Руслана, он, не оборачиваясь, похлопал рукой по дивану рядом с собой, — посмотри игру. Что они делают! Ну что делают! Это же никаких нервов не хватает...

Руслан послушно присел рядом, от водки отказался, терпеливо похрустел огурчиком, дожидаясь перерыва между периодами.

— Ну, чего? — пришел в себя Дыбейко, когда завыла сирена, возвещающая о конце второго периода. — Еще идеи появились?

— Наоборот. Я у мамы спросил насчет адвоката...

— Ну?

— Она говорит, у Бахтина адвоката не было.

Петр Степанович оставил рюмку и потянулся за сигаретами.

— То есть как это не было? — нахмурившись, переспросил он.

— Вот и я удивился. А мама говорит — не было.

— Странно это... Не может такого быть, уж ты мне поверь. Что-то наша Ольга Андреевна от нас с тобой скрывает. Тебе не кажется?

— Кажется, — твердо произнес Руслан, потому что именно об этом он и думал весь последний час, пока шел от дома сюда и пока сидел перед телевизором.

— А коль так... — Дыбейко задумчиво почесал живот и покивал каким-то своим мыслям. — Ты когда уезжаешь?

— Сегодня поздно вечером, через полтора часа поезд.

— Угу, угу... Ты вот что, ты мне позвони денька через три-четыре. А я по своим каналам свяжусь с тем районом, где было совершено преступление, попробую найти следователя, который дело вел. Что-то мне все это перестает нравиться.

Руслан уехал в Кемерово, так и не помирившись с матерью, но надо сказать, что никаких усилий к примирению и снятию конфликта он и не прилагал. Сейчас его волновали совсем другие проблемы.

Через четыре дня он позвонил Петру Степановичу на работу.

— Нашел я его, следователя-то, — неторопливо пропел своим несолидным тенорком Дыбейко. — Ты знаешь, что он мне сказал?

— Что? — в нетерпении выкрикнул Руслан.

— Что у Бахтина действительно не было адвоката.

— Но почему?

— А он отказался. Ему из Кемерова прислали какого-то опытного защитника, так Бахтин с ним даже встречаться не стал. Короче, от защиты он отказался. Вот такие дела, Руслан Андреевич. Если хочешь знать мое мнение, то что-то тут нечисто. Ох, нечисто.

* * *

Сергей Васильевич Дюжин, работавший в 1984 году следователем в Анжеро-Судженске и присланный в связи с внезапной болезнью местного следователя для ведения следствия по делу об убийстве Михаила Нильского, проживал теперь в Новокузнецке и вполне процветал на ниве юридического консультирования коммерческих предприятий. После принятия Закона о милиции, упразднившего обязательную двадцатипятилетнюю службу, Сергей Васильевич не без удовольствия снял погоны и начал применять свои правовые познания за совсем другую и по масштабам, и по происхождению зарплату.

Когда Руслан позвонил ему, Дюжин особого энтузиазма не проявил, долго шелестел в телефонной трубке страницами ежедневника-органайзера, потом с плохо скрытым раздражением назначил журналисту время встречи.

— Почему вдруг такой интерес к этому делу? — недовольно спросил он, когда Руслан приехал к нему в Новокузнецк. — Сначала мне откуда-то из Камышова звонили, теперь вы...

— Это одно и то же, — поспешно объяснил Руслан. — Из Камышова звонил заместитель начальника горотдела милиции по моей просьбе, я сам оттуда родом.

— Ну хорошо, пусть одно и то же, — с нетерпением отмахнулся Дюжин, — но почему спустя столько лет вы интересуетесь этим убийством?

Готовясь к разговору, Руслан долго не мог решить, говорить ли следователю правду. Легенда, придуманная Дыбейко для адвоката, здесь явно не годилась, не рассказывать же Дюжину о том, что собираешь материал о недобросовестности следствия. Если сразу не пошлет, то минут через пять — точно отправит в хорошо известное место. Руслан прикидывал и так, и эдак и в конце концов пришел к выводу, что лучше не лгать. Если Дюжин работал по делу добросовестно, то ему скрывать и стесняться нечего, а если подтасовывал факты, улики и обстоятельства, то что ему ни наври — все равно правды не скажет.

— Потерпевший Михаил Нильский — мой брат, — честно признался Руслан. — И я хотел бы разобраться в обстоятельствах его смерти. Понимаете, на суде говорили, что он напился и приставал к прохожему, к Бахтину. Но Миша не мог напиться, он вообще не злоупотреблял. Вот я и подумал, что, может быть, там что-то произошло...

— Ничего там не произошло, — прервал его Дюжин, — но ваш интерес мне вполне понятен. Я хорошо помню это дело. Вы удивлены? Не удивляйтесь, вы, наверное, тоже хорошо помните, как писали свой первый материал, который был опубликован. И как писали, и как несли редактору, и как потом ждали выхода газеты?

— Так это было ваше первое дело? — изумился Руслан.

— Ну, не совсем первое, я к тому времени уже несколько месяцев работал следователем, но все больше кражи раскрывал, грабежи, групповое хулиганство. А вот вести дело об убийстве мне тогда в первый раз поручили. Это вообще среди милицейских следователей большая редкость была в то время, по закону дела об убийстве вела прокуратура, а наши следователи — только дела о тяжких телесных повреждениях. Но знаете, как бывает? Сообщают об обнаружении трупа, выезжать в субботу ранним утром в глухомань, в лес никто не хочет, дежурный следователь прокуратуры оказался в другом месте, как раз обнаружили взлом большого склада, ночью сигнализация сработала, так там, у склада, все руководство собралось, шутка сказать — промышленных товаров на десятки тысяч рублей похитили. А хищение госимущества — тоже прокурорская статья. Не может же один следователь пополам разорваться. Вот и решили для возбуждения уголовного дела и производства первоначальных следственных действий меня подрядить, чтобы потом я дело по подследственности передал. А эксперт, когда вскрытие трупа произвел, сказал, что потерпевший умер не сразу, а только часа через три-четыре, то есть то, что произошло, вполне подходит под тяжкие телесные повреждения, повлекшие смерть. Вот у меня дело и оставили.

Умер не сразу... Руслан сглотнул вставший в горле ком. Значит, Миша, тяжело раненный, истекал кровью на опушке леса, и никто ему не помог. А подонок Бахтин его там бросил и смылся.

— А как вы Бахтина нашли? — спросил он.

— Люди помогли, — без тени иронии ответил Дюжин. — Когда стало известно, что в том месте на опушке леса обнаружен труп и рядом с ним «Жигули-шестерка», пришли грибники и сказали, что видели несколько дней назад в этом месте мужчину, приметы описали, одежду. А один из них сказал, что вроде бы этот мужчина в охотничьем домике живет. Вот в этом домике мы его и нашли.

— Так он что же, совершил убийство и даже не скрывался? — изумился Руслан. — Не уехал никуда, не попытался спрятаться?

— Вот представьте себе, — развел руками Сергей Васильевич. — Охотничий домик — это так, название одно, никто там ни на кого не охотится, просто хорошо сделанная избушка со всеми удобствами, которые бывают в лесу. И рядом банька с бассейном и подсобными помещениями. Построило ее одно крупное предприятие для отдыха своих руководителей, они туда компаниями человек по шесть-восемь выезжали. Ну, сами понимаете... Бахтин на этом предприятии не работал, но с кем-то из руководства был близко знаком, вот ему приятель и устроил возможность отдохнуть. Он там две недели жил, пока мы его не взяли. Вот хоть убейте меня, не понимаю, на что он рассчитывал! Уверен был, что его никогда не найдут.

— Так, может быть, это не он убил? — высказал Руслан крамольное предположение. — Потому и не скрывался, что вины за собой не чувствовал.

— Да как же не он! Он и признался практически сразу же, как только мы к нему пришли. И на ноже, которым был убит ваш брат, следы пальцев Бахтина.

— А чьи еще следы там были? — поинтересовался Руслан. — Или только одного Бахтина?

— Еще следы рук вашего брата. Это был, как я понимаю, его нож, он им угрожал Бахтину, завязалась драка, Бахтин выхватил нож и ударил потерпевшего.

— А не могло быть наоборот? — осторожно спросил журналист, чувствуя, что истина уже забрезжила, она где-то рядом, совсем близко. — Не Михаил приставал к Бахтину, а, наоборот, Бахтин приставал к Мише, угрожал ему ножом, завязалась, как вы сказали, драка, Мише удалось отобрать у него нож, поэтому и отпечатки его остались...

— А потом Бахтин снова завладел ножом и ударил вашего брата? — насмешливо продолжил бывший следователь. — Молодой человек, вы, судя по комплекции, сами-то не драчливы? Не увлекаетесь выяснением отношений при помощи грубой силы?

— Ну, если только в детстве, — смутился Руслан.

— Вот оно и видно, — назидательно проговорил Сергей Васильевич. — Картина, которую вы мне только что описали, это очень серьезная драка, и длится она не две-три секунды. Такая драка оставляет много следов на телах обоих участников, синяки, ссадины, порезы. И на местности следы остаются.

— А следов не было?

— Практически нет. Было совсем немного, ровно столько, сколько бывает, когда все происходит так, как описал нам Бахтин.

— Странно... И все равно я не верю, что Мишка был пьян настолько, чтобы приставать к незнакомому человеку. Это на него совсем не похоже, ну совсем, поверьте мне!

— Да мне-то что! — Дюжин недовольно поморщился, словно ему сунули под нос и заставили нюхать давно протухшую котлету. — Похоже на него или не похоже, верю я вам или не верю, никакого значения не имеет. Значение имеет заключение эксперта, а в нем ясно было сказано, что в крови убитого наличествовал алкоголь. Ваш брат, хоть вам и неприятно это слышать, выпил, причем выпил, находясь за рулем, что его никак не украшает.

Вот наконец Руслан поймал мысль, которая обязательно приведет его к разгадке! Экспертиза показала наличие алкоголя в крови убитого. Не было там никакого алкоголя, Мишка не был пьян, а заключение эксперта — фальсификация, чистой воды обман, нужный для того, чтобы спихнуть на Мишку вину за то, что затеял драку.

— А убийца что же, трезвым был? — злым голосом спросил он у Дюжина.

— Да нет, он тоже был хорошо выпивши.

— И экспертиза это подтвердила?

— Помилуйте, юноша, какая экспертиза? — возмущенно замахал руками Сергей Васильевич. — Бахтина взяли спустя почти десять дней после совершения преступления, мало ли что он за это время пил и ел? Состояние опьянения зафиксировано в деле с его слов. Проверить это ничем невозможно. Да и зачем ему на себя лишнего наговаривать? Ведь состояние опьянения — это отягчающее обстоятельство, был бы трезвым — срок поменьше получил бы.

— А зачем ему быть честным? — возразил Руслан. — Вот сказал бы, что был трезвым, так и получил бы срок поменьше. Проверить-то нельзя. Для чего он признавался в том, что был выпивши?

— Не знаю, — пожал плечами Дюжин. — Он вообще честный, наверное. Никаких поблажек себе не хотел, даже от адвоката отказался. По поводу адвоката я с ним много раз разговор заводил, а он — ни в какую. Я, говорил, виноват, очень виноват, вину свою признаю и готов отвечать. Мне тоже все это удивительно было, откровенно вам скажу. Ведь мы его брать выезжали исключительно «на авось», грибники, которые на него указали, видели его не в день убийства, а позже, и не возле машины и трупа, а в стороне. Может быть, они видели такого же грибника, как они сами, который к чужой машине близко не подходил, трупа не видел и к убийству никакого отношения не имел. Это уж только потом, когда Бахтина задержали, выяснилось, что на рукоятке ножа его пальцы. А в тот момент мы ничего этого не знали, опера, как обычно, морду пострашнее скорчили и в домик ворвались, а он сидит там, спокойный такой, в кресле-качалке книжку читает. Даже отрицать ничего не пытался, на все вопросы прямо там, в домике, и ответил. И кстати, сказал, что грибники его видели, когда он возвращался на место убийства. Он там во время драки бумажник выронил, а обнаружил не сразу, в лесу бумажник-то ни к чему, вот собрался через какое-то время в поселок за продуктами, тогда и спохватился, что денег нет. Вернулся, поискал, нашел. Сам он тех грибников не заметил. Так что все одно к одному сошлось.

— Сергей Васильевич, я бы хотел посмотреть дело, — твердо сказал Руслан. — Это возможно?

— Почему нет? Все возможно. Мне за это дело не стыдно, я его вел на совесть, показывать незазорно. Сейчас мой давний приятель — председатель того суда, где находится дело Бахтина. Если хотите, я ему позвоню и попрошу пустить вас в архив.

— Я буду вам очень благодарен.

«Честный он был, как же, жди, — думал Руслан, глядя на проносящиеся за мутным от грязи оконным стеклом вагона заснеженные поля и домики-развалюхи. — Честный товарищ Бахтин. Со смеху бы не помереть! Все дело в липовой экспертизе. Вот посмотрю это заключение, выясню имя и место работы эксперта и подумаю, как взять его за жабры. Интересно, большую взятку он получил за фальсификацию? Наверное, большую, это ведь должностной подлог, на этот счет в уголовном кодексе отдельная статья имеется. И сам Бахтин не был пьяным. Они оба были трезвыми, и ни о какой пьяной драке не может быть и речи. Что же там на самом деле произошло?»

ИГОРЬ

Он быстро привык к тому, что за Ириной не нужно ухаживать, не нужно ходить к ней на свидания, ездить по чужим квартирам или к ней домой, чтобы заняться любовью. Не нужно дарить цветы, водить ее по ресторанам и делать подарки. Три-четыре раза в неделю он, возвращаясь с работы, заставал красивую молодую девушку у себя дома в обществе одного или обоих родителей, и ему оставалось только переодеться, вымыть руки, поужинать и поучаствовать в общей беседе. Потом родители деликатно удалялись из гостиной в свою комнату, предоставляя молодым людям возможность уединиться в комнате Игоря, но и этой возможностью Ира пользовалась далеко не каждый раз. Она как-то удивительно точно умела угадывать, когда Игорь предлагает пойти к нему из обычной вежливости, потому что так вроде бы надо, так принято, а на самом деле он устал и никакого секса ему сейчас не нужно. И каждый раз в таких случаях Ира смотрела на часы, спохватывалась, что уже поздно, и просила вызвать такси. Ее даже не нужно было провожать поздними вечерами. Сказка, а не девушка! Мечта любого мужчины, а уж перегруженного работой следователя — тем более.

В мае ей исполнилось двадцать три. Давно лишившийся романтизма Игорь спросил заранее:

— Что тебе подарить на день рождения?

И услышал в ответ:

— Свое хорошее настроение. Ты очень устаешь на работе, поэтому редко улыбаешься. День рождения у меня попадает на середину недели, но я предлагаю отметить его в субботу. Ты выспишься, отдохнешь.

Игорь сразу повеселел. Он готов был услышать просьбу подарить что-то конкретное и уже заранее с тоской думал о том, что нужно будет выкраивать время на поиск и покупку подарка. А если это что-то дорогое, например какая-нибудь тряпочка от Версаче или сумочка от Шанель, то просить деньги у родителей или одалживать у знакомых, либо объяснять Ире, что такие траты ему не по карману. Ни того, ни другого, ни тем более третьего крайне не хотелось бы.

— Годится! А где будем отмечать? Ты хочешь пойти в ресторан?

Ира слегка покраснела, отчего ее смуглое личико приобрело темно-розовый цвет.

— Если можно, я хотела бы... Но я не знаю, насколько это удобно... — залепетала она.

Игорь снова насторожился. Неужели потребует повести ее в шикарный ресторан, где меньше чем в пятьсот долларов не уложиться? Час от часу не легче!

— Ты сначала скажи, а потом решим, удобно или нет, — суховато сказал он.

— Если можно, я бы хотела отметить свой день рождения у тебя дома, — выпалила Ира. — И чтобы твои родители тоже были.

Вот это да! Игорь от души расхохотался. Ну и запросы у этой девочки! Никогда он не думал, что среди будущих актрис, а тем более среди таких красавиц встречаются такие скромницы.

— Что ты смеешься? — Она обиженно надула красиво очерченные губки, но глаза ее искрились лукавством. — Я же сказала: хочу, чтобы в мой день рождения у тебя было хорошее настроение. А оно у тебя хорошее, только когда ты у себя дома. Я же понимаю, ты так выматываешься на своей работе, что лишний раз из дома выходить не хочешь в выходной день.

Да, она права. А вот Вера этого не понимала. Она была жадной до впечатлений и беспрестанно, благо возможности такие были, таскала Игоря по театрам, выставкам и вернисажам. Выросшая в сибирской провинции и знавшая столицу только по теле- и кинопоказам, Вера готова была часами бесцельно гулять по Москве и подолгу рассматривать исторические достопримечательности, не вызывавшие у Игоря ни малейшего интереса. Она буквально выматывала мужа этой своей культурной активностью, совершенно не считаясь с тем, что он после рабочего дня больше всего на свете хочет посидеть в тишине у себя в комнате и помолчать. Желательно в одиночестве. Не удивительно, что постепенно он начал избегать своего дома, задерживался допоздна сначала на работе, а потом и не только на работе, тем более что любовь к Вере иссякала неумолимо, уходила из его сердца сначала маленькими редкими капельками, со временем сливавшимися в тонкий ручеек, а потом хлынула неудержимым потоком, оставив в нем только сухое недоумение: и что он в ней нашел? Неужели ему придется до конца жизни жить бок о бок с этой милой, неглупой, приятной во всех отношениях, но абсолютной не нужной ему женщиной?

А Ирина понимает его и считается с его вкусами, привычками, потребностями. Да и родителям, кажется, она нравится. Во всяком случае, Ира, во-первых, коренная москвичка, а во-вторых, имеет возможность как студентка ВГИКа получать контрамарки на любые спектакли и смотреть их в свое удовольствие, поэтому никаких прогулок по историческим местам и никаких культпоходов в театры не предвидится.

Елизавета Петровна, выслушав сообщение сына о просьбе его девушки, касающейся празднования дня рождения, с сочувствием покивала головой:

— Бедная девочка, я ее понимаю.

— Что ты понимаешь? — удивился Игорь.

— А то, сынок, что она сирота. Отца вообще не помнит, мать давно умерла. Что она видела в своей жизни, кроме соседей по коммунальной квартире?

— Еще был первый муж, его она тоже видела, — заметил Игорь. — И квартира у него была отнюдь не коммунальная.

— Вот именно, муж и квартира. А ей нужны родители. В жизни человека все должно быть вовремя и в достаточном количестве, иначе потом он начинает это восполнять самыми невообразимыми способами. Человек должен обязательно побыть маминым ребенком и папиным ребенком, и достаточно долго, чтобы в полной мере этим насладиться и это ощутить. А если его этого лишить, то впоследствии это начинает сказываться. Мальчики, например, которым не дали возможности жить с отцом, начинают тянуться к взрослым мужчинам и попадают от них в зависимость. Ты же сам следователь, сколько раз ты нам с отцом рассказывал о взрослых преступниках, которые вовлекают в свой промысел малолеток! И причем именно тех, у кого нет отца.

— Ну, это крайности, — усмехнулся он. — Тебя послушать, так получается, что все девочки, у которых не было родителей, обязательно попадают в зависимость к добрым тетям-бандершам и становятся проститутками, обслуживающими престарелых похотливых кобелей. Это уж чересчур, мамочка.

— Я так не хотела сказать, я просто привела тебе пример. И совершенно понятно, почему Ирочка тянется к нам и с таким удовольствием приходит. Конечно, мы с папой с радостью примем ее у себя в этот день. И я обязательно приготовлю что-нибудь вкусненькое. У меня как раз в пятницу вечером нет приема, так что я все успею.

Елизавета Петровна работала одновременно в трех местах — в обычной городской поликлинике, в коммерческом отделении одной из больниц и в платном диагностическом центре. Зарабатывала она немало, и это, вкупе с много лет получаемой мужем профессорской зарплатой, позволяло не только с некоторым шиком содержать четырехкомнатную квартиру и покупать продукты в основном на рынке, а одежду — в фирменных магазинах, но и приобрести две подержанные иномарки — для Виктора Федоровича (вместо прежнего отечественного автомобиля, на котором теперь ездила сама Елизавета Петровна) и для Игоря.

День рождения Ирины прошел как нельзя более приятно. Без излишнего шума и ажиотажа, в тихом семейном кругу, за красиво сервированным и украшенным роскошными цветами столом с вкусными домашними блюдами. Конечно, не обошлось и без подарков, но это были скорее милые знаки внимания, ибо Елизавета Петровна строго-настрого запретила мужу и сыну покупать что-то дорогое.

— Это неприлично, — категорично заявила она, случайно услышав, как Игорь обсуждает с отцом проблему покупки для Иры золотой цепочки. — Нельзя подчеркивать разницу в нашем материальном положении. И потом, один раз ты подаришь ей золото, и на все следующие праздники она будет иметь право ожидать от тебя чего-то подобного, по крайней мере, не дешевле. Если делать всем твоим девушкам такие подарки, мы через год полностью разоримся. Если бы речь шла о твоей жене — тогда совсем другое дело. А Ирочка пока только твоя любовница, не более.

— Лизонька! — с упреком воскликнул Виктор Федорович.

— Ну хорошо, не любовница, просто девушка.

Подружка, — поправилась Елизавета Петровна. — Но смысл моих слов, надеюсь, ясен?

— Более чем, — ответил Игорь и отправился за подарком.

Он выбрал очаровательный хрустальный колокольчик, который и преподнес Ирине со словами:

— Это тебе, чтобы ты меня будила, когда я засну.

Такое дипломатичное напоминание о деликатной ситуации, во время которой произошло знакомство Ирины с родителями Игоря, вызвало за столом одобрительный смех. Виктор Федорович и Елизавета Петровна подарили девушке купленный у букинистов двухтомник Жоржа Садуля «История киноискусства» и с умилением глядели, как Ира со слезами на глазах прижимает к груди огромные тяжелые тома в желтом переплете.

— Я так мечтала об этом, — говорила она с благодарной улыбкой. — Все время приходится брать в библиотеке, а мне так хотелось, чтобы у меня был свой Садуль.

Месяца через два после того дня мать сказала Игорю:

— Сыночек, если ты в принципе собираешься жениться еще раз, то я советую тебе больше никого не искать. Лучше Ирочки ты вряд ли кого-нибудь подыщешь.

— Тебя даже не интересует, люблю ли я ее? — язвительно усмехнулся он.

— Я исхожу из того, что ты с ней спишь, — спокойно ответила Елизавета Петровна. — И мысли не допускаю, что мой сын может пойти на близость с женщиной, которую он не любит. Хочу надеяться, что ты не до такой степени циничен.

— Не до такой, — согласился Игорь. — И ты готова принять Иру в наш дом в качестве невестки?

— Я трезво смотрю на жизнь, — грустно ответила мать, — и понимаю, что либо ты будешь жить бобылем при папе с мамой и шляться по случайным девицам, либо рано или поздно приведешь сюда новую жену. Поскольку первый вариант меня как врача не устраивает совсем, то лучше пусть будет второй. И если уж ты приведешь новую жену, то пусть это будет приличная девушка, студентка, москвичка, а не какая-нибудь сексапильная шалава, которую ты, может быть, и будешь любить больше, чем Ирочку, но которая превратит нашу жизнь в непреходящий кошмар. И твою жизнь, кстати, тоже. Подумай над тем, что я сказала.

Игорь подумал. В принципе Ира его устраивала, она была удобной во всех отношениях и, что самое главное, не раздражала его. Конечно, он не любил ее так сильно, как когда-то Светлану, свою первую женщину, и даже не был полностью очарован ею, как в свое время Верой. Но Ирка... Было в ней что-то невыразимо притягательное для него. Спокойствие, ненавязчивость, негромкость голоса, умение подолгу молчать. Она не требовала общения и могла просто сидеть рядом, прижавшись к нему плечом или взяв за руку, и думать или читать. Ирка не обидчива, не устраивает сцен и не плачет, ну разве что от радости или переполняющего ее чувства благодарности всплакнет чуток, но это как раз те слезы, которые мужчин не пугают. И в постели Игорю с ней комфортно, ее желания полностью совпадают с его возможностями. Мать права, не жить же ему бобылем до скончания века. Все равно какая-то жена будет нужна, так почему не Ира?

Он ни на минуту не задумался над тем, что, если бы Елизавета Петровна не завела этот разговор и не дала понять, что не возражает против Ирины Савенич в качестве новой невестки, ему бы и в голову не пришло рассматривать вопрос о второй женитьбе. Один раз он уже привел в дом жену, не спросив согласия родителей, и ничего хорошего из этого не вышло. Во второй раз он решение жениться сам ни за что не примет. А коль это решение фактически приняли за него мама и папа, то почему бы ему это решение не выполнить? Он лично ничего против не имеет. Все складывается, таким образом, вроде как помимо его воли, и ответственности за последствия он не несет. Не приживется Ирка в их семье — разведутся, но виновата будет уже мама, а не он, Игорь.

Именно так обстояло дело на самом деле, но Игорь Мащенко этого, как обычно, не понимал и ни о чем не подозревал. Он неосознанно ждал возможности переложить бремя принятия решения на кого-то другого и с радостью избавлялся от необходимости отвечать за последствия.

НАТАЛЬЯ

Она только что проводила Вадима на работу. Шесть утра, мальчиков нужно поднимать в семь, чтобы в школу не опоздали, у нее есть еще целый час. Можно лечь подремать, но можно и не ложиться. Наташа постояла несколько минут в прихожей, глядя на закрывшуюся за мужем входную дверь, и решила все-таки не ложиться. Вчера она допоздна работала над текстом новой программы, понимала, что давно пора спать, но остановиться не могла. Текст за ночь вылежался, и теперь надо бы просмотреть его свежим глазом, пока не навалились ежедневные хлопоты и внимание не рассеялось.

Наташа вскипятила чайник и решила выпить кофе прямо на кухне. Все спят, и мальчики, и Иринка, и Бэлла Львовна, никто ей не помешает, а на кухне теперь так хорошо стало! Сделали ремонт, сменили всю старую мебель, и свою, и соседскую, даже плиту новую поставили. Не коммунальная кухня, а загляденье!

Она принесла из комнаты папку с написанным накануне текстом. Чтобы не тревожить уснувшего Вадима, Наташа не стала пользоваться пишущей машинкой, писала от руки. Прихлебывая горячий кофе, она внимательно читала, и с каждой строчкой в ней крепло убеждение, что это не то. Не то и не так. А как нужно? Ей хотелось сделать публицистическую программу о национальном вопросе, в частности об обществе «Память», о Баркашове и его Русском национальном единстве. Наташе казалось, что ей есть, что сказать по этому поводу, но теперь, перечитывая написанные вчера страницы, все сказанное казалось блеклым, неубедительным и размытым. Нет, это совсем не годится. Надо все переделывать с самого начала. Нужен стержень, на который будут нанизываться авторские слова, журналистские вопросы к интервьюируемым, зрительные образы и их цветовое решение.

Скрипнула дверь, к кухне приближаются шаркающие шаги, и появляется полусонная Иринка в ночной рубашке, растрепанная, с припухшими от сна глазами и губами. Что-то рано она сегодня.

— Ты чего? — встревоженно спросила Наташа. — Еще только половина седьмого.

— Таблетки забыла с вечера в комнату взять, — пояснила девушка. Она достала из навесного шкафчика пузатые пластиковые баночки с пилюлями «Гербалайф», налила в стакан воду из-под крана. Отсыпала в ладонь две пилюли из одной баночки и запила их водой. Пилюли из другой баночки положила на тарелку, туда же поставила заново наполненный стакан.

— Я скоро лопну, — жалобно произнесла Ирина, — в жизни столько воды не пила. Сначала одни таблетки со стаканом воды, через полчаса другие, и тоже со стаканом воды, а еще через полчаса коктейль. И так три раза в день. Умереть можно.

Она собралась было возвращаться к себе, но передумала, поставила тарелку с таблетками и водой на стол и плюхнулась на табуретку рядом с Наташей.

— Брось, — с улыбкой посоветовала Наташа, — зачем так себя изводить? Еще неизвестно, будет ли результат, а мучения — они уже сейчас во всей красе присутствуют.

— Ну да, брось! Как это я брошу? Мне обещали, что через месяц я похудею на восемь килограммов. Ты же знаешь, чего я только не делала, чтобы вес сбросить, ничего не помогает.

— А «Гербалайф» твой, думаешь, поможет? — Наташа не скрывала скепсиса, она с детства была убеждена в том, что похудеть можно только при помощи физических нагрузок и отказа от сладкого. Физические нагрузки у Ирины были немалые, одни занятия сценическим движением чего стоят, и от сладкого она больше года назад отказалась, а толку никакого, в вещи сорок восьмого размера она так и не влезла. И, по мнению Наташи, это означало только одно: такая у нее конституция, генотип такой, организму в этом весе комфортно, и он даже под угрозой смерти не отдаст ни одного килограмма на потребу моде. Но

Ира эту точку зрения не разделяла и мужественно бросалась попеременно то в одну диетологическую авантюру, то в другую. То варила себе какие-то специальные супчики, якобы сжигающие жир, то сидела на двухнедельной «японской» диете без соли и сахара, то переходила на монопитание и ела по три раза в день либо только творог, либо только мясо, либо только рис. Сбрасывала она каждый раз два-три килограмма, и уже через две недели эти насильственно выкинутые из тела килограммы снова возвращались и прилипали к фигуре намертво. Теперь вот новомодное американское средство для очистки организма и похудения под названием «Гербалайф». Стоит сумасшедших денег, месячный курс — сто двадцать долларов. Ирка пьет эти разноцветные пилюльки и сладко пахнущие коктейли уже две недели, и Наташа слабо верила в то, что еще через две недели ее соседка похудеет на восемь килограммов, то есть на два размера. Однако Ира верила и продолжала вливать в себя бесчисленные стаканы с водой.

— Уверена, что поможет, — с горячностью произнесла она и тут же жалобно добавила: — Натулечка, ты меня не расхолаживай, а то у меня силы воли не хватит.

— Иди спать, — засмеялась Наташа, — это не я тебя расхолаживаю, а ты меня своим сонным видом. Мне нужно поработать.

— Да ладно, я уже проснулась, — Ира сладко зевнула, потянулась. — Все равно мне с тобой поговорить надо. Натулечка, я замуж выхожу.

— Да ну? — подняла брови Наташа. — Опять? За кого на этот раз?

— За Игоря Мащенко.

— Ты с ума сошла!

— Почему же? И вообще, чему ты так удивляешься? Ты же знаешь, что я с ним встречаюсь уже год. Вполне естественное развитие событий.

— Ирка, что ты говоришь? Ты же его не любишь. Как же можно выходить замуж без любви?

— Ой, до чего ты правильная — прямо противно. — Ира смешно наморщила носик и скорчила Наташе рожицу. — Тебя послушать, так весь мир должен быть устроен по принципу: если любишь — женись, если не любишь — не женись. А сколько на свете людей, которые любят друг друга и не женятся по разным причинам? Миллионы! Поэтому остальные миллионы имеют полное право жениться без любви. Тогда все справедливо.

— Но это нечестно, — запротестовала Наташа, — это же обман. Человек, который на тебе женится, сам тебя любит и надеется, что ты отвечаешь ему взаимностью.

— Да перестань ты! Какая взаимность? Думаешь, Игорь меня без ума любит, что ли? Ничего подобного. Я все прекрасно понимаю, ему нужно жениться на ком-нибудь, чтобы бабы не рассматривали его как потенциального жениха и не вешались ему на шею. Он нормальный взрослый мужик, у него есть свои физиологические потребности, но если он будет их удовлетворять с посторонними женщинами, то будет постоянно влипать во всякие там отношения, которые придется потом нудно выяснять и болезненно разрывать. Лучше пусть будет для этого дела жена, приличная и необременительная, которая нравится его мамочке и папочке. И ему самому, кстати, тоже. А любить наш Игорек вообще не умеет, понимаешь? В принципе не умеет. Ему эта способность от природы не дана. Он может увлечься, влюбиться, но на короткое время. А потом — все. Полный пшик.

— Ну хорошо, а ты? Зачем тебе это замужество? Ты что, тоже любить не умеешь?

— Интересно ты рассуждаешь! — фыркнула Ирина. — А как же я, по-твоему, буду отслеживать ситуацию? Если я откажусь выйти за него замуж, он найдет кого-нибудь другого, и мне тогда дорога в их дом будет закрыта.

— Ирочка, дорогая моя, это не аргумент. Я очень виновата перед тобой, я втравила тебя в эту историю, я согласилась на то, чтобы ты познакомилась с Игорем, а через него — с Виктором Федоровичем, потому что была напугана, была парализована страхом. У меня, наверное, мозги отказали, если я согласилась на такое. Но прошел год, и ничего не случилось, никакой катастрофы. Может быть, я сильно преувеличила опасность, ты же сама говоришь, что за весь этот год Виктор Федорович ни разу не упомянул моего имени и вообще проблему сотрудничества людей с КГБ ни в каком виде не обсуждал. Если тебе нравится Игорь — пожалуйста, встречайся с ним, спи с ним, живи. Но если ты делаешь это только ради меня, то не нужно. Ты собираешься принести себя в жертву, но это искалечит всю твою жизнь. Ты же сама мне потом этого не простишь.

Ира вскочила с табуретки, опустилась перед Наташей на колени, положила голову на ее бедро, как преданная собака.

— Натулечка, после всего, что ты для меня сделала, никакие жертвы не будут слишком большими. Мне ничего для тебя не жалко, жизни своей не жалко, только бы тебе было хорошо. Ты пойми, тебе, может быть, это все и не нужно, но это МНЕ нужно. Понимаешь? МНЕ. Я должна чувствовать, что искупаю свой грех перед тобой, иначе я не смогу жить спокойно. Я — преступница, и я не успокоюсь, пока не почувствую себя достаточно наказанной. А ты все время хочешь мне помешать. Неужели тебе меня не жалко?

Опять она заговорила о Ксюше. Это случалось нечасто, но Наташа твердо знала, что Ира все помнит, помнит каждый день, каждый час, винит себя и не знает, что ей делать с этим чувством страшной вины. Наташа давно уже научилась не плакать, вспоминая свою маленькую дочь, но до сих пор слезы наворачивались на ее глаза каждый раз, когда Ира заговаривала о своей вине и своем грехе.

— Жалко, — проглотив слезы, сказала она. — Мне тебя очень жалко. Поэтому я и не хочу, чтобы ты выходила замуж по такому подлому расчету. Ирочка, девочка моя, ты потом раскаешься в этом и будешь винить во всем меня. И мы с тобой попадем в замкнутый круг взаимных обвинений, из которого уже никогда не выберемся. Мы будем до самой смерти жить в аду. Ты этого хочешь?

Ира резко поднялась с колен, посмотрела на висящие на стене часы, бросила в рот очередные таблетки и залпом выпила стакан воды.

— Запомни, Натулечка, я никогда и ни в чем не буду тебя винить. И осуждать ни за что не буду. Хуже и страшнее того, что я сделала, сделать невозможно. Что бы ты ни делала, ни один твой поступок этого не перевесит. И вообще, чего ты сидишь? Уже семь часов, пора мальчишек поднимать. Давай, я завтрак приготовлю, мне все равно еще полчаса до коктейля ждать.

Наташа сложила бумаги в папку и отправилась в комнату к сыновьям. И как обычно, прежде чем их будить, несколько секунд разглядывала спящих мальчиков. Сашка уже совсем большой, ему тринадцать, голос начал ломаться, над верхней губой пушок виднеется, с каждым месяцем все более заметный. Густые темно-русые вихры закрывают лоб и уши. В прежние времена, когда Наташа училась в школе, с такой прической без разговоров выгоняли с уроков и отправляли в парикмахерскую, а теперь полная свобода, никто никого не заставляет стричься, волосы можно носить любой длины, даже школьную форму отменили. Хорошо это или плохо? Для ее сыновей, наверное, нормально, но ведь не у каждого ребенка в семье такой достаток, как у Вороновых, а дети есть дети, они хотят быть не хуже других и страшно комплексуют из-за того, что у них нет таких модных вещей, как у их одноклассников. В форме все были одинаковыми, благосостояние семьи на внешнем виде школьников практически не сказывалось, по крайней мере во время уроков. С другой стороны, одинаковость — это путь к потере индивидуальности. И неизвестно еще, что хуже. Можно, кстати, на эту тему передачу сделать, не только о школьниках, а вообще о проблемах равенства и различий. Любопытно получится...

Алешка — совсем другой, совершенно на брата не похожий, темно-рыжий, как Наташа в детстве, коротко стриженный. Он и спит по-другому, не так, как Саша. Старший даже во сне, кажется, куда-то бежит, торопится, боится не успеть, широкие брови напряженно сдвинуты, губы сжаты, а младший уходит в сон глубоко и основательно, как и все, что он делает, поэтому и сны видит сладкие и приятные, вон какая улыбка на лице! Зато просыпается Алеша легко и быстро, с хорошим настроением, выспавшийся и отдохнувший, а Сашу приходится подолгу будить, вытаскивая из очередной погони или смертельной схватки, и потом еще следить, чтобы не отвернулся к стенке и не заснул снова. Наверное, напрасно Вадим купил видеомагнитофон, Сашка слишком увлекается боевиками.

Когда сыновья были совсем крошечными, Наташа видела их одинаково, оба они были для нее атласно-розовыми, как мягкая пуховая подушечка, в которую так приятно уткнуться лицом. Потом в мысленном образе старшего сына, Сашеньки, стали появляться желто-красные пламенные оттенки, с которыми ассоциировались подвижность и энергичность, часто чреватые травмами и опасностью. Алешин же розовый цвет постепенно темнел и превращался в терракотовый — цвет кирпичей, из которых строят уютные и надежные дома. Теперь же непоседливый и неутомимый Сашка прочно связывался у Наташи с бело-голубыми красками, именно таким она представляла себе электрический ток еще в школе, когда изучала физику. А спокойный и даже немного медлительный Алеша приобрел устойчивый темно-синий цвет, цвет покоя и надежности, точно такой же, в какой до сих пор для Наташи была окрашена комната Бэллы Львовны. Такие разные мальчики... И при всей своей несхожести они очень привязаны друг к другу, несмотря на то, что учатся в разных классах. У них даже друзья общие, но это уже заслуга Вадима, это он настоял, чтобы сыновей отдали в спортивную секцию, ведь там ребят разбивают на группы не по возрасту, а по умению, и если ты ничего пока не умеешь, если ты начинающий, то будешь тренироваться вместе с теми, кто пришел одновременно с тобой, независимо от того, сколько тебе лет, семь, восемь или десять. Саша и Алеша уже второй год ходили в бассейн, занимались плаванием и обзавелись общей компанией, в которую входили мальчики от двенадцати до пятнадцати лет.

Господи, да что же она стоит! Уже десять минут восьмого, а она тут мечтает неизвестно о чем...

— Ребята, подъем, — громко сказала она, подходя к Сашиной постели. Старшего придется потормошить, а младший и сам встанет, у него чувства ответственности на десятерых хватит, никогда в школу не опоздает. — Давайте, давайте, поднимайтесь, умывайтесь, сейчас Ира завтрак принесет.

Слова оказали магическое действие, но на это, собственно, и было рассчитано. Сашка все время хотел есть, возраст такой, наверное, и перспективой даже малейшей гастрономической радости его можно было выманить и из комнаты, где он смотрел очередной боевик, и из сна. Алеша к еде относился спокойно, зато ужасно стеснялся выползать из-под одеяла в присутствии Иры. В отличие от брата, спал он голым, без пижамы, но если присутствие матери переносил абсолютно спокойно и даже позволял ей мыть себя под душем, то Ира, равно как и все другие женщины на свете, его страшно смущала.

Через две минуты оба мальчика в трусиках и маечках чистили зубы в ванной, а Ира расставляла на столе чашки с чаем и тарелки с горячими бутербродами.

Утро шло строго по графику, в восемь часов ушла на занятия в институт Ира, в восемь пятнадцать — мальчишки помчались в школу, в восемь тридцать Наташа вышла из дому и поехала на Шаболовку, в старый телецентр, где у нее были назначены две встречи. Ее немного беспокоило, что к моменту ухода она так и не увидела Бэллу Львовну. Может быть, соседка плохо себя чувствует? Обычно Бэллочка встает около восьми, а сегодня что-то заспалась. Надо будет позвонить ей сразу же, как только Наташа доедет до телецентра.

Но позвонила она не сразу. Через три минуты после того, как она вошла в здание, на нее обрушилась новость:

— Ты слышала, какой у нас скандал? — возбужденно зашептала ее знакомая — администратор одной из популярных программ. — Синягина снимают с информационных выпусков.

— А что случилось? — удивилась Наташа.

Синягин был одним из самых «продвинутых» ведущих ежедневной вечерней информационной программы, его оценки событий были неожиданными и глубокими, а комментарии — мягко-ироничными и внешне вполне лояльными, но за этой лояльностью многие угадывали скрытое ехидство. Его любили в народе, и эту информационную программу по вечерам смотрела, без преувеличения, вся страна. Что же могло случиться такого, чтобы звезду телеэкрана Синягина отлучили от эфира? Неужели сам президент или кто-то из его окружения остался недоволен и оказал давление на руководство канала?

— Оказывается, Синягин когда-то сотрудничал с комитетом, — трагическим шепотом поведала администратор. — Ты представляешь? Какая гадость! Как он мог? Теперь ему руки никто не подает.

— Глупости это, — громко и резко сказала Наташа. — С чего вы это взяли? Кто-то брякнул, а вы и поверили. Неужели ты не понимаешь, что Синягин просто раздражает кого-то из высшего руководства, вот вам и слили эту дезу, чтобы вы своими руками его убрали. Вы же такие демократы, что дальше некуда, вы в своих рядах доносчиков не потерпите. Вот они вашим демократизмом и воспользовались. А вы идете у них на поводу, как послушные ослы. Проверить эту информацию невозможно, а поверить в нее очень хочется, да? Жареного захотелось, на постном пайке долго сидите? Стыдно.

Она не стала дожидаться ответа и быстро пошла дальше по длинному коридору, чувствуя, как пылают щеки. Она сказала то, что должна была сказать, но сама в своих словах была далеко не уверена. Конечно, Синягина убрали, он стал неугоден в верхах и для этого разыграли самую актуальную на сегодняшний день карту — сотрудничество с КГБ. Прошлогодний скандал с Прунскене вызвал настоящий ажиотаж, и тема негласного сотрудничества с силовыми ведомствами постоянно с тех пор возникала то тут, то там. Но до сих пор, насколько Наташе было известно, этим ключом не пользовались для того, чтобы открыть дверь кадровых перестановок. Возмущались, негодовали, пламенно обличали и людей, служивших системе, и саму систему, но без оргвыводов. И вот оно, начало. Был Синягин в действительности агентом КГБ или не был, никакого значения для Наташи не имело. Важно одно: метод опробовали. Потом его начнут применять. К кому? Кто будет следующим?

Обе назначенные встречи Наташа провела крайне неудачно, ни один вопрос не решила и ничего не добилась. Она вообще не очень хорошо понимала, что ей говорят, мысли все время перескакивали с Синягина на Ирину и обратно. Не рано ли она успокоилась, решив, что опасность миновала? И сколько еще времени, сколько месяцев, а может быть, и лет придется ей жить в этом постоянном, изнуряющем, выматывающем страхе?

Только после окончания всех переговоров Наташа спохватилась, что так и не позвонила Бэлле Львовне.

— Бэллочка Львовна, — нервно заговорила она в трубку, услышав неторопливый говорок соседки, — у вас все в порядке? Вы утром не встали, я уж забеспокоилась.

— Все в полном порядке, золотая моя, не волнуйся.

Но что-то в голосе пожилой женщины показалось Наташе странным, необычным. В нем проскальзывали давно забытые нотки, которых Наташа давно уже не слышала.

— И все-таки что-то случилось, — утвердительно сказала она. — Я же слышу.

— Случилось. Придешь домой — поговорим.

— Бэллочка Львовна, не мучайте меня, я и так вся на нервах! Что-то с мальчиками? С Ирой? Да говорите же.

— Я только что разговаривала с Мариком по телефону. Он скоро приедет.

— Когда?!

— Через два месяца, в ноябре. Золотая моя, ты можешь в это поверить? Мой Марик приезжает!

РУСЛАН

Из окна палаты на третьем этаже он видел медные и бронзовые ветви деревьев. Сначала, когда он только попал сюда, деревья были черно-белыми, покрытыми шапками снега, потом, когда в апреле снег растаял, стали просто черными, потом нежно-зелеными, потом зелень стала наливаться сочностью и темнеть, а теперь вот жизненные соки уходят из листьев и веток, и их сжигает красно-золотое пламя осени.

Руслан попал в автоаварию через день после возвращения из Новокузнецка и встречи с бывшим следователем Дюжиным. Он пролежал в больнице с травмой черепа и множественными переломами весь остаток зимы, весну, лето и даже начало осени. Заканчивается сентябрь, и завтра, наконец, его выписывают. Кости почему-то все время неправильно срастались, их приходилось снова ломать и снова оперировать. Порой ему начинало казаться, что отныне он будет жить до конца дней только здесь, в этой палате на третьем этаже, на этой койке, только соседи будут меняться, да и то нечасто, это же травматология, отсюда быстро не уходят, месяцами лежат.

Времени Руслан Нильский даром не терял. Как только смог держать на коленях блокнот, а в руках — шариковую ручку, начал работать над материалом о бедственном положении медицинских учреждений, в частности больниц и станций «Скорой помощи». Нехватка врачей и фельдшеров, дефицит лекарственных препаратов, отсутствие финансов для закупки продуктов питания для больных и осуществления элементарных мероприятий по поддержанию санитарного состояния зданий. Чуть позже, когда начал ходить и знакомиться с больными из других палат, появилась новая тема: раненые и контуженные, ставшие инвалидами по воле и вине государства, пострадавшие во время выполнения воинских или служебных заданий, солдаты из «горячих» точек, милиционеры, спецназовцы, пожарные.

На все отделение был один телевизор, стоявший в коридоре, и смотреть его могли только ходячие больные, которые, вернувшись в палату, со вкусом и неизвестно откуда взявшимися подробностями пересказывали увиденное и услышанное тем, кто прикован к кровати. Руслан с интересом прислушивался сначала к рассказам, позже, когда начал вставать и имел возможность сам смотреть телевизор, — уже к пересказам, не переставая удивляться тому, как до неузнаваемости модифицируются факты и события. О степени искажения он мог судить вполне объективно даже тогда, когда еще не ходил, ведь к нему ежедневно прибегал кто-нибудь из редакции, приносил ворох свежих газет и делился новостями. Так, 11 чемоданов с компроматом, о которых говорил генерал Руцкой, как-то незаметно превратились сначала в 11 контейнеров, а в следующем пересказе — в 21 вагон, набитый ящиками с документами, компрометирующими ряд представителей власти. Когда созданная президентом комиссия по борьбе с коррупцией заявила, что сам генерал Руцкой причастен к некоему счету в швейцарском банке размером в 3 миллиона долларов, то в больничном дворике обсуждался уже личный счет самого генерала, на котором тот держал неизвестно где украденные миллионы, а будучи донесенной до палаты и пересказанной лежачим больным, новость обрела поистине раблезианский масштаб: оказывается, генерал держал на счету целых 300 миллионов единиц североамериканской твердой валюты.

Эти наблюдения натолкнули Руслана на мысль проанализировать механизм таких информационных метаморфоз. Ведь люди не глухие и не слепые, они отчетливо слышат то, что сообщает им диктор телевидения или радио, так почему же через полтора-два часа они подвергают это таким чудовищным искажениям? Первое открытие, которое сделал для себя молодой журналист, состояло в том, что люди слышат и видят вовсе не то, что им говорят и показывают, а то, что они хотят слышать и видеть. И вопрос на самом деле состоит в том, что именно они хотят слышать и видеть и почему именно это, а не что-то другое. Почему людям так хочется, чтобы все представители властных структур оказались ворами и взяточниками? Ведь по большому счету этого хотеть нельзя, иначе разворуется весь государственный бюджет, вся казна, и нечем будет платить зарплату и пенсию, и не будет средств на социальные программы. То есть, с одной стороны, люди, находясь в здравом уме, конечно же, не хотят, чтобы «наверху» все воровали, но, с другой стороны, почему-то очень этого хотят, причем хотят настолько, что зачастую принимают желаемое за действительное. Размышлениям над этим феноменом Руслан посвятил свою третью статью.

Потом, набрав нужное количество информации в беседах с такими же, как он сам, пострадавшими в автоавариях, он разразился материалом об ужасающем состоянии дорожного покрытия и о недобросовестности некоторых автошкол, выдающих водительские права людям, не прошедшим надлежащий курс обучения и не сдавших на должном уровне экзамены. Вслед за этим Руслан написал отдельную статью о взяточничестве в Госавтоинспекции. Этим вопросом он интересовался давно, а теперь, наслушавшись рассказов о том, как ведут себя работники ГАИ на местах дорожно-транспортных происшествий, просто не мог удержаться.

Писал он ради собственного удовольствия, чтобы чем-нибудь занять себя, но обязательно показывал написанное приходившим к нему сотрудникам редакции. Они забирали текст, и через некоторое время статья появлялась в газете. Особенно много похвал Руслан получил по поводу статьи о слухах, ее даже перепечатали несколько газет в Томске, Иркутске и Новосибирске.

Одним словом, все было отлично. Статьи публиковались, авторитет Руслана Нильского как журналиста рос не по дням, а по часам, кости наконец срослись как положено, и завтра он вернется домой. Только вот уголовное дело по обвинению Бахтина в убийстве ему так и не удалось посмотреть. Не успел, в больницу попал. Ну ничего, все впереди, торопиться ему некуда. Мать, похоже, забыла о ссоре, как только Руслан оказался на больничной койке, тут же взяла отпуск, приехала в Кемерово, поселилась у подруги и целыми днями сидела возле сына, выхаживала, приносила еду, меняла белье. Когда отпуск кончился, ей пришлось уехать, но каждую неделю на выходные она снова приезжала в Кемерово. И ни разу за все эти долгие месяцы не вернулись они к тому разговору, будто и не было его никогда. Вот выйдет Руслан из больницы, осмотрится немного на работе и свяжется с Дюжиным. Только вряд ли это будет сразу, похоже, ситуация в стране накаляется до предела. Три дня назад, 21 сентября, Президент Ельцин подписал Указ номер 1400: прервать съезд народных депутатов и распустить Верховный Совет России. Через полчаса заседавшие в здании Верховного Совета на Краснопресненской набережной депутаты назначили руководителя обороны Белого дома, а на другой день утром Президиум Верховного Совета постановил: Президента Ельцина от руководства страной отстранить, его полномочия передать вице-президенту Руцкому. Белый дом оцепили, и с тех пор ни один депутат оттуда не вышел, так и заседают беспрерывно, назначают новых министров и вырабатывают стратегию борьбы с Президентом. На уступки, похоже, ни Президент, ни парламент идти не собираются, и мирным путем такое противостояние кончиться просто не может. В любой момент может грохнуть взрыв, и тут уж журналисты должны денно и нощно собирать и подавать информацию, а не заниматься детективными изысканиями в сугубо личных интересах. Так что дел в редакции у Руслана Нильского будет невпроворот.

* * *

— ... Мы прекращаем вещание... Кругом рвутся снаряды... — в голосе диктора звучала с трудом сдерживаемая паника.

Изображение исчезло, на телевизионном экране замелькали пестрые полоски. Лена Винник вцепилась в подлокотник вертящегося кресла и с ужасом посмотрела на Руслана.

— Там что, война? Господи, какой ужас! Снаряды рвутся... Они штурмуют Останкино. Что же будет?

Скоро сутки, как никто из сотрудников редакции не уходит домой, все либо висят на телефонах, принимая информацию из Москвы, либо смотрят телевизор и слушают радио. Противостояние Президента Ельцина и Верховного Совета, возглавляемого Хасбулатовым, достигло своего пика. Вчера, 2 октября, произошло массовое столкновение с милицией на Смоленской площади в Москве, сегодня сторонники Верховного Совета прорвали оцепление вокруг Белого дома, и телевидение на всю страну показало, как генерал Руцкой призывал взять мэрию и

Останкино, а сам Хасбулатов кричал в микрофон, что нужно штурмом брать Кремль и выгонять оттуда узурпатора-Президента и прочих преступников. Боевые группы генерала Макашова отправились на захват мэрии, а вот сейчас штурмуют телецентр. Что же это, если не война? Останкинский телецентр выведен из строя, но хорошо, что есть еще Шаболовка, оттуда вещает Российский канал.

В Москве поздний вечер, в Кемерове — глубокая ночь, но все сидят в редакции в ожидании новостей. До самого утра смотрят прямой эфир с Шаболовки, куда приглашены видные политики, общественные деятели и просто известные и уважаемые люди, призывающие поддержать Президента Ельцина. Даже Руслан, несмотря на ломоту в костях и сильную головную боль (врачи предупредили, что после такой травмы боли будут преследовать его всю жизнь, особенно при перепадах давления), не уходит. Только одна Лена Винник периодически убегает домой кормить малыша и снова возвращается, оставив ребенка с мамой и мужем. Все голодны, но редакционный буфет откроется только в десять утра.

— Вот! — вбежала запыхавшаяся Лена, вернувшаяся после очередного кормления. Она положила на стол полиэтиленовый пакет и стала вытаскивать из него продукты. — Хлеб, помидоры, соленые огурцы, сало и «Сникерсы». Больше ничего нет.

Все радостно накинулись на еду. Как хорошо, что есть свобода торговли! Теперь можно в любое время суток купить с рук хотя бы нехитрую еду, а то раньше как было? Не успел купить продукты до восьми вечера, пока магазины открыты, — сиди голодным до восьми утра.

— Ну что там? — с тревогой в голосе спросила Лена, сняв плащ и усевшись на свое место. — Есть что-нибудь новое?

— Говорят, в Москву ввели армейские части, но они пока ничего не предпринимают, — ответил сидящий рядом Руслан, с вожделением вонзая зубы в мясистый помидор, который он ел не разрезая, как яблоко.

— Кошмар! Неужели они допустят, чтобы на улицах шли бои? Люди же пострадают!

— Ленка, их не волнуют люди, их волнует власть. Люди — мусор.

— А зачем тогда нужна власть? Чтобы управлять мусором?

— Риторический вопрос, — вмешался завотделом новостей. — Власть — самоценность, ее добиваются не для того чтобы, а потому что. Цели никакой, важно самоосознание себя как носителя власти. Тебе этого не понять.

— Это почему же? — обиженно поинтересовалась Лена. — Вроде бы я не тупее вас, Николай Игнатьевич.

— Дело не в тупости, а в особенностях менталитета. Стремление к власти свойственно мужскому менталитету, а не женскому. Ты вот задумывалась, почему так мало женщин у власти?

Вроде они и не глупее мужиков, а чаще даже и умнее, и образованнее, и сила воли у вас почти всегда мощнее, чем у нас, а во власть не ходят. Знаешь, почему?

— Ну и почему?

— Да потому, что вам это не нужно. Вы к этому не стремитесь. У вас совершенно другие ценности, и вы никак не можете понять, зачем мы рвемся к власти. А мы, со своей стороны, не можем понять, почему вы хотите такое же платье, как у, допустим, Мани или Тани, и в то же время смертельно боитесь появиться в общественном месте одинаково с ними одетой. То есть пусть у меня такое платье будет, но пусть никто об этом не знает. С нашей, мужской, точки зрения — полная бредятина, а для вас, девушек, это важно, и вы там чего-то себе переживаете, интригуете, выстраиваете.

— Интересно вы рассуждаете, Николай Игнатьевич. Вас послушать, так получается, что мы — такие умницы, а расходуем свой интеллектуальный ресурс на мелкие глупости, так, что ли?

— Я не сказал, что это мелкие глупости. Для вас это важно, а нам не понять. Точно так же для мужчины важна власть, а женщина этого не понимает, для нее политическая власть — ненужная в хозяйстве абстракция. Другое дело, власть в семье, вот за нее вы до последнего драться будете. Потому как от власти в семье есть ощутимая практическая польза в ведении хозяйства и обустройстве быта. О, тихо, новости начались!

Общий треп мгновенно прекратился, все глаза устремились к телевизионному экрану. Пока никаких кардинальных изменений, в Москве пять часов утра. Присутствующие снова углубились в обсуждение политической ситуации, кто-то помчался готовить материал в вечерний выпуск газеты, кто-то ушел звонить в Москву знакомым, одни вычитывали верстку, другие, вооружившись толстыми синими и красными карандашами, редактировали еще не сверстанные материалы.

В десять утра армейские подразделения начали штурм Белого дома. Бой в центре столицы транслируется в прямом эфире. По мосту идут танки. Руслан несколько раз моргнул и потер глаза. Может быть, он спит? Или находится под наркозом, потому что никто его из больницы не выписывал, ему делают очередную операцию, и все, что он сейчас видит, не более чем наркотический бред? Галлюцинация? Это же Москва, столица его Родины, она должна всегда и во всем быть высоким образцом, достойным подражания. И вдруг такое: все перессорились, натравливают друг на друга военных, кричат, беснуются, генерал Макашов даже матом ругается, его на всю страну слышно... Как будто это вовсе не Москва, которая с детства представлялась Руслану гордой и прекрасной, а какая-то деревня, очень большая деревня, где бушуют и громят все, что попадается под руку, перепившиеся мужики.

«Я обязательно напишу об этом, — думал он, глядя на горящий Белый дом. — Я попытаюсь проанализировать свои ощущения и понять, чем была Москва для нас, живущих так далеко от столицы, и чем она стала сейчас. Что она олицетворяет? И кинемся ли мы ее защищать, если случится война? Или будем защищать только свой дом, свои стены, потому что такая Москва, которую я видел в последние двое суток, это позор для цивилизованной страны? Или не позор? Может быть, я ошибаюсь?»

* * *

Власть Президента была восстановлена, страсти понемногу утихли, и в конце октября Руслан, наконец, выбрал время, чтобы дозвониться до Дюжина.

— Я решил, что вы передумали, — равнодушно отреагировал на его звонок Сергей Васильевич. — Пропали куда-то.

— Я попал в аварию и восемь месяцев пролежал в больнице, — объяснил Руслан. — Недавно только вышел. Так вы мне поможете?

— Я уже созванивался со своим приятелем из суда, он вас ждал еще тогда, в феврале. Теперь надо снова его искать и снова договариваться, может быть, он в отпуске или вообще ушел с этой работы. Перезвоните мне через несколько дней.

К счастью, председатель суда с работы не ушел и в отпуск не уехал, и уже через неделю Руслан сидел в пустой комнате адвокатов в здании суда и читал уголовное дело об убийстве своего брата. Никогда ему даже в голову не приходило, как это муторно! И дело даже не в том, что приходилось смотреть на фотографии мертвого Михаила или на снимки ножа, которым он был убит. Просто уголовное дело совсем не похоже было на детективные романы, которые он всю жизнь читал. Написанные от руки протоколы приходилось разбирать буквально по словам и слогам, и бывало страшно обидно, когда, с трудом прочитав один протокол и угробив на одну страницу целых полчаса, Руслан понимал, что в нем не содержится ничего нового по сравнению с тем, что он уже прочел раньше.

Все было именно так, как рассказывали на суде и как говорил бывший следователь. Брат Михаил без разрешения взял из гаража Камышовского горисполкома служебную машину «ВАЗ-2106» и уехал на денек «проветриться». Это случалось и раньше, Мишка вообще любил природу и одиночество, а заведующий гаражом к нему благоволил, равно как и исполкомовский начальник, которого Мишка возил в качестве водителя. И иногда по Мишкиной просьбе ему разрешали взять машину для собственных нужд, выдавали талоны на бензин, правда, путевку не выписывали.

В районе поселка Беликово гражданин Нильский остановил машину на опушке леса и, будучи в нетрезвом состоянии, начал приставать к проходящему мимо гражданину Бахтину, который незадолго до этого выпил полбутылки водки. Что за этим последовало — хорошо известно.

А вот и заключение судебно-медицинской экспертизы. Резаная рана... ширина... глубина... локализация... Содержание алкоголя в крови... промилле... Руслан прикинул — получалось, что Мишка выпил немало, граммов триста пятьдесят. Где? Зачем? Почему? Может быть, они вместе с Бахтиным выпивали? Если бутылка ноль семьдесят пять, то так и получается: по полбутылки на брата. И где эта бутылка? Ясно, где, Бахтин унес и выбросил. Ведь на ней его отпечатки остались, и Мишкины тоже, любая экспертиза это покажет, а следователь сделает вывод о том, что, раз вместе выпивали, значит, знакомы, а раз знакомы — значит, личные счеты. И никакой обоюдной хулиганской драки, зачинщиком которой выставили брата. Выходит, если экспертиза честная, правильная, то Бахтин выпивал вместе с Михаилом, может быть, намеренно споил его, чтобы притупить бдительность и убить, а если экспертиза фальшивая, то Мишка вообще не пил, а стало быть, приставать ни к кому не мог и драку затеять тоже не мог. И в том, и в другом случае выходило, что Бахтин все-таки был знаком с Михаилом, но тщательно это скрывал.

Руслан выписал адрес морга, где проводилось вскрытие трупа и судебно-медицинская экспертиза, и стал листать дело дальше. Вот еще одна экспертиза, на этот раз по орудию убийства. Ее тоже нужно прочитать, потому что с ножом Руслану не все ясно. «...Клинок ножа прямой... имеет прямой обух и прямое лезвие, образованное двусторонней заточкой... боевой конец клинка образован за счет плавного схождения лезвия к скосу обуха под углом 20 градусов и расположен выше осевой линии клинка... размерные характеристики... рукоять имеет прямую спинку, со стороны лезвия — выгнута... со стороны лезвия и голоменей имеется выступ... Вывод: нож изготовлен самодельным способом по типу охотничьих ножей общего назначения и относится к колюще-режущему холодному оружию». Такого ножа, как на фототаблице, у них дома никогда не было, то есть Мишка его где-то купил и хранил отдельно. Зачем? С какой целью? Но может быть, это и вовсе не его нож? Может быть, это нож Бахтина? И даже наверняка его, ведь жил-то Бахтин в охотничьем домике, иными словами — вроде как поохотиться приехал, какой же еще нож ему иметь при себе, как не охотничий. Получается, он специально принес его на встречу с Мишей с намерением совершить убийство. Ведь принадлежность ножа именно Михаилу Нильскому никто не может опровергнуть, но и подтвердить тоже никто не может, а следы пальцев на рукоятке принадлежат обоим участникам трагедии, это написано в другом экспертном заключении, по дактилоскопии. Вот и поди разбери теперь, чей это нож и кто его принес на опушку.

Руслан внимательно читал уже третье заключение эксперта,

на этот раз по следам крови, и внутренне холодел. Вот она, истина! Он до нее добрался. Он сделал то, что хотел. Никто не обратил на это внимания, да и зачем, если есть виновный, который все признает и даже сам рассказывает, как дело было. И все в эту картину укладывается. Так зачем копья ломать и лишние ниточки в узелки завязывать, если можно просто ножницами их отрезать?

На ноже обнаружены следы крови двух разных групп. Есть кровь четвертой группы, принадлежащая потерпевшему Михаилу Нильскому. И еще чья-то, совсем другой группы, второй. Картина происшедшего развернулась перед Русланом мгновенно и ярко, словно в темном кинозале вспыхнул широкоформатный экран. Это нож Бахтина. Он совершил убийство, а Мишка либо оказался случайным свидетелем, либо еще как-то об этом узнал. Бахтин коварно втерся к Мишке в доверие, напоил его и убил. Тогда все сходится. Или не напоил, а просто подкрался и ударил ножом, а дружки Бахтина уговорили судебного медика, запугали или подкупили, чтобы он сфальсифицировал заключение. И сам Бахтин, скорее всего, наврал насчет того, что был пьян. А может, и был, черт его знает. В любом случае убийство в пьяной драке — это одна статья и один срок, а убийство двух человек, при этом первое — неизвестно по каким мотивам, а второе — с целью сокрытия другого преступления, — это уже совсем иной разговор, иная статья, умышленное убийство с отягчающими обстоятельствами и принципиально иной срок, вплоть до высшей меры наказания.

Вот так, честный товарищ бизнесмен Бахтин. Вы попались. Теперь Руслану понятно, что там произошло, не до конца, конечно, но он хотя бы понимает, в каком направлении искать информацию. Где-то есть труп, за который никто не ответил. Где-то пропал человек, которого, может быть, до сих пор не нашли. Ну что ж, торопиться и в самом деле некуда, человек все равно умер девять лет назад, а правосудие и справедливость не могут запоздать, они так или иначе настигнут виновного. Ждите, товарищ Бахтин, будет и на нашей улице праздник, а на вашей — новая скамья подсудимых.

ИРИНА

Костюмчик был прелестным, с коротким, в талию, пиджаком и длинной расклешенной шифоновой юбкой-«солнце». И цвет — как раз то, что надо, нежно-сиреневый, то есть, с одной стороны, не темный (свадьба как-никак), а с другой стороны, не белый (смешно! С ее характером да во второй брак вступать — и в белом!). Но вот размер... На кронштейне этот костюмчик висит в единственном экземпляре, и, если верить бирке, размерчика он сорок восьмого. Маловат.

— Вам помочь? Вас интересует этот костюм?

Белобрысая продавщица ловко сдернула шедевр канадских портных с кронштейна и приподняла вешалку-«плечики», чтобы Ира могла обозреть наряд в полный рост.

— А побольше размера нет? — безнадежно спросила Ира.

— Это для вас? — поинтересовалась продавщица.

— Да. Мне нужен пятидесятый размер.

— Да бог с вами! Вам и этот-то будет велик. Примерьте.

— Не влезу, — категорически отказалась Ира.

— Примерьте, — повторила продавщица настойчиво. — Я же вижу, что влезете.

Ира покорно поплелась в примерочную. К ее удивлению, пиджак сидел превосходно, в груди не тянул и не собирался в складки-морщины, а юбка была даже чуть-чуть великовата в талии.

«Я же похудела! — с облегчением вспомнила она. — Никак не могу привыкнуть к тому, что я уже не такая корова, какой была раньше».

Она повертелась перед зеркалом, разглядывая себя в свадебном наряде, и, вполне удовлетворенная результатом, переоделась.

— Беру! — радостно сообщила она продавщице и направилась к кассе. Расплатившись и подхватив пакет с аккуратно сложенным костюмом, Ира помчалась по магазинам в поисках подходящих туфель. Тоже проблема, надо заметить, не из легких, ножка у нее немаленькая, сорокового размера, при ее росте в метр восемьдесят, конечно, это нормально, но почему-то основная масса изготовителей обуви так не считает. Изящную нарядную обувь делают в основном для тех, кто пониже ростом и имеет ножку поменьше, как будто рослым женщинам не нужно элегантно выглядеть! Больше всего Иру бесило, что красивые туфли большого размера почти всегда были в продаже, но при этом имели невероятной высоты и тонкости каблук. И о чем только эти обувщики думают? Ведь ребенку понятно, что если у женщины такая нога, то у нее и рост высокий, и вес соответствующий, зачем ей такой высоченный каблук? В баскетбол на нем играть? А та обувь на умеренном или низком каблуке, в которую Ира могла влезть, обычно имела совершенно непристойный вид и была катастрофически неудобной, как будто ее специально делали для того, чтобы изуродовать рослую крупную женщину и создать ей невыносимые муки при ходьбе, дабы жизнь медом не казалась. Нынешняя же задача осложнялась еще и выбором цвета, к купленному костюму подойдут только сиреневые или белые туфельки.

Она пробегала по магазинам до самого вечера, но так ничего

и не нашла. Правда, дважды она видела более или менее пристойную модель нужного размера, но в первый раз туфли оказались ярко-красными, во второй — ядовито-зелеными. Когда Ира около девяти вечера приехала к Игорю, на лице ее были написаны отчаяние и усталость.

— Костюм купила, а с обувью полный облом, — расстроенным голосом сообщила она будущей свекрови. — Весь город объездила, ничего нет на мою ногу. Вот не повезло мне с размером!

Елизавета Петровна попросила примерить костюм, долго разглядывала Ирину, потом одобрительно кивнула:

— У тебя хороший вкус. Я, признаться, побаивалась, что ты купишь что-нибудь плебейское. А с обувью я постараюсь тебе помочь. Моя знакомая на днях улетает в Мюнхен к дочери, я попрошу ее подобрать для тебя туфли.

— В Мюнхен? — удивилась Ира. — Думаете, там что-то можно найти?

— Если где и можно найти, так только в Баварии, — с видом знатока объявила мать Игоря. — Там делают превосходную обувь на большую ногу. Если хочешь знать, там в любом магазине есть чудесные модные женские туфли вплоть до сорок третьего размера.

До сорок третьего! Вот это да! Ира ушам своим не поверила.

— А ваша знакомая успеет вернуться до свадьбы? — забеспокоилась она.

— Успеет, успеет. До одиннадцатого декабря еще уйма времени.

— А сколько это будет стоить? Я куплю доллары и вам принесу, завтра же.

Елизавета Петровна засмеялась и поцеловала Иру в щеку.

— Не беспокойся о деньгах. Я сама с ней рассчитаюсь. Это будет мой подарок. Только точно укажи размер.

Ира попросила у Елизаветы Петровны сантиметр, тщательно вымерила длину своих туфель от пятки до носка и записала результат на вырванный из записной книжки листок. Там же и цвет указала — сиреневый или белый. И желательную высоту каблука пометила. Все-таки опасно приобретать обувь без примерки, за глаза, но что поделать, выхода другого нет.

Она еще около получаса поболтала с родителями Игоря и засобиралась домой.

— Не будешь ждать Игоря? — удивился Виктор Федорович. — Я думал, ты захочешь ему наряд показать.

— Поздно уже, Виктор Федорович, возвращаться страшно. Да и вставать завтра рано.

— Почему ты не переезжаешь к нам? — спросила Елизавета Петровна. — Ведь у вас с Игорем все решено, свадьба в данном случае просто формальность. Тебе и в институт отсюда удобнее добираться, без пересадок, и возвращаться домой по ночному городу не придется.

— Это неудобно, — улыбнулась Ира. — Вот поженимся — тогда перееду. Вы еще успеете от меня устать.

Была бы ее воля, она переехала бы еще год назад, когда в первый раз пришла в этот дом. И каждый вечер вела бы тихие неспешные разговоры с родителями Игоря. И мылась бы в этой роскошной просторной ванной комнате, оборудованной итальянской сантехникой, а не в полутемной каморке с обшарпанной и покрытой ржавыми пятнами ванной. И спала бы на мягком широком диване, а не на давно рассохшейся узкой кушетке. И по утрам вставала бы на полчаса позже, потому что отсюда дорога в институт действительно короче. Но так могла бы поступить та Ира, другая, настоящая. А Ирина, образ которой тщательно лепился и подделывался под вкусы и нравы всех членов семьи Мащенко, так никогда не сделала бы. Она должна быть интеллигентной, спокойной, ненавязчивой и независимой и, уж конечно, ни в коем случае не должна демонстрировать особой заинтересованности в том, чтобы войти в эту семью, втереться в нее. И потом, Ира уставала. Очень уставала. Играть роль — это труд, который не каждому под силу. Ей требовалось значительное усилие, чтобы войти в образ на пороге квартиры Мащенко и потом, на протяжении всего пребывания у них, следить за собой, за своей речью, за тем, что и как она говорит, как сидит, как смотрит, как двигается, что и как ест. Кроме того, Ира начала систематически читать газеты, слушать новости и периодически требовала, чтобы Вадим или Наташа устраивали ей что-то вроде политинформации, ведь она должна быть достаточно подкована, чтобы поддерживать разговор с заместителем главного редактора журнала «Депутат». Даже сейчас, после целого года знакомства и фактически накануне свадьбы, Ира старалась бывать здесь не каждый день. Каждый вечер притворяться — это слишком утомительно. Иногда ее посещало опасение, что после переезда к Игорю, когда притворство будет требоваться постоянно, жизнь станет совсем невыносимой. Она или попадет в психушку, или постепенно устанет притворяться, превратится в прежнюю Ирку, и всем станет ясно, что они приняли в своем доме лживую малообразованную плебейку с дурными манерами, низким вкусом и неизвестно какими намерениями. И с позором выгонят ее. То есть не в прямом смысле, конечно, не буквально, а начнут капать Игорю на мозги, чтобы он с ней развелся. Он и разведется. Он вообще ничего поперек папиного и маминого слова не делает, это Ира уже поняла. Из рассказов о прежней жизни Игоря следовало, что он иногда бывает способным на неожиданные поступки, но, убедившись в том, что эти поступки не встречают одобрения, надолго «уходит в тину», затихает и делает все по родительской указке или подсказке. Потом снова разовый всплеск — и снова полная покорность. Правда, нельзя сказать, чтобы рассказы о жизни ее будущего мужа были подробными и исходили от самого Игоря. Он предпочитал эту тему не затрагивать, а то, о чем говорили его родители, было довольно скудным и вертелось в основном вокруг того, каким Игорек был в школьные годы. Ира в общем-то понимала, что ничего другого они рассказывать и не могли, ведь после школы Игорь уехал учиться в Томский университет, и об этих пяти годах его жизни они могли иметь самое приблизительное представление, да и то не факт, что верное, а вернулся он оттуда уже с молодой женой. Виктор Федорович и Елизавета Петровна — люди старой закалки и застойно-партийного мышления, для них совершенно невозможно говорить в присутствии Иры о жизни своего сына с первой женой. Как будто ее это может обидеть или она начнет, господи прости, ревновать и думать, что об этой женщине, Вере, здесь вспоминают с теплотой и сожалением. Сама-то Ира, начитавшись переводных романов и насмотревшись зарубежных фильмов, имела теперь представление о том, как строится семейная жизнь в Европе и Америке, относилась к факту прежней женитьбы Игоря совсем иначе и вовсе не возражала бы познакомиться с Верой, а может быть, и подружиться. Во всех цивилизованных странах бывшие супруги нормально общаются и друг с другом, и с их новыми мужьями и женами, а у нас прямо в непримиримых врагов превращаются! Делают целую трагедию на пустом месте. А Вера, кроме всего прочего, могла бы оказаться и полезной, например, рассказать что-нибудь интересное про Виктора Федоровича, про его знакомых и круг его интересов или про Игоря, чтобы Ира могла лучше его узнать и не допускать ошибок в своем поведении.

По пути домой она прикинула состояние своих финансов. На туфли тратиться не нужно, она рассчитывала купить дорогую обувь, долларов за сто пятьдесят, но теперь можно эти неожиданно сэкономленные деньги пустить на что-нибудь полезное. Например, купить еще один комплект препаратов «Гербалайф». После месяца приема пилюлек и безудержного питья воды и коктейлей Ира сбросила пять килограммов. Всего пять, хотя обещали восемь. Распространитель, у которого Ира приобретала препараты, сказал, что месяц — это слишком маленький срок, нужно принимать «Гербалайф» (распространитель почему-то упорно именовал его «продуктом») как минимум два месяца, потому что наши организмы настолько зашлакованы, что очистка идет очень долго, а пока очистка не закончится, вес не начинает снижаться. Объяснение показалось Ире вполне правдоподобным, но на второй месяц у нее денег тогда не было. Вот сейчас они появились, так почему бы не продолжить курс? Очень соблазнительно подойти к собственной свадьбе в объемах сорок шестого размера. Правда, костюм... Не будет ли он на ней болтаться, если Ира сбросит еще пять килограммов? Нет, решила она, красота важнее, а костюм можно в крайнем случае ушить. Как говорится, длинно — не коротко, велико — не мало.

* * *

В квартире царила тишина, только с кухни доносился стук пишущей машинки. Опять Наташка работает допоздна. В одной комнате спят мальчики, в другой — Вадим, а ей, бедной, и приткнуться негде!

Не снимая куртки, Ира побежала на кухню.

— Ну как тебе не стыдно! — начала она без предисловий. — Почему ты сидишь здесь, а не у меня? Я же сто раз говорила: если тебе нужно поработать — иди в мою комнату, не ютись здесь на табуретке, как курица на жердочке.

Наташа оторвалась от работы, выпрямила спину, взялась руками за поясницу. Ну конечно, у нее снова болит спина, да и как ей не болеть, если у табуретки нет спинки, облокотиться не на что. Безобразие!

— Привет, — вполголоса сказала Наташа. — Как успехи? Купила свадебное платье?

— Не увиливай, пожалуйста, — сердито проговорила Ира, расстегивая куртку, — я тебя спросила, почему ты опять торчишь на кухне, когда целая комната стоит свободная?

— Она не свободная, она твоя. Есть разница. И вообще, не кричи на меня, мне здесь очень удобно. И я привыкла.

— Почему ты не купишь себе компьютер? Я специально узнавала, сейчас можно купить подержанный компьютер долларов за восемьсот или за тысячу, правда, не очень мощный, но тебе же никаких особых программ не нужно, только текстовый редактор. У тебя же есть деньги, Натуля, чего ты жмешься? Там клавиатура такая тихая-тихая, будешь печатать у себя в комнате, Вадик и не услышит ничего.

— Я не могу сейчас тратиться на компьютер, деньги нужны для другого.

— Для чего? — испугалась Ира.

Неужели что-то случилось, кто-то заболел и нужно дорогостоящее лечение? Или Вадик разбил машину и нужно оплачивать ремонт?

— Хочу квартиру в порядок привести, ремонт сделать. У нас ведь только кухня более или менее приличная, а все остальное так обветшало, сто лет не ремонтировалось. В ванную страшно зайти, а в туалет — просто стыдно. Надо что-то делать.

— Здрасьте! С чего это вдруг? Всю жизнь жили в этой квартире — и ничего, нормально, никто не умер ни от страха, ни от стыда. И еще поживем. А компьютер для тебя важнее.

— Ты не понимаешь...

— Чего это я не понимаю? Ты хочешь сказать, что в декабре я выйду замуж и уеду отсюда, поэтому мне безразлично, в каком состоянии квартира? Ты это хочешь сказать, да?

— Нет, я хочу сказать, что Марик приезжает.

— И что?

— Неудобно. Стыдно. Он там живет в собственном доме, в просторном, чистом, красивом. Он уже давно забыл, как мы тут существуем. Двадцать один год прошел.

— Ничего, вспомнит, — фыркнула Ира. — Не развалится твой Марик, если посмотрит, в каких условиях существует его мать. Может, в нем совесть проснется, и он Бэллу к себе заберет. Или квартиру ей здесь купит, он же богатый.

— Ира, ты не то говоришь, не то, не то...

В голосе Наташи сквозило страдание, в глазах стояли мука и боль, но Ира не могла понять, из-за чего соседка так переживает. Подумаешь, Марик какой-то там приезжает! Ну и пусть себе приезжает. Он пробудет здесь всего две недели, так что теперь, из-за этих двух недель вся жизнь должна кувырком пойти? Угрохать такие деньги на ремонт, чтобы пустить этому американцу недоделанному пыль в глаза, дескать, мы тут не хуже других живем, не беднее прочих некоторых, а потом копейки считать и отказывать себе в жизненно необходимом. Ну и что толку от этого ремонта, если через две недели пресловутый Марик уедет, а Наташе снова придется по вечерам корячиться со своей машинкой за неудобным кухонным столом на неудобной табуретке?

— Почему это я говорю не то? — воинственно произнесла Ира, швыряя куртку и пакет с новым костюмом на стол Бэллы Львовны. — Вот объясни мне, почему мы должны держать фасон перед этим Мариком? Он нам кто? Сват, брат? Может, начальник? Он — сын нашей соседки, который бог знает когда свалил отсюда, подальше от совковых трудностей. Только и всего. Он нас, наверное, даже и не помнит. Ты еще девчонкой сопливой была, я вообще только-только родилась, ни Вадика, ни тем более детей он и знать не знает. Небось одну только Бэллочку и помнит из всей квартиры. И мы ему никто, плевать он на нас хотел с высокой колокольни. А ты готова в лепешку расшибиться, чтобы ему, такому высокородному лорду-маркизу, было приятно пописать в нашем сортире и не противно принять душ в нашей ванной. Вот хоть убей меня, Натуля, но я этого не понимаю. Не понимаю я тебя.

— Ну и ладно, — неожиданно согласилась Наташа, — не понимаешь — и не надо. Просто имей в виду, что я буду делать так, как считаю нужным и правильным. И если ты с этим несогласна — это твоя проблема, а не моя. Ты все равно здесь жить не будешь.

— Ну и пожалуйста!

Ира надулась, но из кухни не ушла. Очень уж ей хотелось показать Наташе свою покупку, поделиться радостью по поводу такого удачного решения проблемы обуви, рассказать о том, как боялась примерять костюм, и вместе посмеяться. Она ехала домой с таким хорошим настроением, и тут вдруг неожиданная стычка с соседкой...

Наташа отвернулась и снова принялась стучать на машинке. Ира поскучала несколько минут, потом не выдержала.

— Может, костюм все-таки посмотришь? — деланно-равнодушным тоном спросила она.

— Конечно, — Наташа даже не обернулась, — иди переодевайся, я сейчас мысль закончу и приду.

Ира повесила в прихожей куртку, зашла к себе, надела костюм. Настроение снова поднялось, уж очень хороша она была в этом бледно-сиреневом пиджачке и воздушной летящей юбке. Для полноты впечатления Ира надела старые туфли, давно утратившие приличный вид, но дававшие приблизительное представление о том, как будет выглядеть вся конструкция, если ее приподнять на каблучок. Надо будет обязательно сделать прическу, эта модель не смотрится со свободно струящимися кудрями, здесь нужно что-то другое. Вверх, что ли, волосы поднять? Она попробовала, закрепила локоны несколькими шпильками. Да, определенно, так будет лучше.

— Ну как?

Ира кокетливо повертелась перед Наташей и сделала пируэт, чтобы продемонстрировать ширину юбки.

— Очень здорово, — искренне ответила Наташа. — Честное слово, очень красиво.

— Тебе нравится? — на всякий случай уточнила Ира, хотя по лицу соседки видела, что та в восторге.

— Очень нравится. Просто чудесно. А что с обувью?

Ира подробно поведала всю историю покупки костюма и поисков туфель, рассказала о предложении будущей свекрови помочь и о своих планах истратить так удачно высвободившиеся финансовые ресурсы на благое дело усовершенствования фигуры.

— Ты бы не рисковала, Ирочка, — просительно произнесла Наташа. — Не верю я в эти чудодейственные пилюльки.

— Но эффект же налицо, — возмутилась Ира, — смотри, какая талия у меня появилась. Пять килограммов-то я убрала. И еще пять уберу, а то и побольше. Почему ты сомневаешься?

— Да потому, что ты похудела не из-за пилюлек, а из-за того, что ничего не ела. Просто пилюльки помогают не заболеть от голодания, дают тебе все необходимые вещества, витамины, минералы. Только и всего. Но ты же не можешь всю жизнь питаться этими таблетками! Ты — нормальный человек, выросший в конкретной гастрономической культуре, в русской культуре, ты привыкла есть хлеб, бутерброды, мясо с картошкой, борщи и рассольники, пирожные. Если ты прекратишь есть эти продукты и перейдешь на сплошные пилюльки и коктейли, твой организм сойдет с ума. Он этого не поймет. В нем генетически заложена потребность и привычка есть обычные продукты, а не концентрированные витамины. Если ты перейдешь на такое искусственное питание, твой организм обязательно ответит тебе взрывом возмущения. И последствия этого взрыва предсказать невозможно. Ты это можешь понять?

— Да глупости это все, Натулечка!

Ира прижалась к Наташе, обняла ее, поцеловала.

— Ты напрасно в меня не веришь. Я своего всегда добьюсь. Сказала — похудею, значит, похудею, чего бы это ни стоило! Американцы, между прочим, не дураки, они о своем здоровье знаешь как заботятся? Каждую холестерининку считают, каждую калорию учитывают, с курением борются. Если бы «Гербалайф» был вреден, они бы его и сами не пили, и в другие страны не продавали бы. Вот, кстати, приедет твой хваленый Марик, ты у него спроси, он тебе подтвердит.

— Обязательно спрошу, — шутливо пообещала Наташа. — А ты спроси у врачей, чем может закончиться твое увлечение американскими таблетками. Давай-ка снимай свой свадебный наряд, а то перепачкаешь чем-нибудь раньше времени.

Ира послушно разделась, накинула халат и с размаху плюхнулась на кушетку, которая под ее весом угрожающе заскрипела и пошатнулась. Кушетке этой — сто лет в обед, ее Наташа купила вместо дурацкой пружинной никелированной кровати, когда Ира только еще в шестой класс пошла. Больше десяти лет назад. Кушетка, наверное, из фанеры сделана или из чего-то подобного, ее давно пора было выбросить, узкая, хлипкая. Но Ира все тянула, тянула... Как только появлялись деньги, забывала о решении приобрести удобный современный диван и тратила их на тряпки. Тряпки же важнее, это и ребенку понятно, в тряпочках она на людях бывает, ими красоту свою подчеркивает, а спать — ну что ж, спать можно и так, не велика важность. Что толку в хорошем диване, если его владелица будет ходить одетая черт-те как, на нее и внимания-то никто не обратит.

— Скрипит, — как бы между прочим заметила Наташа, прислушавшись к жалобному голосу кушетки.

— Скрипит, — радостно подтвердила Ирина, — скоро, наверное, развалится. До одиннадцатого декабря бы дотянуть, а там пусть как хочет. Ой, Натулечка, какая же я счастливая!

Наташа вдруг снова сделалась серьезной, и Ира поняла, что сейчас соседка снова затянет прежнюю волынку насчет замужества без любви. Так и оказалось.

— Ира, ты уверена, что поступаешь правильно? Ты хорошо подумала? Может, отступить, пока не поздно?

— Так поздно уже, Натулечка, поздно отступать-то! Чего ты глаза такие страшные сделала? Не бойся, я не беременна. Отступать можно было, когда Игорь мне предложение делал, вот тогда можно было сказать, что, мол, давай не будем торопиться, давай чувства проверим, да нам и без свадьбы очень даже хорошо живется, буду приходить к тебе по-прежнему три раза в неделю. А теперь куда же отступать? Сказать, что передумала? Ни один нормальный мужик этого не простит, да и его родители тоже. Я больше не смогу приходить в этот дом. И все мои усилия пойдут коту под хвост. И вообще, Натуля, не боись. Все будет тип-топ. В конце концов, мне же нужно за кого-то выйти замуж. Если бы твой Марик был холостым, я бы его окрутила, чтобы он меня в Америку увез. Что, не веришь?

— Не верю, — с улыбкой ответила Наташа, хотя глаза ее почему-то оставались серьезными и даже печальными. — Зная тебя, могу предположить, что ты обязательно попыталась бы. Но, зная Марика, могу тебе с уверенностью заявить, что с ним этот номер не прошел бы.

— Да ладно, — презрительно протянула Ира. — Такой уж он прямо волшебный, этот Марик. Все мужики одинаковые, к ним только подход разный требуется. Ну чего ты злишься? А, Натулечка? Что я опять не так сказала?

Ира ясно видела, что в Наташе закипает ярость, но никак не могла понять, из-за чего. Неужели из-за того, что она сказала про Марика? Марик, Марик... Наташка с Бэллой прямо свихнулись на нем, только и разговоров, мол, Марик то, Марик се, Марик приедет, Марик уедет. Приедет и уедет, а жизнь будет продолжаться. Наташку только жалко, она так переживает, хочет как лучше, последние деньги готова истратить на то, чтобы не стыдно было перед богатым Мариком за нашу нищую коммуналку. Глаза ввалились, щеки запали, работает как проклятая, все домашнее хозяйство тянет, заодно за Бэллой ухаживает, старуха в последнее время сильно ослабела, часто болеет, то сердце у нее, то давление, то ноги, то печень. Ира, конечно, помогает, как может, но времени-то у нее тоже для этого немного, в институте занятия до вечера, потом, через день, — к Игорю, повинность отбывать, разговоры умные вести.

А Наташка-то и вправду на что-то разозлилась, даже не разозлилась, а обиделась, вон на глазах слезы появились. Наверное, она думает сейчас о том же, о чем и сама Ира. Что она устала, что у нее больше нет сил бежать этот бесконечный кросс, что предстоит ремонт, а это всегда хуже стихийного бедствия...

— Натулечка, ты из-за ремонта не переживай, — неожиданно сказала Ира. — Я не возражаю, пусть будет ремонт. Наверное, ты права, его действительно нужно сделать. Я помогу тебе, ты только скажи, что от меня требуется. Ну хочешь, я перестану ездить к Игорю и буду по вечерам готовить обеды для рабочих? Хочешь?

— Хочу, — кивнула Наташа. — Спасибо за инициативу. Ты меня очень выручишь, если будешь делать хотя бы это.

* * *

Квартира превратилась в свалку, иного определения Ира подобрать не сумела. Повсюду валялись оторванные обои и паркетные дощечки, стояли банки с краской и клеем, стопки новой кафельной плитки, рулоны обоев, какие-то коробки и свертки. Ходить приходилось с большой осторожностью, иначе возникал риск посадить на одежду несмываемое пятно. Рабочих было четверо, все они приехали из Белоруссии на заработки. Правда, деньги за свою работу они попросили совсем небольшие, Ира даже не ожидала, что их услуги обойдутся так дешево, зато аппетит у них был отменный. Приходили они каждый день к восьми утра и работали до восьми вечера, с двух до трех устраивали обеденный перерыв, во время которого съедали целую трехлитровую кастрюлю супа и такое количество жаркого с картофелем, которого обычно хватало на два дня всем шестерым обитателям квартиры. Но дело двигалось споро, кроме часового обеденного перерыва, белорусские работяги никаких других «перекуров с дремотой» себе не позволяли, по утрам не опаздывали и по вечерам не пытались уйти раньше.

Наташа выдала Ире деньги, и отныне в обязанность девушки входил весь цикл мероприятий по кормлению бригады, начиная от покупки продуктов и заканчивая мытьем посуды, которую они после обеда составляли в кухонную раковину. Правда, в действительности вымыть посуду за рабочими Ире пришлось только один раз, обычно это успевала сделать Бэлла Львовна. Полностью отказаться от визитов к Мащенко Ира все-таки не рискнула, хотя и сократила их количество с четырех раз в неделю до двух, и, возвращаясь от жениха около полуночи, добросовестно вставала к плите варить супы и тушить мясо. Она не жаловалась, потому что видела, как взявший на две недели отпуск Вадим целыми днями носится на своей машине по Москве в поисках минимально дорогих и максимально приличных стройматериалов, мебели и сантехники, таскает на себе всю эту тяжесть, помогает рабочим, а работающая Наташа, обеспечив семье трехразовое питание и чистую одежду, после ухода бригады занимается уборкой, выносит мусор, моет полы. Квартира, казалось, навсегда пропиталась запахами краски, лака и скипидара, а лестницы-стремянки прочно укрепились в качестве деталей интерьера.

Однако все когда-нибудь кончается, кончился и ремонт. Квадратная прихожая стала похожа на гостиную, обклеенная светлыми финскими обоями, с деревянной мебелью, двумя мягкими креслами и маленьким столиком, на котором стоял новый телефонный аппарат. Наташка молодец, не поскупилась, купила радиотелефон, теперь не нужно вести разговоры так, что тебя слышит вся квартира, можно взять трубку и уйти в свою комнату. При помощи такой трубки решается и главная проблема любой большой коммуналки с длинным коридором: совмещение телефонных звонков с необходимостью безотлучного пребывания на кухне. Ведь сколько раз бывало: жаришь что-нибудь или варишь, к примеру, кофе, а в это время звонит телефон. Либо ты не отрываешься от плиты и пропускаешь важный звонок, либо бежишь к аппарату, а когда возвращаешься, уже все сгорело или выкипело. Отныне так не будет, теперь взял трубочку на кухню, положил рядом с собой на стол, и варь-парь-жарь в полное свое удовольствие без всяких ненужных волнений.

Зигзагообразный коридор между прихожей и кухней, вдоль которого расположены двери в четыре комнаты, в туалет и в ванную, тоже обрел вполне цивилизованный вид, с несколькими светильниками и полочками, уставленными горшками с цветами. Цветы, правда, искусственные, потому что настоящим нужен естественный свет, а в коридоре нет окон, но все равно красиво получилось. Здесь тоже новые обои, и пол тоже новый, не паркет и не доски, как было раньше, а ламинат. Очень удобно, натирать мастикой не нужно, и выковыривать грязь из щелей тоже не нужно, потому что щелей там просто нет, одно сплошное покрытие, которое легко моется и на котором не остается царапин.

И, наконец, главное новшество: ванная и туалет. Стены и пол выложены красивой серо-голубой плиткой, сантехника не белая, а в тон плитке, сверкающие краны, большое зеркало с подсветкой, специальные навесные шкафчики, куда прячутся зубные щетки, тюбики с пастой, шампуни и прочие необходимые в ванной принадлежности. Вот это действительно было классно! В первый же вечер после окончания ремонта, когда все улеглись, Ира налила в ванну воду, добавила ароматную пену и часа два лежала с книжкой в руках, то и дело отрывая глаза от страницы и с восхищением оглядывая этот сказочный минидворец. Теперь здесь не хуже, чем в ванной у Мащенко!

После окончания ремонта два дня прошли в покое и тишине, а потом снова началось: Марик приедет, чем кормить, что приготовить, что он любил, что не любил, и не изменился ли у него вкус, и на сколько человек готовить, может быть, он захочет позвать в гости кого-то из старых друзей. Марик, Марик, Марик... Бриллиантовый он, что ли? И чего Наташка с Бэллой так суетятся? Ну Бэлла — ладно, она мать, тут все понятно, сына двадцать один год не видела. А Наташка-то? Неужели по доброте душевной, чтобы Бэллочке помочь? Ничем другим ее самоотверженные хлопоты Ира объяснить не могла.

Накануне приезда сына Бэллы Львовны Ира спросила у Наташи:

— Ты поедешь в аэропорт его встречать?

Наташа отрицательно помотала головой:

— Нет, он просил не встречать, сказал, что сам доберется.

— Как это он сам доберется?! — чуть не закричала Ира. — Да ты соображаешь, что говоришь? Там стоянки такси нет, одни леваки толкутся...

— Значит, поедет на частнике.

— На каком частнике? Они увидят богатого иностранца, прилетевшего из Америки, посадят в машину, завезут куда-нибудь, ограбят и выбросят. А то и убьют. Ты что, газет не читаешь, телевизор не смотришь? Тебе тридцать восемь лет, а ты рассуждаешь как маленькая!

— Не кипятись, — спокойно ответила Наташа, не отрываясь от постельного белья, которое она гладила, стоя за гладильной доской, — что ты предлагаешь? Что ты хочешь, чтобы я сделала? Поехала вместе с Вадимом его встречать на наших «Жигулях»? Он у себя в Штатах на «Мерседесах» и «Крайслерах» разъезжает. Это примерно то же самое, что предложить человеку, много лет питающемуся только в дорогих ресторанах, зайти перекусить в «Макдоналдс».

— Попроси Андрея Константиновича, пусть он тебя отвезет. У него же дорогая машина, большая, на такой не стыдно...

— Это неприлично, — сухо оборвала ее Наташа.

— Но почему?

— Потому что у меня есть муж и машина. В такой ситуации неприлично использовать постороннего человека, к тому же занятого, в качестве извозчика.

— Раньше было прилично, — ехидно заметила Ира.

— Раньше — да, прилично, потому что у меня не было машины, а муж жил в другом городе. Ирочка, мы ведем беспредметный разговор. Марик сказал Бэлле Львовне, что встречать его не нужно. Может быть, он летит не один, и его спутники пообещали подбросить его. Мое присутствие в аэропорту, да еще с дешевой плохой машиной, может создать неловкую ситуацию.

Переубедить соседку Ире не удалось, и она ушла к себе в полном недоумении. Надо же, сколько разговоров было, Марик, Марик, ремонт сделали, три дня Наташа с Бэллочкой из кухни не вылезали, все что-то невероятное изобретали, а встречать в аэропорт никто не поедет.

* * *

Едва умывшись и позавтракав, Бэлла Львовна оделась, как будто в театр собралась, и прочно заняла место в мягком кресле в прихожей, возле телефона. Каждые полчаса она звонила и узнавала, когда ожидается триста одиннадцатый рейс из Нью-Йорка. Наконец ей сообщили в справочной, что самолет совершил посадку. Ира почувствовала, как наэлектризовался воздух в квартире. Бэлла Львовна сидела в прихожей, неподвижная, с прямой спиной и побледневшим лицом, отказывалась идти пить кофе вместе с Ирой и Наташей и выпила чашечку только тогда, когда Наташа принесла ей кофе в прихожую. К бутерброду с ее любимой сырокопченой колбасой пожилая соседка даже не притронулась. Наташа, наоборот, бегала, суетилась, хлопотала, но губы ее были плотно сжаты, и Ира вдруг сообразила, что за все утро и полдня не услышала от нее и десятка слов. Была суббота, Вадим с детьми отправился на Горбушку за видеокассетами, выбирать для себя и сыновей боевики и фильмы ужасов, для Бэллы Львовны — добротную классику, а для Иры, как обычно, кино про любовь и всяческие страдания. Только Наташа в таких случаях ничего не просила, она вообще не смотрит дома видак, у нее времени нет.

Ира как раз заканчивала протирать влажной тряпкой пол в прихожей, когда Бэлла Львовна вздрогнула и сказала:

— Марик подъехал.

Ира выпрямилась, откинула тыльной стороной ладони упавшие на лицо волосы:

— Откуда вы знаете? Здесь же нет окна.

— Я чувствую. Он сейчас придет.

Чушь какая-то! Собаки обычно чувствуют приближение хозяина, даже кошки, Ира об этом слышала. Но чтобы люди? Она снова взялась за тряпку, а через несколько секунд услышала звонок в дверь. Ну вот, так всегда бывает, готовишься-готовишься, а ответственный момент наступает как раз тогда, когда ты к нему вовсе и не готова. А, ладно, какая есть — такая есть, Марик же не жениться на ней приехал, а всего лишь мать навестить.

— Открой, — шепотом приказала Бэлла Львовна.

Она так и сидела в кресле, словно у нее не было сил встать. Ира ногой откинула тряпку в угол и открыла дверь. Мимо нее промчалось что-то большое, и через мгновение незнакомый крупный мужчина стоял на коленях перед Бэллой Львовной, уткнувшись лицом в ее платье.

— Мама!

— Марик! Сынок... Марик... — тихо повторяла соседка, гладя его по седым волосам и не замечая текущих по щекам слез.

Ира тихонько отступила к своей двери, пусть побудут наедине. И натолкнулась на стоящую в коридоре за углом Наташу. Лицо у нее было страшным, землисто-серым, измученным.

— Это... Марик? — одними губами спросила она.

Ира молча кивнула.

— И... что там?

— Плачут, — шепотом сообщила Ира. — А ты чего так побледнела? Волнуешься, что ли?

— Немного. Пошли, — Наташа крепко взяла Иру за руку и решительно шагнула вперед.

— Здравствуй, Марик, — негромко и очень спокойно произнесла Наташа, и Ира уже в который раз поразилась ее умению держать себя в руках. Ведь на ней лица нет от волнения, а голос такой ровный, как будто ничего не происходит.

Мужчина поднял голову, встал. Очки с затемненными стеклами в тонкой оправе мешали разглядеть его глаза, и Ира не увидела, были ли на них слезы. Марик оказался высоким полным дядькой с толстыми губами, мясистым носом и заметной плешью. Костюм на нем был, правда, очень хорошим и сидел идеально, но тем не менее, по мнению Иры, самым красивым в его внешности были все-таки очки.

— Туся? — неуверенно произнес он.

Наташа чуть качнулась вперед, словно на мгновение потеряла равновесие, и мужчина схватил ее в охапку, крепко обнял, расцеловал.

— Туся, Тусенька, как же я рад тебя видеть! Но я бы тебя ни за что не узнал, ты стала другой, совершенно другой!

— Просто я стала старой. Мне было семнадцать, когда ты уехал, а теперь уже тридцать восемь.

— Нет, Тусенька, нет, ты изменилась до неузнаваемости. А это, наверное, Иринка, которой когда-то было два годика?

— Теперь уже двадцать три, — в тон Наташе произнесла Ира. — Здравствуйте, Марк Аркадьевич. Я не думала, что вы меня помните.

— Ну как же мне тебя не помнить? Я всех помню, и мама мне обо всех вас писала. Что же мы стоим в прихожей? Я так разволновался, что даже багаж на лестнице оставил.

Он принес два огромных чемодана и скрылся в комнате Бэллы Львовны. Ира убрала тряпку, которой мыла пол, и робко постучалась к Наташе.

— Натулечка, а теперь что?

— Ничего, отдыхай пока. Они побудут вдвоем, потом Бэлочка даст знать, когда обед.

Наташа стояла лицом к окну и смотрела на моросящий дождь. Вся ее фигура выражала такое страдание, что Ира не выдержала и расплакалась.

НАТАЛЬЯ

У нее было такое чувство, будто она сдает экзамен. Самый главный экзамен в своей жизни. Сегодня она предъявляет Марику результат своих двадцатилетних трудов — его дочь, красавицу, студентку, будущую актрису, невесту, через две с небольшим недели выходящую замуж. Одобрит ли он ее работу или сочтет, что Наташа плохо растила и плохо воспитывала его девочку, о которой он специально просил ее позаботиться?

И что скажет ему Бэлла Львовна? Не будет ли жаловаться на

отсутствие внимания и заботы, не станет ли сетовать на то, что Наташа взвалила на нее фактически роль бабушки и заставила присматривать за двумя отнюдь не похожими на ангелов мальчиками?

Она не думала, что придется когда-нибудь «отчитываться о проделанной работе», ведь на протяжении долгих лет с Мариком можно было только переписываться и перезваниваться, никто не предполагал, что настанет время, когда люди свободно будут выезжать из страны и приезжать в нее, не испрашивая разрешения ни у кого, кроме посольства. С 1 января 1993 года вышел новый закон о въезде и выезде, и вот он настал, этот день экзамена. Не день даже, а целых четырнадцать, две недели.

Вчерашний обед прошел без эксцессов, за столом слышались голоса в основном мальчиков и гостя. Саше и Алеше все было интересно: и какие у дяди Марка дети, как и чему учат в их школах, какими видами спорта там занимаются, какие в семье Халфиных машины, есть ли у них компьютер и какие в нем стоят программы и игры. Марик подробно и с удовольствием удовлетворял мальчишеское любопытство, рассказывал о детях — Анне и Филиппе, он называл их Энн и Филом, рисовал красочные и порой забавные картины американской жизни. Ира, озабоченная проблемой лишних килограммов, стала выяснять у новоявленного американца насчет «Гербалайфа», и тот со смехом поведал, что в Соединенных Штатах все эти «продукты» давно признаны шарлатанством и их никто не покупает, вот производители и решили освоить новый рынок, восточный, поскольку народ здесь доверчивый и обожающий сказочки, построенные на принципе «раз — и готово», никакого длительного и кропотливого труда, все делается по мановению волшебной палочки, кушаешь продукт и худеешь на глазах. О том, что килограммы возвращаются, как только доверчивый клиент перестает вкушать пилюли и коктейли, предусмотрительные распространители деликатно умалчивают, зато без умолку трещат о полной и безоговорочной очистке организма от шлаков и прочих накопленных годами гадостей. Девушка никак не комментировала услышанное, но по ее глазам Наташа видела, что та ужасно расстроена. Сам гость ни о чем присутствующих не расспрашивал, только на вопросы отвечал, но Наташа то и дело ловила его взгляд, украдкой бросаемый на Ирину, и понимала, что дочь вызывает в нем интерес, а стало быть, отчет неминуем. Слушая вполуха застольные разговоры, мучительно пыталась сообразить, как поступить: говорить ли Марику все как есть, чтобы он не питал никаких иллюзий и понимал, как тяжко досталось ей воспитание соседки, или не сказать ничего, предоставив ему возможность самому составить мнение о девушке.

Вечером, улучив момент, когда рядом никого не было, Марик подошел к ней:

— Туся, ты завтра свободна? Давай погуляем вдвоем.

— Конечно, — кивнула Наташа.

Двадцать лет назад она умерла бы от счастья, доведись ей услышать эти слова от своего любимого. А сегодня... Сегодня она понимала, что Марику интересна не она, Наташа Казанцева-Воронова, а ее рассказы о Бэлле Львовне и дочери. За двадцать один год он не написал ей отдельно ни одного письма, только приветы передавал в письмах к матери. И не позвонил ей ни разу, разговаривал только с Бэллочкой. Надо же, как бывает! За двадцать лет ни разу не случилось так, чтобы он позвонил и к телефону подошла Наташа. Кто угодно брал трубку, только не она. Хотя что это изменило бы? Все равно рассказывать ему об Иринке она не смогла бы, не вызвав недоумения у окружающих, а отвечать на дежурные вопросы бессмысленно, когда столько лет живешь в разных странах.

— Куда пойдем? — спросила она, когда они вместе с Мариком вышли из дома. — Ты, наверное, хочешь по Арбату прогуляться? Твоя мама очень любит Арбат, всю его историю знает и всем рассказывает.

— Да, — засмеялся Марик, — моя мама — фанатка Арбата и вообще Москвы. Я так и не смог уговорить ее ни уехать с нами, ни приехать потом к нам. На все мои аргументы она отвечала одно: я здесь родилась, здесь встретила твоего папу, здесь его похоронила, и я не смогу жить нигде, кроме Москвы. Я тоже очень люблю Арбат, но сейчас хотел бы поехать на площадь Дзержинского.

— На Лубянку, — машинально поправила Наташа и тут же переспросила с изумлением: — На Лубянку?!

— Ну да, я слышал, что у вас тут все обратно переименовали. Да, на Лубянку, — спокойно ответил Марик. — А что? Почему ты так удивляешься?

— Дурная слава, — усмехнулась она. — Многие до сих пор с замиранием сердца проходят мимо небезызвестного здания.

— Ах вот ты о чем! Нет, меня интересует улица Кирова. Как она теперь называется? Мясницкая, Фроловская, Егупьевская? Или, может, Гребневская? У этой улицы длинная история и много разных названий. Какое выбрали?

— Мясницкая. А почему именно она? — заинтересовалась Наташа.

— Меня мама туда в детстве часто водила. Она постоянно гуляла со мной по городу и рассказывала истории улиц и домов. Но на улицу Кирова мы приходили чаще, чем в другие места. И знаешь, Туся, все эти годы я мечтал, что вот приеду в Москву, первым делом — к маме, а потом — на улицу Кирова. Не знаю, не могу объяснить... Там есть особенные места. Поедем, я тебе все покажу. Заодно и поговорим.

С утра моросил дождь, и Вадим отнесся с явным неодобрением к идее жены пойти погулять с сыном соседки.

— Что за детство? — недовольно говорил он, глядя, как Наташа перебирает вещи в шкафу, выискивая, что бы такое надеть, чтобы не замерзнуть. — Почему надо убегать из дома в воскресенье?

— Вадик, ему нужно поговорить со мной о Бэллочке. Он хочет, чтобы я рассказала ему, как его мама жила все эти годы, что делала, чем болела, о чем думала, куда ездила отдыхать. Ты же знаешь нашу Бэллочку, и Марик ее знает. Она никогда не станет жаловаться и ныть, у нее всегда все прекрасно, особенно в письмах, которые она писала ему в Израиль и в Штаты. Сын хочет знать правду, это же так понятно.

— Но непонятно, почему для этого нужно уходить из дома. Пожалуйста, сядьте в одной из наших двух комнат и разговаривайте, мы с мальчиками не будем вам мешать. Почему непременно нужно тащиться куда-то в такой дождь?

Действительно, почему? Никакого рационального объяснения этому нет. Не может же Наташа сказать мужу, что когда-то безумно любила этого теперь уже иностранца, что Марик — огромная и неотъемлемая часть ее детства и юности, что когда-то она ночами мечтала о том, как будет идти рядом с ним по улице, и не по делам, а просто так, гулять и разговаривать. И что сегодня ее мечта, наконец, исполнится, пусть с огромным опозданием, пусть тогда, когда это уже и не нужно, когда нет никакой любви, а просто теплое чувство, какое почти всегда остается по отношению к людям, связанным с твоим детством. И погода тут не имеет ни малейшего значения. Проще солгать, чем объяснять правду.

— Мне нужно съездить на Шаболовку, там сегодня снимает один режиссер, которого я уже два месяца не могу отловить. А Марик все равно хотел бы проехаться по Москве. Совместим приятное с полезным. И Бэллочка не будет видеть, что мы специально уединяемся для разговора. Зачем ее нервировать? — сказала Наташа спокойно, натягивая через голову теплый свитер.

Она хотела доехать до Лубянской площади на метро, но Марик предложил сесть в троллейбус и для начала проехать несколько остановок по Садовому кольцу. Они устроились на задней площадке «букашки» — троллейбуса маршрута «Б». Марик крепко держался за поручень по обе стороны от Наташи, и она вдруг почувствовала себя неловко. Словно он ее обнимает...

— Ну как ты, Туся? — спросил он, заглядывая ей в глаза. — Только правду говори, лозунги мне не нужны. Муж у тебя замечательный, дети чудесные. Два высших образования, громкие фильмы, всенародное признание, слава. Программу твою я, правда, не видел, но мама говорит, что ты и в этом деле оказалась на высоте. Можно ли из этого сделать вывод, что у тебя все в порядке?

— Можно, — твердо ответила Наташа.

— Значит, нельзя, — задумчиво усмехнулся Марик. — Тогда давай по порядку. Насколько я помню советские времена, подводники получали фантастическую зарплату, около восьмисот рублей в месяц. Я не ошибся?

— Не ошибся. А если экипаж держит лодку, то на тридцать процентов больше. И что дальше?

— А дальше вопрос номер один: почему ты до сих пор живешь в коммуналке? Я хорошо помню цены тех лет, когда еще жил здесь. Зарплата твоего мужа за полгода — это первый взнос на трехкомнатную кооперативную квартиру. Но ты тем не менее живешь все там же, в квартире с соседями. Из этого следует, что у тебя есть проблемы. Какие?

— Никаких, — она пожала плечами и вымученно улыбнулась. Он что, не понимает? Или прикидывается? — Никаких проблем, все в полном порядке.

— Твой муж — игрок?

— Да бог с тобой, он играет только в шахматы. Даже в преферанс не умеет.

— Он пьет?

— Нет, с чего ты взял? Он пьет ровно столько же, сколько и я, поднимает рюмку только тогда, когда совершенно невозможно или неудобно отказаться.

— Тогда вопрос номер два: куда ты девала деньги на протяжении стольких лет? Копила? На что?

Наташа внезапно разозлилась. Да что Марик, с ума сошел? О чем он говорит? Какие были зарплаты у подводников и сколько стоила кооперативная квартира, он помнит, а все остальное, выходит, забыл? Ну ничего, она ему напомнит. Зажрался он в своей Америке, совершенно потерял представление о том, как они тут живут. И как она живет.

— Как ты думаешь, — начала она ласковым голосом и с милой улыбкой, — сколько нужно денег, чтобы прокормить восемь человек? Мои родители, я с двумя детьми, Бэлла Львовна, Иринка и ее бабушка Полина Михайловна, а до восемьдесят второго года еще и Нина, которая пропивала всю свою зарплату, но кушать почему-то тоже хотела. Из этих восьмерых четверо получали только пенсию, а еще трое — я имею в виду детей — не зарабатывали ничего. Их нужно накормить, одеть и обуть. Это как минимум, я уж не говорю о книгах, театрах, кино и прочих развлечениях. Им нужно было покупать мебель, потому что старая вся разваливалась. И нужно было покупать хорошие телевизоры, цветные, с большим экраном, потому что в каждой комнате были пожилые люди, у которых нет других развлечений, кроме как телик посмотреть. Пойдем дальше. Ты хотя бы примерно помнишь прилавки наших магазинов? Так вот, после твоего отъезда с продуктами и с одеждой становилось все хуже и хуже. Для того чтобы накормить такую семью, как у меня, нужно было с утра до вечера мотаться по магазинам и стоять по два-три часа в очереди за мясом или колбасой. У меня этого времени не было, я работала. Выход один: покупать продукты на рынке. Баснословно дорого, но зато быстро. Мясо, рыбу, овощи, фрукты, творог, сметану и покупала на рынке. Не всегда, но чаще всего. Одежду и обувь — у спекулянтов. Я хотела хорошо выглядеть, разве это порицаемо? Я хотела, чтобы мои дети и, кстати сказать, твоя дочь тоже были хорошо одеты, добротно и красиво. Это что, преступление? Я полностью заново обставила кухню в нашей коммунальной квартире и не взяла ни копейки с других жильцов. Недавно я сделала ремонт в местах общего пользования, заменила сантехнику, и тоже за свой счет. Я регулярно посылаю деньги в Набережные Челны, маме и Люсе. Про своего отца я не говорю, но, когда сначала погибла Ниночка, а потом умерла старая Полина, хоронила их и поминки устраивала тоже я, а это, как ты понимаешь, недешево. И не забывай, мой муж на протяжении двенадцати лет жил в другом городе, и все, что мы покупали, мы покупали в двух экземплярах. Новый телевизор — и ему, и мне, стиральную машину — в обе квартиры, мебель, ковер, посуду и так далее. Достаточно?

— Прости, — покаянно произнес Марик, — я веду себя как идиот. Наверное, я действительно многое забыл.

— Просто ты многого не знаешь, после твоего отъезда коечто менялось, и не в лучшую сторону. И еще одно: я могла бы экономить, тратить меньше, одевать детей и самой носить магазинный ширпотреб, если бы была цель. Но меня никогда не признали бы нуждающейся в жилплощади, потому что у нас две комнаты общей площадью сорок два метра на четверых. Даже когда папа был жив и нас было пятеро, все равно получалось больше, чем семь квадратных метров на человека. Мне никто не позволил бы вступать в кооператив. А в очередь на получение государственного жилья меня тем более не поставили бы, там норматив еще меньше.

— Но теперь же можно купить квартиру. Почему ты этого не делаешь?

— Потому что, милый мой Марик, теперь деньги уже не те. Квартира стоит столько, сколько мы с мужем можем заработать за десять лет, если не пить, не есть, не одеваться и не тратить деньги на бензин. И то при условии, если курс доллара не будет опережать рост зарплаты. И что потом? Мы переедем, а как же твоя мама? Раньше я не могла бросить Иринку, ты ведь просил меня об этом. Теперь она выросла и во мне больше не нуждается, но теперь я не могу бросить Бэллу Львовну, она уже старенькая и часто болеет. Послушай, Марк...

Наташа запнулась и замолчала. Она впервые в жизни назвала его так. Не Мариком, а Марком. Перед ней сейчас стоял не тот чудесный Марик из ее детства, самый красивый, самый умный, самый добрый и вообще самый лучший, а совершенно посторонний мужчина под пятьдесят, грузный, почти совсем седой. Мужчина, который ее не понимал. Наташа вдруг с ужасом увидела, что он совсем чужой, что он ничегошеньки не понимает в ее жизни.

— Да, Туся? Я тебя слушаю.

— Ты ничего не спрашиваешь об Иринке. Ты что, забыл о том, что она — твоя дочь и что ты просил меня заботиться о ней?

— Жду, когда ты сама о ней заговоришь. Мама мне писала о ней, и о тебе, и о Люсе — обо всех, так что общее представление я имею. Но не очень подробно. Видишь ли, мамины письма читал не только я, их читала и Таня, точно так же, как мне давали читать письма ее родных. И если бы в этих письмах вдруг оказалось подробное жизнеописание одной из моих соседок, причем не взрослого человека, а ребенка, это могло бы... Ну, сама понимаешь. Ненужные вопросы, подозрения. Нам сейчас выходить. Вот доедем на метро до Лубянки, выйдем на улицу, и ты мне все расскажешь.

* * *

Ветер хлестал по лицу тонкой плеткой дождя, холодные капли стекали за воротник, заставляя Наташу зябко ежиться.

— Вот на этом месте стояла церковь Гребневской Божией Матери, ее построили в шестнадцатом веке, а в тридцать пятом году снесли. Мама любила вспоминать, как бегала сюда подкарауливать Аркашу, когда тот шел с занятий в университете на Моховой. Аркаша жил в Кривоколенном переулке и каждый день проходил мимо церкви. А мама пряталась и ждала его, а потом выходила навстречу, как будто случайно. Ей было четырнадцать, а ему — восемнадцать. Влюблена она была по уши, а познакомиться не могла, повода не было. Вот и старалась попадаться ему на глаза как можно чаще, надеялась, что запомнит и рано или поздно заговорит с ней. А когда в тридцать пятом церковь снесли, она рыдала несколько дней. Разрушилось место, где она провела столько часов в своих сладких девичьих переживаниях!

— А потом что? — с интересом спросила Наташа. Ей трудно было представить себе Бэллу Львовну влюбленной четырнадцатилетней девчонкой, ведь соседка всю жизнь была для Наташи олицетворением мудрости.

— А ничего. Мама, как всегда, своего добилась. Перед самой войной Аркаша на ней женился. Ты мне сказала, что у Иринки есть такое же фанатичное упорство в достижении цели. Это у нее от бабушки Бэллы. Гены не обманешь.

— Если бы она еще была такой же разумной, как бабушка Бэлла, — вздохнула Наташа. — Когда решение принято и цель поставлена, Ирка упрется изо всех сил, но сделает так, как задумала. Проблема в другом. Как заставить ее принимать правильные решения и не принимать дурацких? Она могла бы и в пятнадцать лет бросить пить, и в семнадцать, если бы поняла, что это нужно сделать. Но она же не понимала, не хотела понимать! Только когда свою опухшую испитую рожицу на экране увидела во всей красе, тогда до нее дошло, во что она превращается.

— Ну что ж поделать, там тоже гены. Полина пила, Нина пила. Куда ж деваться от наследственности? Смотри, Туся, это дом Черткова, в семнадцатом веке здесь были деревянные палаты, потом каменные, в восемнадцатом веке домом владел московский губернатор Салтыков, в девятнадцатом — московский губернский предводитель дворянства Чертков. Чертков изучал русскую историю, собирал рукописи и книги по истории России, создал огромную библиотеку и хотел, чтобы она стала общественным достоянием. После его смерти со стороны Фуркасовского переулка в специальной пристройке открыли читальный зал. Между прочим, этот читальный зал посещали и Лев Николаевич Толстой, и даже молодой Циолковский. Потом дом перестроили, пристройки стали сдаваться в аренду. В частности, там был магазин семян «Иммер Эрнест и сын», так вот в этот магазин любил захаживать Антон Павлович Чехов, покупал семена для своего сада в Мелихове. Можешь себе представить, Туся? Вот здесь ходили Толстой и Чехов, ходили так же запросто, как мы с тобой сейчас идем. Это совершенно необыкновенное чувство, как будто переносишься на сто, двести, триста лет назад и начинаешь видеть историю. Тебе это знакомо?

Наташа покачала головой и слизнула с губ капли дождя.

— Нет. Наверное, мне от природы не дано. Я вообще не очень увлекаюсь историей. А про этот дом номер семь я знаю только то, что здесь снимали эпизод для фильма «Возвращение Максима», где герои на бильярде играют, и несколько эпизодов для «Семнадцати мгновений весны».

— Неужели? Это какие же?

— Особняк американской миссии в Берлине, где проходили сепаратные переговоры, из-за которых весь сыр-бор, собственно, и разгорелся.

— Любопытно, я не знал. А Иринка? Она интересуется историей?

— Еще меньше, чем я. Я хотя бы в школе добросовестно училась, не все еще позабыла, а она школьную программу через пень-колоду осваивала, еле-еле. И ведь обидно, Марик, просто до слез обидно, у нее такая голова светлая, память прекрасная, тоже от твоей мамы в наследство досталась, а Ирка еле-еле на троечки вытягивала. Интереса к учебе никакого не было.

— И что, до сих пор нет? Как же она учится? — с беспокойством спросил Марик.

— Да нет, сейчас-то все в порядке, за ум взялась, учится с удовольствием. Даже наверстывает, как может, упущенное. Книги серьезные начала читать, а то раньше ведь одни любовные романы на столе лежали. Ты теперь можешь за нее не волноваться, она будет в порядке. Самое страшное мы уже пережили и оставили позади.

— Бедная ты моя, бедная, — Марик неожиданно обнял Наташу, прижал к себе, коснулся губами ее виска. — Взвалил я на тебя обузу... Кто же мог предполагать, что Колю вскоре посадят, Ниночка попадет под машину, и девочка останется целиком и полностью на твоих руках? Если б я знал, что так все выйдет...

— То что было бы? Что изменилось бы? Ты бы не уехал? Или забрал бы дочь с собой? Перестань, Марк, я терпеть не могу этих сослагательных причитаний. Как случилось — так случилось, как сложилось — так сложилось.

Она осторожно высвободилась из его объятий и взяла Марика под руку. Вот так, именно так, как она мечтала когда-то. Воспоминания о том единственном случае, когда они вместе возвращались из магазина и он держал ее под руку, долго еще будоражили ее девичье воображение. Должна была миновать четверть века, чтобы все случилось так, как ей представлялось в мечтах. Странно... И... Ненужно.

— А вот здесь, в доме семнадцать, в двадцать втором году была мастерская по пошиву белья, она называлась «Трудшитье». Тут работала моя бабушка Рахиль, мамина мама. Баба Раша обожала ходить в соседний дом Перлова, в чайный магазин, она говорила, что без билета и визы попадает в другую страну. И маму мою туда водила регулярно, потом мама — меня. У нас семейная любовь к этому китайскому домику, — оживленно говорил Марик. — Я тоже до самого отъезда часто сюда прибегал, стоял подолгу и вдыхал аромат молотого кофе. А ты здесь бываешь?

— Редко. Только если оказываюсь неподалеку, а дома чай или кофе закончились. Специально не приезжаю.

— А я специально приходил. Знаешь, стоял и представлял себе бабу Рашу, я ведь ее совсем не помню, она умерла сразу после моего отца, мне и трех лет не было. Но у мамы сохранилось много бабушкиных фотографий, и вот стою я в магазине, разглядываю эту китайскую красоту и вижу бабу Рашу такой, как на фотографиях. Иногда мне даже казалось, что я слышу, как она меня зовет. Голос крови, что ли... И так мне хотелось в последние годы сюда прийти, встать вот здесь, закрыть глаза и увидеть бабушку. Тебе это знакомо?

— Нет, — сдержанно ответила Наташа, — я — поздний ребенок, когда я родилась, все мои бабушки и дедушки или умерли, или на войне погибли, я никого не застала. Мне не довелось побыть внучкой. Люсе повезло больше, она знала одну из наших с ней бабушек.

— Прости, — снова сказал Марик, — у меня такое чувство, что я все время говорю невпопад. Обижаю тебя или просто говорю что-то не то. И все время извиняюсь... Глупо как-то все получается. Я так стремился приехать, так рвался сюда, мне казалось, что это будет праздник, а получается так, словно я прилетел на другую планету, где все непонятное, чужое, и я никому здесь не нужен, и меня понять тоже никто не хочет.

Острая жалость сдавила ее сердце. Ну почему она так с ним разговаривает? Разве он, Марик, виноват в том, что ей в жизни не всегда было легко и весело? Нет, это ее жизнь, ее выбор. Да и кто сказал, что он сам порхает, как беззаботный мотылек? Конечно, сейчас он благополучный и состоятельный американец, живет в собственном доме и имеет собственный бизнес, но разве мало тягот и унижений пришлось на его долю? Он подробно описывал их в письмах к матери, и Наташа все эти письма читала и перечитывала по нескольку раз. Каждый из нас делает свой выбор и проживает свою жизнь. Просто надо уметь признавать свои ошибки, а не перекладывать ответственность на других.

— Давай зайдем, погреемся, — с улыбкой предложила она и взяла Марика за руку.

Он молча кивнул. Они вошли в чайный магазин и сразу окунулись в теплый пряный аромат свежемолотого кофе. Здесь обычно продавались неплохие конфеты, а цены были ниже, чем в коммерческих палатках, поэтому магазин не пустовал. Наташа и Марик встали у окна, по-прежнему держась за руки. Марик снял забрызганные дождевыми каплями очки и сунул в карман. Она смотрела в его глаза, такие же выпуклые и блестящие, как и двадцать лет назад, окаймленные длинными густыми ресницами, держала его руку в своей руке и вдруг ощутила, как время исчезло. Не было этих долгих лет разлуки, не было его женитьбы на Татьяне и его отъезда, ничего больше не было, а был тот Марик, которого она любила. И она уже была не той Натальей Вороновой, родившей троих детей, но растившей только двоих, измученной в борьбе за Иринку, истерзанной страхом разоблачения, а прежней юной и влюбленной Наташей Казанцевой.

— А как Люся? Ты ничего о ней не рассказываешь. Она счастлива?

Наваждение исчезло. Как жаль...

— Не думаю, что она счастлива, — сухо ответила Наташа. — Вышла замуж без любви, просто для того, чтобы считаться замужней дамой. Почти до сорока лет ждала прекрасного принца, а в результате оказалась в Набережных Челнах с мужем-инвалидом и маленьким ребенком. Девять лет назад она увезла с собой маму, чтобы та помогала ей по хозяйству. Но об этом ты, вероятно, знаешь из писем Бэллы Львовны. Если тебе интересны подробности, ты можешь ей позвонить, у них есть телефон.

* * *

— Где у вас принимают кредитные карты? У меня рублей нет, а я хотел бы, чтобы мы с тобой пообедали вместе.

Кредитные карты! Положительно, Марик решил, что едет в Западную Европу. Наташа с трудом сдержала язвительную усмешку.

— Самое приличное из того, что рядом, — «Пицца-Хат» на Тверской, недалеко от памятника Пушкину, — ответила она. — Все остальное — рестораны при гостиницах.

Ей отчаянно хотелось вернуться домой, она промокла и продрогла, и в то же время хотела продлить эту прогулку с Мариком, так похожую на настоящее свидание влюбленных. Она упорно цеплялась за свою юношескую мечту и надеялась, что настанет хотя бы один момент, похожий на ее сладкие и тревожные давние грезы. Пусть не тогда, пусть только сейчас, но она переживет эту волшебную минуту иллюзии взаимной любви.

На Тверскую тоже отправились пешком, Марик, казалось, не замечал непогоды и с упоением рассказывал Наташе обо всех встречавшихся на их пути зданиях и о том, как он приходил сюда в юности, о чем думал в эти минуты, о чем мечтал. Ей было не интересно, но она делала вид, что внимательно слушает, и даже вопросы какие-то задавала, и кивала, и улыбалась. Про себя Наташа решила больше не навязывать Марику тем для разговора, пусть сам задает вопросы и сам рассказывает. В конце концов, он приехал в Москву, имея собственные цели, у него были свои представления об этой поездке, свои желания, свои интересы, и какое право Наташа имеет в это вмешиваться? Он хотел пройтись по улицам, с которыми у него связаны счастливые и теплые воспоминания, — пусть ходит. Он не хочет говорить о неприятном — и не надо. Он хотел окунуться в свою юность, и Наташа не станет навязывать ему проблемы немолодого, обремененного ответственностью человека. Не за проблемами он сюда ехал, а за радостью.

В ресторане они заняли столик на двоих и заказали пиццу и красное вино. Наташа согрелась, и ситуация уже не казалась ей такой раздражающей.

— Сколько дней ты пробудешь в Москве? — спросила она, отпивая вино из бокала.

— До десятого декабря.

— Как жаль! — вырвалось у нее. — Одиннадцатого у Иринки свадьба. Порадовался бы за нее.

Марик равнодушно пожал плечами.

— Но я же все равно не смог бы там присутствовать, я ведь не родственник. Я имею в виду — официально.

— Ты не прав. Все знают, что девочка — сирота и у нее никого нет, кроме соседей по квартире, которые фактически заменили ей родственников. Твоя мама будет на торжестве, это уже решено. И ты мог бы пойти, это выглядело бы совершенно естественно.

Наташа ожидала шквал вопросов: кто жених, из какой семьи, где будет организовано свадебное торжество, какое платье будет на невесте, какие предполагаются подарки, что ему самому подарить дочери. Был и еще один вопрос, которого она боялась, но к которому была готова: а почему на этой свадьбе будет только Бэлла Львовна, но не будет Наташи с мужем? Сказать Марику правду о том, что она боится быть узнанной отцом жениха, невозможно, поэтому заранее была заготовлена версия о нежелании Иринки считаться протеже известного режиссера Вороновой. Версия была, конечно, правдоподобной, ведь в институте Ира твердо придерживалась именно этого. Но для отсутствия на свадьбе выглядела, конечно, слабовато, ведь на торжестве предполагалось присутствие только родственников, и никаких институтских друзей и подружек, для которых появление Вороновой могло бы иметь хоть какое-то значение. Однако никакого другого объяснения у Наташи не было, и она полагалась исключительно на уверенность в голосе и способность заразить собеседника своей правотой.

Но, вопреки ожиданиям, никаких вопросов не последовало. Марик начал перечислять своих старых друзей, с которыми поддерживал переписку после отъезда и с которыми хотел бы повидаться, рассказывал о тех, кто, как и он сам, уехал в Европу и Америку, о том, как сложилась их жизнь и чего они достигли, радовался их успехам и без конца повторял, что если бы они остались в России, то вынуждены были бы прозябать в нищете и унижениях. Наташа сначала пыталась горячо возражать, приводила в пример семью Инны Левиной-Гольдман, ее отца и мужа, да и саму Инку: все сделали прекрасную карьеру в бизнесе, процветают и на жизнь отнюдь не жалуются, сейчас строят особняк за городом на месте старой дачи, ездят каждый на своей машине. Гриша Гольдман — уважаемый врач, кандидат медицинских наук, он считается лучшим диагностом среди московских врачей-гинекологов, к нему на консультации ездят даже из других городов и платят огромные деньги. Но Марик как будто не слышал ее, твердя одно и то же: там лучше, там свободнее, там прекрасно и удивительно, и если бы он не уехал, его жизнь не состоялась бы. В какой-то момент Наташа перестала слышать его, оглушенная внезапной догадкой: он абсолютно безразличен к своей дочери, она ему не нужна и не интересна, и он вовсе не пытается оценить результаты Наташиных трудов по взращиванию и воспитанию Иры. Он давным-давно и думать о ней забыл. Тогда, в июне 1972 года, накануне отъезда в Израиль, он еще был здесь, в Москве, в их старой коммунальной квартире, и проблемы одинокой стареющей матери и маленькой дочери, растущей в неблагополучной семье, казались ему важными и серьезными. Тогда он попросил Наташу не бросать их, заботиться о них, и она дала ему слово. Однако, как только самолет оторвался от взлетной полосы, вся эта жизнь в Москве стала для него далекой и нереальной, она стала НЕ ЕГО жизнью, потому что тогда, в 1972 году, не было возможности вернуться или просто приезжать, тогда уезжали и расставались навсегда. Он забыл о своей дочери через очень короткое время. Навалились новые заботы, устройство на новом месте, поиски работы, безденежье, адаптация в чужой среде, изучение языка — сначала иврита, потом английского. Родились дети. И все реже всплывала в его памяти маленькая девочка — плод случайной связи с красивой, но нелюбимой разбитной соседкой. Одна минута слабости — и родился ребенок. Еще одна минута высокого душевного порыва не оставить этого ребенка без заботы — и он взял с Наташи слово не бросать девочку на произвол судьбы. Две минуты, только две минуты... А скольких седых волос и бессонных ночей стоили Наташе эти минуты. Нет, она ни о чем не сожалеет, она любила Иринку и будет ее любить как свою младшую сестренку, она все равно растила бы ее и воспитывала, кормила и одевала ничуть не меньше и не хуже, чем если бы Марик ни о чем ее не попросил. Но... В самые тяжелые минуты Наташа цеплялась за мысль о том, что делает это ради человека, которого любила и который на нее надеется. Он оставил дочь на ее попечении, и она не может подвести и обмануть его доверие. И вот сейчас, сидя в уютном «Пицца-Хате» и без аппетита пережевывая жесткую пиццу, Наташа понимает, что ему все это было совсем не нужно. Ему это безразлично. И если бы оказалось, что Ира сидит в тюрьме или лечится от алкоголизма, что она превратилась в бродяжку или дешевую вокзальную проститутку, у него в душе ничего не дрогнуло бы. Наверное, пожал бы так же равнодушно плечами и промолчал, не задав ни единого вопроса.

* * *

За два дня до отъезда Марика Наташа вернулась домой около девяти вечера, и тут же Вадим обрушил на нее неожиданное сообщение:

— Сегодня приходили из риэлторской фирмы, разговаривали с Бэллой Львовной. Они предлагают нас расселить. Ты представляешь, Наташенька, у нас будет своя квартира, отдельная!

И нам это не будет стоить ни доллара, ни копейки! Пойдем скорее к Бэлле Львовне, она нам все расскажет, и вместе обсудим.

Глаза у мужа возбужденно горели, и понятно было, почему. Вадим никогда в жизни не жил в коммуналках, не готовил на общих кухнях и не пользовался общими для нескольких семей ванными и унитазами. Он был от природы брезглив, любил чистоту и аккуратность и приходил в бешенство, увидев на ванне или раковине недостаточно тщательно смытые следы мыльной пены. Конечно, норов свой ему приходилось сдерживать, он — человек хорошо воспитанный, а Иринка и в особенности Бэлочка с ее ухудшающимся зрением далеко не всегда оставляли сантехнику в идеальном состоянии. Переехав в Москву, он вынужден был мириться с условиями совместного с чужими ему людьми проживания, но мечту об отдельном жилье лелеял. И вот мечта уже почти сбылась!

У Наташи было к проблеме принципиально иное отношение. Она прожила здесь всю жизнь, привыкла, ничего иного не видела. И Иринка, и Бэлла Львовна — не чужие ей, они давно стали членами ее семьи, Иринка — сестрой, Бэллочка — бабушкой для ее сыновей, мальчики даже называют ее бабой Бэллой. И убирать за всеми Наташе вовсе не в тягость, она и к этому с детства привыкла, еще девчонкой мыла полы и стирала вместо беременной Ниночки и ослабевшей от пьянства старой Полины. И вообще всем помогала. Для нее такая жизнь — норма. И еще одно: как же Бэлла Львовна останется одна, если они разъедутся? То есть одна-то она, конечно, не останется, Наташа будет приезжать к ней, привозить продукты, убирать квартиру, стирать, готовить. Но ведь это нужно будет делать каждый день. А если Бэллочка, не дай бог, заболеет и будет нуждаться в постоянном уходе? Где взять время и силы? Сейчас Наташа готовит сразу на всех и времени на переезды из квартиру в квартиру не тратит, а потом как будет? Нет, нельзя ей разъезжаться с Бэллой Львовной.

— Я нарисовала этим риэлторам полную картину, объяснила, что у вас двое сыновей и вам нужна квартира из трех комнат, не меньше, — обстоятельно излагала Бэлла Львовна. — Они сказали, что могут предложить нам две однокомнатные квартиры и одну трехкомнатную, а если вы согласитесь жить в отдаленном районе — то и четырехкомнатную.

— Четыре комнаты! Ты слышишь, Наташка? Четыре! Вместо нынешних двух.

Вадим с трудом справлялся с охватившим его возбуждением, ерзал на диване и радостно улыбался.

— У каждого из мальчиков будет своя комната, они уже большие, еще два-три года — и они не смогут жить вместе. У нас с тобой будет спальня и общая гостиная, никто никому не мешает! Блеск!

— Погоди, Вадим. — Наташа жестом остановила его и снова

повернулась к соседке: — В каких районах они предлагают нам квартиры?

— Сказали, что будут подбирать разные варианты и предлагать нам. А эту квартиру они приведут в человеческий вид, отремонтируют и продадут состоятельным «новым русским». В нашем доме они уже три квартиры расселяют.

— Хорошо, — вздохнула Наташа, — давайте посмотрим в глаза реалиям. Мы имеем четырехкомнатную квартиру в историческом центре Москвы, в старом доме с просторной прихожей, высокими потолками и огромными окнами, внутри Садового кольца, в двух минутах ходьбы от метро. Здесь развитая инфраструктура, огромное количество магазинов, ресторанов и кафе, театров и прочих нужных заведений. Что нам могут предложить взамен? Еще одну четырехкомнатную квартиру плюс две однокомнатные. Это означает, что квартиры эти в любом случае будут маленькими и дешевыми и располагаться в районах дальних новостроек, где нет ни метро, ни магазинов, ни, кстати сказать, телефонов. Нельзя за четыре комнаты получить равноценные шесть плюс еще две кухни и два санузла. Мы со своей четырехкомнатной можем оказаться где-нибудь в Митине, чуть ли не за Кольцевой автодорогой, откуда до ближайшего метро нужно долго добираться автобусом, который еще и ходит нерегулярно. А вы, Бэлла Львовна, будете жить на другом конце города и тоже далеко от метро, магазинов и поликлиники. Телефон вам поставят лет через пять, если не больше, и вы даже не сможете вызвать врача, когда заболеете. Как вы все это себе представляете?

— Не сгущай краски, — заявил Вадим. — Ты забыла о том, что Ире квартира больше не нужна, она выходит замуж и переезжает к мужу. Риэлторы должны будут подыскать нам не три разные квартиры, а только две, стало быть, одна из них может оказаться и подороже за счет приближения к транспортным магистралям. И потом, можно поставить им условие, чтобы они поселили нас с Бэллой Львовной в одном доме. Или хотя бы на одной улице. Правда, Бэлла Львовна?

— Нет, — старая соседка отрицательно покачала головой, — мы не можем лишать Иру жилплощади. Мало ли как сложится ее семейная жизнь? Ей даже уйти будет некуда. И потом, нам никто не позволит продавать квартиру, если один из прописанных в ней жильцов не имеет новой площади, куда может переехать. За этим следят очень строго. Новых квартир должно быть три, иначе нельзя.

— Ну хорошо, — Вадим легко уступил одну из позиций, — но все равно можно потребовать, чтобы две квартиры из трех были в одном доме. Я считаю, что это будет прекрасным решением проблемы.

— Вадик, милый, ты неисправимый оптимист, — Наташа присела рядом с мужем, ласково положила руку на его плечо, —

как ты себе представляешь нашу жизнь на окраине и без телефона? Сейчас, когда мы находимся в двух шагах от метро, я ухожу из дома в половине девятого и возвращаюсь не раньше десяти, а что будет, когда метро окажется в получасе езды на автобусе? Ты меня вообще дома не увидишь. А мне нужно будет еще продукты покупать и готовить. На что ты хочешь меня обречь? На каторгу?

— Пожалуйста, бери машину и езди.

— Ты прекрасно знаешь, что я не могу водить машину.

— Глупости! — оборвал ее Вадим. — Это тебе только так кажется. Подумаешь, взяла всего несколько уроков — и уже выводы сделала. Найди хорошего инструктора, он тебя в два счета научит.

Наташа действительно пыталась научиться водить машину и получить права, но очень скоро поняла, что это занятие не для нее. На площадке все получалось просто замечательно, но как только она оказывалась на проезжей части, ее охватывала такая паника, что хоть бросай руль и выскакивай из салона. Она безумно боялась машин и покрывалась холодным потом даже тогда, когда ехала в качестве пассажира. Никакие уговоры инструктора, что, дескать, рядом едут нормальные люди, которые ее видят и тоже не хотят попадать в аварии, Наташу не успокаивали. Она хорошо знала, как много сидит за рулем пьяных, обколотых или наглотавшихся таблеток водителей, а также тех, кто купил права за деньги без надлежащего обучения. Нет, ни при каких условиях она не сможет преодолеть свой страх и вести машину. Ее нервная система к этому не приспособлена. К тому же у нее есть еще один врожденный дефект — плохое ощущение правой и левой стороны, а вернее, полное отсутствие такового. Она даже цепочку на шее не может застегнуть и расстегнуть на ощупь, заведя руки назад, обязательно переворачивает ее замочком вперед, чтобы видеть. Однажды Вадим подарил ей коротенькую, под горло, красивую витую цепь, замочка которой Наташа никак не могла видеть, даже перевернув. Расстегивать ее на ощупь она еще кое-как могла, а вот застегивать, глядя в зеркало, никак не удавалось, она мучилась, пыхтела и не могла сообразить, почему ей кажется, что она двигает рукой назад, а оказывается — вперед. Во время движения такая же ситуация, только во много раз более опасная, складывалась с зеркалами заднего вида. Наташа хронически ошибалась, не понимая, сокращается расстояние между ней и идущим сзади автомобилем или, наоборот, увеличивается, и справа этот автомобиль или слева. В конце концов она оставила затею с получением прав, разумно решив, что лучше ездить на метро, чем тратить бесконечные деньги на ремонт своей и чужих машин, при этом с риском оставить сыновей сиротами, а мужа — вдовцом.

— Вадим, я не буду водить машину, это даже не обсуждается. Давай исходить из того, что есть. К слову замечу, что сейчас мы живем рядом с Киевским вокзалом, с которого ты каждый день ездишь на работу в Обнинск. И даже при этом ты встаешь в пять тридцать, а выходишь из дому в шесть утра. Ты готов вставать в четыре?

— Встану, — коротко ответил Вадим. — Во сколько нужно, во столько и встану.

— И на чем ты будешь добираться до вокзала? Автобусы в четыре утра еще не ходят, — заметила Наташа.

— На машине поеду.

— И оставишь ее на целый день на площади перед вокзалом? Вадик, это несерьезно. Если поставить ее на платную охраняемую стоянку, то это выйдет слишком дорого, мы за неделю истратим всю твою зарплату. А если оставить просто так, то рано или поздно ее угонят. Я понимаю твое желание переехать в отдельную квартиру, но ты должен понимать, что издержки могут оказаться неизмеримо больше, чем выгоды. И еще одно: мы с тобой оба очень много работаем, рано уходим и поздно приходим. Сейчас за мальчиками присматривает Бэлла Львовна, и накормит, и проследит, чтобы уроки сделали. Когда мы останемся одни, Сашка и Алеша останутся полностью безнадзорными. Не забывай, сколько им лет. Одному двенадцать, другому — тринадцать, они еще не настолько взрослые, чтобы вести себя разумно и ответственно, а возраст опасный и через пару лет станет еще опаснее.

— Но если Бэлла Львовна будет жить с нами в одном доме, она сможет каждый день приходить, сидеть у нас и присматривать за ребятами. Ведь так, Бэлла Львовна? И вообще, я не понимаю, что мы обсуждаем, перспективу получить отдельное новое жилье или причины, по которым мы должны отказаться от этого? У меня складывается впечатление, что не первое, а именно второе.

Конечно, второе, а не первое, подумала Наташа. Бесплатный сыр бывает только в мышеловке. Невозможно улучшить ситуацию, ничем за это не заплатив. А плата в данном случае может оказаться слишком высокой. К такой плате Наташа не готова.

— А почему молчит уважаемый Марк Аркадьевич?

Вадим внезапно повернулся к Марику и уставился на него сердитыми глазами.

— Я бы хотел услышать и ваше мнение, ведь речь идет и о вашей матушке тоже, а не только о моей семье.

Наташин слух больно резануло это разделение «вашей матери» и «моей семьи», она давно уже не воспринимала Бэллу Львовну как нечто отдельное. Бэлла Львовна оставлена была Мариком на ее попечение так же, как и Иринка, и Наташа немедленно зачислила ее в члены своей семьи, в круг тех, о ком она должна заботиться, за кем должна ухаживать.

Марик на протяжении всего разговора сидел молча, ни единым словом не давая понять, чью сторону принимает в этом споре. Справедливости ради надо заметить, что и Бэллочка своего мнения не высказывала. Получалось, что спорили только Наташа с Вадимом, а точка зрения соседки в расчет не принималась.

— Видите ли, Вадим, я не считаю возможным навязывать вам свое мнение, потому что я через два дня уеду, а вам оставаться и жить. Поэтому имеет смысл обсуждать только ваши аргументы, а никак не мои.

Ну что ж, вполне обтекаемо. Ни да — ни нет. Точка зрения Марика и без слов понятна, он боится оставлять мать без ухода и помощи и, конечно, хотел бы, чтобы все оставалось как есть. Но ему, давно живущему по западным стандартам, в то же время совершенно очевидно, что две комнаты для четверых — слишком мало и неудобно. Похоже, Вадим это понимал, потому что резко поднялся с дивана и сделал шаг к двери.

— Я предлагаю разойтись и как следует подумать. Бэлла Львовна, как вы договорились с риэлторами?

— Они придут через пару дней, чтобы узнать о нашем решении.

— Вот и хорошо, значит, время для обсуждения еще есть. Спокойной ночи.

Наташа молча ужинала, Вадим, отвернувшись, смотрел телевизор. И только когда начали стелить постель, снова вернулся к проблеме переезда:

— Я тебя не понимаю, Наташа. Неужели тебе не надоело жить в этой коммуне, всех кормить, всех одевать и обстирывать? Ты что, нанималась в домработницы к этим двум нахлебницам? Одна — молодая свистушка, тарелку за собой не вымоет, другая — слабеющая старуха, которая и делала бы все, что нужно, да уже не всегда может. Объясни мне, почему ты против того, чтобы жить в отдельной квартире, где будет только наша с тобой семья, понимаешь, наша!

Наташа плотнее запахнула халат и присела на краешек дивана. Ну как ему объяснить, если он сам не понимает!

— Вадик, миленький, Бэллочка уже много лет является членом нашей семьи, неужели ты этого не видишь? Да, я понимаю, ты двенадцать лет жил отдельно от нас и многое не знал или не видел... Но теперь-то ты здесь, уже почти два года мы живем вместе, и ты до сих пор не понял, что я не могу оставить ее. Ну не могу я! — почти выкрикнула Наташа. — Можешь ты это понять? Я многим ей обязана, ей и Марку, только благодаря им я стала тем, чем стала. И когда Марк уезжал в Израиль, он взял с меня слово, что я не брошу его мать, не оставлю ее без заботы и опеки. А она с каждым годом нуждается в этой заботе все больше и больше, она ведь не молодеет, Вадичек, миленький, ты сам видишь, у нее и зрение падает, и сама она слабеет, и болеет все чаще и чаще. Когда моя мама уехала с Люсей, Бэллочка заменила нашим сыновьям бабушку. Как же я могу уехать от нее? Я люблю ее, я к ней привыкла. И к квартире нашей я привыкла, я прожила в ней всю жизнь. А ты хочешь все это сломать?

— Я хочу иметь свой дом и быть в нем хозяином, — горячо возразил Вадим. — Неужели тебе это непонятно? В конце концов, меня с Бэллой Львовной ничего не связывает, для меня она — совершенно чужой человек, к тому же не особенно опрятный. Почему я должен терпеть ее присутствие рядом с собой? Почему мы вчетвером должны ютиться в двух комнатах, если можем жить более комфортно?

— Ты не должен так говорить...

— Нет, именно так я и должен говорить. А тебе пора сделать выбор между твоей соседкой и твоим мужем.

Он взял чашку, из которой пил чай, сидя перед телевизором, и вышел на кухню. Наташа сидела на диване, не в силах пошевелиться. Вот так, выбор между соседкой и мужем. Ну зачем он так сказал? Зачем ставит ей ультиматум? Ведь делать выбор между двумя людьми, каждый из которых дорог и любим, невозможно. Остаться доброй и порядочной и выбрать Бэллу? Или остаться преданной женой и сделать выбор в пользу мужа? В первом случае есть риск, что Вадим с этим не смирится, отношения испортятся, может быть, даже до разрыва дойдет. Разрушится семья, сыновья останутся без отца. Если сделать так, как хочет Вадим, то семья, безусловно, сохранится, но с Бэллой Львовной без постоянной помощи и присмотра может случиться все, что угодно, и она не проживет столько, сколько могла бы прожить, будь Наташа всегда рядом с ней. Да и сама Наташа измучается, разрываясь между двумя домами. Она попыталась представить себе эту новую квартиру и невольно скривилась. В ее воображении возникла картина чего-то стерильно-белого, безжизненного, бездушного. А здесь, в этой коммуналке, все имеет свой цвет, комната Бэллочки — синяя, комната мальчиков — охряная, теплая, похожая на расписной глиняный кувшин, Иринкина обитель больше похожа на старое гобеленовое полотно, с одной стороны — по-молодежному нарядная, с другой — словно покрытая пылью разрухи и дряхления. А в ее с Вадимом комнату только что вернулся красный цвет взаимного недовольства и раздражения, которого здесь давно уже не было, с тех пор, как заболел и попал в больницу Наташин отец. В этой квартире все наполнено цветом и жизнью, воспоминаниями и эмоциями. Может быть, поговорить с Иркой? Если она переедет к мужу, комната не будет ей нужна, и Наташа вполне может ее занять. Случись что и Ира захочет вернуться — комнату всегда можно освободить за несколько часов. Остается проблема Бэллочки. Вадим не хочет с ней жить, не хочет терпеть плохо вымытую ею сантехнику, ее шаркающие шаги, ее слишком громкие и долгие разговоры по телефону. Но Бэллочка же не виновата, что плохо видит и начинает понемногу глохнуть, это участь всех пожилых людей, и сам Вадим станет когда-нибудь таким же...

Наташа спохватилась, что Вадим что-то долго не возвращается. Она приоткрыла дверь в коридор и услышала доносящиеся с кухни голоса. Один принадлежал мужу, другой — Марику. Сделав несколько осторожных шагов, Наташа остановилась и прислушалась.

— ...вы спокойно уехали к новой, лучшей жизни и оставили свою мать одну.

— Мама не захотела ехать с нами. Я долго ее уговаривал, но она категорически отказывалась. Разве Туся вам этого не говорила?

— Это не довод, уважаемый Марк Аркадьевич, — в голосе Вадима Наташа услышала нотки раздражения. — Вы не должны были устраивать свою жизнь за счет потерь, которые несут другие люди. Вы видите, к чему в конце концов все пришло? Все заботы о вашей матери легли на плечи моей жены, она двадцать лет тащила на себе эту тяжесть, а теперь не может разъехаться с Бэллой Львовной. То есть моя жена, чужой, в сущности, человек, не может поступить так, как в свое время с легкостью поступили вы.

— А что я должен был сделать? — Марик, наоборот, ничуть не раздражен, разговаривает спокойно и даже будто бы с недоумением, словно не может взять в толк, чего от него добивается Вадим. — Я просил ее уехать с нами, она отказалась. Вы считаете, я должен был увезти ее силой, не спрашивая согласия, как тряпичную куклу или как увозят маленьких детей, душевнобольных или выживших из ума стариков? Ну объясните же мне, Вадим, как я должен был, по-вашему, поступить? Я уговаривал ее полгода, каждый божий день, я объяснял ей, что там, за границей, ей будет лучше. Вы считаете, что я недостаточно старался и не нашел нужных слов, чтобы убедить маму уехать?

— Нет, Марк Аркадьевич, я считаю, что в этой ситуации вы должны были остаться.

— То есть как — остаться?

— Вот так, остаться. Никуда не уезжать и не оставлять вашу матушку одну.

— Вы хотите сказать, что я должен был пожертвовать своей жизнью, карьерой, жизнью, благополучием и образованием своих детей...

— Да, именно это я и хочу сказать. Вы должны были пожертвовать СВОЕЙ жизнью, а не жизнью моей жены, на которую вы взвалили непосильную обузу. Вы проявили и продолжаете проявлять чудовищный эгоизм, вы думали и думаете только о себе, о своих благах и выгодах. Вам же наплевать на то, во что обходится нашей семье ваш эгоизм. Я вынужден жить в коммунальной квартире, от которой меня тошнит, только потому, что вы навязали моей жене вашу мать. Наташа — добрый человек, порядочный, ответственный, у нее золотое сердце, и вы прекрасно это знали, когда подсунули девочку вашей матери вместо себя. Еще бы, вы были уверены, что за Наташиной спиной Бэлла Львовна не пропадет! И вы даже ни на секунду не задумались над тем, что пройдет несколько лет, Наташа станет взрослой, у нее появится своя семья, и ей придется совмещать заботу о вашей матушке с заботой о собственной семье. Вы не дали себе труда задуматься, во что это в конце концов выльется. Вы думали только о том, как бы поскорее убраться из страны, и вам было абсолютно все равно, кто, как и чем впоследствии будет расплачиваться за этот ваш поступок.

— Вы не имеете права так говорить, Вадим, вы не были евреем в стране воинствующего антисемитизма и вы никогда не сможете понять тех, кто бежал от этого унижения. Что вы знаете о моей жизни? О том, как меня, отличника, сдавшего все вступительные экзамены на пятерки, не приняли в институт, в котором я хотел учиться, меня лишили возможности заниматься наукой, которую я любил, меня лишили всяких перспектив на карьеру. О том, как родители моего одноклассника, когда нам было по восемь лет, запретили своему сыну дружить со мной, потому что я — еврей, а все евреи, по их мнению, были вредителями и врагами народа, начиная с Троцкого и заканчивая небезызвестными врачами. О том, как мальчишки дразнили меня «жиденком», подкарауливали во дворе и избивали. О том, как я, когда стал школьным учителем, поставил несколько раз двойку по физике одному оболтусу, папа которого был каким-то начальничком, и этот папа прискакал к директору школы жаловаться на меня и требовать, чтобы меня выгнали, а на мое место взяли другого педагога, только непременно русского, потому что я, видите ли, член сионистской мафии, которая намерена на корню истребить лучших представителей подрастающего поколения. И как потом этот директор школы, пряча глаза и мучительно потея, просил меня быть более снисходительным к мальчику и не ставить ему двойки, потому что выгонять меня он боялся — оснований не было, дело могло и до суда дойти, но папу-начальничка он тоже боялся до смерти. Вы не имеете права осуждать меня за то, что я стремился уехать отсюда, от этого постоянного, ежедневного унизительного прозябания. Я, способный, если не сказать талантливый, физик, должен был учить детей в школе.

— Мы говорим о разных вещах, Марк Аркадьевич. Вы мне объясняете, почему вы хотели уехать. Ваши доводы убедительны и весомы, и я не собираюсь их оспаривать. Но я, со своей стороны, пытаюсь объяснить вам, почему вы не должны были уезжать. Вы должны были остаться здесь, рядом со своей матерью, заботиться о ней, ухаживать, помогать ей, а не перекладывать свои сыновние обязанности на плечи семнадцатилетней девчонки, которая по врожденному великодушию дала вам обещание, но и представить себе не могла, что ее ждет в будущем. Если бы вы остались, мы сегодня не стояли бы перед проблемой, у которой нет устраивающего всех решения. Бэлла Львовна жила бы с вами и вашей семьей, и никто не мешал бы моей семье устроить свою жизнь так, как я считаю разумным и правильным. У вас был выбор: искалечить собственную жизнь или испортить чужую. Вы приняли решение в свою пользу. И сегодня моя жена стоит перед выбором: спокойная старость вашей матушки или спокойная семейная жизнь с мужем. Какое решение она должна принять? Такое же, какое когда-то приняли вы? В свою пользу? Оставить стареющую нездоровую женщину на произвол судьбы? Или пойти на обострение отношений в семье, на открытый конфликт, потому что я хочу жить в собственной квартире без посторонних и буду настаивать на этом до конца. Ну же, Марк Аркадьевич, не молчите, скажите, как следует поступить моей жене.

— Простите, Вадим... Не знаю даже, что вам и сказать. Давайте не будем обсуждать прошлое, вы не были в моей шкуре и не сможете понять моих поступков. Может быть, в чем-то вы и правы. Может быть... У вас есть конкретные предложения, как можно разрешить сложившуюся ситуацию, или вы просто выплескиваете на меня свое негодование?

— Есть, Марк Аркадьевич. У меня есть предложение, только боюсь, оно вам не понравится.

— Вы хотите, чтобы я увез маму с собой? Я сам об этом мечтаю и в каждом письме предлагаю ей приехать, но она и думать об этом не хочет. Бесполезно даже заговаривать с ней на эту тему.

— Это я уже понял, Марк Аркадьевич, и имею в виду совсем другое.

— Надеюсь, вы не собираетесь отправлять мою маму в дом престарелых?

— Разумеется, нет, я не настолько бессердечен. Я предлагаю вам, Марк Аркадьевич, вернуться в Россию.

— Что?!

— Я предлагаю вам вернуться, — спокойно и даже чуть насмешливо произнес Вадим. — А что? Вы — человек состоятельный, деньги у вас есть, вы можете купить прекрасную квартиру, достаточно просторную, в которой вам не будет тесно. Или даже дом за городом, если вы отвыкли жить в городских многоэтажках. Бэлла Львовна будет жить с вами, вы будете о ней заботиться и освободите от этой обязанности мою жену. А мы, в свою очередь, останемся здесь. Наташа не может водить машину, и для нее особенно важно, чтобы рядом была станция метро. При таком решении никто не пострадает, все только выиграют.

— Как это никто не пострадает? А я? А моя семья? Вы их в расчет не принимаете?

— Вам вовсе не обязательно привозить сюда супругу и детей, они могут остаться в Штатах. Возвращайтесь один, живите рядом с матушкой до ее последнего часа, проводите ее в последний путь, потом уезжайте обратно к семье.

— Вадим, мне кажется, вы не понимаете, о чем говорите. Моей матери всего семьдесят три года, и я надеюсь, что она проживет еще очень долго, лет пятнадцать. Вы мне предлагаете, чтобы я на пятнадцать лет оставил жену и детей одних? Или я чего-то не понял?

— Да нет, вы все поняли правильно. Но я не понимаю, от чего вы пришли в такой священный ужас. Что страшного или невероятного я вам предлагаю? Вы не колеблясь оставили свою мать одну в нищей тоталитарной антисемитской стране на двадцать один год. И ничего, как видите, не произошло. Почему бы вашей семье, состоящей из трех человек, не пожить несколько лет без вас в процветающей и благополучной Америке? Уверяю вас, они там не пропадут. А если они приедут сюда с вами, так тоже ничего страшного не случится, здесь, кстати, жизнь намного дешевле, вы сможете даже что-то сэкономить.

Повисло длительное молчание, и Наташа вдруг испугалась, что на кухне слышен стук ее бешено колотящегося сердца. Она никогда не думала, что Вадим может быть таким безжалостным. Может быть, это оттого, что в ее присутствии он общался в основном с друзьями, а не с подчиненными, а сейчас впервые за много лет ей довелось услышать, как ее муж разговаривает с человеком, который ему неприятен, с которым его ничего личного не связывает и который все равно через два дня уедет, жить бок о бок с ним не придется. В такой ситуации люди говорят то, что думают, и в выражениях не стесняются. Сейчас Наташа слышала совсем другого Вадима, такого, какого прежде не знала. «Господи, — мелькнула пугающая мысль, — еще чуть-чуть — и окажется, что я живу с совершенно незнакомым человеком, с которым у нас нет ничего общего, кроме детей. Мы жили в разных городах, у нас были разные профессии, разные интересы, разные друзья. А потом мы поселились вместе, ни о чем не задумываясь, потому что были к этому времени двенадцать лет женаты, у нас было двое сыновей, и это как бы само собой предполагало, что мы — родные и близкие люди. А так ли это на самом деле?»

Ей стало тошно и одновременно тревожно, и Наташа поняла, что не может дослушать до конца разговор Вадима с Мариком. При первых же звуках голоса, доносящегося из кухни, она повернулась и на цыпочках прокралась в комнату. Аккуратно притворила дверь, стараясь не щелкнуть замком, и улеглась в постель. Через несколько минут вернулся Вадим, но Наташа сделала вид, что уже уснула.

* * *

Десятого декабря Марик улетел в Нью-Йорк, а вечером неожиданно взбрыкнула Бэлла Львовна, заявив, что не поедет к Иринке на свадьбу.

— Но почему, Бэлла Львовна? — в отчаянии кричала Ира. — Мы же договорились, мы же все решили...

— Деточка, ну что я там буду делать? Все кругом чужие, все незнакомые, все значительно моложе меня. Нет, и не упрашивай, я твердо решила остаться дома. И потом, кто я такая? Мама, бабушка? Я — просто соседка, и на меня все будут коситься, дескать, чего это я приперлась на чужое торжество. И настроения у меня нет никакого.

— Ну Бэллочка Львовна!..

Ира разрыдалась, бессильно колотя кулачками по диванному покрывалу. Наташа поняла, что пора вмешаться.

— Бэллочка Львовна, я очень прошу вас пойти. Я понимаю, что вам это в тягость, вы плохо себя чувствуете, но мы с вами уже давно решили, что от нашей квартиры обязательно должен кто-нибудь быть. Ну посудите сами, девочка рассказывает о себе, что она сирота, что с детства рядом с ней были только бабушка и соседи. Бабушка давно умерла. Остались одни соседи. Если никто из них не придет на свадьбу, может сложиться впечатление, что Иринку в нашей квартире никто не любит и никто за нее не радуется. Сразу встанет вопрос: почему? Почему такую чудесную, красивую, умную и воспитанную девушку не любят соседи? Ответ напрашивается сам собой: она вовсе не чудесная, не умная и не воспитанная, она в нашей квартире всех достала своим поведением и своими выходками. Уверяю вас, люди подумают именно так. Разве вы хотите, чтобы об Иринке сложилось такое мнение? Я пойти не могу, Ира не хочет афишировать наши близкие отношения. Остаетесь только вы и Вадим, но Вадим без жены — это тоже как-то странновато, согласитесь. Он вас отвезет к загсу, а потом заберет из ресторана.

— Если хотите, Бэлла Львовна, я пойду с вами на торжество, — неожиданно сказал Вадим. — Вам не будет так одиноко и скучно. И как только скажете — сразу отвезу обратно домой. Все равно Иринка зарезервировала для представителей нашей квартиры два места за столом, так что я никого не стесню.

— Ну если так... — Соседка пожевала губами и с достоинством кивнула. — Тогда ладно.

Наташа с благодарностью посмотрела на мужа и крепко сжала его руку. Какой он добрый и понимающий! Терпеть не может Бэллочку, да и к Иринке и к проблемам ее репутации относится достаточно равнодушно, но переступил через свои чувства. Иринка вскочила с дивана и, размазывая по лицу потекшую от слез тушь, кинулась к соседям с поцелуями.

— Спасибо, Бэллочка Львовна, спасибо, Вадичек! А то получится, что за столом только они, эти Мащенки, а я совсем одна. В такой день — и одна! Спасибо вам!

Регистрация была назначена на час дня, с утра пораньше Вадим повез Иринку в парикмахерскую, откуда ее должен был через два часа забрать жених. В половине первого Вадим и Бэлла Львовна, красивые и нарядные, с огромными букетами цветов, отбыли на торжественное бракосочетание.

— Это несправедливо, мам, — заявил Алеша, едва машина отца отъехала от дома. — У всех сегодня праздник, а мы что, лысые?

— Нет, мы лохматые, — весело ответила Наташа. — Есть предложения?

— Пошли в «Макдоналдс».

— Пошли, — согласилась она.

— А потом в «Баскин Роббинс»! — тут же встрял Сашка, обожавший мороженое.

— А потом в «Патио Пицца»! — сделал очередной выпад Алеша, равнодушный к сладкому, но зато обмиравший от восторга перед любыми блюдами из теста, будь то чебурек, чизбургер, пицца или спагетти.

— А потом в «Садко», где вкусные тортики! — стоял на своем Саша.

— Не лопнете? — с сомнением спросила Наташа.

— Не-а! — в один голос заявили мальчики.

Гастрономическую программу они выполнили в полном объеме, после чего, вернувшись домой, посмотрели два недавно купленных новых «ужастика». Наташа тоже сидела с детьми перед телевизором, но при этом читала книгу и одновременно думала о каких-то посторонних вещах. Завтра выборы в Государственную думу и голосование по новой Конституции. Пойти проголосовать или не ходить? С одной стороны, надо проявить гражданскую сознательность, но с другой — так не хочется никуда идти, дома много дел, да и просто отдохнуть не мешало бы. Если уж пренебрегать домашними делами, так лучше с мужем и мальчиками пойти куда-нибудь, провести время вместе. Как там Иринка? А Бэллочка? А Вадим?

Завтра выборы, а в понедельник придут риэлторы за ответом. Наташи дома не будет, Вадима тоже, но Бэлла Львовна скажет им, что они согласны на расселение только при одном условии: большая квартира и одна из маленьких должны находиться в одном доме, в крайнем случае — в соседних, и все это вместе должно быть расположено максимум в десяти минутах ходьбы от метро и в телефонизированном микрорайоне. Вторая же маленькая квартира может находится где угодно и быть сколь угодно дешевой. Только так, и никак иначе. Другие варианты их не устроят.

РУСЛАН

12 декабря вся страна на избирательных участках выразила свое отношение к составу будущей Государственной думы и к новой Конституции, через несколько дней был подведен окончательный итог голосования, и уже 20 декабря Руслан Нильский получил редакционное задание: поехать в Москву и взять ряд интервью как у вновь избранных депутатов, так и у известных политических и общественных деятелей. «Вот так, мамуля, — с удовлетворением думал молодой человек, — почти год назад, в январе, я униженно просил у тебя денег на поездку в Москву для встречи с Вороновой. Ты мне отказала и запретила заниматься поисками истины. А теперь меня туда посылают в командировку, так что все равно по-моему вышло. И всегда будет выходить по-моему».

Нога все еще побаливала, особенно при перепадах давления и смене погоды, когда Руслану даже приходилось пользоваться палкой, но это его не смущало и, уж конечно, не могло служить препятствием для поездки. Он быстренько собрался, уложил самое необходимое — белье, фотоаппарат, диктофон, несколько чистых блокнотов и второй свитер на смену — и улетел в столицу.

Едва устроившись в гостинице, он нашел в записной книжке номер телефона Вороновой и позвонил. Ответила ему старуха-соседка, как же ее звали?.. как-то мудрено, ах да, вот здесь и записано, Бэлла Львовна.

— Наталья Александровна на работе, будет только поздно вечером. Ей что-нибудь передать?

— Это журналист Нильский, Руслан Нильский, из Кемерова, — представился он. — Вы меня помните, Бэлла Львовна?

— Разумеется, помню. Что вам угодно?

— Я привез статью, которую написал о Наталье Александровне, думал, может, ей интересно прочесть. Все говорят, статья хорошая.

— В каком издании? В вашем местном?

— В «Огоньке», — с гордостью сообщил Руслан.

— Ах, в «Огоньке», — протянула соседка. — Но ведь это было почти год назад. Да-да, мы ее читали. Вам нет нужды беспокоиться, у нас есть эта статья.

— Наталья Александровна ее читала?

— Ну я же вам сказала. Конечно, читала.

— И как ей, понравилось?

— Очень. Она, помнится, сказала, что вы весьма способный юноша и она не ожидала, что у вчерашнего фотографа может оказаться такое бойкое перо и такой приличный стиль.

Бойкое перо и приличный стиль! И всего-то? Неужели она ничего не сказала о сути написанного, о том, насколько правильно Руслан ее понял, насколько глубоко сумел проникнуть в то, что было скрыто за словами и образами, соединенными в киноленту?

— Если это возможно, я хотел бы получить автограф Натальи Александровны на экземпляре журнала. Все-таки это мой первый серьезный материал, и похвала самой Вороновой для меня очень много значит.

— Я передам Наталье Александровне вашу просьбу. Позвоните завтра, я вам отвечу.

Ну непробиваемая старуха! Она что, всю жизнь работала секретаршей при большом начальнике?

Не добившись от Бэллы Львовны ничего конкретного, он приступил к другим звонкам в поисках нужных телефонов и нужных людей. Блокнот стал быстро заполняться цифрами, именами, датами и названиями мест, куда ему нужно будет подъехать. На следующий день он снова позвонил в квартиру Вороновой, и, к его удивлению, ответила она сама.

— Я сегодня дома до пяти часов, — сообщила Наталья Александровна. — Если хотите, можете подъехать, адрес вы знаете.

Обрадованный, Руслан схватил январский номер «Огонька» и помчался в переулок Каменной Слободы, как с недавнего времени стал именоваться переулок Воеводина. В первый момент ему показалось, что он попал не в ту квартиру, во всяком случае прихожая выглядела совсем не так, как два года назад, теперь она была похожа на просторный холл большой богатой квартиры, где принимают посетителей, усаживая их в мягкие красивые кресла и предлагая выпить кофе за небольшим изящным столиком, а не на полутемное обшарпанное помещение, на стенах которого висят вперемежку разнокалиберные пальто, куртки и плащи, а допотопный черный телефонный аппарат соседствует с не менее допотопным жестяным корытом. Да и длинный коридор, по которому нужно было идти, стал светлым и нарядным. Но если квартира преобразилась в лучшую сторону, то сама Наталья Александровна, открывшая Руслану дверь, выглядела значительно хуже, чем два года назад. Носогубные складки залегли глубже, углы губ опустились еще ниже, но больше всего его поразила обильная седина, разбавившая темно-рыжие волосы до какого-то пегого цвета. На телеэкране он никаких изменений не заметил, но там ведь гримеры работают, они и из старой мартышки могут сделать юную кошечку.

Воронова встретила его приветливо, пригласила в комнату, предложила чай или кофе, поставила на стол коробку конфет и вазочку с печеньем. Такого приема, памятуя их прошлое общение, Руслан не ожидал и очень воодушевился. Значит, Воронова по достоинству оценила его материал и хочет, чтобы он снова написал о ней, иначе зачем угощать чаем малознакомого человека, явившегося за автографом.

— Как поживает Ирина? — будто невзначай спросил Руслан,

тщательно маскируя свой интерес к отношениям двух соседок. Интерес этот за два года не угас, правда рядом с расследованием обстоятельств убийства как-то отошел на второй план. — Учится в институте или бросила?

— Почему она должна бросать учебу? Учится на третьем курсе, даже сыграла маленький эпизод в телефильме.

— Замуж второй раз не вышла?

— Вышла. Как раз недавно, две недели назад.

— Неужели? За кого, если не секрет?

— Совершенно не секрет, но я не понимаю, почему вас это интересует.

— Журналистское любопытство, — рассмеялся Руслан. — Всегда интересно отслеживать судьбу человека, тем более находящегося рядом с известной публичной персоной.

Воронова внезапно сделалась серьезной и положила пальцы на руку Руслана. Он вдруг обратил внимание на то, что руки у нее широкие, сильные, с короткими пальцами без маникюра и с покрасневшей воспаленной кожей, какая бывает, когда долго возишься в воде с плохими моющими средствами, например, при стирке, мытье большого количества посуды или полов и при этом не пользуешься перчатками. Неужели Воронова сама стирает и моет? Он почему-то был уверен, что у таких людей, как Наталья Воронова, непременно должна быть домработница.

— Руслан, Анна Моисеевна... Вы помните Анну Моисеевну Левину?

— Даму с большими собачками? Конечно, — кивнул Руслан.

— Так вот, Анна Моисеевна покаялась мне в своей, мягко говоря, несдержанности. Она проболталась вам о моих отношениях с Ганелиным и сказала, что вы дали ей слово нигде об этом не упоминать. Верно?

— Верно, — снова кивнул он.

— С тех пор прошло два года, и эта информация действительно нигде не всплыла, из чего я сделала вывод, что вы умеете выполнять свои обещания, хотя я знаю, как невероятно трудно журналисту знать о чем-то и не написать. Я это ценю и уважаю вас за это качество. Но информация о Ганелине касалась только меня и его. Сейчас же речь пойдет об Ире, и я не имею права действовать вопреки ее интересам. Видите ли, Ира — человек крайне щепетильный и очень не хочет, чтобы в институте узнали, что она близко связана со мной. Ей не хочется, чтобы ее считали протеже знаменитой Вороновой, она хочет собственным талантом завоевать свое место в кино, если сумеет, конечно. Таково ее желание, и я обязана с ним считаться. Она даже попросила меня не присутствовать на ее свадьбе, потому что там будут ее институтские друзья. Поэтому я вас убедительно прошу, если будете еще когда-нибудь писать обо мне, не упоминайте Ирочку в связи со мной. Забудьте о ее существовании на некоторое время, пока не появится повод написать о ней как об актрисе. Договорились?

— Договорились, — улыбнулся Руслан, попутно отметив, что Воронова так и не ответила на его вопрос, а за кого же, собственно, Ирочка вышла замуж. Ему было любопытно, кто этот камикадзе, пустившийся в брачную авантюру с резкой, вспыльчивой и истеричной грубиянкой.

Воронова между тем круто сменила тему разговора.

— Какое у вас образование? — поинтересовалась она.

— Пока никакого, — признался Руслан. — Хотел в этом году поступать на факультет журналистики, на вечернее отделение, но попал в аварию и провалялся восемь месяцев в больнице, все экзамены пропустил. Теперь уж на следующий год буду пробовать.

— Вы хотите сказать, что вы — самоучка, что у вас природный дар? — не поверила Наталья Александровна. — Это удивительно! Просто потрясающе. Но жаль, очень жаль...

— Почему? — не понял он.

— Я хотела предложить вам работать в нашей компании, в «Голосе». У вас прекрасные задатки публициста. Но раз у вас нет образования, дело осложняется.

— А какая разница, есть образование или нет? Вы же сами говорите, что задатки есть.

— Этого недостаточно, Руслан, — с мягкой улыбкой объяснила Воронова. — Нужен диплом, чтобы никто из сотрудников не мог сказать, что я взяла на работу мальчишку из провинции, у которого за плечами только десятилетка и который не владеет основами ремесла, тогда как в Москве огромное количество профессиональных журналистов с дипломами и не меньшими способностями, но без постоянной работы. Начнутся сплетни, интриги, недовольство, ни вам, ни мне не дадут спокойно работать. Мне это не нужно, полагаю, что и вам тоже.

— Действительно жаль, — Руслан скорчил расстроенную мину, потому что на самом деле ни капли не был расстроен, он не собирался никуда уезжать из Кемерова, пока не доведет до конца свое расследование. — Правда, я не смог бы уехать в Москву, у меня в Кемерове есть дело, которое я обязательно должен закончить. Это для меня жизненно важно. Кстати, я хотел спросить у вас совета.

— Да-да, конечно, — рассеянно бросила Воронова, думая о чем-то своем, — спрашивайте.

Руслан вкратце изложил свою проблему, рассказал об убийстве брата, о его убийце Бахтине, о странностях, обнаруженных им в материалах уголовного дела. Воронова слушала его с каменным лицом, на котором Руслан, как ни силился, не смог заметить ни малейших признаков сочувствия или хотя бы просто заинтересованности, не говоря уже о готовности помочь. Никакой готовностью тут и не пахло. Похоже, она вообще не слышала, о чем он говорит, погруженная в свои мысли.

— Так, — произнесла она, когда Руслан закончил, — и какой совет вам нужен?

— Что делать дальше. К кому идти, к кому обращаться. Понимаете, Наталья Александровна, я уже знаю, в каком направлении искать, но я не знаю, как это сделать. У меня нет связей ни в милиции, ни в прокуратуре, я для них человек с улицы, со мной никто и разговаривать не станет. Вот если бы им позвонили и попросили мне помочь...

— Но у меня тоже нет связей в вашей милиции и в вашей прокуратуре. К сожалению, тут я ничем не смогу быть вам полезной.

— Совсем не обязательно иметь знакомства в нашей милиции, достаточно организовать звонок из Москвы, чтобы они подняли материалы 1984 года о пропавших без вести, о нераскрытых убийствах и о неопознанных трупах и дали эти материалы мне. Я на сто процентов уверен, что Бахтин совершил еще одно убийство, за которое не понес ответственности, а мой брат об этом узнал, поэтому и оказался убитым. У вас же наверняка есть в Москве такие знакомые, которые могли бы позвонить в Кемеровское областное УВД и приказать им...

Она отрицательно покачала головой, но глаза ее оставались равнодушными и холодными. Даже не холодными, подумал Руслан, а внезапно замерзшими.

— Я очень не люблю, — медленно произнесла Воронова, — когда меня пытаются использовать. И тем более не люблю, когда под невинным предлогом взятия автографа ко мне в дом приходят люди и начинают просить о помощи. Если у вас были ко мне какие-то просьбы, вам следовало заявить об этом с самого начала, еще вчера, когда вы разговаривали по телефону с моей соседкой. Вы же ни словом об этом не обмолвились. То, что вы сделали, чрезвычайно похоже на обман. Я этого не терплю. Давайте журнал, я подпишу его, и распрощаемся.

Руслан молча протянул ей журнал с предусмотрительно вложенной закладочкой, получил автограф и покинул квартиру совершенно обескураженный. После такого теплого приема в начале и приглашения на работу в Москву он никак не мог предположить, что Воронова обойдется с ним подобным образом. Просто-таки выставит за дверь. Ладно, Наталья Александровна, без вас обойдемся.

Часть 6

ТОТ, КТО ЗНАЕТ. 1994—2001 гг.

НАТАЛЬЯ

Весь январь риэлторы почти ежедневно звонили и предлагали различные варианты расселения, но ни один из них Наташу с Вадимом не устроил. То две квартиры оказывались слишком далеко друг от друга, то рядом, но в совершенно неприемлемом районе, то вместо четырехкомнатной квартиры предлагали двухкомнатную. В феврале интенсивность предложений резко упала, а к апрелю риэлторы и вовсе заглохли, оказавшись не в силах подыскать что-то подходящее. Вадим, сперва воодушевленный скорой, как ему казалось, перспективой переехать в отдельную квартиру, постепенно сникал, становясь все более мрачным и молчаливым. Наташа старалась делать все возможное, чтобы лишний раз не раздражать мужа, и в конце концов решилась предложить Бэлле Львовне сделать операцию на глазах. Та какое-то время колебалась, говоря, что вполне справляется и с таким зрением, но в итоге согласилась.

— Я понимаю, золотая моя, твой Вадик сердится на меня за то, что я не очень чисто убираю за собой. В этом смысле я действительно плохо вижу. Что ж, давай поедем к врачу.

Наташа видела, что пожилая соседка безумно боится, и была ей благодарна за понимание. Она и сама волновалась, ей казалось, что операция на глазах — это что-то сверхъестественное, сверхсложное и сверхтонкое, где ошибка даже в один микрон может привести к катастрофическим последствиям. Но все сложилось достаточно удачно, и уже к лету у Вадима не оставалось ни единого повода упрекнуть соседку в неопрятности. Наташе казалось, что теперь муж должен стать спокойнее, но он тем не менее делался все менее разговорчивым.

— Я написал рапорт, — заявил он в один прекрасный день.

— Какой рапорт?

— На увольнение.

— Почему?! — в ужасе воскликнула Наташа. — Что случилось? Тебя выгнали с работы?

— Потому и написал рапорт, что не хочу дожить до этого светлого дня, — мрачно процедил Вадим. — У государства нет денег содержать такую армию, идут повальные сокращения. В том числе сокращению подлежит и моя должность.

— Но сокращают же штатную единицу, а не лично тебя, — возразила Наташа. — Ты можешь перевестись на другую должность.

— И потом трястись от страха, что эту должность тоже сократят? Не забывай, в армии, как и всюду, полно блатных сынков, их трудоустраивают в первую очередь. Нет уж, лучше я сам уйду. Выслуга у меня большая, я только в штате плавсостава прослужил пятнадцать лет, это засчитывается как год за два, плюс пять лет училища, плюс два с половиной года в Обнинске. Полную пенсию я уже заслужил, так что буду увольняться по оргштатным мероприятиям.

— Почему? — снова удивилась Наташа. — Почему по оргштатным мероприятиям, а не по выслуге лет? Ты же сказал, что у тебя большая выслуга. Или я чего-то не поняла?

— Потому что при увольнении по оргштатным мероприятиям, то есть по сокращению штатов, мне положено выдать двадцать окладов, а если по выслуге лет — то только девять.

— Господи, — она схватилась руками за голову, пытаясь осознать услышанное, — и что же теперь будет? Будешь сидеть дома как пенсионер и смотреть телевизор? Ты же с ума сойдешь!

— Пойду учиться, уже получил направление в Московскую академию информатики и статистики. Через три месяца получу диплом государственного образца с правом заниматься профессиональной деятельностью по специальности «налоги и налоговая работа». Спасибо родному министерству, они хотя бы о переквалификации сокращенных офицеров позаботились. Обучение за их счет. Как только получу диплом, моему рапорту дадут ход, и я уволюсь.

Вадим отвел глаза, с деланым равнодушием полистал газету и вдруг поднял на Наташу полный боли и негодования взгляд.

— Мой прадед был одним из первых, кто в 1909 году получил звание «офицер-подводник» и специальный нагрудный знак. На подводных лодках служили мой дед и мой отец. Я вырос в атмосфере уважения к этой профессии, я понимал ее опасность, трудность, но и нужность Родине. Я выбирал дело своей жизни сознательно, получил соответствующее образование, рисковал жизнью, уходя в автономки, рисковал здоровьем, работая в ядерном отсеке, терпел лишения и тяготы, но никогда не жаловался, потому что знал: я обеспечиваю безопасность своей страны, и нет ничего важнее и почетнее воинской службы. И вдруг оказалось, что я не нужен. И не только я один. Мы все оказались не нужными со своими взглядами, со своим образованием. И что самое грустное — со своим патриотизмом. Любовь к Родине теперь не в почете, зато сегодня в моде любовь к быстрым заработкам. А я буду налоговым работником. При мысли об этом меня тошнит.

Наташа подсела к мужу, положила голову ему на грудь, погладила ладонью по щеке.

— Вадичек, миленький, я понимаю, как тебе больно, я не знаю, что тебе сказать и как утешить. Но ведь мы с тобой не можем изменить ситуацию, правда? Не в наших силах найти деньги для Министерства обороны или хотя бы только для подводников. А если бы мы с тобой могли эти деньги найти, то не в наших силах было бы сделать так, чтобы их не разворовали по дороге. Мы с тобой должны это принять так, как оно есть. И постараться приспособиться.

— Приспособиться?! — Вадим резко вырвался из ее объятий и вскочил. — Почему я должен приспосабливаться? Я что, нищий прихлебатель, которого берут в богатый дом из милости, но при этом ставят условие, что он должен приспособиться и не нарушать принятые в этом доме порядки? Двадцать три года назад я принял присягу, я честно служил, я делал все, что в моих силах, и государство щедро оплачивало мой труд. А потом явились новые хозяйчики жизни, завели новые порядки, и теперь я, морской офицер в четвертом поколении, оказался в положении просителя с протянутой рукой. Ты считаешь это справедливым?

— Нет, — твердо ответила Наташа, ошарашенная такой вспышкой, — я не считаю это справедливым. Но я не вижу возможности это изменить. А ты видишь? Тогда борись. Но если не видишь, как можно изменить ситуацию, то бессмысленно махать кулаками и кричать о несправедливости.

— Тебе этого не понять, — холодно бросил Вадим и отвернулся к телевизору.

Наташа молча, стараясь подавить обиду, принялась убирать посуду после ужина. Ну вот, опять начинается черная полоса. Только-только выползли из постоянных стычек из-за плохо вымытого унитаза или недостаточно тщательно подметенного пола в коридоре и на кухне и снова вступили в период перманентного недовольства жизнью. Конечно, Вадим прав, в каждом своем слове прав, но ведь если он будет злиться и браниться, лучше не станет.

Хлопнула входная дверь, ввалились мальчишки, вернувшиеся с тренировки в бассейне.

— Мам! — прямо с порога заорал Саша. — Есть хотим!

— Тише, — Наташа испуганно выбежала навстречу сыновьям из кухни. — Чего ты кричишь? У меня нормальный слух.

— Зато у него ненормальный, — тут же поддел брата Алеша, — ему все время кажется, что он тихо говорит, сам себя не слышит. Орет как контуженный.

Она поцеловала мальчиков, окинула их любовным взглядом. Все-таки до чего они хороши, высокий тонкий Сашка и крепкий ширококостный Алешка! Такие разные, такие дружные и такие любимые. Самые лучшие мальчики на свете!

— Идите к себе в комнату, сейчас я принесу ужин.

— А папа где? Его что, еще нет?

— Папа дома, но он очень устал и вообще не в духе, так что вы его не теребите.

Она долго сидела с сыновьями, ждала, пока они насытятся, потом подробно расспрашивала о том, как прошел день в школе, о тренировке, о подготовке к городским соревнованиям, о девочке, которая нравится Саше, и о новой компьютерной игре, которой в последнее время увлекается Алеша. Наташа боялась признаться самой себе, что не хочет возвращаться в их с Вадимом комнату и снова натыкаться на его разъяренный взгляд, сопровождаемый враждебным молчанием. «Вот и первая ласточка, — то и дело проносилось в ее голове, пока она слушала мальчиков. — Я пытаюсь избегать общения с собственным мужем. Что будет дальше?»

— Ладно, — без четверти одиннадцать она наконец нашла в себе силы подняться, сидела бы еще долго, но сыновьям пора спать, — готовимся к противолодочному рубежу.

Мальчишки уже большие, но все равно привычно хихикают при этих словах. Еще когда они были совсем крохами, Вадим рассказал им, что противолодочный рубеж — это огромная часть водного пространства, на котором зловредные американцы понатыкали специальные устройства, предназначенные для того, чтобы улавливать шумы, исходящие от подводных лодок. Когда лодка проходит этот рубеж, она должна издавать как можно меньше звуков, поэтому перед рубежом экипажу нужно сделать все необходимое, помыться, сходить в туалет и замереть почти на двое суток. Никаких хождений, никаких разговоров, даже монетка на пол не должна упасть. Это называется «режим «Тишина». Больше всего пацанов поразило то, что режим устанавливается не на пять минут, а на двое суток, пока рубеж не будет пройден. Они никак не могли поверить, что можно так долго не бегать и не разговаривать. Вадим же, укладывая сыновей спать, всегда объявлял подготовку к противолодочному рубежу и командовал: «Умылись, пописали, легли в постель и замолчали до утра. Выполняйте».

Вадим по-прежнему сидел перед телевизором, спиной к двери, но по его напряженной позе Наташа поняла, что он не видит происходящего на экране. Какое же может быть напряжение, когда смотришь веселую комедию?

— Сашка стал совсем взрослым, — сообщила Наташа таким тоном, как будто они весь вечер мирно общались и прервали беседу буквально на одну минутку, пока заботливая мать заглядывала к сыновьям. — Он уже влюбился. Представляешь? В девочку из параллельного класса.

— Ничего удивительного, — неожиданно спокойно откликнулся Вадим, — он повторяет путь своего отца. Мне тоже было четырнадцать, когда я влюбился.

— В кого это? — с подозрением спросила Наташа.

— Как это в кого? — Вадим обернулся, встал и подмигнул ей. — В тебя. Тогда еще, в Сочи. А ты что, не заметила?

— Да ладно придумывать, ты меня как женскую особь не рассматривал, — недоверчиво рассмеялась она, радуясь, что муж перестал дуться.

— Много ты понимаешь.

Он шагнул ей навстречу, крепко обнял и прижал к себе.

— Прости меня, Натка, — прошептал Вадим ей в ухо, — я иногда бываю невыносим, раздражаюсь, срываюсь, а потом так корю себя! Я очень тебя люблю, ты даже представить себе не можешь, как я тебя люблю.

«Не могу, — мысленно ответила Наташа, зажмурившись и прижимаясь лбом к его плечу. — Не могу. Я тебя боюсь. Ты такой чужой. Ты действительно морской офицер в четвертом поколении, для тебя главное — интересы службы, порядок, точность во всем, четкость, надежность, идеальная чистота. За соринку или пятнышко ты можешь устроить скандал. Наверное, это абсолютно правильно для жизни на подводной лодке. Но семья — это не лодка. А я — обычная девчонка из московской коммуналки, которую ненавидела старшая сестра и которую предала собственная мать. Для меня самое главное в жизни — любовь, не сексуальная, а просто человеческая, любовь и преданность, дружба, взаимная забота, теплота в отношениях. Квартира может зарасти грязью, но я должна знать, что в ней меня ждут, что я там нужна, что там есть люди, которые меня любят и которых люблю я. Мы с тобой совсем разные, как жители разных планет. И теперь я уже не верю в то, что мы сможем прожить вместе долгую счастливую жизнь. Как ни страшно в этом признаваться, но я не верю. Когда мы жили порознь, я была уверена, что очень люблю тебя. А теперь мне почему-то так не кажется...»

ИГОРЬ

Он резко открыл глаза ровно за две минуты до звонка будильника. Всегда любил поспать, особенно во время отпуска, а здесь просыпается легко и с удовольствием, даже раньше положенного, хотя в первые дни возмущенно сопротивлялся попыткам Ирины заставить его вставать в шесть часов и купаться до завтрака.

— Я не понимаю, какая необходимость так себя насиловать, — недовольно морщился он. — Завтрак с семи до десяти утра, и, если уж тебе так хочется непременно искупаться, можно это сделать и в девять, а в половине десятого позавтракать. Для чего нужно вскакивать в шесть?

— Валяй, — насмешливо отвечала жена. — Я посмотрю, сколько удовольствия ты получишь от такого расписания.

Сама она в первый же после приезда день встала в шесть, схватила купальник и полотенце и умчалась на пляж. Игорь сладко продрых до девяти, побрился и спустился в ресторан. В помещении было невыносимо душно, а на веранде уже вовсю палило жесткое средиземноморское солнце. Кофе показался ему невкусным, сигарета — горькой, а на подносе с очищенными от корки кусками арбуза остались самые бледные и вялые дольки. На пляж он явился в отвратительном настроении, чувствуя себя совершенно разбитым, и с недоумением взирал на абсолютно довольных жизнью родителей и жену, лежавших на топчанах. Плюхнувшись рядом, он принялся брюзжать по поводу душного зала в ресторане, солнца, на котором нельзя загорать без риска моментально получить ожог, и вообще жары, от которой нет спасения, на что Ирина, лукаво усмехаясь, ответила, что в семь утра на веранде царит изумительная прохлада, а если до этого еще и на пляж сбегать, то можно не только поплавать, но и позагорать, потому что рассветное солнышко совершенно безопасно, и после таких приятных процедур завтрак доставляет море удовольствия. Через час после его прихода Ирина начала собираться, за ней потянулись и родители.

— Вы куда это? Только-только пришли...

— Это ты только-только пришел, — строго заявила Елизавета Петровна, — а мы здесь с восьми утра. Ирочка совершенно права, и я как врач ее полностью поддерживаю. Сейчас наступит самое тяжелое время и будет самое жесткое солнце. Мы уходим, вернемся после обеда.

Разозленный, Игорь демонстративно снял солнечные очки и побежал в море. Он провалялся на пляже до обеда, потом, не одеваясь, прямо в мокрых плавках посидел в гостиничном ресторанчике рядом с пляжем, съел огромный бифштекс с жареной картошкой, выпил три кружки пива и снова вернулся на топчан. К четырем часам, когда появились родители и Ирина, он чувствовал себя разбитым и измученным.

— Надо было переться в Турцию, чтобы полдня торчать в номере, — проворчал он при виде родных.

— А мы в номере не сидели, — весело ответила жена, — мы славно попили кофейку в тенечке возле бассейна, поиграли в пинг-понг в зале с кондиционерами, сходили на массаж, пообедали. Кстати, дружочек, что ты ел на обед? Небось мясо с картошкой?

— Сынок, Ирочка права, — снова встряла мать, она вообще во всем одобряла Ирку, что бы та ни сказала — тут же кидалась ее поддерживать, — на такой жаре нельзя есть тяжелую пищу.

Вот мы взяли по два овощных салатика и фрукты — и отлично себя чувствуем. А горячее и мясное можно съесть на ужин.

Игорь дулся до самого вечера, но никто не обращал на это внимания, Ирка с отцом из воды не вылезали, все время то плавали, то просто валялись на мелководье, мать уткнулась в какой-то детектив. Вообще-то обидно немного, что предки так любят его вторую жену, прямо души в ней не чают, а родной сын будто и вовсе на задний план отошел. Но, с другой стороны, это все-таки лучше, чем прохладное выражение вынужденного терпения, не сходившее с их лиц все то время, пока с ними жила его первая жена Вера. Веру они считали провинциальной щучкой, ухватившей цепкими острыми зубками столичного мальчика из хорошей семьи и получившей прописку и работу в Москве. Ирка же в их глазах была интеллигентной девушкой с трагически не сложившимся детством и с собственной жилплощадью, к тому же коренной москвичкой.

К вечеру он был похож на сдутую резиновую игрушку, обессиленный, злой, с головной болью и тяжестью в желудке.

— Послушай, — миролюбиво сказала Ира, когда они легли спать в своем номере, — я предлагаю тебе попробовать только один раз. Давай завтра вместе встанем пораньше и сделаем так, как сегодня. Если тебе не понравится, я от тебя отстану, живи по своему расписанию. Давай, а?

— Посмотрим, — пробурчал он, отворачиваясь к стене.

Засыпая, Игорь твердо решил ни на какие провокации не поддаваться и спать столько, сколько хочется, на то и отпуск, чтобы спать. Утром, однако, едва заслышав треньканье будильника, захваченного Ирой из дома, он все-таки встал. Будильник у них был один на всех, поэтому Ирка попросила его позвонить в номер к родителям и разбудить их, пока она будет чистить зубы.

«Как хорошо! — подумал Игорь, выходя из здания на воздух, пропитанный утренней вкусной прохладой. — Кто бы мог подумать, что в этой стране бывает так хорошо». Прозрачная морская вода казалась стеклянной, на пляже не было ни души, просыпающееся солнышко, еще совсем сонное и оттого не яростное, светило ласково, нежно гладило кожу и рисовало на песке длинные неуклюжие тени от грибков-зонтиков. Игорь уже забыл, что способен испытывать блаженство, а тут вспомнил... На завтрак все побежали бодрыми, с мокрыми волосами, уселись на веранде, надежно укрытой от низкого пока еще солнца стеной здания, уставили весь стол тарелками с булочками, омлетом, сыром, овощами и арбузом, в мгновение ока все это проглотили и приступили к кофе. Ира и Игорь закурили, и напиток сегодня уже не казался противным, и сигарета не отдавала горечью.

После завтрака вернулись на пляж, и, когда в половине двенадцатого все начали подниматься с лежаков, Игорь понял, что с удовольствием уйдет сейчас с жары, он уже успел достаточно наплаваться и належаться под «грибком». Предложенный женой и поддержанный матерью режим оказался и впрямь куда более подходящим для местных климатических условий, но не признавать же правоту женщин без борьбы! Он для виду поворчал и побрюзжал еще пару дней, а потом втянулся настолько, что стал просыпаться даже раньше, чем прозвонит будильник. Единственное, что вызывало его постоянное недовольство, была плохая работа кондиционеров, которые имели приятное обыкновение отключаться.

— Ты сам виноват, — пожимала плечами жена в ответ на его ворчание, — не нужно было жадничать, тогда нам хватило бы на четыре путевки в пятизвездочный отель. А так живем в «трех звездах», спасибо, хоть какие-то кондиционеры есть.

На это ответить ему было нечего, он действительно пожадничал. Еще в феврале уговорил родителей купить акции МММ, и вся семья дружно следила по телевизору за жизнью рекламных героев Игоря и Юли, а потом и Лени Голубкова, которые под неувядающую мелодию «Рио-Риты» демонстрировали всей стране, как можно, вложив рубль, через очень короткое время получить целых сто и купить жене сапоги или еще что-нибудь не менее полезное. Когда цена акций выросла в шестьдесят раз по сравнению с той, за которую Мащенко их купили, Ира стала настаивать на том, чтобы сдать бумажки и получить деньги. Игорь, однако, сдавать акции не спешил, скрупулезно подсчитывая дважды в неделю вновь выросший доход. Вся семья готовилась впервые поехать отдыхать за границу, в Турцию, отпуск планировали на вторую половину августа, чтобы Ира не опоздала к началу занятий в институте.

— Мы на эти деньги устроим шикарный отдых, — говорил Игорь, выключая калькулятор, — пусть родители поживут две недели на хорошем курорте, ведь за всю жизнь никуда дальше Черного моря не выбирались. Вот еще немножко подождем, как только за наши акции можно будет получить десять миллионов рублей, сразу же сдам их.

1 июля 1994 года курс доллара составлял без малого две тысячи рублей, десять миллионов означали пять тысяч долларов, на которые Игорь собирался приобрести четыре путевки в знаменитый отель «Тюркиз», каждая стоимостью тысяча двести долларов. Однако ничего у него не вышло, поскольку печально известная финансовая пирамида Сергея Мавроди как раз в июле приказала долго жить. Толпы обманутых вкладчиков осаждали центральный офис МММ на Варшавском шоссе, но семью Мащенко это не спасло. Деньги, на которые все четверо рассчитывали весело отдохнуть на Средиземном море, «ахнулись». Пришлось покупать путевки куда более дешевые и жить в отеле су-

щественно менее комфортабельном. Иру, как оказалось, это совершенно не расстроило, она и в таких-то отелях никогда не жила, и «шведский стол» на завтрак и ужин казался ей верхом роскоши и обжорства. Родители тоже не жаловались, и Игорь, покомплексовав некоторое время, успокоился. Главное — море, чистое и теплое, песчаный пляж, достаточно просторный и оттого не кажущийся многолюдным, вечерние походы после ужина в близлежащую деревню, где они изучали ассортимент золотых, кожаных и трикотажных изделий в магазинах, а потом подолгу сидели, овеваемые приятным ветерком, в кафе и пили турецкое пиво или кофе со взбитыми сливками. Что еще нужно для полноценного отдыха?

Минутная стрелка угрожающе дернулась, предупреждая: «Еще шажок — и начнется трезвон». Игорь торопливо прихлопнул кнопку ладонью и повернулся к жене. Какая она красивая! Гораздо красивее Веры. И даже, пожалуй, красивее Светки, которую он так и не забыл. Он давно перестал ее любить, перестал и ненавидеть, но все равно помнил, как не стираемый из жизни факт, предопределивший во многом его отношения с женщинами. Нельзя вникать в эти отношения слишком глубоко, нельзя думать, что это на всю жизнь, нельзя полностью доверяться их лицемерным словам о любви и верности. Можно увлекаться, сближаться, но ничего не обещать и, главное, самому ни на что не надеяться. Интимные отношения, лишенные теплоты и эмоциональности, быстро надоедают, и Игорь вскоре уставал от очередной пассии и находил другую. Вот и Ирку ждет такая же судьба. Он, конечно, женился на ней, потому что так лучше, спокойнее, так хотели родители, но точно знал: пройдет совсем немного времени, и он начнет ей изменять. Она перестанет быть для него интересной и нужной. Жаль будет, если она от него уйдет, предки тогда поедом его съедят, они Ирку любят и считают идеальной женой. Красавица, неглупая, хорошо готовит, быстро и ловко убирает их огромную квартиру, вообще никакой работой не гнушается, скромная, покладистая, с веселым нравом. Одним словом, идеальная невестка. Правда, идеальная невестка далеко не всегда бывает идеальной женой, но для Игоря это вопрос не главный, идеальной жены для него не может быть в принципе, потому что женщина, которая будет вечно терпеть его измены, периодическое пьянство и хронически плохое настроение, станет делать это или из корысти, или из патологической любви к нему, граничащей с полным идиотизмом. Ни корыстная, ни глупая жена ему не была нужна, опыта со Светкой ему более чем достаточно. А Ирка не кажется ни той, ни другой, поэтому она, конечно, терпеть его выходки не будет, закроет дверь и уйдет назад в свою коммуналку. Не хотелось бы до этого доводить, с ее появлением в доме вновь возникла атмосфера радости, любви и веселья, которая была когда-то в детстве и навсегда исчезла с появлением не желанной родителям Веры, а после ее ухода так и не вернувшаяся, потому что источником отрицательных эмоций стал сам Игорь, попавшийся в ловушку своей зависимости от инвалида Жеки Замятина. Он ненавидел свою работу, но вынужден был убеждать себя, что следствие — его призвание, и от этого ненавидел еще больше, не находя в себе душевных сил все изменить. Он разговаривал с родителями сквозь зубы или не разговаривал вообще, и постепенно они стали отдаляться от него, слова их звучали все суше и равнодушнее, а самих слов становилось все меньше. Только с появлением Ирки их совместное проживание на одной жилплощади снова стало можно называть семьей. Восстановились давно забытые общие вечерние чаепития с долгими разговорами, нарядные воскресные обеды и трогательные поиски милых пустячков-подарков по любым мало-мальски значительным поводам, начиная от Нового года и Восьмого марта и кончая годовщиной свадьбы Елизаветы Петровны и Виктора Федоровича или Днем медицинского работника. Жесткие морщины на лице отца стали мягче и будто бы даже немного разгладились, мать снова защебетала, как раньше, даже пироги и борщи стали казаться Игорю вкуснее. Вот и в отпуск поехали все вместе, а ведь Игорь не отдыхал с родителями пятнадцать лет, в последний раз — после девятого класса. После десятого он поступал в летное училище, потом в университет, в студенческие годы проводил летние каникулы с друзьями, когда женился — ездил в отпуск с Верой, когда она ушла — с любовницами.

— Ириша, — Игорь осторожно прикоснулся к обнаженному плечу спящей жены, — пора вставать.

Веки ее задрожали, но не поднялись.

— А где будильник? — спросила она неожиданно несонным голосом, не открывая, однако, глаз.

— Я его убил, — страшным шепотом сообщил Игорь. — Когда дребезжит будильник, мне начинает казаться, что я должен вскочить и бежать на работу. Во время отпуска такие воспоминания отравляют мне жизнь.

— Пошто погубил невинное дитя? От него одна польза была и никакого вреда! Душегуб.

Она открыла, наконец, глаза, и Игорь снова поразился этой особенности его новой жены обретать, едва проснувшись, абсолютно ясное сознание. Переход от сна к бодрствованию происходил у Иры мгновенно и легко, и Игорь каждый раз удивлялся диссонансу осмысленного и сосредоточенного взгляда на опухшем и расплывшемся от сна личике.

Натянув красивый купальник, Ира привычно задержалась перед зеркалом. Похлопала себя по бедрам, ущипнула за талию.

— Корова, — обреченно вынесла она вердикт.

— Не выдумывай, ты в прекрасной форме. Ты же дохуделась до своего вожделенного сорок восьмого размера, так чего тебе еще?

— Теперь я хочу сорок шестой.

— Не выдумывай, — с улыбкой повторил Игорь, с удовольствием разглядывая жену и отмечая про себя, что интереса к ней он пока еще не утратил. — У тебя рост метр восемьдесят, при сорок шестом размере ты будешь выглядеть как чучело после болезни. И потом, ты забыла о волосах. Неужели ты готова принести их в жертву?

После второго курса «Гербалайфа» Ира еще больше похудела, но у нее стали отчаянно выпадать волосы. Она исправно ходила два раза в неделю в какой-то салон на Ленинском проспекте, хозяйкой которого была ее бывшая соседка по квартире, делала специальные маски, обертывания и массажи, но эффект от всего этого был небольшой. Волосы все равно вылезали, хотя и не так интенсивно. Специалисты сказали без колебаний, что это — последствия приема американского «продукта», который вместе со шлаками и токсинами вывел заодно из организма массу полезных веществ, необходимых для здоровья волос и ногтей.

— Ты прав, — Ирка отвернулась от зеркала и пошла на балкон за полотенцами, — за свои кудри я буду бороться до последнего. В конце концов, стройные фигуры есть у многих, а такие волосы — у единиц. Ты папе с мамой позвонил?

— Позвонил, — кивнул он, запихивая в пакет флакон с защитным лосьоном, сигареты и зажигалку.

— Тогда вперед, за красотой и здоровьем!

ИРИНА

«Я — величайшая актриса всех времен и народов», — с усмешкой подумала Ира, когда в очередной раз вовремя спохватилась и успела удержать рвущиеся с языка непарламентские выражения, заменив их интеллигентным «Не думаю, что это так уж важно». В первый момент ей, конечно, хотелось сказать совсем иначе, более коротко и емко, но нельзя портить имидж, так старательно создаваемый вот уже два года. Да, ровно два, с Игорем она познакомилась в августе 1992 года, а нынче уже август 1994-го. И на протяжении этих двух лет ей приходится напрягаться и строить из себя бог знает что. Раньше, до замужества, она хотя бы дома могла расслабиться, отдохнуть и не бояться, что из нее вдруг вылезет Ирка Маликова, любительница побалдеть в полупьяной компании, грубиянка и авантюристка, не выбирающая слов для выражения своих не особо разнообразных и глубоких мыслей. Конечно, она давно уже не была такой, но кое-какие следы прежних замашек из старой жизни еще оставались и то и дело давали о себе знать. Правда, со временем все реже и реже, ибо постоянное притворство рано или поздно всегда приводит к тому, что даже искусственно навязанная и ненавистная роль все равно прилипает к личности, обволакивает ее сперва нежным, шелковистым, а потом затвердевающим коконом, сквозь который уже не в силах прорваться истинная личина. Ира со смехом и удивлением стала замечать, что легко и без напряжения выговаривает сложные по конструкции и не такие уж глупые по смыслу фразы, получает удовольствие от книжек, весьма далеких от привычных любовных романов, в магазинах даже не замечает вещей ярко-красного цвета, который некогда обожала, и не пьет ничего крепче пива. Наташка каждый раз в ответ на ее шутливые рассказы о собственном перерождении отвечала:

— Все-таки мы с Бэллой Львовной старались кое-что вложить в твою голову. Оно там где-то осело и затаилось, чтобы не утонуть в алкоголе, а теперь вышло на поверхность. Ты вспомни, как мы тебя растили, какие книжки тебе читали, в какие театры водили, уму-разуму учили. Вот и пригодилось. Но ты не расслабляйся, Ирка Маликова еще в тебе не умерла окончательно, потеряешь бдительность — она тут же вырвется на волю, и выпрут тебя из профессорской семьи в два счета.

Это точно, в профессорской семье нравы строгие. Послушать, как свекровь со свекром разговаривают, — умереть можно! Лизонька, милая... Витюша, дорогой... Будь любезна... Не сочти за труд... И все в таком духе. Ира и сама старается разговаривать так же, быть вежливой и тактичной не только со старшим поколением, но и с Игорем, хотя муж у нее — козел, слова доброго не стоит. Все кругом уже давно деньги зарабатывают в частных фирмах, один он — борец за справедливость, сидит на своей нищенской государственной зарплате, которую еще и выплачивают не каждый месяц. Хорошо хоть свекровь Лизавета прилично зарабатывает, больше всех в семье, поэтому денег хватает, а жили бы они с Игорем отдельно — копейки считать пришлось бы. И что поразительно, сам Игорь этим вполне доволен, живет при папе с мамой и в ус не дует, никаких комплексов по поводу того, что посадил на шею родителям очередную жену-студентку. Даже Ире — и то неудобно, что она живет на Лизаветины деньги. Она и так старается ничего лишнего не покупать, ни тряпок новых, ни обуви, только самое необходимое, когда старое изнашивается. И продукты покупает подешевле, и готовит экономно, этому ее еще Наташка научила, спасибо ей огромное. Лизавета этой ее экономности и скромности запросов только умиляется, велит не жалеть денег на продукты, покупать на рынках только самое лучшее.

— Ирочка, я как врач тебе ответственно заявляю, что на питании экономить нельзя, желудок, печень и кишечник должны быть здоровыми в первую очередь, если ты хочешь дожить до преклонных лет.

С этим «я как врач» она Иру совершенно достала. Но приходится мило улыбаться и согласно кивать. Тоже мне, врач, а сама когда борщ свой знаменитый готовит, сперва все овощи — и свеклу, и лук, и морковь — на растительном масле пережарит и только потом в мясной бульон кидает. Сама Ира никогда так не делает, все овощи бросает в кастрюлю сырыми, так проще, да и масло экономится, именно так Наташка всегда делала и Иру научила. Так Лизавета, когда это увидела, чуть в обморок не упала, а потом прочитала невестке целую лекцию по технологии приготовления «борща украинского», от которого Игорек ее ненаглядный просто-таки тащится, ночью разбуди и предложи тарелочку — полусонный вскочит и побежит на кухню. Кто ж спорит, по Лизаветиному рецепту вкуснее получается, но только не нужно про полезность рассказывать! Жареное всегда было вреднее отварного, во всех книжках написано, да и витаминов в овощах от такой готовки вообще нисколько не остается.

Лизавета не из тех, кто потерпит на своей кухне другую хозяйку с другими привычками и правилами, поэтому Ира с первого же дня начала подлаживаться, чтобы не попасть впросак и не рассердить свекровь. Первым делом пришлось попросить ее научить готовить все любимые и традиционно принятые в семье блюда. Потом тщательно записала в тетрадочку, специально для кухонных занятий заведенную, кому из членов клана Мащенко какие продукты можно, какие даже нужно и какие совсем нельзя. Лизавета прямо млела от ее старательности и желания вписаться в существующий уклад, а Ира, стиснув зубы, чтобы не ляпнуть чего-нибудь, терпеливо переучивалась. Она прошла в своей коммуналке совсем другую школу, когда Наташка на две зарплаты — свою и Вадима — содержала своих родителей-пенсионеров, Бэллочку и бабку Полину, тоже пенсионерок, двоих малолетних сыновей и подрастающую Иринку, не говоря уж о себе самой. Еще и Люсе в Набережные Челны систематически материальную помощь подбрасывала. Бабка Полина свою пенсию, а частично и Иринкину пропивала, остальные пенсионеры свои скудные денежки складывали в чулок «на черный день и на похороны», да и какие это были деньги? Только Александр Иванович покойный, Наташкин отец, получал 120 рублей, так он до этого начальником отдела был. У бывшей библиотекарши Бэллы Львовны пенсия была куда меньше, у бывшей лаборантки Галины Васильевны — 60 рублей, а у бабки Полины — и вовсе 40, на большее она в уборщицах не наработала. Ясное дело, что при таком финансовом раскладе и при отсутствии продуктов в магазинах Наташка вела хозяйство максимально экономно, из одной несчастной курицы по три блюда ухитрялась выкроить — и первое, и второе, и еще салатик какой-нибудь или пирожки с мясной начинкой. Это уж потом, когда Вадим стал большую зарплату получать, стало полегче, а до того — прямо страшно вспомнить! Непонятно, как они жили на такие деньги... Но ведь жили же, с голоду никто не умер и оборванным никто не ходил. А все благодаря Наташке, ее умению считать деньги, планировать покупки и не делать лишних трат. Ни о каком пережаривании овощей для борща и речи идти не могло, каждая столовая ложка растительного масла была на счету. А Мащенки, видно, по-другому жили, в средствах стеснены не были, вот и порядки у Лизаветы на кухне совсем не те.

Новую кулинарную науку Ира еще не полностью освоила, ведь меньше года замужем, но она старается. А вообще-то Лизавета — тетка не вредная, добрая, замечания, конечно, делает невестке регулярно, но получается это у нее не обидно, даже огрызаться не хочется. То Ира зимнюю обувь по окончании сезона не так упаковала, то купленную на рынке зелень не помыла сразу же и не разложила для просушки, то кастрюльку не на ту полочку в шкафу поставила. Раз по пять на день Ира покорно выслушивает, как нужно делать, и запоминает. Если хочешь сохранить семью, со свекровью надо дружить. Не с мужем, а именно со свекровью, потому что если твой муж до тридцати лет, имея в прошлом жену и ребенка, так и не разъехался с родителями, хотя имеющаяся жилплощадь вполне позволяет сделать хороший размен, то и пьяному ежику понятно, кто в этой семье главный. И к гадалке ходить не надо. С Лизаветой ужиться можно, и Ира непременно уживется.

А вот свекор Виктор Федорович — совсем другое дело. Совсем другое... Глядя на него, трудно поверить, что он когда-то завербовал Наташку в стукачки, что сам работал на КГБ, а главное — что он способен на подлость. Милейший человек, спокойный, как гранитный памятник, ничем его из себя не выведешь. Голос не повысит, глазами не сверкнет, всегда улыбается, шутит, на ласковые слова не скупится. Что бы Ира к столу ни подала — непременно похвалит и добавки попросит. Ира, натурально, в ответ краснеет и говорит, что это Елизавета Петровна научила ее готовить данное блюдо, Лизавета же, в свою очередь, тоже комплимент скажет, мол, невестка у нее — на диво способная ученица. Все роли расписаны, любящие родители и почтительная невестка. Найти бы того драматурга, который роли эти придумал, да ноги ему повыдирать!

Один Игорь роль учить не хочет и из всего спектакля выбивается, ни одной мизансцены с ним, козлом, не построишь, вечно ерничает, ехидничает, поддевает — спасибо, что не издевается, вечно у него настроение плохое, а когда его родители и жена над чем-то дружно хохочут, смотрит на них с таким выражением, словно он — интеллектуальный гений, а они — умственно отсталые. Еще бы, страна на грани экономической катастрофы и политического кризиса, растут ряды наглых безграмотных богатеев, которые чувствуют себя хозяевами жизни, в том числе и хозяевами честного и неподкупного следователя Игоря Мащенко, какой уж тут может быть смех. Ну да бог с ним, с Игорем, не он в этой семье главный, и не ради него Ира замуж выходила, а ради статуса, штампа в паспорте и доступа к Мащенко-старшему. Что планировала — того и добилась, что хотела — то и получила. И нечего жаловаться теперь.

— Ирочка, солнышко уже низкое, можно выходить из-под тента, — раздался голос свекрови. — Только смой защитный крем под душем, а то толку не будет.

Опять Лизавета со своими порядками! Необходимо пользоваться любой возможностью подставить тело непрямым солнечным лучам, это очень полезно для здоровья, она заявляет об этом как врач. Ира и сама не прочь обрести шоколадный цвет кожи или хотя бы только золотистый оттенок, но терпеть не может ничего делать из-под палки или по команде. У нее своя голова на плечах есть. Но тут уж не поспоришь, роль не так написана.

Она не стала вытаскивать топчан из тени, вышла на солнце и встала по щиколотку в воде. Набегающие волны приятно щекочут кожу, солнечные лучи уже не обжигают, как крапива, а окатывают тело мягким теплом. Настоящего загара, конечно, не будет, но хоть что-то...

Из воды вышел, отфыркиваясь, свекор. Он почти не лежал на топчане, или плавал, или гулял вдоль берега.

— Давай походим, чего просто так стоять.

— Пойдемте, — обрадовалась Ира.

Они медленно пошли по воде вдоль пляжа, территория отеля закончилась, потянулись «дикие» песчаные участки с редкими группками местных жителей, которые почти совсем не плавали и даже почему-то не раздевались.

— Жалко, что уже завтра уезжать, — сказала Ира, — здесь так хорошо. Две недели быстро прошли. А вы хотели бы остаться еще на недельку?

— Пожалуй, нет. Две недели — оптимальный срок для отдыха, можешь мне поверить. На третьей неделе ты начнешь с завистью смотреть на каждого уезжающего и думать о том, что через несколько часов он будет дома. Это только в детстве можно с удовольствием жить где-то вдали от дома по месяцу, а то и по два. Взрослого человека обычно тянет домой, если, конечно, у него дома хорошо. Когда дома плохо, то возвращаться туда не хочется, но это не мой случай и, надеюсь, не твой. Или я ошибаюсь?

— Нет, не ошибаетесь. Когда я была маленькой, меня почти на все лето отправляли в деревню к каким-то дальним родственникам по отцовской линии, и, помню, мне ужасно не хотелось возвращаться. Отец пил, кричал на всех, бил маму и бабушку, дома постоянные скандалы. А в деревне было так славно, никому до меня дела нет, никто не дергает, не кричит, бегаю с ребятами целыми днями. Бывало, не приду ночевать — никто и не спохватится. Я так хотела, чтобы лето не кончалось! Только по школе скучала, — на всякий случай соврала Ира, потому что реплика как нельзя лучше вписывалась в роль несчастной девочки из неблагополучной семьи, для которой единственной отрадой была учеба и получение знаний.

— Ну, безнадзорность — это тоже не самое лучшее, — возразил Виктор Федорович. — Последствия бывают весьма тяжелыми. Кстати, Игорь как-то обмолвился, что твои шрамы как раз оттуда. Разве это хорошо?

— Плохо, конечно, — согласилась Ира. — Мальчишки постарше предложили покататься на машине, нас туда набилось — как килек в банку, и в голову не пришло, что у того парня, который за рулем сидел, нет прав и вообще он выпил. Что мы понимали? Мне было четырнадцать, другим ребятам — и того меньше. Обрадовались, ведь такое развлечение! С ветерком помчались, вот и домчались.

— Кто-то серьезно пострадал?

— Да нет, мне хуже всех пришлось, всю осколками стекла изрезало, остальные отделались ушибами и выбитыми зубами.

— И куда только взрослые смотрели! Ведь нашелся же легкомысленный человек, который доверил пьяному подростку автомобиль. Непростительно!

— Ну что вы, Виктор Федорович, — улыбнулась Ира, — разве в деревне такое возможно? Там годами копят на машину, откладывают каждую копейку, а когда покупают — даже ездить на ней боятся, облизывают свое сокровище, любуются на нее, лишний раз на дорогу не выведут, берегут. Тот парень без спроса взял машину, родителей дома не было, а он знал, где ключи лежат. Его отец за это чуть не убил. Ему, конечно, машину было жалко, а не нас, ушибленных и порезанных.

— И что стало с тем парнем, который вас чуть не угробил? Его осудили?

— Осудили? — удивилась она. — Если только местные жители. Там же глухомань, милиция в тридцати километрах, да ее и вызывать никто не стал. Ребятишек разобрали по домам и лечили народными средствами. Врачей там тоже нет, за квалифицированной медицинской помощью надо было в райцентр ехать или хотя бы к фельдшеру в ближайший поселок, а это километров двадцать пять, не меньше. И потом, зачем его под суд отдавать? Его папаша родной так наказал, как никакой суд не накажет.

— В каком году это было?

— В... в восемьдесят четвертом, а что? — чуть запинаясь, произнесла Ира.

— Чудовищно! Просто чудовищно! Я в то время преподавал

научный коммунизм, уже был доктором наук, профессором. И нигде не бывал, кроме крупных городов. Мне даже в голову не приходило, что в нашей стране есть совершенно другая жизнь, с другими порядками, с другим мировоззрением, что за медицинской помощью приходится ехать по бездорожью десятки километров, что нельзя вызвать милицию, которая немедленно приедет. Мы писали свои статьи и книги, строили и развивали теории о том, как по мере построения развитого коммунистического общества будет расти и совершенствоваться нравственное сознание людей, благодаря чему преступность постепенно исчезнет, а необходимость в органах принуждения сама собой отомрет. А в это время в таких же вот глухих деревнях ребенок мог не явиться домой ночевать — и никому нет дела. Пьяный парень сел за руль не своей машины — проще говоря, угнал ее, да еще и прав не имел, посадил детишек, которые по его вине чуть не погибли, и что? А ничего. Никому даже в голову не приходит, что это преступление, за которое виновный должен понести наказание, и не от собственного папаши, а от государства, которое действует от имени и в интересах всего народа. Поразительно, до какой же степени все наше учение было лживым! Но самое поразительное, что при всем этом оно было искренним. Мы не собирались никого обманывать, мы всего лишь строили свои теории на основании того, что нам дозволено было знать. И только теперь я понимаю, сколь ничтожен был тщательно выверенный объем этого дозволенного знания. Нам рассказывали про сознательных передовиков производства и колхозного хозяйства и вынуждали думать, что таких людей становится с каждым днем все больше и больше. И мы свято в это верили. А потом пришли следователи Гдлян и Иванов и показали нам, что больше половины этих передовиков — дутые фигуры, что их рекорды — результаты приписок, что на самом деле мы рекордсмены по хищениям и фальсификациям. Поэтому сейчас, Ирочка, я не преподаю научный коммунизм, а ты его, соответственно, не изучаешь в своем институте.

— А жаль, — шутливо откликнулась Ира.

— Почему же?

— Потому что я с удовольствием поучилась бы у вас. Вы так интересно и понятно рассказываете, я давно это заметила. Наверное, вы были очень хорошим лектором. А хорошего лектора всегда полезно и приятно послушать. Расскажите мне еще что-нибудь о той жизни, которую я не застала.

Свекор сел на своего конька и принялся рассказывать всякие истории из жизни семидесятых — начала восьмидесятых годов. Этого, собственно, Ира и добивалась. Может быть, хоть слово удастся услышать о том, что так волнует Наташку.

* * *

После ужина она купила в магазинчике телефонную карту и отправилась звонить в Москву. Телефон-автомат находился здесь же, в холле гостиницы. Оставался всего один вечер, а Ира купила подарки только Наташе и Бэлле Львовне, надо было срочно посоветоваться, что привезти Саше, Алеше и Вадиму.

— Натулечка, — радостно заворковала Ира, — я сейчас иду в деревню, пройдусь по магазинчикам. Скажи мне, что купить твоим мужчинам? Только не вздумай говорить, что ничего не нужно. Я же все равно должна привезти что-нибудь, просто на память. Так что ты мне скажешь?

— Купи им маечки какие-нибудь, говорят, в Турции хороший трикотаж и недорогой.

Голос у Наташи был отстраненным и усталым. Ира почуяла неладное.

— Натулечка, что случилось?

— Ничего.

— У тебя голос какой-то ненормальный. Кто-то заболел?

— Нет, все здоровы. Просто я только что разговаривала с Люсей. Никак в себя не приду.

— С Люсей? И что сказала эта сумасшедшая графоманка? Она тебя обидела? — забеспокоилась Ира.

— Лучше бы обидела. Она поставила меня в известность о своих планах. Она собирается продать квартиру в Челнах и приехать в Москву вместе с мамой и Катюшей.

— Как приехать? — задохнулась Ира. — Насовсем?

— Естественно. Ты же знаешь, несколько месяцев назад умер ее муж, теперь она не хочет больше жить в Челнах. Она хочет вернуться в Москву, где родилась и прожила сорок лет. Ее можно понять.

— Да что ты говоришь, Натулечка?! Неужели ты не понимаешь, что дело не в том, что умер муж, а в том, что твоя мама стала слишком старенькой?

— Ира, я не желаю это обсуждать, тем более по телефону. Лучше скажи, как у вас там? Море теплое?

— Теплее не бывает, как парное молоко. Завтра вечером я прилечу, послезавтра прибегу к тебе, принесу подарки и все-все расскажу. Целую тебя. Бэллочку и мальчиков поцелуй от меня.

Ира повесила трубку, но из кабины не вышла. Они всей семьей собирались, как и каждый вечер, идти в деревню, и теперь Игорь с родителями сидят в холле на мягких диванчиках и ждут, пока она позвонит. Вон они, в ее сторону не смотрят, о чем-то разговаривают. Дверь кабины притворяется плотно, и стекло хорошее, толстое, да и сидят они далеко, не услышат. Можно на две минуты выйти из роли, ничего страшного.

Она снова сунула карту в прорезь автомата и набрала номер Люси в Набережных Челнах, который знала наизусть.

— Я только что разговаривала с Наташей, — начала она без долгих предисловий. — Ты что, собираешься вернуться в Москву?

— Собираюсь. А в чем, собственно, дело?

— И где ты будешь жить?

— Там же, где жила раньше. Между прочим, в этой квартире до сих пор прописана моя мать, ты не забыла? Мама возвращается домой, а вместе с ней приеду и я с дочерью, нас пропишут, это родственное подселение, тем более я там раньше жила. Не понимаю, что тебя беспокоит?

— Что беспокоит? — заорала Ира, теряя самообладание. — То, что мама была тебе нужна только до тех пор, пока была работоспособной. Ты ни с чем не посчиталась, ни с Наташкой, ни с ее детьми, ни с самой тетей Галей, ты ее увезла в свои хреновы Челны, потому что тебе было так удобно, потому что тебе нужна была бесплатная домработница. А теперь, когда эта домработница состарилась и уже не может заниматься твоим хозяйством и твоим ребенком, а сама требует ухода, ты хочешь вернуться, чтобы все эти заботы скинуть на Наташку, сесть ей на шею и жить за ее счет. Думаешь, я не понимаю? Это Наташка — добрая душа, всех любит и всем все прощает, но не думай, что твои фокусы пройдут с другими. Не пройдут!

— Ты кто такая? — последовал холодный ответ. — Ты сама сидела на шее у моей сестры и тянула из нее жилы. Я все знаю, мне мама рассказывала. И после всего этого ты еще собираешься мне указывать? Соплячка! Да я старше тебя больше чем в два раза. И не смей мне больше звонить.

— Захочу — и буду звонить, сколько нужно! — отпарировала Ира. — Ты мне тоже не указывай, это твоя сестра меня воспитывала и кормила, а не ты. Ты мне никто и звать тебя никак. В квартире четыре комнаты, если ты еще не забыла. В одной живет Бэлла Львовна, во второй — Наташа с мужем, в третьей — мальчики, в четвертой — я. Ты что, собираешься спать в прихожей? Или, может, в ванной?

— А тебя это вообще не должно беспокоить, ты же, насколько мне известно, замуж вышла и больше не живешь в этой квартире. Моя дочь может жить вместе с мальчиками, там большая комната, всем места хватит. А мама поживет у Бэллы Львовны, две пенсионерки всегда найдут общий язык, да и веселее будет.

— А ты? Ты-то сама где собираешься жить? У Наташи с Вадимом на голове? Или ширмочку поставишь, чтобы их не смущать?

— А я поживу в твоей комнате, тебе она все равно больше не нужна.

— Ну ты, блин, крутая, круче пасхального яйца, — растерянно протянула Ира. Такого она не ожидала и даже слов нужных для ответа подобрать не смогла. — Всех распихала, девчонку свою — к чужим детям, мать родную — к посторонней старухе, зато себе, любимой, отдельную комнату запланировала. У тебя стыд есть, Людмила? Совесть какая-нибудь, чувство приличия или что-нибудь в этом роде?

— У меня есть все, — Люся была по-прежнему невозмутимой. — Ты за меня не волнуйся. А за Наташу не заступайся, она, если захочет, сама за себя постоит.

— Да в том-то и дело, что не постоит она за себя! Она тебе и слова не скажет. А ты этим нагло пользуешься, знаешь, что у нее характер такой, что она тебя не оттолкнет и к известной матери не пошлет, вот и пользуешься самым бессовестным образом. Она даже не знает, что я тебе сейчас звоню.

— Вот как? — в голосе Люси послышалось легкое удивление. Ну наконец-то, хоть какие-то эмоции появились! — Ты всегда была лгуньей, об этом мне тоже прекрасно известно. Уверена, что Наташа после нашего разговора позвонила тебе и попросила воздействовать на меня. Я ее понимаю, у нее язык не повернулся отказать в приюте родной матери, родной сестре, которая недавно овдовела, и родной племяннице, оставшейся сиротой, тем более что мама там прописана. А отказать очень хотелось, вот она тебя и подослала. Только не выйдет ничего, так ей и передай. Я имею право на эту жилплощадь, ни одна инстанция не сможет отказать мне в прописке.

— К твоему сведению, Наташа никак не могла позвонить мне и пожаловаться на тебя, потому что меня нет в Москве. Я только что ей позвонила сама и с трудом уговорила поделиться, отчего у нее голос такой убитый. Если бы я не спросила, она бы и не сказала ничего.

— Вот как? Тебя нет в Москве? А где же ты? В своей уральской деревне?

— За границей. Отдыхаю на Средиземном море, — мстительно сказала Ира.

— Что ж, в таком случае ты тем более не можешь судить о том, почему нормальные люди хотят вернуться из Набережных Челнов в Москву. У тебя теперь своя жизнь, и не пытайся повлиять на мою.

Краем глаза Ира заметила, что свекровь поднялась с диванчика и двигается в ее сторону. Даже простенькие пляжные тряпочки она носит с аристократической элегантностью, как будто на ней не цветастая широкая длинная юбка и чудовищного апельсинового цвета майка, а по меньшей мере вечернее платье со шлейфом. И на ногах не шлепанцы с двумя перепоночками, а хрустальные башмачки, которые в книжке исключительно по недоразумению почему-то достались Золушке. На лице у Лизаветы нетерпеливое недоумение. Ну в самом деле, сколько можно болтать, заставляя ждать остальных? Сказала же, что буквально на два слова, только насчет подарков уточнить, а сама разговаривает уже битых четверть часа! Долой Ирку Маликову, быстренько возвращаемся в образ приличной дамочки Ирины Савенич, на лицо натягиваем приветливое и доброжелательное выражение, голос можно пока оставить прежним, будем надеяться, что его не слышно.

— Спокойной ночи, Людмила Александровна, я вам еще позвоню, когда будет подходящее настроение.

И вешаем трубочку на глазах у приблизившейся свекрови. И с радостной миной выпархиваем из кабины.

— Все в порядке? — заботливо спрашивает Лизавета. — Почему так долго?

— Ой, Елизавета Петровна, вы не знаете мою соседку, — защебетала Ира, подхватывая свекровь под руку. — Такая скромная женщина, так переживает каждый раз, когда ей дарят подарки! Сразу начала: да что ты, Ирочка, да ничего не нужно, да не трудись, не трать деньги, лучше себе купи что-нибудь, нечего моих мальчиков баловать. Еле уговорила!

Она не могла бы разумно объяснить, почему принялась отчаянно врать, вместо того, чтобы описать Лизавете ситуацию, как она есть, поделиться своим негодованием в отношении Люси. Инстинктивно она чувствовала, что не нужно этого делать. Если ты так близко принимаешь к сердцу жизнь своей соседки, настолько близко, что не стала ждать возвращения в Москву, а кинулась из-за границы звонить соседкиной сестре, чтобы высказать ей все, что думаешь, то с этой соседкой у тебя наверняка отношения сердечные, доверительные и глубокие. Так почему же она не пришла к тебе на свадьбу? Муж ее пришел, а сама она не смогла? И почему ты ничего о ней не рассказываешь, упоминаешь изредка, к слову, когда говоришь о своем детстве, но даже по имени ее не называешь? И не звонишь ей? И не ездишь к ней в гости? Почему? Этих «почему» Ире совсем не хотелось, поэтому она сочла за благо солгать и не вдаваться в подробности.

Последний вечер прошел восхитительно. Ира любила покупать подарки, а уж здесь-то, когда такой выбор сувениров и недорогого трикотажа, для ее натуры просто раздолье! До одиннадцати вечера они ходили по магазинам, набирая для друзей и сослуживцев милые мелочи, потом уселись в своем любимом кафе, Лизавета, как обычно, взяла себе капуччино, остальные — пиво. За соседним столом обосновалась компания — двое молодых людей и две девушки, судя по бледному цвету кожи и долетавшим обрывкам разговора, приехавшие только вчера. «Счастливые, — подумала Ира, — у них впереди две недели абсолютного, ничем не омрачаемого счастья, а они об этом, наверное, даже и не догадываются. Какие же они счастливые!»

РУСЛАН

Он методично составил план, в который входили четыре основных пункта. Первый: проследить шаг за шагом всю жизнь Бахтина и постараться выяснить, не пересекался ли где-нибудь его путь с Ольгой Андреевной Нильской. Если мать так нервничает и запрещает Руслану заниматься поисками истины, то этому должна быть причина, которая наверняка лежит в области личных взаимоотношений ее и убийцы. Второй пункт: получить и проанализировать сведения о всех криминальных или просто сомнительных трупах, обнаруженных до августа 1984 года. Сперва Руслан собирался ограничиться трупами, появившимися непосредственно перед убийством брата, но потом, поразмышляв, расширил временные рамки до нескольких месяцев. Ведь Михаил частенько брал машину и уезжал на природу, хотел побыть в одиночестве, и вполне возможно, что свидетелем первого убийства, совершенного Бахтиным, он стал не в день своей гибели, а гораздо раньше. Вторая же его встреча с Бахтиным, оказавшаяся для Мишки роковой, могла произойти либо случайно, во что Руслану не очень-то верилось, либо была следствием целенаправленных действий убийцы, выследившего и убравшего свидетеля своего предыдущего преступления. Третьим пунктом плана была долгосрочная программа, направленная на облегчение выполнения пункта второго. Ему, молодому журналисту кемеровской вечерней газеты Руслану Нильскому, никто не собирался давать сведений о трупах десятилетней давности. С ним даже разговаривать не хотели. И он должен был добиться, чтобы в областном управлении внутренних дел его принимали как родного, а это требовало определенных усилий и, конечно же, времени. Четвертым, и последним, пунктом плана работы по установлению истины об обстоятельствах убийства брата было прояснение ситуации с судебно-медицинской экспертизой трупа Михаила Нильского. Откуда в заключении эксперта взялись сведения об алкогольном опьянении, в котором якобы пребывал Мишка? Да, он был нормальным парнем, от рюмки не шарахался, когда надо — мог и поднять, и выпить пару глотков за общим столом, но не более того. Но сколько Руслан себя помнил, брат ни разу не купил и не принес в дом бутылку по собственной инициативе, только если мать просила, когда ждала гостей. И уж совсем невероятно, чтобы он выпил во время поездки на природу, один, как алкаш какой-нибудь подзаборный. Мишка любил природу, наслаждался ею часами в полном одиночестве, и невозможно представить себе, чтобы ему в такой момент понадобился алкоголь. Это так же нелепо, как представить себе истинного меломана, пришедшего в филармонию на концерт симфонической музыки и для полноты ощущений хряпнувшего двести пятьдесят «беленькой». Либо Мишку споил Бахтин для облегчения своего кровавого замысла, либо результаты экспертизы фальсифицированы, и в этот вопрос Руслан хотел внести полную ясность, хотя и не очень хорошо представлял себе, как будет это делать. Ну найдет он того эксперта, ну положит перед ним сделанные от руки выписки из заключения, напомнит обстоятельства дела. Может быть, эксперт вспомнит труп Михаила Нильского, а может быть, не вспомнит. Если фальсифицировал заключение за взятку или под давлением, то, конечно, вряд ли он такое дело забыл. Но как заставить его признаться? И отсюда в пункте четвертом разработанного плана возник подпункт: прежде чем соваться к этому судебному медику со своими вопросами, необходимо не только найти его, но и предварительно навести справки о его жизни как до августа 1984 года, так и сразу после. Не купил ли он в тот момент машину или шубу жене? Или, может, внес последний пай на кооперативную квартиру? Или сын-двоечник, сдававший в тот момент экзамены в институт и получивший одни тройки, ни с того ни с сего был принят, несмотря на высокий проходной балл, до которого он со своими хилыми оценками явно не дотягивал? Или сам эксперт вдруг получил повышение по службе или перевод куда-нибудь в крупный город? Все это следовало узнать до того, как ехать к нему лично.

Имя у эксперта было затейливо-непонятным — Григорян Патимат Натиг-кызы, и это сразу вызвало у Руслана недоверчивое предубеждение. Армянин, стало быть, почти наверняка нечист на руку. Первым делом он обратился по адресу, указанному на бланке экспертизы, представился, показал редакционное удостоверение и попросил разрешения встретиться с руководством судебно-медицинского морга.

— Работа вашего, да и всех подобного рода учреждений, окутана такой тайной, — начал он с приветливой улыбкой, — людям кажется, что здесь работают совсем особые медики, у которых атрофировано чувство сострадания. Прямо монстры какие-то, которые пилой вскрывают черепа и с удовольствием вытаскивают внутренности, а потом в виде жестокой бравады едят бутерброды рядом с секционным столом. Мне хотелось бы сделать материал, показывающий, что судебные медики действительно особые люди, но их, как бы это сказать, особость состоит совсем в другом. Ведь вам, наверное, тоже неприятно, когда о вашей службе складывается такое чудовищное и весьма далекое от правды мнение. Я прав, Иван Никандрович?

Иван Никандрович, тот самый руководитель, к которому проводили Руслана, был похож на маленького Деда Мороза: длинные седые волосы, окладистая серебряная борода, лучики морщинок вокруг бледно-голубых глаз, а росточком — не выше самого Руслана.

— Не знаю, правы вы или нет, но вот мои соседи по дому,

например, считают, что я свою собаку кормлю человеческим мясом, которое ворую на службе, — со смехом, больше напоминающим кряхтенье, ответил Дед Мороз.

— Не все, конечно, только самые отсталые и дремучие, остальные над ними посмеиваются, но ведь с мнением отсталых тоже нужно считаться.

— Нужно, — быстро согласился Руслан. — Так вы не возражаете, если я буду делать такой материал в вашем морге? Поговорю с сотрудниками, посмотрю на месте, как и что они делают.

— Разумеется, — крякнул Дед Мороз. — Я вас познакомлю с нашими старожилами, самыми опытными судебными медиками, они вам расскажут много забавных историй.

— Неужели у вас тоже бывают старожилы? — деланно удивился Руслан.

— Мне отчего-то казалось, что на такой работе люди долго не выдерживают и персонал у вас должен сменяться достаточно часто. Разве нет?

— Ну вот, вы тоже оказались отсталым и дремучим, — Дед Мороз прищурился, и лучики вокруг глаз стали глубже и разбежались до самых висков. — Считаете нашу работу невыносимой, жуткой, такой, какую невозможно делать по призванию и с профессиональным интересом. Такой ужасной, что лишь бы ноги поскорее отсюда унести. А внешне вы нас всех, наверное, представляете эдакими докторами Градусами, да?

— Какими докторами? — переспросил ничего не понявший Руслан.

— Был в Москве в семидесятых годах знаменитый судебно-медицинский эксперт по фамилии Градус, абсолютно лысый и с огромной черной бородой. Кстати замечу, отменного чувства юмора был человек. Его все знали. Впрочем, вы еще слишком молоды, да к тому же вы журналист, а не следователь и не врач, так что вам простительно. А в нашей профессиональной среде о докторе Градусе легенды ходили. И многие дремучие обыватели при словах «судебно-медицинский морг» представляют себе страшных, огромных, лысых и бородатых чудовищ, отличающихся особым цинизмом. А вот я вам сейчас кое-кого покажу.

Иван Никандрович нажал кнопку селектора и произнес:

— Флора Николаевна, голубушка, вас не затруднит зайти ко мне?

Руслан терпеливо ждал, не задавая вопросов, чтобы не испортить Деду Мороза удовольствия от фокуса, которым тот явно собирался поразить воображение молодого, но уже такого «отсталого» журналиста. За дверью зацокали каблучки, и в кабинете появилась женщина. Если Дед Мороз хотел удивить Руслана, то ему это удалось. Женщине было на вид лет шестьдесят, и молодой человек никогда не видел, чтобы в столь почтенном, по его юношеским меркам, возрасте дамы были такими потрясающе красивыми. Нет, Флора Николаевна не выглядела моложавой, все прожитые ею годы оставили на лице добросовестные отпечатки, которые она и не пыталась скрыть при помощи косметики. Она была просто красивой той самой вечной красотой, которая никуда не исчезает с годами, она лишь увядает, теряет свежесть и яркость, зато приобретает благородную прелесть выдержанного вина. Невысокая тонкая фигурка с осиной талией, точеные ножки в туфельках на высоких каблуках, шоколадного цвета глаза под разлетающимися четкого рисунка бровями, изящный носик, высокий лоб, голова чуть запрокинута под тяжестью длинных густых, с заметной проседью волос, собранных на затылке в тугой узел.

— Знакомьтесь, Флора Николаевна, это Руслан Нильский, журналист, который собирается написать большой материал о работе судебных медиков. А это доктор Григорян, один из наших старейших и опытнейших сотрудников.

Руслан вздрогнул, но быстро справился с собой. Интересно, эта красавица Флора Николаевна — жена того Григоряна или, может быть, мать? Забавно получилось. Хотел обходными путями узнать, где теперь работает уважаемый Патимат Натиг-кызы Григорян, а ниточки сами в руки идут. Вот сейчас и узнаем.

Через пятнадцать минут Руслан уже сидел в маленьком кабинетике рядом с секционным залом, и Флора Николаевна угощала его чаем с крохотными квадратными вафельками с шоколадной начинкой.

— Скажите, Флора Николаевна, в вашей профессии приняты династии? Вот у врачей-клиницистов, я знаю, дети часто идут по стопам родителей и даже, случается, работают с ними в одной больнице или поликлинике, супруги тоже, бывает, вместе работают. У вас так же?

— Может быть, — пожала плечиками Флора Николаевна, — где-то и работают, но не у нас. Я на этом месте служу почти тридцать лет, и ни разу у нас не было ни супружеских пар, ни родственников.

«А Патимат Натиг-кызы Григорян? — чуть было не сорвался с языка Руслана вопрос, но молодой человек вовремя остановился. — Неужели просто однофамилец? В сибирской глуши, в одном и том же учреждении работают два человека с одной и той же армянской фамилией? Что-то слабо мне верится в такие совпадения».

Он задавал заранее заготовленные вопросы, и хотя на столе стоял включенный диктофон, на всякий случай дублировал ответы в блокноте. Доктор Григорян рассказывала о своей работе увлеченно и с удовольствием, вспоминала интересные казусы, описывала отношения судебных медиков со следователями, попутно отвечая на бесконечные телефонные звонки.

— Вот, кстати, яркий пример, — с усмешкой произнесла она,

в очередной раз положив трубку. — Следователь. Ему не терпится узнать результаты вскрытия. Тело привезли только вчера, так он бомбардирует меня звонками со вчерашнего вечера, как будто экспертиза может быть готова через час после начала работы. Я понимаю, ему преступление раскрывать надо, ему нужна информация, и как можно быстрее, но ведь наша работа — это не просто вскрыл, посмотрел и увидел, это же огромное количество всяческих проб и анализов, на которые нужно много времени, особенно если делать посев...

Флора Николаевна сняла трубку и набрала номер.

— Лариса, мне только что Синицын опять звонил... Распечатываешь? Хорошо, занеси, я подпишу.

Через пару минут в кабинетик влетела растрепанная девчушка с пластиковой папочкой в руках. Флора Николаевна вынула из папки текст заключения и стала бегло его просматривать.

— Деточка, я тебе уже в прошлый раз говорила, слово «кызы» пишется с маленькой буквы, — недовольно упрекнула она девушку.

— Извините, — покраснела Лариса, бросив на Руслана заинтересованный взгляд, — я опять забыла. Переделать?

— Не нужно, только в следующий раз не забудь.

Григорян подписала заключение, вложила его в папку и отдала девушке.

— Позвони Синицыну, скажи, что все готово, может забирать. Если сам приедет, ко мне его не пускай.

— А с конфетами что делать? Он же опять огромную коробку приволокет для вас, — простодушно спросила Лариса и тут же, испугавшись, что сболтнула лишнее, залилась еще более густой краской.

— Отнесешь в приемную к Ивану Никандровичу.

Девушка выскочила в коридор, а Флора Николаевна с улыбкой покачала головой:

— Синицын у нас самый торопыга, я вам уже говорила, только тело доставят — и он через час начинает названивать. Но зато почему-то считает, что обязан носить эксперту конфеты за быстрый результат. Можно подумать, если бы он не душил нас своими телефонными звонками, то анализы делались бы в пять раз медленнее. Вообще-то он очень добросовестный следователь, но зануда редкостный, я стараюсь его избегать. Свои постановления о проведении экспертизы всегда сам привозит и дотошно начинает объяснять, что его интересует. Ведь все его вопросы в постановлении сформулированы, там все написано, так нет, будет стоять над душой и два часа долдонить, как будто мы все тут пацаны и девчонки зеленые, не разберемся, что к чему. А потом приезжает с конфетами и опять два часа благодарит. Такой, знаете ли, зануда, но трогательный в своей любви к работе. На него невозможно сердиться, но и общаться с ним тоже невозможно. Приходится искать компромиссы и прятаться от него.

— А почему конфеты не в приемную?

— Пусть там лежат. Будет праздник какой-нибудь или день рождения у кого-то из сотрудников — все вместе чайку выпьем. У нас такая традиция — все подношения в общий котел. Зато на совместные чаепития можно не тратиться, всегда есть и конфетки вкусные, и печенье импортное.

— Флора Николаевна, у меня дурацкий вопрос, но это от безграмотности...

— Ну-ну, — подбодрила его Григорян.

— Что такое «кызы»? Я ни в одном словаре и ни в одном пособии по криминалистике не встречал такого слова.

Звонкий смех Флоры Николаевны заполнил собой все небольшое пространство кабинетика.

— Господи, Руслан... Ой, вы меня уморили! «Кызы» в азербайджанском языке означает «дочь». «Оглы» — сын, а «кызы» — дочь.

Натиг-оглы — это все равно что Натигович, а Натиг-кызы — Натиговна. В обычной речи так и говорят, а в официальных документах полагается писать правильно, как в паспорте записано. У меня очень сложное для России имя — Патимат Натиг-кызы, я его для простоты переделала во Флору Николаевну, так меня все и называют. А в заключении приходится указывать настоящее имя, вот Лариска наша, бедненькая, и не привыкнет никак, она всего неделю работает, думает, что «кызы» — это мое второе имя, вроде как Жан-Жак или Жан-Поль.

Да, Дед Мороз, любишь ты фокусы показывать, да только не знаешь, в каком месте у тебя настоящий фокус получается. Руслан ошарашенно глядел на красивую шестидесятилетнюю женщину и никак не мог смириться с мыслью о том, что это и есть тот самый Патимат Григорян, которого он уже заочно представлял жадным до легких денег армянином и заранее ненавидел.

— Надо же, — наконец выдавил он, — а я почему-то думал, что Патимат — мужское имя.

— Да бог с вами, самое что ни на есть женское! Моя мама— абхазка, в Абхазии это имя очень распространено, примерно как имя Лариса в России. Мама вышла замуж за бакинца, азербайджанского армянина, вот я и получила такой комплект — фамилия армянская, имя абхазское, а отчество азербайджанское. Сама я вышла замуж за сибиряка, приехала к нему в Кемеровскую область и привезла в качестве приданого свое экзотическое имя. Фамилию мою люди выговаривают легко, а на имени-отчестве все время спотыкаются, ни произнести, ни написать правильно не могут.

— А почему вы его поменяли на Флору? Сменить Натиговну на Николаевну — это мне понятно, созвучно, да и на одну букву начинается. Но вместо Патимат было бы логичнее стать, например, Полиной, Пелагеей, — продолжал недоумевать Руслан.

— Видите ли, у имени Патимат есть вариант «Фатима», у татар, например, у узбеков, таджиков. А от Фатимы Флора отстоит не так уж далеко, согласитесь. Начинается на ту же букву.

— Да, конечно, — рассеянно ответил Руслан, судорожно пытаясь сообразить, что ему теперь делать. Такой прекрасный случай подвернулся начать расспрашивать эксперта о ее жизни, семье и так далее, постепенно выводя разговор на 1984 год. Но ведь это не входило в его планы, он хотел сначала собрать сведения о жизни доктора Григорян, проанализировать их, сделать выводы, а потом уже приступать к вопросу о судебно-медицинском исследовании трупа Михаила Нильского. Так как же поступить, действовать по намеченному плану или на ходу менять схему?

— Простите мне мою бестактность, Флора Николаевна, а почему вы не уходите на пенсию? Не отпускают?

— Откуда такой странный вопрос? — удивилась Григорян. — Вы хотите сказать, что я выгляжу древней старухой, из которой песок сыплется?

— Нет, что вы, вы великолепно выглядите. Просто женщины обычно стремятся поскорее уйти на пенсию, как только возраст позволит, чтобы заниматься домом, детьми, внуками.

— Моими внуками заниматься не нужно, — снова засмеялась Флора Николаевна, — в нашей семье приняты ранние браки и ранние дети. Я сама вышла замуж в восемнадцать, а в двадцать один год у меня уже было двое детей, которые, следуя традиции, сделали меня к сорока двум годам трижды бабушкой. Внук сейчас в армии, обе внучки — студентки. Муж, хвала господу, много зарабатывает, так что у нас есть возможность держать домработницу, и мои хлопоты по дому никому не нужны. Так что я — счастливый человек, могу заниматься своим любимым делом, которому отдала всю жизнь.

Так, значит, муж хорошо зарабатывает. Интересно, чем это он занимается? Зарабатывает столько, что семья имеет возможность держать домработницу. Нехило, господа медики! А может быть, дело не в том, сколько зарабатывает муж доктора Григорян, а в том, сколько денег приносит домой она сама? Иными словами, дело, может быть, в том, что уважаемая Флора Николаевна, она же Патимат Натиг-кызы, за деньги изготавливает липовые результаты вскрытия криминальных трупов, подгоняя их под естественную смерть или под несчастный случай, наступивший вследствие неосторожного поведения погибшего, находящегося в состоянии сильного алкогольного опьянения. А, Флора Николаевна? Может ведь такое быть? И вы действительно счастливый человек, потому что ваше любимое дело приносит вам не только профессиональное удовлетворение, но и немалую прибыль. Уровень преступности в последние годы сильно вырос, количество убийств возросло многократно, в стране идет передел собственности, криминальные группировки дерутся друг с другом, пытаясь отхватить себе кусок пирога пожирнее, и в такой обстановке куда как важным становится превращение очередного убитого конкурента в жертву его же собственной неосторожности или подкачавшего здоровья. С этого и следователи свой навар имеют, и судьи, и, уж конечно, эксперты, устанавливающие причины смерти.

— А муж ваш чем занимается? — спросил Руслан, утаскивая из блюдечка еще одно шоколадное лакомство.

— Муж? — Она как-то странно взглянула на Руслана, с трудом подавив улыбку. — Он, видите ли, музыкант. На виолончели играет.

— В симфоническом оркестре?

— Да нет...

Все ясно, лабух он, а не музыкант, играет с группой таких же, как он, неудачников, на свадьбах и юбилеях, теперь среди новых богатеев модным стало приглашать на свои банкеты не попсу всякую, а тех, кто может исполнять популярную классическую музыку, чтобы как на приемах в Кремле было. Платят за это, надо полагать, немало. Но это сейчас. А в восемьдесят четвертом таких денег в семье Григорян не было и быть не могло. Интересно, как они в то время жили? Тоже услугами домработницы пользовались? И на какие, позвольте спросить, шиши?

— Трудно вам, наверное, было, — с сочувствием забросил Руслан очередной крючок. — Муж — музыкант, ему нужно место, чтобы репетировать, заниматься, а тут дети, внуки...

— Было такое время, — согласилась Флора Николаевна, — только оно давно позади. В семьдесят шестом году мой муж был вместе с симфоническим оркестром на гастролях в Австрии, он исполнял «Вариации на тему Рококо» Чайковского. Его игра произвела настоящий фурор, его стали приглашать за рубеж постоянно, он выступал с лучшими оркестрами и лучшими дирижерами. Когда-то он учился у самого Ростроповича.

Руслан слушал ее, и истина постепенно стала доходить до его отравленного подозрениями сознания. Муж Флоры Николаевны — знаменитый виолончелист Сорокопольский. Гордость Кузбасса, его имя известно каждому жителю региона. Особую любовь Герман Сорокопольский снискал тем, что не переехал ни в Москву, ни даже в столицу области — Кемерово, остался там же, где родился и прожил всю жизнь, — в Анжеро-Судженске. И хотя гастрольная жизнь требовала от него постоянных поездок по всему миру и в России он находился куда реже, чем за границей, но возвращался он всегда сюда, где жила его семья. В начале восьмидесятых он был весьма состоятельным, по советским меркам, человеком, выстроил за городом огромный дом с собственным мини-залом, где давал концерты для близких и друзей. И хотя в те времена нельзя было строить дома площадью больше пятидесяти квадратных метров, для Сорокопольского власти сделали исключение. Трудно поверить, что его жена — рядовой судебный медик — брала взятки. Зачем мараться? Зачем рисковать и потом нервничать и бояться, когда дом и без того — полная чаша? Да, насчет взятки Руслан, пожалуй, промахнулся. Но могла ведь быть и угроза. От денег можно отказаться, а от жизни? От своей жизни или от жизни близких, мужа, детей? Все-таки надо бы покопаться в этой стороне жизни доктора Григорян. А кстати, почему наша Флора Николаевна осталась Григорян, а не превратилась в Сорокопольскую? Спросить, что ли? Или окольным путем узнать?

НАТАЛЬЯ

Шли дни, возвращение матери вместе с Люсей и племянницей Катюшей неотвратимо приближалось, и в квартире напряжение наливалось каменной, чугунной тяжестью. На сообщение о звонке свояченицы Вадим отреагировал, вопреки ожиданиям, глухим молчанием. Наташа ждала всплеска возмущения, негодования, даже ярости, но муж только пожал плечами.

— Начинается совсем другая жизнь, да? — криво усмехнулся он. — Все пошло под откос, сначала моя служба, а теперь и наше жилье. Куда мы придем еще через пару лет? Хорошо хоть мы разъехаться не успели, здесь места много. Как бы это все выглядело, если бы Людмила Александровна свалилась нам на голову вместе с ребенком в малогабаритную «трешку»? Я только хотел спросить, а какова позиция твоей мамы? Она тоже считает, что ее старшая дочь поступает правильно? Она не считает нужным отговорить ее от этого шага? Ведь, насколько я понимаю, прописываться Людмила Александровна будет именно к ней, к своей матери, а не к тебе.

— Даже если бы и ко мне, это ничего не изменило бы. Я не могу отказать Люсе, — честно призналась Наташа. — Если бы она потребовала, чтобы я ее прописала на своей площади, я бы это сделала.

— Ну да, чего еще от тебя ожидать. Никому не можешь сказать «нет», хочешь для всех быть хорошей. Для всех, кроме меня, твоего мужа. Почему-то мои интересы для тебя на последнем месте находятся.

— Вадик, не надо так, ты не прав. Ты очень много значишь для меня, ты мой муж, я тебя люблю. Но я не могу оттолкнуть родную сестру. Маму я обязана забрать к себе, она совсем старая, а здесь медицинское обслуживание лучше, чем в Челнах. Если я откажу Люсе, она останется совсем одна в чужом городе, с ребенком на руках, без мужа, без матери. Вадичек, ты вспомни, насколько Люся старше меня, на целых семнадцать лет. Мне уже тридцать девять, а ей — пятьдесят шесть. Ну каково это — в пятьдесят шесть лет остаться совсем одной среди чужих? Жалко ее, она и без того несчастная, неудалая какая-то, пусть хоть вторую половину жизни проживет рядом с родными, в родном городе. А, Вадичек?

— Ты так меня спрашиваешь, словно от моего ответа хоть что-то зависит, — равнодушно ответил Вадим.

Он был прав, от его ответа не зависело ничего. Ничего, кроме душевного спокойствия самой Наташи, которой, конечно, хотелось бы, чтобы муж разделял ее точку зрения и не сердился. А он сердился, это было очевидно.

Теперь Вадим каждый день уходил на занятия в свою Академию информатики и статистики, возвращался не так поздно, как прежде, когда работал в Обнинске, и даже успевал несколько раз в неделю отвезти сыновей в бассейн на тренировку и привезти их обратно. Мальчишки были счастливы оттого, что папа проводит с ними куда больше времени, вместе с ними смотрит до позднего вечера боевики и триллеры, а по выходным дням увозит их подальше за город и учит водить машину.

Однажды он вернулся домой задумчивый и одновременно взбудораженный. Сначала ничего не говорил, молча поел, потом взял Наташу за руку:

— Натка, мне надо с тобой поговорить. Очень серьезно.

Плечи у нее опустились. Ну вот, сейчас снова заговорит о Люсе и о невозможности так жить дальше... Но ошиблась.

— Я сегодня случайно встретил в метро своего сослуживца. Он уже давно уволился, обосновался в Москве, у него собственное дело. И он пригласил меня к себе.

— В гости? — глупо спросила Наташа, радуясь, что речь пойдет не о квартире.

— Нет, на работу. Я сказал, что должен подумать. Но деньги он обещал хорошие, если буду стараться, смогу зарабатывать до ста долларов в день.

— Сколько?! — ахнула Наташа. — Сто долларов?

Это же немыслимо! Двести шестьдесят тысяч рублей. Твоя месячная зарплата.

— Примерно, — кивнул Вадим. — Мы договорились, что в эту субботу я приду и попробую, получится или нет. Он сказал, что я могу работать по субботам и воскресеньям, пока учусь в академии, а потом, если понравится, буду работать каждый день.

— А как же твой налоговый диплом?

— Никак. Пусть будет, он есть не просит. Меня никто не обязывает работать в налоговой системе, просто Министерство обороны оказывает мне на прощание любезность и дает возможность получить гражданскую специальность, чтобы я мог трудоустроиться после увольнения.

— Господи, хорошо-то как! — обрадовалась Наташа и вдруг спохватилась: — А что ты должен будешь делать?

— Вот это и есть самое... как бы тебе сказать... — замялся Вадим. — Самое пикантное. Я буду торговать верхней одеждой.

— Ч-что? — запинаясь, спросила она. — Как это?

— Обыкновенно. На вещевом рынке. Ну что ты на меня так смотришь?! — внезапно вскипел муж. — Разве я виноват, что офицеры с моим образованием больше не нужны? Я ничем себя не запятнал, не уронил честь мундира, мое личное дело забито блестящими аттестациями, а что толку, если все это больше никому не нужно и нас сокращают? Если я не могу больше приносить пользу Родине, то я буду хотя бы приносить пользу своей семье, деньги буду зарабатывать. Если Юрка не врет и я действительно смогу зарабатывать пусть не сто, но хотя бы пятьдесят долларов в день, то посчитай сама, за какое время мы скопим деньги на новую квартиру, чтобы отселить твою обезумевшую от собственного эгоизма сестру. Галина Васильевна, разумеется, останется с нами, это твоя мать и она нуждается в постоянном уходе, а вот Людмилу Александровну и ее дочь я намерен выселить отсюда при первой же возможности. Не думай, что я смирился и буду терпеть рядом с собой эту захребетницу. Я куплю им маленькую двухкомнатную квартирку на окраине, без телефона, далеко от метро, это обойдется тысяч в двадцать долларов. Четыреста дней работы, чуть больше года, только и всего. А если прибавить к этому те деньги, которые она получит от продажи своей квартиры в Челнах, то еще меньше.

— Вадик, что ты говоришь... — растерянно забормотала Наташа, огорошенная его словами. Ее муж будет торговать на рынке! Морской офицер в четвертом поколении собирается встать за прилавок и продавать одежду. И только потому, что она — слишком слабая, чтобы сопротивляться наглости и нахрапистости собственной родной сестры.

— Натка, — его голос потеплел, пальцы сильнее сжали ее кисть, — перед нами стоит задача, иными словами — проблема. Ты согласна?

— Да, — послушно откликнулась она, чувствуя себя маленькой и глупой девочкой, которой большой взрослый дядя сейчас будет объяснять простые истины.

— Проблему можно проигнорировать, смириться и мучиться. А можно поставить перед собой цель ее решить. Правильно?

— Да, — снова кивнула она.

— Решить данную проблему можно, поскольку неразрешимых проблем не бывает в принципе, бывают только решения разной степени сложности и приемлемости. Решение первое: понести огромные моральные издержки, пойти на скандал с твоей родней, добиться через суд признания твоей матери недееспособной, лишив ее, таким образом, права на ходатайство о прописке Людмилы Александровны и ее дочери в эту квартиру. Ты становишься ответственным квартиросъемщиком и сестру не прописываешь. Другими словами, захлопываешь дверь перед ее носом и отправляешь назад в Челны или в любое другое место. Это очень неприятно, это безумно тяжело, но это решит проблему. Решение второе: пойти на финансовые издержки, пустить Людмилу Александровну сюда ровно на то время, которое понадобится, чтобы мы с тобой совместными усилиями накопили денег на ее отселение. Я знаю тебя не один день и понимаю, что на первый вариант ты никогда не пойдешь. Значит, остается второй. Натка, пойми, моя карьера закончилась, морской офицер капитан первого ранга Воронов умер, еще месяц — и его больше никогда не будет. У меня остается только моя семья. И я готов встать за прилавок и торговать шмотками ради того единственного, что у меня осталось в жизни. Ну Натка, милая моя, любимая, ну что ты плачешь... Не надо, пожалуйста, у меня сердце разрывается, я не могу смотреть на твои слезы.

Она и в самом деле плакала. От благодарности к мужу, от того унижения, которое он, должно быть, испытывал, и от пронзительной ненависти к себе самой. Это она во всем виновата, только она. Она не смогла выстроить свои отношения с сестрой так, чтобы та не посмела вести себя подобным образом. Она, Наташа, больше всего дорожит родственными отношениями, может быть, оттого, что в детстве не все было гладко и вместо любимой старшей сестры рядом с ней был пусть и любимый, но все равно чужой сосед Марик, а вместо мамы, которая должна была бы воспитывать, наставлять, помогать с уроками и вкладывать в детскую головку разумное отношение к жизни, а потом, спустя годы, помогать растить малышей, этим занималась тоже любимая, но тоже чужая соседка Бэлла Львовна. Еще совсем девчонкой Наташа твердо решила, что никогда так не поступит ни с мамой, ни с сестрой. Люся одинока и несчастна, ей плохо, ну разве можно не протянуть ей руку, оттолкнуть, захлопнуть перед ней дверь? Нет, немыслимо. Но почему Вадим должен расплачиваться за ее чувства к сестре? Не должен. Однако другого варианта Наташа пока не видит. Разве что бросить работу на телевидении, отдать программу кому-то другому и самой встать за прилавок. Но тогда им не на что будет жить. Ведь нужно не только деньги на квартиру для Люси и Катюши зарабатывать, нужно еще и кормить и одевать всех, кто соберется под этой крышей. Пенсии Вадима хватит только на продукты для него самого. А всем остальным, вероятно, придется с голоду пухнуть.

Через месяц, в конце осени, Вадим получил диплом налогового работника и начал муторную процедуру увольнения. Помимо двадцати окладов, полагающихся ему как уволенному в связи с сокращением штатов, ему причитались еще невыплаченные ранее пайковые, а также денежная компенсация за неиспользованное обмундирование. Суммы набежали огромные, Вадим умел носить форменную одежду на редкость аккуратно и давно уже не получал на складе ни китель с брюками, ни рубашки с галстуками, ни головные уборы, ни верхнюю одежду, регулярно брал только обувь. А еще мелочи всякие вроде погон, значков, носков, теплого белья, — их он тоже не брал, а ведь их выписывают, и они тоже денег стоят. Однако получить эти деньги оказалось не так-то просто. Бухгалтера в отделениях продовольственного и вещевого снабжения все подсчитывали и выписывали бумажки, а финансисты разводили руками и говорили:

— Денег нет. И когда будут — неизвестно.

Вадим каждый день звонил, а раз в три дня являлся лично, чтобы выслушать один и тот же ответ. Наконец кто-то из сослуживцев дал ему совет:

— Ты небось в дверь стучишь, прежде чем войти к начфину? Дурак. Дверь надо ногой открывать.

— В смысле — вести себя по-хамски? — уточнил Вадим. — Я так не умею.

— При чем тут хамство? Ты открываешь дверь ногой просто потому, что тебе нечем постучать, у тебя руки заняты. Дошло?

Верить в это не хотелось, но пришлось. Заняв руки подношениями в виде дорогого спиртного, Вадим ввалился к финансисту, и дело сдвинулось. Но все равно не так, как он предполагал. Ему ясно дали понять, что если он хочет получить полагающиеся ему денежные суммы, то должен рассчитывать только на пятьдесят процентов от них. Иначе денег для него по-прежнему не будет до второго пришествия. Вот такой простой выбор: или половину, или вообще ничего. Он согласился на половину.

Полностью рассчитавшись с Министерством обороны, Вадим окончательно встал за прилавок. За тот месяц, пока он еще учился и работал на рынке только по выходным, финансовая ситуация стала более ясной. В удачный день действительно можно было заработать девяносто-сто долларов, но в неудачный не продавалась ни одна вещь, и Вадим, получавший заранее оговоренную сумму с каждого проданного костюма, пиджака или куртки, не зарабатывал, соответственно, ничего, за исключением трех долларов, которые хозяин в лице бывшего сослуживца Юрия платил в любом случае за выход на работу. Таким образом, перспективы скорой покупки квартиры для сестры Люси выглядела уже не такой радужной, но и не безнадежной.

Вадим, склонный к основательности и методичности во всем, чем бы ни занимался, начал вести детальный учет проданных вещей по размерам, цвету, фасону, по дням недели, декадам и месяцам.

— Я хочу, чтобы на моем прилавке лежало не то, что мне выдаст хозяин, а то, что будет пользоваться сегодня спросом у покупателей, — объяснял он Наташе по вечерам, аккуратно заполняя собственноручно разработанные таблицы и схемы. — Какой смысл стоять за прилавком, если на нем лежит то, что не пользуется спросом? Москвичи приходят на рынок в свой выходной день и покупают одно, а приезжие приходят тогда, когда бывают в Москве, чаще всего это будние дни, и покупают они совсем другое. Я должен уловить эту разницу, чтобы каждый день на моем прилавке лежало то, что именно сегодня будет востребовано.

Наташа с уважением и трепетом относилась к его стараниям, но результат пока что был невыразительным: за полтора месяца ежедневной, без выходных, торговли Вадиму удалось заработать восемьсот долларов. В масштабах зарплаты государственного служащего это были огромные деньги, но в масштабах двухкомнатной квартиры, даже плохонькой и маленькой, — каплей в море.

— Что слышно от Людмилы Александровны? Когда она соизволит нас осчастливить?

— Она заканчивает оформление продажи квартиры, — объяснила Наташа. — Я сегодня с ней разговаривала, скорее всего, недели через две они приедут.

— Какое счастье! — скептически фыркнул Вадим, но, увидев ее изменившееся лицо, тут же сменил тон. — Натка, не обращай внимания, это я так шучу. Мы с тобой все решили и приступили к выполнению, так что долой эмоции.

Чем ближе подступало неизбежное событие, тем страшнее становилось Наташе. Ей не хотелось делиться своим настроением с мужем, он и без того не в восторге от предстоящего уплотнения, и Наташа все чаще и чаще заходила к Бэлле Львовне специально для того, чтобы, как она выражалась, «выговориться по проблеме».

— Бэллочка Львовна, я просто разум теряю от ужаса, — говорила она. — Ну как это так? Мама будет жить у вас, Катюша — с мальчиками. Не по-человечески это. Но если я поселю маму в нашей с Вадимом комнате, он взбеленится. У него... потребность... ну, в общем, вы понимаете, о чем я... потребность очень высокая, он без этого не желает обходиться, а как же мы будем заниматься любовью, если мама будет рядом спать?

— Золотая моя, в том, что твоя мама будет жить со мной, как раз ничего страшного нет. Две старушки — мы всегда найдем чем заняться и о чем поговорить. Болячки обсудим, телевизор посмотрим, почитаем друг другу вслух. Знаешь, в старину была прелестная традиция — домашние чтения. Вот мы ее и возобновим. А вот то, что с твоими мальчиками будет жить девочка, это непорядок. Они хоть и двоюродные, но по сути совершенно чужие друг другу, с тех пор, как мы похоронили твоего папу, Люся ни разу не приезжала в Москву и не привозила сюда свою дочку. А ведь ей уже пятнадцать лет. Ни в коем случае нельзя допускать, чтобы она жила в одной комнате с твоими сыновьями.

— А где же ей жить?

— Пусть живет вместе со своей матерью в Ирочкиной комнате. Это будет справедливо.

— Да ну что вы, Бэллочка Львовна, — отмахивалась Наташа, — Люся ни за что не согласится, она хочет иметь отдельную комнату и жить одна. Она, наверное, возьмется сочинять что-нибудь бессмертное и не захочет, чтобы ей мешали.

— Ты должна проявить твердость, — настойчиво повторяла Бэлла Львовна. — Один раз в жизни ты можешь отстоять свою позицию в отношениях с сестрой или нет? Она не имеет права распоряжаться жизнью твоих сыновей. Это твои сыновья, Наташенька, золотая моя, и кто же защитит их интересы, если не ты, мать? Кроме того, есть и интересы этой девушки, Катюши. Пятнадцать лет — это вполне солидный возраст, она уже не ребенок, не девчонка, и каково ей будет жить в одном помещении с двумя мальчиками четырнадцати и тринадцати лет? Об этом должна была бы побеспокоиться ее собственная мать, но твоя сестра, судя по всему, умеет беспокоиться только о себе самой.

— Ой, Бэлла Львовна, — Наташа вздыхала и хваталась за голову, — и что я ей скажу? Как я объясню это Люсе, если она сама не понимает?

— А ты ничего не объясняй, золотая моя, ты просто поставь ее перед фактом, — советовала соседка. — Открой дверь в Ирочкину комнату и скажи спокойно и приветливо: «А вот здесь, Катюша, будете жить вы с мамой. Здесь как раз два спальных места. Надеюсь, вам здесь будет удобно». И посмотри, что в ответ на это сделает твоя дражайшая сестрица.

— Что сделает, что сделает. Скандал закатит, как тогда, когда мама с папой хотели, чтобы мы с ней вместе переехали в комнату Брагиных.

— А это мы еще посмотрим, — загадочно усмехалась Бэлла Львовна. — Теперь, золотая моя, расклад сил совсем другой. Тогда ты была маленькой и права слова была лишена, зато была мама, которая всегда и во всем стояла на стороне Люси. Сегодня же, заметь себе, твоя мама слишком стара, чтобы вступать в открытые конфликты с людьми, на иждивении которых она собирается жить. Она больше не боец в Люсиной армии. Ты стала взрослой и жесткой, ты только вспомни, как ты отшила ее с ее гениальными романами, которые она хотела навязать тебе для сценариев. С тех пор прошло десять лет, а я очень хорошо помню эту историю. И последнее по счету, но не по степени важности: теперь рядом с тобой стоит Вадим. А уж ему-то палец в рот не клади, Марик мне рассказывал, как твой муж его отчитывал на кухне.

— Неужели рассказывал? — ахнула Наташа.

Боже мой, ей-то казалось, что Вадим оскорбил Марика до глубины души и что Марик никогда ни с кем не поделится деталями этого разговора. Ведь и сам Вадим ни словом ей не обмолвился, а Наташа так и не призналась, что подслушивала. Сама тема казалась ей постыдной и горькой, предназначенной только для ушей тех, кто обсуждал ее тогда на кухне поздним вечером. Она не могла себе представить, как это Марик придет к Бэлле Львовне и скажет: «Знаешь, мама, сосед отчитал меня за то, что я тебя бросил в Москве на иждивении чужих людей». А оказывается, Марик смог поделиться этим. Он, наверное, совсем другой, не такой, как Наташа, он мыслит иначе и чувствует иначе. То, что ей представляется стыдным и оскорбительным, для него — нормально и совсем даже не обидно.

Когда стала известна дата приезда матери, сестры и племянницы, Наташа по нескольку раз в день подходила к двери пустующей Ирочкиной комнаты, открывала и сперва мысленно, а потом громким шепотом произносила:

— А вот здесь, Катюша, будете жить вы с мамой. Здесь как раз два спальных места, письменный стол и обеденный. Надеюсь, вам здесь будет удобно.

Первые несколько раз язык слушался плохо. Она не могла выдавить из себя слова, которые, как ей мнилось, вызовут целую бурю негодования, истерику, слезы. Но с каждой попыткой дело шло все легче и легче.

И вот наконец настал тот день, когда Вадим на машине привез новых членов семьи с вокзала. Боже мой, как постарела мама! После отъезда в 1984 году Галина Васильевна несколько раз приезжала в Москву повидать дочь и внуков, гостила три-четыре дня и снова возвращалась в Набережные Челны.

— Надо ехать, — говорила она в ответ на уговоры Наташи остаться еще на несколько дней, — Люсенька там без меня не справляется, у нее столько забот!

Тогда Галина Васильевна, несмотря на преклонные годы, была бодрой и полной сил. А теперь ей уже восемьдесят, она с трудом передвигается, плохо видит и очень плохо слышит.

Маму сразу же увела к себе Бэлла Львовна под предлогом того, что нужно переодеться с дороги и разложить вещи. «Твой выход, Наталья Воронова!» — скомандовала себе Наташа и распахнула дверь в комнату, где когда-то жили Маликовы.

— А вот здесь, Катюша, будете жить вы с мамой. Здесь как раз два спальных места, письменный стол и обеденный. Надеюсь, вам здесь будет удобно, — произнесла она звонко, уверенно и без запинки.

Ответом ей был полный ненависти и презрения взгляд сестры, которым она окинула сначала Наташу, потом ее мужа. Но никакого скандала не последовало. Мудрая Бэллочка и в этот раз оказалась права. Изолировать маму, поставить рядом Вадима, придать голосу твердости — и на Люсю можно найти управу.

ИГОРЬ

Жора Грек всегда был энергичным и оборотистым, еще когда в студентах ходил. Учился не бог весть как, зато все успевал — и дружить, и любить, и гулять, и веселиться, и даже подфарцовывал, зарабатывая на карманные расходы. Поэтому Игорь ничуть не удивился, когда из их университетской компании именно Жорка первым встал на путь интенсивного зарабатывания хрустящей зеленой валюты. К весне 1995 года он стал руководителем службы безопасности одного московского банка, возглавляемого его сородичем — греком, предки которого некогда перебрались в Москву из Сухуми. Банкир гордился своим эллинским происхождением и с удовольствием принимал на работу обрусевших выходцев из страны Гомера и Платона. И Георгий Попандопуло, юрист по образованию, имевший пусть и небольшой, но все-таки опыт работы в правоохранительных органах, без труда смог занять в этой финансовой организации вполне достойное место. Платил банкир за безопасность банка и свою собственную щедро, и уже к концу лета, всего через несколько месяцев работы, Жора построил за городом славненький коттеджик и обзавелся престижной модификацией «Мерседеса» класса «S». Он так и не женился, предпочитая проводить время в обществе дивной красоты и прозрачной худощавости моделей, которых на время страстного ухаживания селил сначала в своей квартире, потом в своем коттедже, а по окончании периода острого взаимного интереса вывозил вместе с вещами по их московскому адресу. Модели не возражали против такого развития событий, впрочем, мудрый Грек и выбирал себе в подружки именно таких девушек, которые возражать не станут. Глаз у него был наметанным, и он ни разу не ошибся и не поселил в своем доме ту, которая начала бы вить в нем семейное гнездо и настаивать на расширении и юридическом оформлении своих полномочий.

Примерно раз в три-четыре месяца он исправно обзванивал друзей по совместной учебе в Томске и приглашал к себе в гости, сначала в московскую квартиру, а теперь уже и в загородный дом, где наличествовала в отдельной пристройке баня. Кроме Игоря, на эти встречи обязательно являлись Вася с Леной. Светлану с мужем Грек пригласил всего два раза, но они не пришли, сославшись на какие-то обстоятельства, и больше Жора их своим вниманием не одаривал.

— А ну их, — беспечно говорил он друзьям, — Светка будет Игоря раздражать, он ее — тоже, а ее благоверного мы и вовсе не знали, он на нашем курсе не учился. Без них спокойнее.

Игорь был полностью согласен, видеть Светлану ему совсем не хотелось, да и к тому, кого она в итоге предпочла, он ни малейшего интереса не испытывал. Сам он, когда был женат на Вере, приходил к Жоре с женой, потом — по настроению, то с очередной подругой, то один. После женитьбы на Ирине он попытался было без предварительных обсуждений взять ее с собой к Греку, но Ира неожиданно засопротивлялась:

— Игоречек, я не уверена, что это удобно. Это твои старые университетские друзья, у вас есть о чем поговорить, что вспомнить. Я буду в этой компании лишней, стану вас стеснять. Зачем тебе это?

— Во-первых, Жорка не женат и на наших встречах роль хозяйки всегда выполняет какая-нибудь его подружка, и никогда никого это не стесняло. А во-вторых, я хочу познакомить тебя с моими друзьями.

Он не кривил душой, ну разве что чуть-чуть... Ирка — по-настоящему красивая молодая женщина, стильная, эффектная, к тому же будущая актриса, такую не стыдно представить друзьям, особенно после истории со Светланой и неудачной женитьбы на серенькой провинциалке Верочке. Такая жена, как Ирка, будет в глазах друзей символом его состоятельности в личной и семейной жизни. С другой стороны, Игорь хотел показать ей ребят. Жорка — почти богач, с собственным домом и шикарным «Мерседесом». Василий — адвокат, в университете он проходил специализацию на одной кафедре с Игорем, углубленно изучал уголовный процесс, сразу после получения диплома прорвался в адвокатуру, последние пять лет занимается частной практикой в крупной юридической фирме. Его конек — сделки с недвижимостью. Выступает в суде, добиваясь возвращения истцам незаконно отнятой у них жилплощади. Или, наоборот, доказывает, что новый владелец приобрел квартиру или дом на законных основаниях. Как только рынок жилья стал свободным, Василий мгновенно учуял перспективу и занялся тем, что должно было приносить с каждым годом все больший и больший доход. И не ошибся. Миллионером пока не стал, но постепенный и неуклонный рост его гонораров весьма красноречиво свидетельствовал о том, что путь он выбрал правильный и что в конце этого пути его ждет собственный дом не хуже, чем у Жорки. А может быть, и получше. Зубрилка Леночка, Васина жена, осталась верна науке и тоже почему-то не прогадала. Еще в университете она увлеклась государственным и конституционным правом — дисциплиной, по мнению мужской части компании, нудной и тошнотворно скучной. Может быть, так оно и было в советские времена, однако теперь специалисты-государствоведы и конституционники оказались жутко востребованными. Статус съезда народных депутатов, закон о статусе самих депутатов, Государственная дума, новая Конституция, федерализм и суверенитет, разделение полномочий Президента, Правительства и Думы — все это требовало именно тех знаний, которые с упоением, доходящим до экстаза, упрочивала и совершенствовала в своей головке маленькая тихая Леночка, успевшая за время после окончания университета окончить аспирантуру в Институте государства и права Академии наук, защитить диссертацию, родить ребенка, написать главы в несколько учебников и стать активным членом думского комитета по законодательству.

Такими друзьями похвалиться не грех, Игорь был уверен, что подобное окружение добавит ему баллов в глазах молодой жены.

В тот первый раз Ира с трудом, но все-таки согласилась поехать в гости к Греку, однако поставила условие:

— Если я почувствую, что мешаю вам, я больше не буду с тобой ездить, хорошо? Я согласна, Игоречек, познакомиться надо, неприлично прятать жену от близких друзей, но жена не должна превращаться в обузу, которая портит давно сложившуюся теплую компанию. Это всем будет неприятно: и мне, и тебе, и твоим друзьям. Твои друзья — твои ровесники, а я младше вас всех на восемь лет, это может очень мешать.

Он был искренне тронут такой деликатностью и в очередной раз подумал о том, как права была мама, подталкивая его к браку с Ирой. Такая жена никогда не будет в тягость и не повиснет на его шее пудовой гирей, как Верочка с ее тягой к активному образу жизни и непременными «встречами с прекрасным» по выходным дням. Вопреки опасениям Иры, она легко вписалась в круг выпускников Томского университета, сразу же принялась хозяйничать на кухне вместе с двадцатилетней ослепительной «моделькой», в разговоры особо не встревала, но слушала с таким серьезным вниманием, что каждый говорящий непременно начинал ощущать собственную значимость и растущий прямо на глазах интеллектуальный потенциал. Игорь видел, что ребятам его жена понравилась, Жорка оценил ее броскую красоту, Василий — умение слушать, не перебивая, а Леночка — несомненный талант в деле украшения и подачи в общем-то простеньких и достаточно невзрачных блюд, превращенных усилиями Ирины в произведения искусства. С тех пор в гости к Греку он всегда приходил с женой.

Сентябрьский вечер выдался теплым и тихим, Жорка впервые пригласил их в свой новый коттедж, и после оздоровительных банных процедур компания обосновалась за круглым деревянным столом на открытом воздухе, в беседке. Здесь же на мангале жарились шашлыки. Разговор вертелся вокруг криминальных тем, что и неудивительно, год оказался на редкость богат событиями: в феврале убили депутата Госдумы Скорочкина, в марте — популярного тележурналиста, любимца всей страны Листьева, из тюрьмы Матросская Тишина сбежал известный киллер Александр Солоник, в июне боевики Шамиля Басаева захватили Буденновск и взяли в заложники 1200 человек.

— Он прошел пятьдесят два блокпоста, вот ты можешь это объяснить? — Жорка после бани прилично выпил и, как обычно, стал слегка агрессивен. — Ты же мент, вот объясни ты нам всем, как такое могло произойти. Не можешь?

Он направил на Игоря угрожающе выставленный указательный палец.

— Не можешь, значит. А я тебе скажу, как. Давали по сто баксов и спокойно проходили. То есть сегодняшнего офицера можно за сто баксов купить. Верно я говорю, майор Мащенко?

— Можно и дешевле, — скупо усмехнулся Игорь, давно привыкший к Жоркиным выпадам и не обижавшийся на него. — Смотря какие у него запросы и сколько ртов ему нужно кормить. Ты ему сначала обеспечь зарплату, на которую он может семью содержать, а потом требуй, чтобы он был честным.

— Ох ты какой! — забалаганил Грек. — Ты на себя посмотри, честный ты наш! Жена-красавица с запросами, машина далеко не отечественного производства, и что, все это на одну жалкую зарплату следователя? Выходит, и тебя, Игореха, купили. Интересно, за сколько? Говори, не скромничай, все свои. Никто тебя не сдаст.

Тема тоже была привычной, разбогатевший Жора обожал поддевать Игоря, который по совершенно необъяснимой причине не уходил с государственной службы и при этом отчего-то не подыхал с голоду под забором. Грек постоянно звал товарища к себе на работу, обещал хорошую должность и приличный заработок, но Игорь отказывался, и Жорка чувствовал себя оскорбленным. Он же облагодетельствовать друга хочет, а тот неизвестно почему сопротивляется, да еще с таким видом, как будто ему предлагают что-то неприличное! Игорь видел, что Грека это задевает, и в подпитии он может позволить себе не вполне дружественные высказывания.

— Моя жена, — Игорь миролюбиво улыбнулся и обнял сидящую рядом Ирину, — красавица без запросов, а машину мне предки подарили, и ты, Грек Попандопуло, прекрасно об этом знаешь. Мне повезло, я живу на содержании у состоятельных родителей, поэтому имею возможность работать честно и взяток не брать. Но ты прав, так, как мне, везет далеко не каждому.

— И не стыдно тебе? — продолжал читать мораль Жора. — Здоровый лоб, тридцать три года, а живешь на содержании у родителей. Христос в этом возрасте уже все мыслимые муки принял...

— А Гайдар вообще в пятнадцать лет командовал полком, — со смехом подхватил Василий. — Кончай нудеть, Грек. Да, в наше время все продаются и все покупаются, и ты, между прочим, тоже продался. Чего ж ты в ментовку не возвращаешься, если ты такой идейный? Иди, охраняй покой рядовых граждан, а не богатея-банкира.

— Банкир тоже человек, — обиделся Жора. — Почему это его охранять не надо, а тебя — надо?

— Да всех надо, всех, успокойся ты. И банкиров, и депутатов, и бабок-пенсионерок, — подала тоненький, но властный голосок Леночка, до этого тихонько шептавшаяся с Ирой о чем-то сугубо женском. — Жорик, ты стал слишком быстро пьянеть, выпили-то всего ничего, а ты уже околесицу несешь. Стареешь, друг мой, теряешь квалификацию.

Игорь улыбнулся Леночке и подмигнул ей. Эта кроха всегда умела одной фразой повернуть разговор в принципиально другую сторону, да так, что Жорка этого не замечал и послушно тащился по новой колее. Сейчас Грек начнет усиленно опровергать тезис о том, что он стареет, апеллировать к мнению своей хорошенькой любовницы, и беседа плавно перейдет в область секса, потенции, СПИДа и прочих безопасных для самолюбия присутствующих вещей. Когда тебе всего тридцать три, ты считаешь себя уже крупным знатоком в области секса, а тема потенции тебя интересует только в виде анекдотов и баек о знакомых преклонного возраста.

Именно так все и получилось. Под новые порции шашлыка и красное грузинское вино (водку решили больше не пить, пока Грек не придет в норму) обсудили качество порнофильмов, сошлись во мнении, что качество это оставляет желать много лучшего, поспорили о том, какие фильмы более «забористые» — немецкие, шведские или голландские, рассказали десятка полтора анекдотов, достаточно остроумных, чтобы вызвать смех, и достаточно деликатных, чтобы не смущать присутствующих дам.

— Смех смехом, а вообще-то потенция — штука серьезная, — сказал Василий. — Такие драмы из-за нее разыгрываются, даже представить невозможно. Я недавно с таким делом столкнулся. Спорная квартира, владелец покончил с собой, на наследство претендуют дети от первого брака и вторая жена, молодая красавица. Дети считают, что она должна быть лишена права наследования, потому что умышленно довела мужа до суицида. Жалобу в прокуратуру накатали, добились возбуждения уголовного дела против мачехи по статье о доведении до самоубийства с корыстной целью. Якобы она специально спровоцировала у мужа психогенную импотенцию, а потом задолбала попреками в мужской несостоятельности.

— Ни фига себе! — присвистнул Грек. — А как это можно умышленно спровоцировать импотенцию? Разве так бывает?

— Бывает, — с видом знатока заявил начитанный Василий. — Еще как бывает. Только доказать это невероятно трудно, даже если сам импотент жив и может давать показания. А уж если он умер, то доказать ничего невозможно. Следователь, не будь дурак, ввязался в это дело, вместо того чтобы отказной материал сочинить. Молодой, видно, и сексуально озабоченный, ему жуть как интересно в чужих трусах покопаться. Короче, ввязался он, начал весь круг знакомых покойного изучать, к себе вызывать и спрашивать, заметили ли они, что покойный находился в подавленном состоянии, да с какого времени, да в связи с чем. Ну и докопался. Оказалось, что этот самоубийца подвергся в своем профессиональном кругу общественному остракизму. Он был театральным критиком, автором монографий, профессором, членом всяких обществ, всегда в президиумах сидел, в общем — видная личность. Каким-то образом просочилась информация о том, что он когда-то активно стучал на своих коллег, в том числе на театральных актеров и режиссеров, которых из-за неблагонадежности не выпускали на зарубежные гастроли. Уж откуда эта информация приплыла — черт его знает, ничего официального, но все сразу поверили, все тут же вспомнили, как сказали что-то резкое этому человеку, причем не антисоветское, а просто неприятное в личном плане, а потом их почему-то не включали в состав труппы, выезжающей за границу. От него все отвернулись, руки ему никто не подавал, а парочке его учеников-театроведов накидали на защите диссертаций черных шаров. От этого у него и импотенция наступила. Жена-молодуха от него ушла. Он и повесился с горя. Так ведь что самое любопытное: как только следователь до всего этого докопался, дети явились в прокуратуру и устроили ему скандал. Дескать, как вы смеете порочить светлую память нашего дорогого папочки. Нам детей воспитывать нужно, что же мы им скажем, что их дедушка стукачом был? На каком примере будем растить новое поколение? Закрывайте дело. Пусть эта стерва, жена, стало быть, молодая, квартиру забирает, нам от нее, мерзавки, ничего не нужно. Позвольте, говорит следователь, дело я так и так закрою, поскольку молодая жена вашего батюшку до самоубийства не доводила, стало быть, состава преступления нет. Но почему же она мерзавка и стерва, коль ее вины в случившемся нет? Импотенция у него наступила на нервной почве в связи с тем, что вскрылись его неблаговидные поступки в прошлом, и никто, кроме него самого, в этом не виноват. Тогда дети накатали очередную жалобу, на этот раз на всех членов Союза театральных деятелей и всех искусствоведов города Москвы за необоснованную травлю их отца. Дескать, поверили сплетне, ничего не доказано и не проверено, а довели своей травлей человека до самоубийства. А потом другую жалобу, на мачеху, что, мол, не ценила она человеческие достоинства своего мужа, требовала от него только постельных утех, а как только он стал несостоятельным, устроила ему грязный скандал и бросила, съехала с квартиры, и вещи свои забрала, и потому претендовать на жилплощадь не может. Очень им хотелось и квартиру заполучить, и репутацию папаши спасти. Главным для них было жену скомпрометировать, поэтому они тему этой несчастной импотенции постоянно поднимали, но ничего у них, конечно, не вышло. Квартиру я ей отсудил. А вам, мужики, скажу со всей своей адвокатской серьезностью:

берегите мужскую силу, чтобы ее потом в случае чего в открытом судебном заседании не обсуждали. Мораль ясна?

Все дружно закивали в знак того, что все поняли и выводы сделали. Игорю тоже было что порассказать по этой тематике, в его производстве находилось несколько уголовных дел о торговле поддельными медикаментами на огромные суммы. Среди липовых лекарств солидное место занимали именно препараты, гарантирующие быстрое и полное излечение от простатита и импотенции. Свою лепту в обсуждение внесла и Леночка, позабавившая компанию рассказом о депутате одной из парламентских фракций, который на полном серьезе требовал внесения изменений в закон о выборах депутатов с тем, чтобы в Государственную думу не могли проникать импотенты. Мотивировал он свою законодательную инициативу тем, что якобы импотенты все сплошь злобные и агрессивные типы, не способные к конструктивному диалогу с оппонентами, они только ругаются и скандалят на заседаниях Думы, потому что из-за своего несчастья всем завидуют и всех ненавидят.

Совершенно неожиданный оборот застольная беседа приняла после вмешательства Жоркиной красоточки.

— Вася, — не утруждаясь пиететом перед человеком лет на десять старше себя, которого она к тому же видела впервые, — а ты на самом деле спец по квартирным вопросам?

— А что, киска, у тебя проблемы? — забеспокоился протрезвевший к тому времени Грек. — Тебя хотят выселить?

— Пока нет, но я немножко побаиваюсь. Можно, я расскажу?

— Можно, — великодушно разрешил гостеприимный хозяин. — Валяй, поведай нам свою печальную песнь.

Девушка, путаясь в словах и подолгу выбираясь из лирических отступлений, в которые она впадала на каждом шагу, рассказала, что недавно купила себе квартиру, очень дешево, она даже не ожидала, что сегодня в Москве можно за такие смешные деньги купить двухкомнатную квартиру, не в центре, конечно, но и не на задворках. Она, конечно, поинтересовалась, почему хата продается так недорого, а ей объяснили, что владелец купил ее почти за такие же деньги, чуть-чуть дешевле даже, у инвалида-афганца, который окончательно спился от одиночества и решил переехать на постоянное жительство в дом инвалидов. Поскольку нынешнему владельцу эта квартира обошлась совсем недорого, то он, затеяв переезд к жене, решил на продаже не особо наживаться, цену приподнял, но не сильно. Выражал даже понимание того, что такой молодой девушке негде взять много денег, а молодые самостоятельно зарабатывающие девицы всегда вызывали у него сочувствие. Куплю-продажу оформили как полагается, девушка въехала в новое жилище и принялась приводить его в порядок. Судя по всему, тот, кто продал ей квартиру, в ней ни одного дня не жил. Во всяком случае, при разборе завалов в кладовке и на антресолях девушка обнаружила только то, что могло принадлежать прежнему хозяину — спившемуся инвалиду-афганцу. В основной своей массе это был хлам, подлежащий немедленному выбрасыванию на помойку, но нашлись и личные вещи, выбрасывать которые у девушки рука не поднялась. Письма, школьные тетрадки, свидетельство о смерти матери и документ о владении участком на кладбище, где похоронены бабушка и мать инвалида. Не лишенная сострадания девушка позвонила продавцу квартиры, чтобы узнать, в какой именно дом инвалидов определили несчастного афганца, она хотела съездить туда, отвезти ему документы и какие-нибудь гостинцы. Но вразумительного ответа не получила, продавец квартиры ничего об этом не знал. Тогда она решила выяснить это сама, села на телефон и методично обзвонила все организации, которые могли бы дать ей нужную справку. Оказалось, что ни в одном доме инвалидов на территории Москвы и Московской области человека с такой фамилией нет. И конечно же, девушке полезли в голову не самые приятные мысли.

— Что скажешь, гражданин следователь? — спросил Василий Игоря, выслушав историю Жориной подруги.

— Скажу, что ситуация хреновая, — без ложного оптимизма ответил тот. — История с дешевой квартирой подозрительная, и ты, детка, беспокоишься не напрасно. Но только с точки зрения нравственности. Ты же честно купила квартиру у предыдущего владельца, ты и знать не знала, что там что-то нечисто. Тебя суд признает добросовестным приобретателем, верно, гражданин адвокат?

— В принципе, да, — отозвался Василий, — если у афганца нет родственников, которые будут оспаривать законность сделки. Но и здесь, я думаю, все чисто, этот афганец сам продал хату, добровольно. И все документы сам подписал. Другое дело, каким обманным путем его на это подбили, но тут уж, как говорится, остается только догадываться. Плохо только, что он пропал. Выехал из квартиры, а до дома инвалидов не доехал. Но не нужно сразу думать о том, что его убили те, кому он продал квартиру. Он мог банально напиться, тем более деньги-то за квартиру он получил, и укатить в неизвестном направлении в любое место нашей необъятной страны. Или помереть своей смертью где-нибудь в подвале, где пил с другими алкашами. Или попасть под поезд, например. Случаи, детка, всякие бывают. Но если проблемы возникнут — обращайся, возьми у Жоры мои координаты и звони. Подумаем, как тебе помочь.

Игорь предпочел эту тему больше не развивать, после рассказа девушки у него резко испортилось настроение. Из головы не шел Жека Замятин, к которому предстояло на днях заехать в гости. Женька, безногий инвалид-афганец, много пьющий. Конечно, с ним такой номер не пройдет, он живет не один, а преступники, если не полные идиоты, ищут одиноких, о которых некому позаботиться и которых никто не станет искать.

— Поздно уже, пора ехать.

Он резко встал из-за стола и потянул Ирину за руку.

— Как это ехать? — возмутился Грек. — Почему? Я же с ночевкой приглашал, дом большой, места всем хватит. Завтра воскресенье, выспимся, еще шашлычка сварганим, в лесу погуляем, вон красота какая кругом...

— Извини, — прервал его Игорь, — мне завтра на работу надо, я дежурю.

— Игорек, ты же выпил, — осторожно заметила боязливая Леночка. — Как же ты машину поведешь?

— Ничего, я много не пил. И ехать буду аккуратно. В крайнем случае ксивой прикроюсь.

Всю обратную дорогу он молчал, думая о Замятине. Не так давно Женька позвонил ему на работу и попросил помочь вытащить из милиции какого-то своего приятеля, которого замели за хулиганство. Игорь помог. Правда, оказалось, что замели его не за хулиганство, а за ношение незарегистрированного оружия, но все равно отпустили, проникнувшись сочувствием к ветерану, проливавшему кровь на неправедной войне, в ошибочности которой уже покаялось государство. А еще раньше Жека обращался с просьбой узнать фамилию следователя, в производстве у которого находится уголовное дело по обвинению еще одного бывшего афганца в разбойном нападении. Дескать, Совет ветеранов — участников афганской войны хочет написать ходатайство и заступиться за несчастного, контуженного вражеским снарядом, да вот не знают, на чье имя и к кому обращаться. Игорь и здесь помог. Но его не покидало противное чувство, что Жека его использует. Пока вполне невинно, ни о чем предосудительном он не просил, но большие преступления всегда начинаются с маленьких проступков, это Игорь Мащенко, проработавший следователем одиннадцать лет, знал точно.

— Разве ты завтра дежуришь? — спросила Ирина, когда они уже въехали в город.

— Нет, — коротко ответил он.

— Значит, соврал?

— Значит, соврал.

Он ожидал, что жена начнет расспрашивать, зачем он солгал друзьям, да почему у него испортилось настроение, да о чем он так напряженно размышляет всю дорогу, но она неожиданно заговорила совсем о другом:

— Знаешь, Игорек, я думаю, мы правильно сделали, что не остались ночевать у Георгия. Мне после всех этих разговоров так тягостно сделалось. Так неприятно...

— И что тебя так расстроило? — удивился он.

За столом Ирина улыбалась, и уж никак нельзя было сказать,

что она чем-то огорчена или недовольна. Неужели мужской треп о сексе и импотенции показался ей излишне сальным? Ну, это уж, знаете ли... Второй раз замужем, нечего из себя кисейную барышню строить.

— Эта история про профессора, от которого все отвернулись. Это ужасно, Игорь.

В ее голосе Игорю почудилась настоящая боль. Ну надо же, как она, оказывается, умеет переживать за людей, которых в глаза-то никогда не видела! Вот чудачка!

— Что здесь ужасного? Человек поступил некрасиво, общественность его осудила. Это случается сплошь и рядом.

— Да нет же! Я не об этом.

— А о чем? Я что-то не понимаю.

— Даже не знаю, как сказать... Вот представь себе, что тебе кто-то на ушко шепнет, будто... ну, я не знаю... Ну, например, Василий избивает Леночку, запирает ее в ванной на сутки, не выпускает, не кормит. Другими словами, систематически и жестоко над ней издевается, обзывает по-всякому. Сама Леночка об этом никому не говорит и не жалуется. Вася, естественно, тоже тебе об этом не говорил. А кто-то вот шепнул. И что, ты сразу вот взял и поверил? И отвернулся от Василия, и руки ему не подаешь?

— Бред! — фыркнул Игорь. — Я Ваську знаю пятнадцать лет, даже шестнадцать. Он на такое не способен.

— А как же тот, кто тебе шепнул? Он же откуда-то это взял, значит, он что-то знает.

— Да что он может знать? Особенно если и Леночка молчит, и Васька. Наврал из зависти или из мести, или просто дурную шутку решил сыграть. Ему никто не поверит.

— А почему про профессора все сразу поверили? Он ведь тоже, наверное, не распространялся на каждом углу о том, что стучал на артистов. И сами артисты наверняка не знали, почему их не выпустили. То есть понимали, что их сочли неблагонадежными, но не знали, почему конкретно, за какие слова и поступки и кто их сдал. Никто ничего точно не знал, потом появился у профессора недоброжелатель, шепнул гадость на ушко одному, другому — и дело сделано. Профессор весь в дерьме, депрессия, импотенция, петля. Почему же никто не засомневался? Почему никому в голову не пришло, что это провокация? Почему никто за него не заступился?

— Ириша, ты рассуждаешь как обыватель, а это неправильно.

— А как правильно? Объясни мне, как правильно рассуждать.

— Во-первых, мы с тобой знаем эту историю только со слов Василия. А он, в свою очередь, со слов следователя. Следователь же — со слов тех людей, которые были знакомы с профессором и описывали ситуацию с его травлей. Ты представляешь, сколько искажений могло произойти на этом долгом пути? Ни следователь, ни Вася, ни тем более мы с тобой не знаем точно, что и как там происходило. Может быть, за профессора активно заступались. Может быть, сначала никто не верил в его стукачество. Может быть, ему задали прямой вопрос и получили на него утвердительный ответ, после которого уже никто ни в чем не сомневался. И таких «может быть» я тебе три тысячи могу перечислить. Мы с тобой не знаем, как все было на самом деле, а ты берешься анализировать ситуацию и судить о ней. Это неправильно. Боюсь оказаться похожим на маму, но воспользуюсь ее любимой формулой: «Это я тебе ответственно заявляю как следователь». Ты как обыватель готова верить любым нелепым россказням, а я как юрист верю только фактам, которые доказаны в установленном порядке.

Ира некоторое время молчала, вероятно обдумывая услышанное. Потом снова заговорила:

— Я, наверное, слишком молодая, чтобы это понимать... Игоречек, а почему нельзя было выпускать за границу неблагонадежных? Пусть бы себе ехали на свои гастроли.

— Девочка моя, ты действительно еще очень молоденькая, — снисходительно ответил он. — Неблагонадежные — это те, кто мог попросить политического убежища и остаться за рубежом. Или просто сбежать. Этого нельзя было допускать, поэтому их старались выявить заблаговременно.

— Но почему? Я не понимаю, почему? Ну и пусть бы оставались, жалко, что ли? Если человек не хочет здесь жить, зачем же его насильно удерживать?

— Ирка, ты — истинное дитя свободы! — расхохотался Игорь, чувствуя, что от такой искренней наивности жены у него даже настроение улучшается. — Тебя что, диссиденты воспитывали?

— Какие еще диссиденты? Соседи меня воспитывали, — буркнула она недовольно. — Между прочим, Бэлла Львовна в партию еще во время войны вступила, она всю войну в госпитале проработала, даже в эвакуацию не уезжала.

— Тогда она должна была тебе объяснить, что советский человек обязан любить свою Родину и быть всем довольным. Он ни при каких обстоятельствах не должен хотеть уехать и жить на Западе, потому что в СССР такая прекрасная жизнь, которую просто невозможно ни на что променять. Что же это получится, если все недовольные будут оставаться на Западе и рассказывать, как у нас плохо живется, как у нас не хватает продуктов в магазинах, как нас душит цензура, как воруют партийные и советские руководители. Сразу же рухнет миф о несомненном превосходстве социалистической системы. Поэтому всех неблагонадежных лучше заранее запереть в клетке, чтобы сидели тихонько и не чирикали. Для этого в КГБ существовало специальное управление, кажется, пятое, по борьбе с диссидентами. А внутри его — разные отделы, в частности, по контролю за сферой искусства. На гастроли выпускали только самых проверенных и надежных. Такова была политика, Ириша.

— Государственная политика? — почему-то уточнила она.

— Ну а какая же еще? При советской власти у нас все было исключительно государственным.

— То есть этот профессор, если, конечно, он действительно стучал, если это не вранье, он действовал в интересах государства?

— Ну, в известном смысле... Да, пожалуй.

— Тогда кто посмел его осуждать? Он любил свою Родину, его так воспитали. Ему предложили помочь Родине защитить ее интересы. Он помог. Почему же спустя какое-то время его начали за это травить? Извини, Игорек, я действительно не юрист, но логики я здесь не вижу. Зато я знаю, что такое историческая корректность и историческая бестактность. Сейчас, глядя с высоты демократии на тоталитарный режим, в котором мы жили, очень легко все осуждать и поносить. А ты поставь себя на место этого профессора. Представь на секундочку, что тебя пригласил к себе человек из КГБ и спросил, любишь ли ты свою Родину и готов ли помогать в защите ее интересов. Согласиться — значит, стать стукачом. Отказаться — значит, признаться, что Родину ты не очень-то любишь, а за этим могут последовать оргвыводы. Ты бы что выбрал?

— Бог миловал от такого выбора, — усмехнулся Игорь, паркуя машину возле подъезда. — А ты меня удивила, дорогая супруга.

— Чем?

Огромные миндалевидные глаза, длиннющие ресницы, роскошные темные кудри, рассыпанные по плечам. Живая кукла, да и только. И откуда в ее прелестной головке подобные мысли?

— Своими мыслями. Ты рассуждаешь не как двадцатипятилетняя красавица, а как умудренная жизнью старуха.

— Бэллочкино воспитание, — негромко засмеялась Ира. — Если во мне и есть что-то хорошее, то только благодаря ей. Но если тебя это нервирует, я могу резко поглупеть.

— Учитывая, что уже второй час ночи и нам предстоит ложиться спать, я бы предпочел, чтобы ты поглупела, — пошутил Игорь. — Нет ничего страшнее секса с мудрой старухой.

Хорошее расположение духа почти полностью вернулось. Ирка развлекла его своими наивными расспросами и неожиданным максимализмом. Тем более впереди воскресенье, можно выспаться, поваляться на диване, побездельничать с книжкой в руках. А к Женьке ехать только в среду. Еще не сейчас и даже не завтра.

ИРИНА

Дура, ой дура, ну какая же она идиотка! Так расслабиться и потерять над собой контроль... Игорь, кажется, даже испугался. Теперь придется все ближайшие дни сглаживать впечатление. Полной кретинкой, конечно, прикидываться нельзя, ведь за три года слеплен образ неглупой интеллигентной девушки, но с исторической бестактностью она явно переборщила, этого нельзя было говорить. Она актриса, а не историк и не политолог, не должна она в свои двадцать пять лет использовать такую терминологию и аргументацию. Вышла из образа. Непростительно. И выпила-то всего ничего, два бокала сухого вина, к водке не притрагивалась. А вот, пожалуйста, не уследила за собой. И еще одну ошибку совершила. Не нужно было заводить этот разговор в машине, один на один с Игорем. Надо было подождать до завтра, когда вся семья соберется за столом, и с круглыми от ужаса глазами пересказать Васькину байку в присутствии свекра. Ей важна его реакция, а вовсе не то, что думает по этому поводу ее муж. Теперь момент упущен, глупо будет затрагивать эту тему еще раз. Черт, ну надо же так лопухнуться! За три года — первый реальный шанс поговорить с Виктором Федоровичем о том, что ее интересует, а она его так бездарно упустила. Ладно, на ошибках учатся. Сделаем выводы и примем меры к тому, чтобы подобных глупостей больше не допускать.

На другой день за завтраком Ира вежливо поинтересовалась планами свекрови относительно домашнего хозяйства.

— Елизавета Петровна, у нас на сегодня что-нибудь запланировано? Я вам нужна? А то я хотела съездить на старую квартиру, навестить соседку, она уже старенькая. Может быть, ей что-нибудь нужно.

— Поезжай, деточка, — закивала Лизавета. — Как приятно, что ты не забываешь человека, который помог твоей бабушке тебя вырастить. Обязательно купи по дороге тортик, фрукты и цветы. Хочешь, я положу тебе в пакетик пирожки с яблоками? Вчера напекла три противня, всем хватит. А еще лучше, позвони своей Бэлле Львовне прямо сейчас и спроси, не нужны ли ей лекарства и продукты, заодно по дороге все купишь.

— Вы правы, Елизавета Петровна, я так и сделаю.

Она бы еще посоветовала надеть туфли, выходя из дому, и не забыть ключи от квартиры. И почему некоторые люди так уверены, что без их ценных советов все просто пропадут? Ира подсела к телефону и набрала номер. Занято. Снова набрала. Снова занято. И так на протяжении сорока с лишним минут. Господи, да кто же там на трубке повис? Сколько Ира себя помнила, в их квартире существовало строгое правило: телефон коммунальный, разговаривать по нему следует максимально кратко. Длинные задушевные беседы можно позволить себе только тогда, когда ты в квартире одна и точно знаешь, что никому больше звонить не понадобится. Неужели все разбежались по случаю воскресного дня? Остался только кто-то один, вот и болтает себе всласть. Наверняка это сама Бэллочка, у нее масса подружек, которые обожают почесать языком. Но вообще-то это странно, ведь она еще в пятницу договаривалась с Наташей, что в воскресенье придет. Вадим на работе, с ним все понятно. Мальчики уплыли на очередную тренировку, по воскресеньям они занимаются два раза в день, утром и вечером. Люсина дочка Катюша тоже вполне могла умотать, чего ей в шестнадцать лет дома сидеть. Люся? Ну, допустим, и она ушла, хотя совершенно непонятно, куда. Понесла в издательство свою нетленную рукопись? Так ведь воскресенье, издательства не работают. Но Наташа и Бэлла Львовна не могли никуда уйти, они должны ее ждать. Да и Галина Васильевна наверняка дома, она вообще не выходит одна. Кто же это так нагло занимает коммунальный телефон?

Наконец она дозвонилась.

— Алло? — раздалось в трубке протяжное и ленивое нечто, не то вопрос, не то неудовольствие тем, что помешали, оторвали от интересного занятия.

— Катюша? Это тетя Ира, здравствуй.

— Здрасьть...

Глухие согласные нехотя скатились с округлого пригорка единственной гласной и с тихим шипением потерялись где-то в кустах.

— Кто у вас так долго разговаривал по телефону? Я почти час не могу дозвониться.

— Я разговаривала, а что?

— Ничего. Катюша, ты теперь живешь не в отдельной квартире, а в коммунальной, у тебя есть соседи, и тебе придется с этим считаться. Нельзя занимать телефон так долго. Ты меня поняла? Позови Бэллу Львовну, пожалуйста.

Трубка с глухим стуком опустилась на какую-то поверхность, и до Иры донесся все такой же ленивый протяжный голос:

— Ма-ам, скажи Бэлле Львовне, что ее к телефону. Пусть за трубкой придет.

Во дела! У Иры от ярости даже дух перехватило. Эта маленькая нахалка утащила в свою комнату трубку от радиотелефона, а после разговора даже не соизволила вынести ее назад в прихожую. И теперь старая Бэллочка должна идти к ней в комнату за трубкой, потому что наша Катя не в состоянии поднять задницу и отнести телефон пожилой женщине. Более того, она даже позвать соседку не может, матери перепоручает. Ну и нравы в Люсиной семейке! Как только бедная Наташка это терпит?

Бэллу Львовну пришлось ждать долго. Похоже, Люся и Катя еще долго препирались, кому из них выйти из комнаты и позвать соседку к телефону. Ну ничего, сейчас Ира приедет и построит их обеих в шеренгу. Мало им не будет. Поговорив с Бэллой Львовной и выслушав ее уверения в том, что ничего не нужно, у нее все есть, и продукты, и лекарства, Ира стала собираться. Конечно, дурацкий вопрос она задала, неужели можно хоть на мгновение предположить, что у Бэллочки чего-то нет? Наташка приносит все, что нужно. Но Лизавета начеку, и надо соответствовать роли.

Пирожки с яблоками она с благодарностью захватила, и торт по дороге купила, не маленький тортик, а именно торт, гигантских размеров овальную коробку, ведь в квартире не одна Бэллочка, а восемь человек. И отдельно для Наташи — бакинское курабье, она питает к этому масляному рассыпчатому печенью особую слабость. Какое счастье, что есть место, где можно не притворяться, побыть самой собой, не боясь, что из маленькой щелочки может высунуться Ирка Маликова и нашкодить.

Звонить в дверь она не стала, открыла своим ключом и сразу прошла на кухню. Так и есть, Наташка и Бэлла Львовна колдуют над плитой, они всегда стараются приготовить к ее приходу что-нибудь вкусненькое, как будто она живет в общаге, а не в семье, где кормят на убой.

— Ой, Иринка, ну зачем ты торт покупала! — застонала Наташа. — Я же специально «Наполеон» сделала.

— Ничего, — бодро ответила Ира, — много — не мало. Мне сладкого все равно нельзя, так что я твоим «Наполеоном» насладиться не сумею. Зато дети любят кондитерку, они и мой торт, и твой сметут в два счета. А что у нас на обед?

— То, что ты любишь, — с довольной улыбкой ответила Бэлла Львовна. — Наташа сделала сациви, а я — фаршированную рыбу. А еще солянка на первое и жареная картошечка с грибами на второе. Через полчаса мальчики вернутся из бассейна — и сядем за стол.

— Чудненько, — Ира чмокнула Бэллу Львовну в седую макушку. — Пойду поздороваюсь с мадам.

— Ира! — предостерегающе произнесла Наташа.

Как чувствует, что Ира собирается не просто поздороваться с Люсей, а сказать ей пару приятных слов. И чего она так перед сестрой трепещет? Замечания ей не сделай, слова не скажи. Ну ничего, Наташка не может, а она, Ира, вполне может. И скажет.

В свою комнату она вошла без стука. Еще чего, стучаться она будет, входя в свое законное жилище, где она всю жизнь прописана! Пусть эта зазнайка доморощенная спасибо скажет, что Ира по доброте душевной пустила ее пожить. Люся сидела за письменным столом, заваленным ворохом бумаг, и что-то печатала на машинке, Катя валялась на диване, грызла яблоко и смотрела в потолок.

— Здравствуй, Люся, здравствуй, Катя, — сказала она деланно ровным голосом, тщательно проговаривая каждую букву, как на занятиях по технике речи. — Я не жду от вас бури восторгов по поводу моего визита. Можете оставаться на местах и продолжать свои занятия. Но при этом внимательно послушайте то, что я вам скажу. Телефон в этой квартире находится в прихожей, то есть в месте, доступном всем жильцам. Наташа потратила собственные деньги, и немалые, чтобы купить радиотелефон и создать всем соседям определенные удобства. Теперь свои личные проблемы можно обсуждать не в присутствии всех, а в своих комнатах. Но это не означает, что после разговора трубка остается вашей собственностью. Ее надлежит немедленно вернуть на место. Это первое. В квартире проживают две пожилые женщины, одна из которых является твоей, Людмила, мамой и твоей, Екатерина, бабушкой. Если им кто-то звонит, возьмите на себя труд не орать на весь дом, подзывая их к телефону, а отнести трубочку к ним в комнату. Это второе. И третье: если ты, Екатерина, еще хоть раз посмеешь разговаривать по телефону дольше пяти минут, я сама приеду и повешу на стенку в прихожей старый аппарат. Потом приведу мастера, который сделает разводку, и вторая розетка вместе с радиотелефоном окажется в комнате у Наташи. Она платила за этот аппарат, так что это будет справедливо. На время ее отсутствия трубка будет находиться в комнате у Бэллы Львовны и Галины Васильевны. Но вы, уважаемые Людмила и Екатерина, к ней доступа иметь не будете никогда и ни при каких обстоятельствах. Я вам изложила три пункта нормального сосуществования соседей и сделала это в максимально вежливой форме. А четвертое я добавлю лично от себя.

Она сделала два шага вперед и оказалась прямо перед Люсей, которая слушала ее завороженно, как кролик, загипнотизированный удавом. Ира, правда, никогда не видела, как это бывает на самом деле и бывает ли вообще, но читала об этом в жутко смешной повести Фазиля Искандера, она так и называлась «Удавы и кролики». Или «Кролики и удавы»...

— Если ты, Люсенька, будешь создавать своим присутствием или поведением своей дочери хотя бы минимальные неудобства Наташе, ее семье или Бэлле Львовне, я немедленно продам свою комнату. Сюда въедет новый жилец, и уж можешь мне поверить, я постараюсь, чтобы это был человек необыкновенных душевных качеств и нравственных достоинств. Надеюсь, ты понимаешь, что я имею в виду. Я — не Наташка, я тебя любить не обязана, и считаться с тобой, твоими капризами и твоими выкрутасами я не собираюсь. Пусть твоя обленившаяся и обнаглевшая вконец дочь научится отрывать от дивана свою жирную задницу, мыть за собой посуду, ванную и унитаз. А также и за тобой, если ты слишком тонкая натура для такой грязной работы. И запомни, если хоть еще один раз Вадим сделает Наташе замечание по поводу грязи и беспорядка, которые вы оставляете за собой, я немедленно займусь продажей своей площади. Я не шучу. Ты все поняла? И последнее. Через полчаса мы сядем обедать, вы с Катей будете мило улыбаться и участвовать в общем разговоре. Свое настроение можете заткнуть себе в одно общеизвестное место. Имейте в виду, я вам не деликатная и всех прощающая Наталья Воронова, я — дворовая девчонка Ирка Маликова, нахалка и бесстрашная авантюристка. Со мной тягаться у вас кишка тонка.

Она демонстративно хлопнула дверью, вышла из комнаты и вернулась на кухню.

— Где будем накрывать? — весело спросила она. — Давайте, я помогу. Что нести и куда?

Наташа ничего не спросила, только глянула не столько вопросительно, сколько затравленно. И в этом взгляде было все: и страх перед недовольством Вадима, который теперь устраивал чуть ли не скандалы, обнаруживая грязь, а ее становилось все больше и больше, ведь в квартире две старухи, три подростка и Люся, считающая ниже своего достоинства заниматься бытом, и за всеми ними нужно мыть, убирать и подбирать; и страх перед недовольством сестры, такой несчастной, с несложившейся судьбой, которая рассчитывала найти душевное тепло и покой в доме своего детства и юности; и страх перед переживаниями матери, которая все понимает, но в силу возраста, немощности и болезней уже ничего не может изменить; и страх перед самой собой, боязнь, что в один прекрасный момент нервы сдадут, выдержка подведет, воля ослабнет, и тогда... Даже страшно подумать, что тогда случится.

За обедом Люся сидела напряженная, а Катя — надутая. Слава богу, кажется, у старшей сестрицы ума хватает не выпендриваться и не нарываться на еще больший скандал. Зато дщерь у нее та еще! Скоро год, как эта парочка поселилась в квартире, и за это время бедная Наташка натерпелась от их присутствия выше крыши. Еще бы, девчонка выросла в семье с непризнанным художественным гением-папочкой (хоть и нехорошо так отзываться о покойном, но ведь правда же!) и столь же мало признанным литературным гением-мамочкой. Эти два гения, разумеется, считали ниже своего достоинства опускаться до бытовых подробностей жизни, для чего и вывезли себе в помощь из Москвы Галину Васильевну, которая взяла на себя все заботы по дому, освободив от них и дочь с зятем, и внучку. И вот мы имеем упоительный результат: вышедшая на пенсию Люся с удесятеренной силой продолжает кропать свои слезливо-сопливые романы, которые никто не хочет ни печатать, ни читать, а паршивка Катька, не привыкшая даже чашку за собой помыть, считает себя первой красавицей и умницей Вселенной и ведет себя соответственно. Что говорить, она действительно очень хорошенькая и имеет реальную перспективу стать настоящей красавицей, в мать пошла, с такой же стройной фигуркой и тонкими чертами лица. И учится хорошо, мозгами в этом смысле бог не обидел. Но ведь ум человеческий не только в том состоит, чтобы хорошо считать и грамотно писать. Во всех других смыслах ума у нее меньше, чем у червяка, зато надменности и заносчивости на пятерых хватило бы. В каком-то смысле Ире даже ее жалко, внушили девочке с детства, что она — необыкновенная и ждет ее прекрасная и необычная судьба, вот она и поверила, лежит на диване и ждет, когда же эта прекрасная судьба постучится к ней в дверь, в комнату в коммуналке. О том, чтобы помочь Наташе по хозяйству, и речь не идет. Не приучена. Да и не барское это дело — посуду мыть на коммунальной кухне или драить раковину в общей ванной. Ничего, время придет — жизнь ее обравняет.

А Галина Васильевна сдала... Руки дрожат, суп из ложки то и дело проливается на платье, крошки и кусочки пищи во все стороны сыплются, а она даже не замечает, зрение теряет. А от операции отказывается. Уж сколько Бэллочка ее уговаривала, и себя в пример приводила, и других — ни в какую, не соглашается — и все. Боюсь, мол, еще хуже сделают, совсем без глаз останусь. Хорошо, что Вадима за столом нет, он такие зрелища плохо переносит, чистюля несчастный! Наташка жалуется, что он вообще старается поесть отдельно, чтобы за одним столом с тещей не сидеть, очень уж его раздражает и ее глухота, и ее неопрятность. Не хочет он понимать, что старость требует уважения, потому что приходит ко всем, к одним раньше, к другим позже, но ко всем, кроме тех, кто до нее просто не доживает. Наверное, думает, что он до самой смерти будет молодым, сильным, здоровым, зрячим и хорошо слышащим. Дурак! А может, он и не виноват? Просто не жил никогда бок о бок со стариками, такая семья у него была, что бабушки и дедушки — далеко, и перед глазами только молодые родители.

Зато Бэллочка — просто класс! Хоть и прибаливает все чаще и чаще, и на ноги жалуется, и на почки, и на сердце, но держится в свои семьдесят пять молодцом. Спина прямая, посадка головы — некоторым молодым на зависть, после операции на глазах стала носить очки в хорошей оправе, не в какой-нибудь там старушечьей, а в модной, красивой, от Гуччи, Наташка ей подарила, купила за безумные деньги. Бэллочка за собой следит, в халат только перед сном переодевается, а так — в юбочках с блузками ходит, и не в тапках раздолбанных, а в домашних туфельках, без каблуков, сильно разношенных, но все равно выглядящих лучше, чем войлочные шлепанцы. Вот сейчас восседает за столом в кремовой кофточке с жабо, на плечах — яркий турецкий платок, который ей Ира в прошлом году привезла из отпуска, седые волосы тщательно уложены, губы накрашены. Картинка! Ира-то понимает, да и Наташка тоже понимает, что все это — только ради Вадима, чтобы не угнетать его своей старостью. Кто ж спорит, что Бэллочке куда удобнее было бы ходить в шлепанцах и в теплом халате, в котором и прилечь днем можно, и измять или испачкать не страшно. До переезда Вадима она именно так и ходила. А потом, когда стало ясно, что в нем бешенство понемногу копится и закипает, стала стараться Наташке помочь беречь нервную систему мужа. Даже когда Бэллочка болеет, она никогда при Вадиме об этом не говорит, не жалуется, не стонет и не охает. Наташке на ушко шепнет — и все.

Саша и Алеша, как всегда, поели быстрее всех, для них обед, даже воскресный, с гостями, это не застолье, не повод посидеть и пообщаться, а рядовой прием пищи, который надо сократить до минимума, чтобы освободить время для более интересных дел.

— Мам, спасибо, мы поели. Мы пойдем к себе, ладно? — как всегда, Сашка выступает от имени обоих. В этой парочке старший брат — заводила, как он скажет — так и будет, но не думайте, что Алешка слепо ему подчиняется, не имея возможности высказывать собственные пожелания. При всей своей несхожести они вынужденно живут в одном ритме — в ритме школьников, серьезно занимающихся спортом в одной и той же секции. Утром вместе бегут в школу, потом на тренировку, вместе ездят на сборы и на соревнования, и свободное время у них всегда одно и то же, и друзья общие. Вот и получается, что если между воскресным обедом и вечерней тренировкой есть свободные три часа, то понятно, что проводить эти три часа они будут вместе. Уйдут в свою комнату, а там видно будет. Может, уроки поделают, может, кино посмотрят. Алешка, правда, еще и читать любит, его от книжки за уши не оттянешь, чего не скажешь о старшем мальчике. Тот свое умение складывать буквы употребляет исключительно на чтение школьных учебников (раз уж без этого никак нельзя) и на изучение аннотаций на коробках с видеокассетами. Никакого другого чтения Саша не признает.

— Чем будете заниматься? — весело спросила Ира. — Дурака валять? Посидели бы с нами.

— Не, мы хотим кино посмотреть, — ответил Саша. — Мы кассету напрокат взяли, завтра нужно вернуть, а то деньги капают.

— Хорошее кино? — заинтересовалась Ира. — О чем?

— «Крестный отец», про мафию. Все говорят, кино здоровское!

— Ну так пригласите Катю к себе, ей ведь тоже, наверное, хочется посмотреть. Это действительно очень хороший фильм, — с невинным видом предложила Ира, прекрасно понимая, что может последовать дальше.

Оно и последовало. Сашка скривился, повернувшись так, чтобы тетка и двоюродная сестра его лица не видели, а добродушный Алеша тут же послушно сказал:

— Катя, хочешь посмотреть с нами кино про мафию?

— Очень надо! Барахло всякое смотреть!

— Это не барахло, — тут же вступила Ира со своей партией, — это замечательный фильм с прекрасными актерами и великолепной музыкой. Это классика американского кинематографа, и если ты, Катюша, хочешь считать себя образованным человеком, ты просто обязана ознакомиться с этой лентой. Тебе уже шестнадцать лет, пора стремиться к тому, чтобы знать, из каких кирпичиков складывается современная культура.

— Прекрати приобщать мою дочь к культу насилия и порнографии! — взорвалась Люся, и Ира с озорным удовлетворением отметила, что детонатор сработал даже быстрее, чем она предполагала. — Пусть мальчики сами смотрят это безобразие, моя дочь воспитана на других культурных ценностях.

— Да? На каких же? Уж не на твоих ли бессмертных романах?

Люся побелела от злости, а всеобщая миротворица Бэлла Львовна тут же кинулась ее защищать:

— Ну зачем ты так, Иринка? Люсенька наверняка имела в виду Толстого, Чехова, Тургенева. Правда, Люся?

— Мам, ну мы с Алешкой пойдем, ладно? — тоскливо проныл Сашка, который терпеть не мог терять драгоценное время на семейные разборки, вместо того чтобы предаваться своему любимому зрелищу.

— Идите, — бросила Наташа, собирая грязные тарелки. — Если хотите торт, отрежьте себе сами, он на кухне.

Мальчики выскочили из комнаты и с топотом промчались по длинному коридору в свою комнату.

— Значит, ты, Люся, считаешь, что если существует искусство девятнадцатого века, то в двадцатом веке все должны умереть и больше ничего не творить, так, что ли? — снова начала Ира. — Тогда зачем ты пишешь свои романы? Или ты полагаешь, что сможешь написать лучше Толстого?

— Тебе этого не понять, — сквозь зубы прошипела Люся. — Ты вообще ничего, кроме своих киношек, не знаешь. Актрисулька! И не смей обсуждать меня в присутствии моей дочери, это неэтично.

— Согласна, извини, — весело откликнулась Ира. — Катя, выйди, пожалуйста, мы тут с твоей мамой хотим пообсуждать ее творчество. Она не хочет, чтобы ты при этом присутствовала.

— И не смей выставлять мою дочь за дверь! Ты в этом доме не хозяйка. Что ты себе позволяешь?

— Прелестно, милая Люси...

— Не называй меня так! Я старше тебя на тридцать лет.

— На тридцать два года, если быть точной. Хорошо, пусть будет Людмила. И даже, если хочешь, Александровна. Так вот, я в этом доме действительно не хозяйка. Но зато я хозяйка по крайней мере в своей комнате. И могу вышибить тебя оттуда в любой момент. Ты это имей в виду на всякий случай. А теперь у меня к тебе вопрос, Людмила Александровна. А кто, собственно говоря, хозяин в этом доме?

— Это коммунальная квартира, хочу тебе напомнить, — язвительно отозвалась Люся. — Здесь нет и не может быть одного хозяина.

— Девочки, по-моему, вы обсуждаете что-то совершенно пустое, — снова кинулась на выручку Бэлла Львовна. — Ну какая разница, кто здесь хозяин?

Ира бросила быстрый взгляд на Наташу. Та с непроницаемым видом накрывала стол к чаю, расставляла чашки с блюдцами, сахарницу, резала торты — свой «Наполеон» и другой, принесенный Ирой. Ее назревающий скандал, похоже, ничуть не пугает. А может быть, она думает о чем-то своем и вообще не слышит, что происходит вокруг.

— Нет уж, Бэлла Львовна, давайте внесем ясность. Людмила Александровна считает, что в этой квартире нет и не может быть одного хозяина. Тогда пусть она ответит мне, кто должен отвечать за чистоту и порядок? За то, чтобы вовремя были оплачены коммунальные услуги и счета за телефон? Кто несет ответственность за то, чтобы были куплены продукты и в доме всегда были готовы завтрак, обед и ужин? И кто должен заработать деньги на все эти удовольствия? Кто, если нет единого хозяина? Ответ очевиден, но я хочу, чтобы Люся его озвучила.

— Я не понимаю, на что ты намекаешь. На то, что у меня маленькая государственная пенсия, а мой родственник Вадим стал торгашом и гребет деньги лопатой? Ты собираешься меня в этом обвинить?

— К твоему сведению, твой родственник Вадим стал торгашом только потому, что ты сюда приехала. Он пытается заработать деньги тебе же на квартиру, он уже год работает без выходных, складывает каждый доллар, чтобы у тебя и твоей дочери было отдельное жилье. Неужели ты с высоты своей идиотской надменности допускаешь мысль, что ему, блестящему офицеру-подводнику, в кайф торчать целыми днями за прилавком и торговать костюмами и куртками? Это ты вынудила его заниматься торговлей! И тебе не стыдно? Ни капельки не стыдно? Он, сцепив зубы, стоит и торгует шмотками на рынке, а ты, барыня с претензиями, сидишь дома и кропаешь свою никому не нужную бредятину, которую и читать-то противно. Ты позволяешь Наташе и Бэлле Львовне готовить еду, подавать тебе и твоей дочери, мыть за вами тарелки и стирать ваше белье. Милостиво эдак позволяешь, с царственной небрежностью. И Катю к этому приучаешь. Она уже взрослая девица, а пуговицу сама пришить не может. Почему ты не пустила ее смотреть кино вместе с братьями? Да потому, что ты всю жизнь считала себя необыкновенной, непохожей на других и пытаешься Катю вырастить такой же. Не место ей рядом с рядовыми мальчишками, да? Она — особенная, и жизнь у нее будет особенная, и женится на ней не обычный мужик, а прекрасный принц, которого она непременно дождется, если будет холить и лелеять свою необыкновенность. Ты-то своего принца дождалась. Хочешь, чтобы и Катя такую же жизнь прожила? И все это не имеет никакого отношения ни к твоей маленькой пенсии, ни к заработкам Вадима. Это имеет отношение только к одному — к уму и совести, которых ни у тебя, ни у твоей дочери нет и никогда не было. Я все сказала. Теперь я готова выслушать тебя.

— Иринка, мне кажется, ты не права, — тихо проговорила, наконец, Наташа. — То, что ты говоришь, жестоко и несправедливо.

— Нет, я права. Может быть, то, я что сказала, и жестоко, но уж точно — справедливо.

— Зачем ты так? Люся — моя сестра, Катюша — племянница, и мне совсем нетрудно за ними ухаживать, все равно ведь я готовлю на всю семью. Какая разница, на шесть человек я сварю обед или на восемь?

— Ты сваришь обед, — подхватила Ира. — Вот именно. Ты. А почему, позволь спросить, не она, не Люся? Ты работаешь, она сидит дома и ничего не делает. Почему ты моешь полы, а не Катя? Она что, хрустальная?

— Мама пишет книгу, — возмутилась Катя. — Почему вы говорите, что она сидит и ничего не делает? Она работает над рукописью.

— Наташа тоже работает. Так объясни мне, милое дитя, чем твоя мама лучше своей младшей сестры. Почему твоя мама имеет право работать над рукописью и больше ничего не делать, а Наташа такого права не имеет. Почему? И потом, если ты с таким уважением относишься к труду своей мамы, то возьми ее обязанности на себя. Ходи в магазин, убирай квартиру, готовь еду. Что ты на меня смотришь с таким священным ужасом? Тебе такой простой вариант в голову не приходил?

— Ну хватит, Ириша, — мягко произнесла Наташа. — Давай не будем портить друг другу настроение. Берите торт. Кому наливать чай? Кому кофе?

— Ладно, я заткнусь, — легко согласилась Ира. — А тебе, Катерина, задание: к моему следующему приходу разработай систему аргументов в пользу того, что ни ты, ни твоя мама не должны заниматься хозяйством. Приду — проверю.

Десерт поедали в гробовом молчании. Выпив чай и съев по два куска торта, Люся и Катя молча поднялись и вышли.

— А почему Люсенька так быстро ушла? — испуганно спросила Галина Васильевна, которая ничего из сказанного не расслышала и приняла скандал за оживленную беседу.

Наташа наклонилась к матери и громко сказала прямо ей в ухо:

— Люсе нужно поработать над рукописью, а Катя должна делать уроки. Положить тебе еще кусочек торта?

Старушка согласно закивала и принялась, роняя крошки, жевать мягкий торт беззубым ртом.

Потом Ира вместе с Наташей отправилась на кухню мыть посуду.

— Ирка, зачем ты все это затеяла? — с тоской спросила Наташа. — Чего ты добивалась? Чтобы все перессорились?

— Я не хотела, чтобы все ссорились, я только хотела, чтобы эта курица поняла всю нелепость ситуации и всю постыдность своего поведения. Если никто из вас не может ей сказать правду в глаза, то я должна была это сделать.

— Зачем? — снова повторила Наташа. — Что от этого изменится? Неужели ты действительно думаешь, что от твоих нравоучений в Люсе хоть что-то дрогнет? Ей пятьдесят семь лет, она уже не станет другой, и по-другому думать не начнет, и по-другому чувствовать не будет. Она только обозлится, и мы будем существовать в атмосфере перманентного конфликта. Я, например, к этому совершенно не стремлюсь. Мне конфликтов на работе хватает.

— Значит, пусть она думает, что тебя все устраивает? Пусть позволяет тебе горбатиться, обихаживая ее и Катьку, и считает, что это нормально, что так и должно быть? — кипятилась Ира.

— Иришенька, милая, ты пойми, Люся — моя сестра. Ее дочка — моя родная племянница. Они мне не чужие. Мне нетрудно приготовить для них, и постирать, и погладить. Они приехали ко мне, потому что у них никого больше нет на этом свете. Они совсем одни. И не могу я с ними считаться, кто сколько раз не помыл за собой посуду или не подмел пол. Мы — одна семья. Я трезвый человек, я понимаю, что Люся все равно не будет мне помогать, и Катюшка ничего по дому делать не будет. Добиваться этого — только зря шишки на собственном лбу набивать. Но до тех пор, пока я молчала, все было тихо и спокойно. А теперь, после того, что ты тут сегодня учинила, обе они будут постоянно помнить, что их приютили из милости, и содержат из милости, и кормят и одевают из милости. С каким сердцем они будут есть те пресловутые обеды, которые я им готовлю? Да им же кусок в горло не полезет. Они-то думали, что все отлично, что всех все устраивает и все вокруг довольны и счастливы. И вдруг оказывается, что я недовольна, что мой муж тоже недоволен. Они от нас зависимы, потому что мы их содержим. И они ничего не могут изменить, потому что не могут и не хотят изменить себя. Единственный выход — отселить их, и мы с Вадимом пытаемся эту проблему решить, но пока что мы живем вместе, и нам нужно как-то сосуществовать. Это было пусть шаткое, но равновесие. А ты его разрушила. Ты уйдешь домой, а мы со всем этим останемся. Как же нам теперь жить дальше? Об этом ты подумала?

Ира опустила голову. Об этом она, естественно, не подумала, потому что самым главным ей казалось поставить Люсю на место, объяснить ей, кто она есть и как выглядит в глазах окружающих.

— Я хотела как лучше... — виновато пробормотала она. — Хотела тебя защитить. Не могу смотреть, как ты колотишься целыми днями, а эти две... даже приличных слов нет, чтобы их назвать...

— Спасибо тебе, — Наташа обняла ее, поцеловала в висок. — Спасибо, что защищаешь меня.

— Ты не сердишься?

— Нет, конечно. Ты же от чистого сердца поступила, ты не хотела мне навредить.

— Не хотела, а получилось, что навредила. Ну почему я такая нескладная, а, Натулечка? Всегда сначала делаю, потом думаю. Теперь ты будешь расстраиваться.

— Не буду, не буду, — улыбнулась Наташа. — Расскажи лучше, как твоя семейная жизнь.

Ира закончила мыть посуду, вытерла руки полотенцем, села, вытащила сигареты.

— Отлично. Муж — козел, зато свекровь золотая.

— А свекор?

— Просто бриллиантовый. Я имею в виду, как свекор, — тут же поправилась Ира. — Ты не думай, что я забыла...

— Ириша, я хотела с тобой поговорить об этом. Мне покоя не дает, что ты ради меня влезла в эту семью, в этот брак. Ничего не происходит. Я очень боялась, что то, что случилось в Литве, может случиться и у нас. Откроют архивы КГБ, и начнутся гонения на всех, кто сотрудничал с комитетом. А у нас ничего такого не происходит, и теперь уже вряд ли произойдет. Я даже уверена, что не произойдет. Зачем тебе жить с нелюбимым мужем? Я благодарна тебе за ту жертву, которую ты принесла ради меня, но если ты...

— И слышать ничего не хочу! — оборвала ее Ира. — Может, на первых порах это и была жертва, когда я только обхаживала Игоря и укладывала его в постель, а потом все сложилось на редкость удачно. Я нашла подходящего мужа, в меру нормального, а кто сегодня в нашей стране не псих? Только ты да Бэллочка, все остальные с приветом, у всех крышу снесло на почве социального неравенства, одни от собственного богатства очумели, другие — от чужого. И к этому в меру нормальному мужу я получила добрую заботливую свекровь и умного и приятного свекра. Да когда бы и где я еще нашла такой комплект? Так что про жертвы ты забудь, все обернулось к лучшему. Наоборот, благодаря тебе я сегодня так клево устроена. А насчет того, что ничего уже не произойдет, так это ты погоди расслабляться. Знаешь, какую историю мне вчера рассказали? Ужас!

Она со вкусом и подробностями пересказала Наташе то, что накануне услышала от Василия.

— Откуда-то ведь узнали, что он сотрудничал с комитетом. Откуда, спрашивается? Значит, где-то идет утечка информации, — авторитетным тоном подвела она итог. — Но я слежу за Виктором Федоровичем. Он тебя ни разу не упомянул, кроме тех случаев, когда твою программу смотрит.

— А он смотрит? — с беспокойством спросила Наташа.

— И он, и Лизавета. И я вместе с ними, если в это время дома. Сижу перед теликом и внимательно слушаю, что он говорит. Кстати, он ни разу слово «Воронова» не произнес, только «молодец», или «молодцы, ребята», или «что-то сегодня слабовато». Он никак не дает понять, что лично знаком с тобой. Но это пока ни о чем не говорит, — поспешно добавила Ира, понимая, что сама себе противоречит. — Он со страшной силой ударился в политику, работает на какую-то партию, они там готовятся к президентским выборам. Так что смотри, если в твоей программе акценты будут расставлены не так, как им хочется, они могут попытаться тебя скомпрометировать.

— Да ну? А твой свекор в чьей команде? Какие акценты ему могут понравиться?

— А черт его знает, Натулечка, я толком пока не разобралась. Он же дома об этом не говорит впрямую. Я так думаю, что если он идейный, то скорее всего работает на Зюганова. А если продается за деньги, то может и на Жириновского работать, и на Брынцалова. Ты хочешь, чтобы я узнала? Но он не в команде Ельцина, это точно. Когда в твоих программах идет особенно резкая критика Президента, он аж крякает от удовольствия. Слушай, Натуля, а это правда, что у Брынцалова дворец на пятьдесят две комнаты и коллекция лимузинов? Слухи ходят, но что-то не верится. Неужели в нашей стране можно жить во дворцах?

— Можно, Ириша. Насчет Брынцалова точно не знаю, но теоретически это вполне возможно. Ты у свекра спроси, он — человек, приближенный к политикам, у него сведения верные.

— Да ну тебя...

Наташа посмотрела на часы, что-то прикинула и потянулась к пачке сигарет, которую Ира выложила на кухонный стол.

— Я возьму сигаретку, ладно? Пока Вадика нет.

Наташка курит! Вот это новость! Она же к сигаретам сроду не прикасалась. Наташа заметила ее изумленный взгляд и усмехнулась.

— Покуриваю, когда Вадик не видит. Он запрещает.

— И давно?

— Да нет, не очень. Говорят, никотин хорошо расщепляет адреналин, который вырабатывается, когда человек злится. Поэтому если не умеешь бить тарелки и закатывать истерики, не вредно иногда и покурить, чтобы адреналин в почках не оседал. Есть такая теория.

— Есть, — согласилась Ира, — я тоже про нее слышала. А ты что, Вадика боишься? Я не представляю, чтобы тебе кто-то мог что-то запретить. Ты — Наталья Воронова, известный на всю страну человек, бесстрашно критикуешь власти, а куришь тайком от мужа. Смешно!

— К сожалению, это не смешно, а грустно. У Вадика свои представления о том, что такое правильно и что такое неправильно. Я не могу с этими представлениями бороться, мне проще подладиться.

— Вот, ты и с Люсей такая же! Не хочешь бороться с ее представлениями, тебе проще подладиться под нее. А она этим пользуется. Неужели ты и на работе такая же?

— Ну уж нет, на работе я совсем другая. Но работа — это работа, а семья — это семья. Покой, мир и любовь в семье для меня самое главное на свете, понимаешь? Ради этого я легко наступаю себе на горло. Я думаю, что у меня и карьера сложилась именно потому, что она никогда не была для меня на первом месте. Когда к чему-то не особенно стремишься, оно само в руки идет. А в семье у меня все время что-то не получается. Наверное, это оттого, что я слишком много в нее вкладываю... Впрочем, мы же договорились больше это не обсуждать. Иришенька, я хочу, чтобы ты мне пообещала одну вещь.

— Хоть три! — с готовностью отозвалась Ира.

— Три мне не нужно. Дай мне слово, что, если ты встретишь человека, которого полюбишь и за которого захочешь выйти замуж, ты немедленно уйдешь из семьи Мащенко и забудешь обо всех моих страхах. Ты можешь мне это пообещать?

— Могу, — твердо ответила Ира.

Да она бы пообещала Наташке все, что угодно, лишь бы та была спокойна и ни о чем не тревожилась. А из семьи Мащенко она никуда уходить не собирается. Ей там хорошо. Во всяком случае, пока.

ИГОРЬ

Злосчастная среда все-таки наступила, и надо было ехать к Женьке Замятину, сегодня годовщина гибели Генки Потоцкого. Жека уже начиная с понедельника обрывал Игорю телефон с напоминаниями о том, что ждет его в среду вечером, после работы.

Метров за двести до Женькиного дома Игорь заметил на улице Ляльку, племянницу Замятина, дочку его старшей сестры. Пятнадцатилетняя девица с крашенными «в полосочку» волосами сидела в скверике в компании еще двух девочек и двух парней сомнительного, как показалось Игорю, вида. Он остановил машину и подошел к ним.

— Привет! — хмуро процедила Лялька, увидев его. — Ты к Женьке? Иди скорей, он уж заждался, с самого утра готовится.

Под словом «готовится» подразумевалась легкая выпивка, Игорь это знал. Неужели Женька успел к вечеру набраться? С одной стороны, это плохо, потому что пьяный Замятин становился совершенно невыносимым. Но с другой стороны, может, и к лучшему. Через короткое время алкоголь совсем свалит его с ног, и Игорь сможет с чистой совестью уйти.

— И что, старательно готовится? — с любопытством спросил он. — Много выпить успел?

— Не так чтоб очень. Но разговоров... Фотки из всех альбомов повытаскивал, раскладывает их на полу, перекладывает, бормочет чего-то. Не разберешь.

Лялька откинула рукой со лба прядь зеленого цвета, и Игорь заметил на ее запястье тонкий браслетик из желтого металла. Бижутерия? Или золото?

— У тебя обновка? Симпатичный браслет, — дежурно произнес он, чтобы сказать что-нибудь приятное. Лялька казалась ему славной девчушкой, несколько излишне «попсовой», но это издержки возраста.

— Золотой, — не скрывая гордости, ответила она.

— Ну? — искренне удивился Игорь. — Откуда?

— Женька подарил.

— Дорогой, наверное?

— Он сказал — сто баксов.

— Круто. Разбогател твой дядюшка, а? С каких это пор?

— Это ты у него сам спроси. Он нам денег не дает, все скрытничает, а потом — раз! — и подарок какой-нибудь покупает. Мне браслет, матери пальто кожаное. Бабушке даже сервиз подарил, «Мадонну», она всю жизнь о таком мечтала. И чего в нем хорошего? Ни красоты, ни стиля, средневековье какое-то. Я ему говорила, Женя, давай, если деньги есть, лучше купим французскую посуду, она модная и не бьется. А он отвечает, мол, на свое модное сама себе зарабатывай, а у матери мечта была. Придурок какой-то, честное слово!

— Ладно-ладно, ты потише, — строго сказал Игорь, — он все-таки твой дядя. Выбирай выражения. Ну, счастливо тебе потусоваться, я пошел.

Женька выкатился ему навстречу в камуфляже, с неизменной сигаретой в углу рта. Вопреки ожиданиям, он был скорее трезв, чем пьян. Игорь выставил на стол купленную в магазине водку, отвинтил крышку, разлил в три рюмки, одну из которых по православному обычаю Женька накрыл кусочком черного хлеба. Посреди стола в рамке стояла фотография Потоцкого с черной ленточкой по диагонали. Выпили за помин души не чокаясь.

Поболтали о том о сем. Женька был настроен благодушно, даже шутил, чего Игорь давно уже за ним не замечал. Когда водка в бутылке почти кончилась, Игорь решился задать вопрос, который интересовал его еще с воскресенья, а после сегодняшней встречи с Женькиной племянницей стал почти мучительным.

— У тебя, кажется, деньги завелись? — как можно равнодушнее спросил он.

Женька вскинул на него хитрые и почти не пьяные глаза, прищурился:

— Ну, допустим. Тебя это волнует?

— Нет, просто интересует. И откуда же?

— Оттуда.

— А поконкретнее?

— Ты меня как мент спрашиваешь или как друг?

— Пока как друг.

— Если как друг, то я тебе и отвечу как другу: не твое дело. Не обидишься?

— Обижусь. Что за тайны, Жека? С каких это пор?

— Давай лучше еще выпьем, — уклонился от ответа Женька. — Не бойся, не последняя, у меня еще две бутылки есть.

Игорь опрокинул рюмку, опустошив ее в один глоток, закусил бутербродом с колбасой и маринованным огурчиком.

— Ладно, ответ другу я, считай, принял. А если бы я спросил тебя как мент? Что бы ты мне ответил?

— А менту я ответил бы, что пусть сначала докажет, а потом будем разговаривать. Годится такой вариант?

Все ясно, Женька впутался в какой-то криминал. И вполне возможно, именно в тот, о котором шла речь в воскресенье у Жорика в гостях. Кому легче всего вычислить одинокого инвалида, такого, у которого есть отдельная квартира и нет родственников и близких, проявляющих к нему постоянное внимание? Тому, у кого есть доступ к соответствующим учетам и документам. В обществе слепых, например, в совете ветеранов, в союзе воинов-афганцев. Кому проще всего втереться в доверие, ну, например, к такому же инвалиду-афганцу, как тот, о котором говорила Жоркина подружка? Да тому же афганцу. Есть что вспомнить, о чем поговорить, а если оба инвалиды — сам бог велит становиться друзьями и вместе пить водку. Пить и пить до тех пор, пока намеченная жертва окончательно не потеряет чувство реальности и не превратится в раба бутылки, покорного и тупого, на все готового и всему верящего. Остальное — дело техники. Нет, не хочется верить, что Женька Замятин зарабатывает свои деньги именно таким способом. Хотя какая разница, таким или нет? Важно, что способ этот явно криминальный, не зря Жека не хочет о нем рассказывать. Надо бы еще поднажать на него...

— Зря храбришься. Нужно будет — все докажут. Под суд пойдешь.

— Кто докажет? — Женька язвительно улыбнулся, обнажив прокуренные зубы. — Ты, что ли?

— Может, и я, если дело ко мне попадет.

— И что, ты меня своими руками в тюрягу отправишь? И внутри ничего не дрогнет?

— Не беспокойся, я тебя никуда не отправлю, если на то пошло, то возьму самоотвод, поскольку ты — мой друг. А другой следак в три счета тебя оформит. Если будет за что, конечно. Так как, Женька, есть за что тебя оформлять? Говори, не стесняйся, мы же друзья. Сдавать тебя я не собираюсь, но знать хочу.

— А зачем тебе знать, если сдавать не собираешься? Меньше знаешь — лучше спишь, — Женька громко захохотал, и только по этому хохоту Игорь понял, что приятель все-таки сильно опьянел.

— Лады, — согласился он, — буду спать хорошо.

Не хочешь говорить — не надо, мне спокойнее. Мое дело — предупредить, а там — как знаешь. Ты большой мальчик, свою судьбу можешь сам определять.

Лицо Замятина внезапно приобрело хищное выражение, глаза недобро заблестели, в уголках губ собралась слюна, и Игорю на мгновение показалось, что Женька сейчас плюнет в него.

— Ну спасибо тебе, отец родной, — прошипел Женька, — спасибо, что разрешил мне самому свою судьбу решать. Ты один раз за меня ее уже решил, да неудачно, потому во второй раз ты уж за это дело не берись, а то совсем плохо выйдет.

— Ты о чем? — не понял Игорь. — Когда это я твою судьбу решал? Что ты выдумал?

— Я выдумал? Нет, Игореха, это ты выдумал. Ты выдумал, что твои кореша Генка и Жека — болваны непроходимые, что их можно вокруг пальца обвести. Вокруг пальца ты нас обвел, это я признаю. А вот обмануть нас тебе не удалось. Это ты от нас быстренько оторвался и в свой Томск умотал, чтобы в армию не идти. А мы-то с Генкой остались, вместе на работу устроились, вместе в казарму отправились. И воевали тоже вместе. Много мы тогда всякого меж собой перетерли, каждую мелочь обсудили да обсосали. Все нам покоя не давало, как это ты математику завалил? Ну как? Ты же из нас троих ее лучше всех знал. Ну ладно, бывает, несчастный случай, не зря же говорят, что экзамен — это лотерея. А потом ты уговаривал нас остаться в летном училище. А мы не соглашались, мы же решили, что будем всегда вместе, втроем. Мы тебя уломали. Так нам показалось. А ты сделал вид, что согласен, и тут же соскочил, как только мы в Москву вернулись. Вот мы с Генкой думали-думали и додумались. Понял?

— Нет, — сказал дрогнувшим голосом Игорь. — Ничего я не понял. Ты опять напился и несешь какую-то бредятину.

— Да, я напился. И буду напиваться. И нет у тебя права мне

указывать, как жить. Ты однажды уже распорядился моей жизнью. Не дал мне поступить в летное. В армию отправил, на войну, на смерть.

— Женька, да побойся бога! Почему я не дал тебе поступить в летное? Я же уговаривал вас с Генкой остаться, ты сам прекрасно это помнишь. Это же вы настаивали на том, чтобы забрать документы.

— Гнида ты, Игореха, — неожиданно спокойно ответил Замятин. — Думаешь, мы с Генкой не догадались? Ты же специально экзамен завалил.

— Глупости! Зачем мне было заваливать экзамен, если я хотел учиться в летном? Я что, похож на психа?

— Нет, для психа ты слишком расчетливый. На психа ты действительно не похож. А на труса — похож.

— Жека, возьми себя в руки! Ты пьян и не соображаешь, что несешь. Я твой друг, я тебя люблю, поэтому не обижаюсь на твои пьяные бредни. Но всему есть предел.

— Нет предела! — внезапно заорал Женька. — Нет предела! И не будет! Мы не слепые, мы с Генкой все видели. И как тебе страшно было в палатках на летном поле, и как ты брезговал общим сортиром и общим умывальником, и как кривился, когда надо было строем идти. Ты с самого первого дня только и думал о том, как бы соскочить. И придумал. На устных экзаменах ты стремался фигню пороть, все слышат, да и не так-то это просто в один момент решиться сказать глупость, когда знаешь, как правильно. У тебя была одна возможность — письменные экзамены. А тут стало известно, что на письменном по русскому языку никого не заваливают, на крайняк тройку ставят. Оставалась математика, тихий экзамен, когда можно посидеть, подумать, собраться с силами и накорябать на листочке всякую хренотень. Ты и накорябал. Скажешь, нет?

— Нет. Ты все это выдумал и сам в это поверил. И перестань на меня орать.

Женька молча разглядывал его, хищный блеск в глазах постепенно угасал, напряжение уходило из тонких поджатых губ. Постепенно выражение ненависти сменилось миной высокомерного презрения. Такую мину Игорю приходилось видеть на лицах «братков», даже в кабинете следователя изъясняющихся при помощи «распальцовки».

— Ладно, пусть я это выдумал. Думай так, если тебе так легче. Но имей в виду: даже если я это выдумал, я в это все равно верю. Слышишь, Мащенко? Я в это верю. Я твердо верю в то, что из-за твоей трусости мы с Генкой попали на войну. Генка погиб, я обезножел. И виноват в этом ты. И не имеет значения, правда это или нет. Значение имеет только то, что я именно так и думаю. Я в это верю. Ты виноват вот в этом, — он ткнул пальцем в стоящую на столе фотографию улыбающегося веселого

Генки Потоцкого, — и вот в этом, — Женька хлопнул обеими руками по культям в подвернутых брючинах.

Игорь подавил в себе порыв начать объясняться с Жекой, снова говорить ему о том, как, вернувшись тогда после экзаменов в Москву, он понял, что не хочет быть летчиком, а хочет быть юристом. Что вся его последующая жизнь доказала правильность этого выбора, он любит свою профессию, а профессия любит его. Что никуда он не соскакивал и экзамен специально не заваливал, просто так получилось. Слова были готовы, сложены в убедительные красивые фразы, отточенные многократными и многолетними мысленными повторениями. Но он ничего не стал говорить. Все бессмысленно. Во-первых, Женька пьян и все равно ничего не поймет и не услышит. А во-вторых, он прав, и никакие слова этого не смогут опровергнуть.

— Давай еще выпьем, — предложил Игорь. — Ты говорил, у тебя где-то бутылка есть.

— Давай, — охотно подхватил Замятин.

Он ловко подкатился к шкафу, достал непочатую бутылку водки, открыл, разлил по рюмкам. Горлышко бутылки дробно позвякивало о стеклянный край рюмки, от выпитого в течение дня Жекины руки все-таки утратили уверенность.

— Давай за дружбу выпьем, — миролюбиво предложил Женька. — Было нас трое, Генки больше нет, но мы-то с тобой остались, Игореха. И что бы там ни было, что бы я о тебе ни думал, ты — мой друг, а я — твой. И мы будем друг другу помогать и друг друга поддерживать. Верно?

Игорь молча кивнул, чокнулся с Женькой, выпил. Все сказано четко и недвусмысленно. Женька видит в нем виновника всех своих бед и считает, что за это имеет право требовать от Игоря помощи, когда его криминальная деятельность даст осечку. Не зря он сегодня затеял этот разговор, ох, не зря! Ведь мог бы и раньше все это сказать, а не говорил, молчал. Потому что раньше он не очень-то нуждался в Игоре. Человек, который появляется четыре раза в год на пару часов, может вообще не появляться, никакой разницы. А теперь следователь Мащенко стал ему нужен. На всякий случай, мало ли что. И для этого Игоря нужно держать на коротком поводке. Женька уже понемногу его использует, то из милиции кого-то вытащить, то насчет следователя, ведущего конкретное уголовное дело, разузнать. А впереди Игоря наверняка ждут и более серьезные просьбы. Правда, после сегодняшнего объяснения их правильнее было бы называть требованиями, а не просьбами. И никуда он от Женьки не денется, будет продолжать навещать его и просьбы будет выполнять. Нельзя обидеться и исчезнуть, ибо это означало бы признать Женькину правоту. А Игорь ее признавать не собирался, потому что не представлял себе, как дальше жить с этой правдой.

Домой он вернулся мрачнее тучи. В прихожую из гостиной

доносились оживленные голоса — родители и жена, как обычно, болтают за вечерним чаепитием. Видеть никого не хотелось и разговаривать не хотелось, хотелось одного — забраться в постель и закрыть глаза. Игорь, стараясь не шуметь, проскользнул в комнату, которую занимал вместе с Ириной, быстро разделся, но лечь не успел. Ирка услышала, как он пришел, и, не дождавшись появления мужа в гостиной, пришла сама.

— Устал? — сочувственно спросила она, усаживаясь рядом с ним на разостланную к ночи постель.

— Устал.

— И много выпил?

— Я был у Женьки...

— Я понимаю. Игоречек, может быть, я лезу не в свое дело, но мне показалось, что эти походы к Жене тебя тяготят. Ты за несколько дней до этого начинаешь мрачнеть и злиться, а возвращаешься вообще невменяемым.

— С чего ты взяла? Глупости это.

— Это не глупости, Игоречек, это правда. Я же вижу. Зачем ты продолжаешь делать то, что тебе так неприятно? Из жалости к безногому калеке?

— А хотя бы и так! Тебе-то что? — грубо отозвался он, не в силах справиться со своим настроением.

— Я за тебя переживаю. Не могу видеть, как ты мучаешься. Может быть, тебе нужно по-другому к этому относиться, тогда тебе станет намного легче, и настроение не будет портиться. Наверное, этот твой Женя жутко неприятный тип, раз тебе так не хочется к нему ходить. Поэтому ты и злишься. А ты не думай об этом, ты думай только о том, что он — несчастный человек, потерявший на войне обе ноги, что у него совсем нет радостей в жизни, кроме редких встреч со старыми друзьями, и каждый твой приход делает его счастливым. Это — как подарки дарить, так же радостно и приятно. Ты, когда идешь к нему, думай о том, что собираешься сделать человеку подарок, который его обрадует. Вот увидишь, тогда и настроение будет совсем другим, и возвращаться будешь веселым.

— Ты еще будешь меня учить! — вспыхнул Игорь. — Ничего не знаешь, а лезешь со своими глупыми советами! Что ты вообще понимаешь? Что ты знаешь о наших отношениях? Иди пей чай с предками, вы же там мировые проблемы обсуждаете, вот и обсуждайте. А меня оставь в покое. Я устал и хочу спать.

Ира послушно поднялась и пошла к двери.

— Спокойной ночи.

Уже через несколько минут Игорь испытал некоторое раскаяние. И чего он на Ирку вызверился? Она-то в чем виновата? Сидела рядом с ним такая тихая, добрая, такая нежная и красивая, гладила его по руке, давала советы, ну пусть глупые, но ведь искренние, от всей души. Да и советы-то не такие уж глупые, если вдуматься, просто для их с Женькой случая неподходящие, а так жена ведь все правильно говорила. Теперь вот, наверное, обиделась, надуется, родителям пожалуется... Хотя нет. Не тот Ирка человек, чтобы предкам жаловаться. Она вообще никогда не жалуется, характер такой. И не обидчивая, это тоже надо признать. Не то что Вера. Той слово не так скажешь, голос повысишь или просто тон ей не понравится — и уже слезы, обиды, долгое молчание. Могла так надуться, что по нескольку дней с Игорем не разговаривала. Мать тогда сильно переживала, все пыталась их помирить, да не тут-то было, у Веры гордости и самолюбия выше головы, даже непонятно, как это вмещается в таком маленьком тельце. А Ирка совсем другая, они уже три года знакомы, без малого два года женаты — и ничего не происходит такого, что в изобилии присутствовало в его супружеской жизни с первой женой. Ни ссор, ни конфликтов. А ведь Игорь ведет себя со второй женой точно так же, как с Верой, хамит, грубит, настроение не прячет — не считает нужным напрягаться. Ирка все терпит. Неужели она так сильно его любит, что готова мириться со всеми отрицательными сторонами его характера? Ну надо же...

С этим приятным недоумением, вытеснившим на время тяжелый осадок от встречи с Замятиным, Игорь и уснул.

НАТАЛЬЯ

Глубоко вдохнув, Наташа вобрала в легкие побольше воздуха. Она редко бывала за городом, с тех пор как сыновья всерьез занялись спортом, регулярные поездки на дачу к Левиным-Гольдманам пришлось отменить, у мальчиков совсем не было свободных выходных дней. Когда Наташа была маленькой, еще не было садовых участков и шести соток, а проблемы дачи всегда и всюду обсуждались только в контексте «чтобы было, где детям подышать воздухом». Она и выросла в убеждении, что ездить за город нужно только ради детей, искренне не понимала Анну Моисеевну, обожавшую дачную жизнь, и постоянно отказывалась от Инкиных приглашений провести хотя бы один выходной день на природе. Ну как это так: она будет отдыхать на свежем воздухе, когда мальчики на тренировке или сидят за уроками, а дома столько дел... В тех редких случаях, когда Инне удавалось настоять на своем и вытащить подругу на дачу, Наташа получала истинное удовольствие и не понимала сама себя — ну почему она так редко приезжает? Однако по возвращении в Москву радость от вкусного чистого воздуха, покоя и тишины быстро забывалась, и следующая вылазка за город снова требовала долгих терпеливых уговоров со стороны Инны и Гриши.

— Кайфуешь? — лукаво подмигнула идущая рядом Инна. —

А как сопротивлялась, как сопротивлялась! Небось всю ночь у плиты стояла, готовила еду своей ораве на целый день в двойном размере, чтобы, не дай бог, никто не оголодал, пока ты три часа воздухом подышишь. Разбаловала ты их, Натуля, вот что я тебе скажу. Не приведи господь, заболеешь или в командировку длительную уедешь, они там без тебя плесенью покроются и умрут от истощения. В твоем коллективе, по-моему, только Бэлла Львовна умеет жить самостоятельно, а все остальные привыкли за твою спину прятаться.

— Инка, и ты туда же, — простонала Наташа. — Замолчи немедленно, иначе я тебя укушу. Хватит мне того цирка, который Ирка устроила, уж ты, пожалуйста, не добавляй.

С памятного воскресного обеда прошло два месяца, уже заканчивался ноябрь, воздух был сырым и холодным, но все равно вкусным, наполненным запахами догнивающих листьев, подмерзлой земли и раннего снега. Они приехали втроем — Инна, Григорий и Наташа. Дочь Инны и Гриши красавица Юленька уже активно бегала на свидания и к поездкам родителей на дачу давно потеряла интерес. Зато Анна Моисеевна со своими двумя овчарками жила здесь с апреля и перебиралась в город только ближе к зиме. Собственно, одной из целей сегодняшней поездки как раз и было помочь пожилой женщине собрать и уложить вещи к приезду Инкиного отца Бориса Моисеевича, который должен был появиться к вечеру, чтобы увезти сестру. В одной Гришиной машине четверо взрослых с багажом и двумя крупными собаками никак не помещались.

Когда накануне вечером Инна позвонила и безнадежным голосом в очередной раз предложила Наташе съездить на дачу «проветриться», та, не раздумывая, согласилась. Только что ей пришлось пережить скандал с Вадимом, и Наташа чувствовала, что больше не выдерживает. Ей нужна отдушина, хотя бы на один день, пусть всего на несколько часов, но избавиться от постоянного напряжения и поговорить с любимой подругой, называя вещи своими именами, ничего не сглаживая и не замалчивая. Веселая, энергичная, заражающая всех вокруг себя радостью и оптимизмом, Инна Гольдман была для Наташи на протяжении более чем трех десятков лет самым лучшим слушателем, внимательным и сопереживающим.

Они оставили Григория в доме: талантливого гинеколога после еды неизменно клонило в сон, а если учесть кулинарные таланты Анны Моисеевны и ее стремление накормить как можно сытнее и обильнее, то легко представить, что ни о каких прогулках после обеда не могло быть и речи. Гриша свалился и уснул мертвым сном, а Наташа и Инна отправились по своему излюбленному маршруту, занимавшему три часа, по дороге вдоль леса, потом через поле, до озера и обратно.

— По-моему, у твоего Вадика с головой не в порядке, — поставила диагноз Инна, выслушав подругу. — Устраивать скандал из-за того, что в ванной кто-то не выключил свет! Уму непостижимо.

— Инуля, дело не в свете, а в том, что его вся ситуация достала. Понимаешь? До-ста-ла. Он попал в ту жизнь, к которой никогда не готовился и к которой он никак не может приспособиться. Ну ты представь: мальчик из хорошей офицерской семьи, вырос в достатке, в отдельной квартире. С детства приучен к порядку и аккуратности, даже стерильности. Воспитан в духе патриотизма и преданности интересам Родины. И так до тридцати семи лет. А потом вдруг оказывается в коммуналке, где не за всем можно уследить и не все вовремя убрать и помыть. А потом еще и вынужден уволиться из Вооруженных Сил, потому что идет сокращение. Для него это огромная травма. И не успел он с этим как-то морально справиться — на нас сваливаются мама с Люсей и Катей. Квартира становится еще более коммунальной. Он и с Бэллочкиным-то присутствием с трудом мирился, а теперь еще и это... Чтобы как-то разрешить проблему, он идет торговать в надежде за полтора года скопить деньги, чтобы отселить Люсю с дочерью, но торговля идет совсем не так, как он себе представлял, и денег он зарабатывает куда меньше, чем рассчитывал. Работа у него тяжелая, весь день на нервах. Три раза у него крали вещи прямо с прилавка, два раза он покрывал их стоимость из собственного кармана, в третий раз заметил вора, побежал за ним, завязалась драка. Куртку он отвоевал, но домой пришел избитый. Каково ему, в недавнем прошлом блестящему офицеру, вести такую жизнь? Конечно, я понимаю, дома его все раздражает, и он ко всему цепляется. В кухне на полу остались капли после мытья посуды — почему не вытерли? Почему свет в ванной не погасили? Почему пятнышко на плите? Почему крошки на столе? Почему мальчики пришли с тренировки не в двадцать два пятнадцать, а в двадцать два тридцать? Он привык, что у него на корабле царит идеальный порядок и дисциплина, и он хочет добиться того же дома. А я не могу за всем уследить. Я же прихожу домой, как правило, позже него, а за день там столько всего накапливается! Одна мама чего стоит. Все роняет и не может поднять — не видит. Все проливает и не вытирает. И свет забывает гасить, и воду иногда не выключает. Но она же старенькая! А Вадик бесится. Я его понимаю, Инуля, и я стараюсь его не раздражать, но у меня не получается.

Инна некоторое время шла рядом, не говоря ни слова, потом вдруг осторожно взяла Наташу за руку.

— Натка, а ведь ты его не любишь, — негромко сказала она.

— Я? Я не люблю Вадика? — Наташа даже задохнулась от возмущения. — Да ты что, с ума сошла? Я шестнадцать лет замужем за ним, у нас двое детей...

— Ага, — хмыкнула Инна. — Ты себя послушай повнимательнее. Я тебе о любви говорю, а ты мне о чем? О шестнадцатилетнем замужестве, о детях. Это ты не мне отвечаешь, это ты сама себя уговариваешь.

— Да нет же, Инна, ну что ты выдумываешь! Я его люблю, он мне очень дорог.

— Угу. Настолько дорог, что ты его боишься. Стараешься не раздражать, не расстраивать, не злить. Даже курить при нем не решаешься — ему, видите ли, не нравится. Ты просто вбила себе в голову, что раз он твой муж и отец твоих детей, то ты обязана любить его до гробовой доски и хранить ему верность. Это не любовь, Натка, эта иллюзия, причем иллюзия опасная. Она может разрушить вторую половину твоей жизни. Ты вспомни, нам с тобой уже по сорок лет. Сколько осталось-то? Всего ничего. Протянем мы с тобой, бог даст, еще столько же, но как женщины будем функционировать еще очень недолго. Состаришься — а вспомнить будет нечего. Разве что Марика.

— Господи, да Марик-то тут при чем? — возмутилась Наташа. — Я его любила, когда была совсем девчонкой. Он меня и поцеловал-то всего один раз, когда прощался перед отъездом в Израиль.

— Вот-вот, и я о том же. Давай пройдем все последовательно. Сначала был Марик, так? Сколько лет тебе было, когда ты в него влюбилась?

— Не помню точно. Лет восемь, наверное, а может, девять.

— Очень хорошо! До семнадцати лет ты по нему сохла, пока он не отвалил в загранку. Потом еще года два подпитывалась воспоминаниями и тихо страдала.

— Инка!

— Что — Инка? Я все помню. И как ты часами о нем говорила, и как рыдала у меня на плече. Потом я втюрилась в Сережу Вери Гуда и потащила тебя в Питер. Ты кривилась и морщилась от тех свободных сексуальных нравов, которые царили в команде, и вдруг встречаешь Вадима. Такой же красивый, как Марик, темноволосый, темноглазый — тот же самый мужской тип. И такой приличный, вежливый, начитанный, воспитанный, консервативный, в отличие от ребят из команды, жутко правоверный в смысле отношения к советской власти. Пойми, Натка, я вовсе не хочу сказать, что Вадик был плохим парнем, он был чудесным, умным, надежным, не то что парни, которые тебя окружали в киношной тусовке, с прекрасным характером. На это ты и купилась. Увлеклась. Уехала в Москву, вы переписывались, перезванивались, периодически встречались. Потом поженились. Потом пошли дети. Где тут любовь? Ты мне ткни пальчиком в то историческое место, где у тебя была любовь к нему. У него к тебе — возможно, не спорю, хотя и не знаю точно. А у тебя к нему? Не было ее никогда. Ты любила в Вадиме, с одной стороны, воспоминания о Марике, а с другой — свои правильные совковые представления об удачном браке: военный, непьющий, с хорошим образованием, с прекрасной зарплатой, хочет детей и любит их. Такие мужья на дороге не валяются. Ты создала себе иллюзию, ты же всегда была жутко правильной девчонкой и прошла самую примитивную лестницу в рассуждениях: если хороший человек — его нужно любить, если любишь — нужно выходить замуж, если вышла замуж — снова нужно любить, теперь уже просто обязательно, тем более когда есть общие дети. А если не живешь с человеком каждый день бок о бок, если встречаешься с ним раз в три-четыре месяца, то можно поддерживать иллюзию очень долго. Встречи коротки, это всплеск эмоций, за короткое время да на положительном эмоциональном фоне проявляются самые лучшие стороны характера, они запоминаются и потом культивируются в воспоминаниях. А плохие стороны могут пока и не проявляться. Ну хорошо, пусть не плохие стороны, а просто такие, которые потом оказываются несовместимыми с твоим собственным характером. Ты двенадцать лет внушала себе, что любишь Вадика. Открой уже наконец глаза и скажи сама себе правду. Ты его не любишь.

— Да почему ты решила?! — с негодованием воскликнула Наташа. — Ну с чего ты взяла, что я его не люблю? Да, ты все правильно говоришь, мы много лет не жили вместе. Да, многие стороны его характера стали открываться мне только сейчас. Да, я не подозревала, что он может скандалить из-за чистоты и порядка, и не просто скандалить, он в ярость впадает, он убить готов. Но это же не означает, что я его не люблю.

— Наташечка, — Инна остановилась, взяла ее за лацканы теплой куртки, — мы обе тут наговорили кучу ненужных слов. Привели кучу каких-то тухлых аргументов. На самом деле все гораздо проще. Если бы ты действительно любила Вадима, жизни без него не представляла, дышать без него не могла, ты согласилась бы на размен квартиры при любом варианте просто потому, что он этого хочет. Его счастье, его комфорт, его желания были бы для тебя на первом месте. О Бэлле Львовне ты бы и не вспомнила. А если бы он любил тебя так, как я только что описала, он бы ни на чем не стал настаивать, потому что твое счастье и твой душевный покой были бы для него важнее. А вы из-за этого дурацкого размена ссорились. И это красноречивее всего говорит о том, что вы оба — прекрасные супруги и родители, вы не изменяете друг другу, вы вместе воспитываете сыновей, но вы друг друга не любите.

Наташа открыла было рот, чтобы обрушить на Инну град обвинений в необъективности и выстрелить в нее автоматной очередью собственных доказательств того, что они с мужем любят друг друга... И вдруг поняла, что подруга права. Поняла со всей очевидностью. Более того, она поняла, что знает об этом уже давным-давно, но страшится признаться самой себе. Этот брак, такой счастливый и удачный, такой дружный и добрый, оказался ошибкой. Ей сорок лет, за ней ухаживали самые разные мужчины, многие из них были пустыми и надутыми индюками, но были и интересные и достойные личности, которые могли бы, наверное, снова зажечь в ней ту искру, которая потухла с отъездом Марика. Она же не принимала никаких ухаживаний, гордая, неприступная и твердо убежденная в том, что любит своего мужа и не собирается ему изменять. Что же, все было неправильно? Не нужно было держаться за этот брак, надо было давно развестись и искать свою любовь? Да нет же, нет, бред какой-то! Как же можно разводиться с человеком, который не сделал тебе ничего плохого, с отцом твоих детей? Ну и что, что нет любви? Зато есть дружба и взаимное уважение, это гораздо важнее.

— Любовь нужна для постели, — убежденно произнесла Наташа. — А для того, чтобы вместе жить и растить детей, нужны дружба и уважение друг к другу.

— Натка, для брака любовь, может, и не обязательная вещь, тут я могу с тобой согласиться, но для жизни она нужна непременно. Не должна женщина жить без любви, это неправильно. Хочешь жить с Вадимом — живи, никто тебя не заставляет разводиться. Только не замыливай сама себе глаза сказками о том, что ты его безумно любишь. Признайся, что никакой любви у тебя здесь нет, и сделай соответствующие выводы.

— Ты на что меня толкаешь? — изумилась Наташа. — На измены, что ли? На то, чтобы я нашла себе другого мужика и с ним изменяла собственному мужу? Ну уж нет, дорогая, это не на мой характер. А тебя, хитрюга, я вижу насквозь. Ты просто лоббируешь интересы своего дружка Ганелина. Хочешь запихнуть меня в его объятия. Угадала?

Инна с сожалением посмотрела на нее и пожала плечами:

— Дурочка ты, Натка. Ты вспомни, как лежала целыми днями и рыдала от горя, когда узнала, что Марик женится. Какая это для тебя была трагедия! На какие переживания ты была способна из-за него! Ты же умирала, если хотя бы день его не видела. А без Вадима ты прекрасно прожила двенадцать лет. Положа руку на сердце, ответь: ты бы стала так рыдать и убиваться, если бы сегодня Вадик заявил тебе, что уходит к другой? Да ты вздохнула бы с облегчением.

— Ну ты сравнила! Я тогда совсем девчонкой была, для меня Марик был единственным смыслом жизни. А сейчас мне уже сорок, сама же говорила.

— Вот именно, дорогая моя. Марик был смыслом жизни. А Вадим? Он когда-нибудь был для тебя смыслом жизни? Не отвечай, сама знаю. Если и был, то только в первый раз, когда вы легли в постель, извини за цинизм.

Они долго шли молча, Наташа снова и снова искала доводы в пользу того, что ее подруга не права, но с каждой минутой все больше убеждалась в том, что доводов этих ей не найти. Права Инка, опять права.

На обратном пути они заговорили о совсем других вещах и к этой теме больше не возвращались. На даче они застали процесс активной подготовки Анны Моисеевны к переселению в Москву. Григорий упаковывал вещи, а Анна Моисеевна накрывала на стол, выставляя все продукты, которые не имело смысла тащить в город и которые, по ее представлениям, непременно следовало съесть.

— Девочки, садитесь скорее, — хлопотала она, — уже все горячее.

— Тетя Аня, — возмущалась Инна, — мы еще твой обед не переварили, а ты снова за стол усаживаешь. Имей же совесть!

— Какая совесть, деточка? — Анна Моисеевна вскинула на племянницу выцветшие от старости глаза. — При чем тут совесть? У меня чудные блинчики с творогом, всего пять штучек, что вам, трудно их скушать? Еще три котлетки, я вам положу с жареной картошечкой, будет очень вкусно. Пирожки можно взять с собой, по дороге съедите, если проголодаетесь, а щи надо доесть прямо сейчас, не везти же в Москву кастрюлю. И выливать жалко, такие чудесные щи, из свежей капусты, на курином бульончике. Гришенька сказал, что он перед дорогой кушать не будет, а то прямо за рулем уснет, так что вы уж постарайтесь.

— Тетя Аня, а может, папе оставим? — схитрила Инна. — Скоро папа приедет, ты лучше его покорми.

— Не волнуйся, деточка, за своего папу, я для него оставила тушеное мясо и салат, там почти целая миска «оливье». Девочки, не пререкайтесь, мойте руки и за стол.

— Как ты думаешь, не вывернемся? — шепнула Наташа, намыливая руки под краном.

— Дохлый номер, — со смехом ответила Инна. — Ты же знаешь тетю Аню. Пока до смерти не закормит — из-за стола не выпустит. Бедный папа, еще и ему достанется.

— А если ее отвлечь и призвать на помощь собак?

— Ты что! — Инна посмотрела на нее со священным ужасом. — Теткину стряпню собакам скармливать? Да ее удар хватит!

— Так она же не заметит. Мы тихонько.

— Не пройдет. Она собак в строгости воспитала, они с человеческого стола ни крошки не возьмут. Только свою собачью еду и только из своих мисок.

— Инуля, ну придумай что-нибудь, я же лопну, — взмолилась Наташа. — И Анну Моисеевну обижать не хочется, она так старалась, столько всего наготовила к нашему приезду. И выбрасывать еду нельзя, это грех, тут я согласна. Может, с собой забрать?

— Мысль. — Инна одобрительно кивнула головой и протянула подруге полотенце. — Давай что можем — съедим, а остальное упакуем в виде гостинцев твоим оглоедам.

Они с видом великомучениц впихнули в себя щи и жареную картошку, а блинчики с творогом и котлеты Наташа попросила разрешения забрать домой и упаковала в полиэтиленовые пакетики. К приезду Бориса Моисеевича весь багаж был готов к погрузке. Пока хлебосольная старушка потчевала брата салатом «оливье» и тушеным мясом с черносливом, Инна, Григорий и Наташа еще раз обошли весь дом и участок, проверили, все ли в порядке, все ли вентили перекрыты и все ли вещи собраны.

— Гриша, взгляни на этот исторический куст, — торжественно произнесла Инна, когда они проходили мимо смородины. — Вот здесь, на этом месте моя безумная подруга валялась на одеяле с учебником алгебры, в то время как вся передовая молодежь дачного поселка во главе с твоей женой развлекалась на озере. И каков же результат? То же самое высшее образование, точно такая же семья и почти такой же достаток. Так для чего нужно было отказывать себе в удовольствиях и гробить свои молодые годы?

— Зато Наташу знает вся страна, она стала знаменитостью, а ты — Инна Гольдман, известная только в узком кругу друзей и коллег. Чувствуешь разницу?

— Ощутимую, — со смехом согласилась Инна. — Если я, Гришечка, захочу тебе изменить, то сделаю это легко и просто, и ты никогда об этом не узнаешь. Зато Наташке такая перспектива не светит, ее вся страна знает в лицо. Стоит ей появиться в ресторане или на тусовке какой-нибудь с посторонним мужчиной, об этом завтра же напишут все газеты. Она не только в юности лишала себя радостей жизни, но и насчет зрелых лет постаралась.

Гриша перевел внимательный взгляд с жены на Наташу, зачем-то потрогал упругие тонкие ветки кустарника и ничего не ответил.

Уже в Москве, когда машина подъезжала по Садовому кольцу к Смоленской площади, Наташа тихо сказала сидящей рядом с ней на заднем сиденье Инне:

— Инуля, меня с детства поражало, что ты так часто оказываешься права. А ты мне отвечала, что в тебе генетически присутствует вековая мудрость еврейского народа.

— Сейчас к ней добавился еще и мой собственный сорокалетний опыт, — улыбнулась Инна. — А что, ты уже созрела для того, чтобы признать мою правоту?

— К сожалению, да. Я представила себе, как после вчерашнего скандала сейчас буду разговаривать с Вадимом, и поняла, что хочу оттянуть этот сладостный момент. Если бы я его любила, я бы летела домой как на крыльях.

Машина притормозила у дома в переулке Каменной Слободы, Инна поцеловала Наташу в щеку и шепнула в самое ухо:

— Говорят, признание ошибки — это уже полдороги к тому, чтобы ее исправить. Дерзай, дорогая.

Наташа немного постояла у подъезда, глядя вслед удаляющейся машине, и стала не спеша подниматься по лестнице. С каждой пройденной ступенькой на сердце становилось все тяжелее. Между вторым и третьим этажами она привычно вспомнила Марика, всегда на этом месте он возникал в ее памяти, перед глазами всплывало его лицо, в ушах звучал негромкий голос: «Никогда не задавай вопрос, если не уверена, что готова услышать ответ». Именно здесь много, много лет назад он сказал ей эти слова, а она тогда дрожала от предчувствия чего-то сладкого и страшного, она была влюблена и надеялась...

Не дойдя один пролет до своего этажа, Наташа остановилась у окна, достала сигареты. Вот сейчас одну сигарету выкурит — и пойдет домой. Не хочется. Страшно. Неприятно. Тягостно. Господи, неужели Инка права?

РУСЛАН

Досье на Бахтина становилось все толще, его биография обрастала подробностями и мелкими деталями. Теперь Руслан знал не только имя его первой жены, но и обстоятельства развода, и историю вторичной женитьбы на молодой красавице. Отдельные странички досье были посвящены привычкам Бахтина, его вкусам и пристрастиям, даже любимым блюдам и предпочитаемым сортам вин. Этот успешный и удачливый бизнесмен жил на широкую ногу, ни в чем не отказывая ни себе, ни молодой жене. Но собрать информацию о сегодняшней жизни Бахтина особого труда не составляло, Руслану же нужны были сведения о нем более чем десятилетней давности. С кем общался в 1984 году, с кем конфликтовал, о чем думал, чего боялся, к чему стремился.

Убийца Бахтин родился в 1949 году, с 1967 по 1969 год проходил действительную военную службу в воздушно-десантных войсках, в 1974 году окончил в Москве Институт народного хозяйства имени Г.В.Плеханова, занимался автоматизацией управления. У него было много тесных контактов в промышленном отделе обкома партии, где работали его друзья по яркому комсомольскому прошлому. В 1984 году Бахтин занимал должность директора вычислительного центра одного из НИИ, в этом же году его беспробудное донжуанство переполнило наконец чашу терпения жены, которая заявила о своем намерении развестись с ним. Бахтин не сильно горевал, у него в тот момент была другая женщина, о женитьбе на которой он подумывал не без удовольствия. Жена, Алла Григорьевна, разъехалась с неверным мужем в начале лета, оставив вопрос об официальном расторжении брака до осени. Бахтин немедленно переселил в свою квартиру юную любовницу, только-только окончившую институт, и начал усиленно предаваться любовным утехам свободного от брачных обязательств мужчины. К сожалению, молодая пассия вынуждена была оставить своего возлюбленного на четыре месяца, ее отправили в Хабаровский край на стажировку. Провожая ее в аэропорту, Бахтин пообещал к ее возвращению решить вопрос с разводом, после чего немедленно жениться.

Летний отпуск ему пришлось в 1984 году проводить в одиночестве. Друзья из обкома партии помогли найти место для отдыха, такое, как он хотел: спокойное, уединенное, много природы и мало людей. Охотничий домик — обкомовская база отдыха. В течение первых двух недель их было четверо — Бахтин и еще трое друзей — бывших комсомольцев-активистов Кемеровского горкома ВЛКСМ. Через две недели друзья уехали, Бахтин остался один. Собирал грибы, ловил рыбу, наслаждался тишиной, писал какую-то научную статью. В этот же период совершил убийство, через неделю был сначала задержан, потом арестован.

Алла Григорьевна, узнав об аресте мужа, забыла свои обиды, носила в следственный изолятор передачи, после осуждения ездила в колонию на свидания. Юная красавица с горизонта исчезла, и после досрочного освобождения Бахтин снова сошелся с прежней женой, развестись с которой так и не успел. В браке с Аллой Григорьевной у него было двое детей — сын 1975 года рождения и дочь, родившаяся через три года, в 1978-м. Обдумывая эти сведения, Руслан пытался представить себе, до какой же степени ненависти Бахтин должен был своими бесконечными изменами довести жену, если она решилась уйти от него, имея двоих детей, которым в 1984 году было, соответственно, девять лет и шесть. Извергом он был самым настоящим!

Но с Аллой Григорьевной Бахтин все-таки развелся. Или она с ним? В 1991 году у него появилась очередная юная красавица (сведения, которые удалось Руслану собрать, красноречиво говорили о том, что Бахтина интересуют только женщины не старше двадцати пяти лет, по крайней мере, ни одного романа с дамой от двадцати пяти и старше зафиксировано не было), и жена ушла от него уже окончательно. От этой истории на Руслана веяло тем, что принято называть черной неблагодарностью. Он ведь собирал сведения не только о Бахтине, но и о его жене и выяснил, что в тот период, пока убийца отбывал срок в колонии усиленного режима, рядом с Аллой Григорьевной появился достойный уважения претендент на ее руку. Он не только любил ее, но и завоевал расположение детей, что немаловажно, учитывая их нежный возраст. Однако женщина, искренне отвечавшая на его чувства, сказала, что не может бросить мужа, оказавшегося в беде. Она должна дождаться его освобождения, помочь ему снова встать на ноги, а уж потом, если претендент готов ждать... Но ждать он был не готов. Его до глубины души оскорбили объяснения Аллы Григорьевны, готовой пожертвовать своей любовью к нему ради какого-то убийцы, к тому же известного на весь город своими амурными похождениями. Жених не понял и не принял ее благородных порывов, отношения разорвались.

Руслану казалось, что уже за одно это Бахтин должен был вести себя тише воды ниже травы, покончить с супружескими изменами и до скончания века заглядывать Алле Григорьевне в глаза с выражением вечной преданности и благодарности. Но не тут-то было! Он снова принялся за свои штучки, и вполне понятно, что супруге это в конце концов надоело. В девяносто первом ей было уже за сорок, и с двумя детьми шестнадцати и тринадцати лет шансов устроить личную жизнь у нее было не так уж много. Во всяком случае, к началу 1996 года сорокашестилетняя Алла Григорьевна пребывала по-прежнему в статусе разведенной жены и замуж во второй раз так и не вышла, в отличие от своего бывшего мужа, сменившего в течение четырех лет, прошедших после развода, нескольких любовниц и женившегося в итоге на двадцатилетней сотруднице своей фирмы. Произошло это радостное событие совсем недавно, поздней осенью девяносто пятого. Венчание состоялось в Кемерове, свадьба — в Ленинске-Кузнецком, где с недавнего времени обосновалась возглавляемая Бахтиным фирма по продаже компьютеров, а медовую неделю молодые провели в Арабских Эмиратах, где в это время года тепло и солнечно. В день свадьбы Бахтин преподнес невесте девяносто девять роз — по одной розе за каждый год аренды имения, которое приобрел оперный Пинкертон вместе с юной прелестной японкой Чио-Чио-сан. Оказывается, «Мадам Баттерфляй» Пуччини — любимое музыкальное произведение убийцы Бахтина. Руслан с оперой знаком не был, но из любопытства прочитал либретто и презрительно усмехнулся: не мудрено, что Бахтину нравится этот сюжет, Пинкертон не хранил верность своей молодой возлюбленной, и даже факт рождения ребенка не удержал его от измены. Очень по-бахтински!

Помимо подробностей интимно-романтического плана, Руслан внес в досье на Бахтина сведения о том, что он три раза в неделю играет в волейбол, каждое воскресенье непременно проводит два часа на теннисном корте, а летом обязательно выезжает на отдых туда, где есть возможность заняться верховой ездой. В юности он посещал конно-спортивную школу, во время учебы в столице регулярно появлялся на ипподроме отнюдь не в качестве играющего на бегах, и вообще Бахтину усиленно советовали всерьез заняться конкуром. Он любил лошадей, чувствовал их, и животные платили ему нежным безупречным послушанием. Привычка к регулярным занятиям спортом у Бахтина была с детства, и даже годы, проведенные на зоне, эту привычку не искоренили.

Руслан знакомился с людьми, иногда представлялся журналистом, иногда придумывал какие-то легенды, задавал вопросы, записывал ответы, досье становилось все толще, но та единственная ниточка, потянув за которую можно было бы распутать тайну убийства брата, все не находилась. Ни одного намека на то, что в 1984 году в жизни Бахтина происходило что-то экстраординарное. Ни одного внезапно исчезнувшего врага, ни одного мгновенно, но непонятно как разрешившегося конфликта. Ничего интересного. Правда, не следует сбрасывать со счетов многочисленных любовниц убийцы. Он мог избавиться от кого-то из них, если девушка стала слишком назойливой. Или же избавиться от ее мужа или кавалера, замучившего своей ревностью. Чем дальше — тем увереннее Руслан приходил к выводу о том, что Бахтин совершил не одно, а два убийства, первое — по личным мотивам, а второе — чтобы убрать свидетеля. Со вторым-то убийством все ясно как божий день, а вот первое... Кто стал его жертвой, когда, где и при каких обстоятельствах?

Надежным источником информации в этом плане могли бы стать женщины — жена Бахтина Алла Григорьевна, от которой легкомысленный муж, по-видимому, своих любовных приключений не скрывал, а также девушка, на которой Бахтин намеревался в тот период жениться и которая летом уехала на стажировку в Хабаровский край. У несостоявшейся невесты можно узнать, не было ли у нее в 1984 году поклонника, любовника, жениха или даже мужа, которые могли бы помешать ее счастью с директором вычислительного центра. И если таковые были, то где они сейчас, какова их судьба. Не пропали ли, часом, из виду, и уж не в 1984 ли году? А вот имя этой, без сомнения, очаровательной дамы может назвать именно Алла Григорьевна, в разгар романа потерявшая надежду сохранить брак. Жены могут не знать любовниц своих мужей, но уж ту единственную, которая собирается стать преемницей на супружеском ложе, как правило, знают не только в лицо, но и по имени.

К встрече с Аллой Григорьевной Руслан готовился много месяцев. Он не представлял себе, что скажет ей, кем представится. Сказать правду, дескать, я — брат того человека, Михаила Нильского, которого убил ваш бывший муж? Рискованно, слишком рискованно. Алла Григорьевна уже однажды продемонстрировала незаурядную преданность этому человеку, несмотря на все его измены. Как знать, не сохранила ли она подобное отношение к нему и по сей день. А то сразу же после визита Руслана помчится к своему ненаглядному Бахтину докладывать, что один ушлый журналюга интересуется обстоятельствами убийства и подозревает, что было два трупа, а не один. Тут Руслану и придет логический конец, потому как такие богатые люди, как Бахтин, имеют не только личную охрану, но и службу безопасности, а в службе безопасности, состоящей из бывших милиционеров и комитетчиков, всегда найдется человек, который знает, как устранить излишне любопытных. Мало ли что Алла Григорьевна ушла от мужа, она однажды уже уходила, а потом случилась беда, нависла над Бахтиным опасность — она тут как тут, примчалась на помощь. И нет никаких гарантий, что это не повторится снова. Нет, для разговора с бывшей женой Бахтина нужна легенда, но вот какая? Чем объяснить интерес к жизни Бахтина, да не к сегодняшней, а к той, которую он вел двенадцать лет назад? И не просто к жизни, а к имени его любовницы (или даже любовниц) того периода?

Никаких плодотворных идей в голову не приходило, и Руслан пытался решить задачу другим путем. В охотничьем домике с Бахтиным целых две недели отдыхали трое мужчин, его старых друзей. Наверняка было выпито немало водки, и трудно представить себе, чтобы за две недели да на фоне постоянных возлияний четверо мужиков не говорили «о бабах». Быть того не может. Наверняка говорили. И Бахтин наверняка рассказывал о своей молодой любовнице, уехавшей на стажировку. И называл ее имя и фамилию или хотя бы место работы. Имена и тогдашнее место работы этих троих мужчин в уголовном деле были, их допрашивали в качестве свидетелей. Следователь, как показалось Руслану, вполне добросовестно отработал версию о случайной встрече и внезапно завязавшейся драке между Бахтиным и Нильским, потому что задавал этим свидетелям вопросы о том, не упоминал ли Бахтин о своем знакомстве с потерпевшим, не планировал ли встречу с ним, не рассказывал ли о возникших между ними неприязненных отношениях. Ответы у всех троих на данные вопросы были отрицательными, но ведь сами ответы могли быть ложью. Друзья просто-напросто прикрывали Бахтина, заранее сговорившись дуть в одну дуду. А может, и в самом деле не знали правды, ведь если Бахтин совершил еще одно убийство, то не дурак же он полный трепаться об этом на каждом углу. Убил — и в тину, и все шито-крыто. Так и вышло бы, если бы случайно каким-то образом об этом убийстве не узнал Миша Нильский. И снова все могло бы сойти убийце с рук, если бы не грибники, случайные свидетели даже не самого преступления, а всего лишь присутствия Бахтина неподалеку от места убийства. Этого оказалось достаточным, чтобы его арестовать. Наверное, и сам Михаил оказался таким же вот случайным свидетелем...

Но опять же — как подъехать к этим людям, как задать свой вопрос? Показать интерес к прошлому Бахтина означает нарваться на возможность того, что они тут же ему сообщат о Руслане. Друзья все-таки. Хотя жизнь показывает, что от людей, совершивших преступление и отбывших срок, друзья частенько отворачиваются, перестают общаться и вообще всячески делают вид, что незнакомы. Знать бы, как дело обстоит в этом случае...

Чем больше Руслан думал, тем больше укреплялся в мысли о том, что нужна легенда, прочно прикрывающая его интерес к Бахтину. Он разыскивает девушку, улетевшую летом 1984 года в Хабаровск. Имени не знает, как выглядит — не знает, где работает — тоже не знает, знает только, что улетала она на четыре месяца на стажировку. Маловато, пожалуй. К тому же самому ему было в то время всего четырнадцать лет, какие дела у него могли быть с уже закончившей институт девушкой, о которой он ничего не знает?

Наконец, легенда составилась. Все в ней было более или менее хорошо, кроме одного существенного недостатка: с такой легендой следовало идти прямо к Бахтину. Обращаться к кому бы то ни было другому — верх идиотизма, причем моментально вызывающий кучу подозрений. Вот если Бахтин откажет Руслану во встрече, желательно — откажет неоднократно, тогда можно и к другим людям обращаться, к Алле Григорьевне, например. Конечно, в легенде было огромное количество уязвимых мест, например, внешний вид девушки, лицо, прическа, цвет волос, рост, одежда. Но тут Руслан надеялся выкрутиться, он не пожалел времени и сил, лично взглянул на всех любовниц Бахтина, которых ему удалось выявить за последние годы, и убедился, что все они на одно лицо, высоченные худощавые брюнетки с крупными яркими губами и длинными прямыми волосами. Любимый типаж господина убийцы? Ну что ж, если после освобождения из колонии он предпочитает исключительно таких девушек, то нет оснований полагать, будто до осуждения он любил пухленьких маленьких блондинок. Как там фильм-то назывался? «Джентльмены предпочитают блондинок»? Да, господин убийца у нас явно не джентльмен.

Соваться к Бахтину Руслану ох как не хотелось, особенно не хотелось показывать редакционное удостоверение или даже паспорт. Фамилия... Эксперт, следователь, любой другой милиционер наверняка не вспомнит фамилию молодого человека, убитого двенадцать лет назад. У них таких убитых — десятки, сотни. А у Бахтина Нильский — один, он за этого Нильского срок мотал, и имя это до гробовой доски не забудет. Прийти к Бахтину без документов? Фигушки! Охрана первым делом спросит, назначена ли встреча, а потом паспорт потребует.

И тут Руслан столкнулся с негативными последствиями особенностей собственного характера. Он никогда не был болтлив. То есть он мог быть душой компании, охотно и умело поддерживал разговор в любой ситуации и с любым количеством людей, но — так уж повелось еще со школьных лет — с уважением и трепетом относился к тому, что входило в понятие «личная тайна». Много чего он сумел разузнать сначала о жителях своего города, потом о коллегах по редакции, потом и о разных других людях, проживающих в Кузбассе, но никогда эти знания не обретали с его помощью форму сплетни или скандальной публикации, если на то не было редакционного задания. Чужие секреты не распирали его изнутри, не рвались наружу, не зудели хронической болячкой, которую непременно хочется потрогать или почесать, поэтому хранить их не составляло для Руслана Нильского ни малейшего труда. И точно так же он относился к секретам собственным, к которым в первую очередь причислял поиски правды о смерти своего брата. Никому, кроме матери и работника милиции Петра Степановича Дыбейко, он никогда не говорил о том, что пытается выяснить, за что на самом деле Бахтин убил Мишу. Разумеется, у Руслана были друзья, и девушки у него тоже были, но никому из них он этой единственной своей тайны не открывал. Зачем? Он как-то привык, что это его личное дело. Даже мать не поддерживает его идею.

Теперь же пришлось задуматься, а прав ли он был, скрывая даже от самого близкого друга ход своей осадной войны против Бахтина. Чего скрывать-то? Ну разве что из опасений, что не все люди умеют так держать язык за зубами, как сам Руслан. Разболтает один, подхватит другой, так и до Бахтина дойдет. А тот примет соответствующие меры. Денег у него море, а у кого есть деньги, тот может все. Да, опасаться следовало, но вот настал момент, когда без помощи друга просто не обойтись. И Руслан решил рискнуть.

Володя Баблоев, красивый кавказец со сросшимися у переносицы бровями, работал в их же газете спортивным обозревателем. Выслушав длинный рассказ Руслана, он понимающе подмигнул:

— Я понял, ты хочешь меня к Бахтину заслать, верно?

— Ты согласен?

— А чего? Конечно, согласен. Только я с паспортом поеду, редакционную ксиву с собой не возьму. У тебя публикаций много, твоя фамилия может примелькаться. Если Бахтин хоть раз на твою фамилию среагировал, когда газетку почитывал, то наверняка запомнил, в каком издании ты трудишься. И человек из этого же издания его насторожит. Я чайником прикинусь, ну, к примеру, учителем физкультуры в средней школе. Дешево и сердито. Если что — о спорте могу поговорить вполне квалифицированно. Когда это все было-то?

— В восемьдесят четвертом.

— Значит, мне было пятнадцать... Нормально, для твоей легенды сойдет. Давай еще раз проговорим детали. Значит, я летел в Хабаровск. Когда точно?

— Летом.

— Лето большое, — шевельнул густыми бровями Володя.

— До пятнадцатого июля. Потому что после пятнадцатого Бахтин уже торчал в охотничьем домике.

— Весь июнь и половина июля... Многовато. Если он попросит уточнить дату, могу не попасть в цвет.

— Да ты что, Вовка, столько лет прошло! Ты вполне можешь забыть точную дату. Не бери в голову, для чего ему проверять?

— А зачем я летел в Хабаровск?

— К родственникам, на каникулы. Родственники — люди малообеспеченные, поэтому тебе родители дали с собой деньги, сто пятьдесят рублей, чтобы ты не сидел на шее у хозяев нахлебником. Но у родителей эти деньги тоже были не лишними, они их специально копили, чтобы ты мог на великую реку Амур посмотреть и через реку в Китай заглянуть. Такая у тебя была детская мечта.

— Красиво, — протянул Баблоев, — река Амур, Китай... Может, и вправду слетать да глянуть, а? Ты с таким чувством рассказываешь, что мне и на самом деле захотелось...

— Не отвлекайтесь, папаша, — шутливо одернул друга Руслан. — Запоминайте душераздирающую историю. В аэропорту тебя, как водится, обокрали плохие дядьки, но ты обнаружил это только в накопителе, когда уже сдал багаж и зарегистрировался на рейс. Деваться некуда, телефонов там нет, домой не позвонить, с рейса не сбежать, и вообще стыдно, больно и противно, как всякому нормальному обворованному. Ты стоишь у стеночки, отвернулся и горько плачешь. И тут к тебе обращается красивая высокая стройная девушка, жалеет, утешает, дает тебе выплакаться на своем плече, вытирает тебе сопли. Выслушав твою горестную историю, открывает кошелек и достает деньги. На, мол, мальчик, не плачь, все в этой жизни поправимо.

— Сколько денег дает?

— Я думаю, рублей семьдесят-восемьдесят, вряд ли больше. Сто пятьдесят рублей по тем временам — сумма немалая, зарплата инженера была меньше. Сколько могло быть с собой у вчерашней студентки, уезжающей на стажировку? Полагаю, рублей сто—сто двадцать, а то и меньше. Ей же должны были по месту стажировки зарплату платить. Понимаешь, Вовка, я не знаю, из какой она была семьи, может, там папа — академик, а мама — заслуженная или народная артистка, денег куры не клюют, тогда они могли своей ненаглядной доченьке в дорогу и побольше дать. Но в любом случае сто пятьдесят рублей она бы тебе не дала, это все-таки очень много. Я думаю, даже и семьдесят рублей — много. Пусть будет пятьдесят. В самый раз.

— О'кей, — согласился Володя, — пусть будет пятьдесят. Сидели мы рядом?

— Ни в коем случае! Она сунула тебе пятьдесят рублей, и тут подали автобус и вас повезли в самолет. Когда вы прилетели, тебе не сразу удалось к ней подойти, она сидела ближе к выходу и уехала в здание аэровокзала первым автобусом, а ты — вторым. Но возле багажной стойки ты ее отыскал, тебе стало неловко, весь полет ты маялся и решился все-таки деньги ей вернуть. Она денег не взяла, засмеялась и ответила: «Вырастешь, начнешь сам зарабатывать — тогда и отдашь». Схватила с транспортера свой багаж и пошла к выходу. А ты остался, потому что твоей сумки еще не было.

— А я крикнул ей вслед: «Как я вас найду?» Я же должен был, как юноша совестливый, об этом спросить.

— А она тебе ответила: «Захочешь отдать деньги — найдешь!» И исчезла.

— Какой у нее был багаж? Сумка, чемодан? Сколько мест?

— Ты не помнишь. Во-первых, ты был взволнован и смущен.

Во-вторых, тебе и в голову не пришло обратить на это внимание. А в-третьих, — в этом месте Руслан придал голосу побольше трагизма, — ты был так растроган добротой и бескорыстием прекрасной незнакомки, что у тебя слезы навернулись на глаза, и ты вообще в тот момент мало что видел.

— И правда, душераздирающе, — засмеялся спортивный обозреватель.

— Сценарий для мелодрамы. И вот прошли годы...

— Да, представь себе, прошли годы, ты давно уже начал зарабатывать самостоятельно, ты никогда не забывал добрую прекрасную незнакомку, хотел вернуть ей долг, но как ее найти — не знал. Всю голову напрочь сломал. И вдруг увидел в газете фотографию человека, который провожал девушку в аэропорту. Причем, обрати внимание, я даю хороший путь для отступления. Ты видел этого человека рядом с твоей незнакомкой. Сначала ты подумал, что он ее провожал, но потом сообразил, что, может быть, он провожал кого-то другого, а та красивая девушка, которая одолжила тебе деньги, просто стояла рядом с ним в очереди на регистрацию. Если я не угадал с внешностью и возрастом, всегда можно сойтись на том, что Бахтин провожал не твою красавицу. Один шанс из миллиарда, что он точно помнит, кто стоял перед ним и за ним в очереди на регистрацию. Это было двенадцать лет назад, и он должен был быть увлечен разговором с девушкой и по сторонам не пялиться. Ты прекрасно понимаешь, что твоя девушка, может быть, была и не с Бахтиным, а просто стояла рядом, но на всякий случай решил обратиться к господину бизнесмену, потому что это единственная возможность найти твою спасительницу и отдать ей долг в тысячекратном размере с учетом инфляции. Ты ничего о ней не знаешь, ни имени, ни фамилии, помнишь только, что она обмолвилась, будто летит на четыре месяца не то на практику, не то на стажировку.

Баблоев молча допил пиво, сунул бутылку в полиэтиленовый пакет, стоящий в углу кухни — в его доме не было мусоропровода, и пакеты с мусором он ежедневно выбрасывал в стоящий на улице бак.

— Ну что ж, — подытожил он, — история вполне годится. Но в ней есть огромная дыра.

— Какая? — удивился Руслан. Ему казалось, он все продумал.

— А вдруг Бахтин ее не провожал в аэропорту? Вдруг он вообще тем летом в аэропорту ни разу не был? Что тогда?

— Ничего, — пожал плечами Руслан. — Ты просто обознался. Увидел фотографию в газете, и тебе показалось, что ты этого человека встречал много лет назад в аэропорту, но, видимо, ошибся. Вот и все, ничего катастрофического. Извинишься и уйдешь. По земле ходит огромное количество людей, внешне похожих друг на друга. Вон даже конкурсы двойников проводят.

— Хорошо, — кивнул Володя. — А в какой газете я видел его рожу?

Руслан молча вытащил из сумки газету и протянул другу. На снимке бизнесмен Бахтин, генеральный директор фирмы «Дисплей», торжественно разрезал ленточку на открытии новой школы-лицея, на строительство которой он выделял деньги в качестве благотворительной помощи. Рядом с фотографией был напечатан репортаж. Баблоев быстро пробежал текст глазами.

— Ах, так мы еще и благотворительностью занимаемся? — протянул он. — Мы еще и добренькие, оказывается?

— В определенных рамках, — сухо уточнил Руслан. — Это делается очень просто. Оказываешь помощь на две-три тысячи долларов, предварительно договариваешься о том, что тебе выдадут бумажку, согласно которой ты подарил стройматериалы и оборудование на сумму пятьдесят тысяч. Эту бумажку несешь в налоговую инспекцию, и тебе списывают пятьдесят тысяч с налогооблагаемой базы. Три тысячи долларов теряешь, зато экономишь тысяч пятнадцать. Чистая выгода.

В этот момент он вспомнил об Андрее Константиновиче Ганелине, безвозмездно дававшем деньги Наталье Вороновой, чтобы та могла снимать свое кино. Тоже благотворительность, но не корыстная, не для того, чтобы снизить налоги, а просто из любви к женщине. Это и благотворительностью-то назвать нельзя. Хотя, наверное, Ганелин, как и остальные, подавал в налоговую инспекцию сведения о том, что энные суммы перечислены в благотворительных целях. И точно так же снижал налогооблагаемую базу. Кстати, не в этом ли кроется секрет его бескорыстной любви к Вороновой? Переводил на счет продюсерской компании или киностудии огромную сумму, кинопроизводители ее снимали частями под разные расходы и возвращали наличными тому же Ганелину. Не все, конечно, что-то себе оставляли, кино же надо снимать. В общем, по договоренности. Воронова просто помогала Ганелину убегать от налогов. Сэкономленные (проще говоря — украденные у государства) средства они делили между собой. Вот и вся любовь. А разговоров-то...

В ближайшие дни Руслан дозвонился до фирмы «Дисплей» в Ленинске-Кузнецком и попросил записать его на прием к господину Бахтину по личному вопросу. Нет, не по поводу работы. Нет, и не по поводу оказания благотворительной помощи. Нет, ничего финансового. Нет-нет, я не журналист, я преподаю в средней школе физическое воспитание. Нет, завтра я не могу, я живу в Кемерове, мне до вас еще добраться нужно, а перед этим отпроситься с работы. Да, в следующий четверг будет просто замечательно, у меня как раз свободный день, нет уроков, и я смогу приехать в любое время, когда господин Бахтин сможет меня принять.

— Я тебя записал на аудиенцию, — сообщил Руслан Володе Баблоеву. — В четверг в семнадцать часов.

— В четверг? — Баблоев в ужасе схватился за голову. — В четверг я не могу, у тещи день рождения. Жена меня убьет, если я не приду. Она и так ворчит, что я не родственный, что только свою кавказскую родню уважаю, а ее родителями пренебрегаю. Нет, Руслан, в четверг никак не выйдет, спокойствие дороже. Ты уж прости. Давай в другой раз.

— Никакого другого раза, — твердо ответил Руслан. — Сто километров, два часа езды. В пять часов вечера ты у него, в шесть выезжаешь оттуда, в восемь — в Кемерове. Будний день, все нормальные люди на работе, они имеют право не освободиться к шести.

— Ловко ты считаешь! — возмутился Баблоев. — Ты что, никогда в приемных у начальников не сидел? Тебя, можно подумать, всю жизнь точно в назначенное время принимали. А если Бахтин твой меня примет только в восемь?

— Не сиди до восьми. Никто не заставляет. Ждешь до половины шестого и топаешь на вокзал. А секретарше объясняешь, что у твоей тещи день рождения и тебе непременно нужно вернуться, иначе жена поедом съест, а потом еще два месяца догрызать будет. И попросишь, чтобы она записала тебя на другой день.

— Два раза кататься? — недовольно поморщился Володя. — Не ближний свет вхолостую-то ездить.

— Короче, — строго сказал Руслан. — Чего ты хочешь? Ты ж деньгами за услугу не возьмешь. Так чем?

— Да будет тебе корыстного какого-то из меня строить! — возмутился спортивный обозреватель. — Ничего мне не надо. Только если...

— Ну-ну, телись, не мычи, — подбодрил его Руслан.

— Придешь с нами к теще на день рождения, а? — Баблоев просительно заглянул другу в глаза. — Она от твоих статей прямо тащится. И млеет оттого, что ты так классно фотографируешь. Помнишь, ты в прошлом году мою Надюху с детьми и с собакой снимал? Так этот снимок у тещи в красном углу в рамочке стоит вместо иконы. Наглядеться не может, до того ей нравится. У нее в четверг юбилей, пятьдесят лет, так она спит и видит, чтобы лично ты ее в этот радостный день сфотографировал, парадный портрет сделал и снимки в кругу семьи и друзей. Она уж мне аккуратненько намекала, но я делал вид, что не понимаю. А, Руслан?

— Делов-то, — усмехнулся Руслан. — Я бы с тобой и так пошел, если бы ты попросил. Что я, не понимаю? Страшнее тещи зверя нет, перед ней надо на задних лапках скакать, чтобы в твоей собственной семье были мир и покой. Закон вторичной семейной зависимости. Я потому и не женюсь пока, сироту подыскиваю.

В четверг Руслан ровно в девятнадцать ноль-ноль позвонил в квартиру тещи Баблоева. Это была идея Володи: чтобы сгладить недовольство опозданием зятя, прислать дорогого гостя пораньше. Идея себя оправдала, юбилярша пришла в такой восторг, увидев Руслана с фотоаппаратом, что об отсутствующем родственнике вообще на время забыла. Руслан же, руководствуясь все той же идеей, предложил сразу же начать фотосеанс, пока красиво накрытый стол еще не разграбили оголодавшие гости, у дам на лицах свежая косметика, а мужчины не размякли от выпитого. Сначала были сделаны портреты всех присутствующих, супружеские пары снимались вместе. Потом пришла очередь групповых фотографий, затем последовали так называемые «постановочные» кадры. Руслан в этом плане был щедр на выдумки — одна смешнее другой, и народ от души веселился, выполняя его режиссерские указания. Когда явился запыхавшийся Владимир, никто и не заметил, что прошло уже полтора часа.

— Володя, вставай сюда, — скомандовал Руслан, — твоя фигура будет центральной в этой композиции.

Теща тут же прильнула к широкому плечу любимого зятя и ни словом не упрекнула за непростительное опоздание.

За столом друзья уселись рядом, и Баблоев с ходу начал тихонько докладывать. Бизнесмен принял его почти вовремя, в четверть шестого. Слезливую историю про украденные деньги и благородную незнакомку выслушал внимательно и тут же ответил:

— Если речь идет о той девушке, которую я провожал, то ее зовут Любой. Любовь Витальевна Молостовец. Сейчас у нее, вполне вероятно, другая фамилия, она наверняка вышла замуж. Я дам вам адрес, по которому она проживала в восемьдесят четвертом году, а там вам подскажут, где она.

Бахтин записал на листочке имя и адрес, вручил Володе и вежливо попрощался. Вся аудиенция заняла двадцать минут.

— Как просто, — вздохнул Руслан, пряча записку в карман. —

Столько месяцев голову ломал, как бы эту девушку разыскать, чтобы Бахтин ничего не заподозрил, а оказалось так легко.

Володя сделал большой глоток белого вина и отправил в рот немалых размеров кусок запеченной свинины с чесноком.

— Ты меня поражаешь, — начал он с набитым ртом. — Все это можно было сделать давным-давно, а ты все тянешь, тянешь, двигаешься по миллиметру, как черепаха. Раз-два — и в дамки.

— Не получится, — покачал головой Руслан. — Я уже пытался действовать кавалерийским наскоком, еще когда в школе учился, но быстро понял одну важную вещь: пока я никто, со мной разговаривать не будут. Мне не поверят и не будут помогать. Мне четырнадцать лет было, когда я бегал по всему городу и орал, что Мишка не мог напиться и затеять драку, что он тихий, непьющий и очень добрый. Кто меня послушал? Никто. Даже мать приняла все как есть. Я начал работать в газете, написал интересную статью о Вороновой, ее напечатали в «Огоньке», и я решил, что одной такой статьи будет достаточно, чтобы Воронова прониклась ко мне добрыми чувствами и взялась помочь. Ни фига подобного! Даже разговаривать не захотела. Хотя статью оценила, похвалила, даже к себе на работу звала. А помочь — нет. Из этого я сделал вывод, что должен сперва сделать себе имя. Меня каждая собака в области должна знать и уважать, тогда и в милиции со мной станут разговаривать не как с надоевшим просителем, а как с журналистом, с которым нельзя ссориться. Тогда мне никакая Воронова с ее протекцией не будет нужна, начальник областного УВД сам придет, еще и в ножки поклонится, бери, мол, Руслан Андреевич, любые материалы, какие захочешь. Но на это нужно время. В один момент это не делается. А информацию я потихоньку набираю, накапливаю. Думаешь, то, что ты сегодня сделал, это пять минут работы?

— Ну, десять, — отпарировал Баблоев, ловко расправляясь с салатом. — Если считать с дорогой — пять часов на все про все. А у тебя годы ушли.

— А узнать о том, что летом восемьдесят четвертого Бахтин крутил роман с девушкой, которая улетела на стажировку в Хабаровский край? А выяснить, какой тип женщин он предпочитает? И заметь себе, все это следовало делать не напрямую, чтобы никого не насторожить, чтобы Бахтин, не дай бог, не узнал, что некто Нильский собирает о нем информацию. Вот же с фамилией не повезло мне! Дала бы мама нам с Мишкой разные фамилии — не было бы проблем. Обычная журналистская работа, сбор материалов об одном из крупнейших бизнесменов Кузбасса. А с моей фамилией мне светиться никак нельзя, вот и приходится выдумывать всякие обходные пути. Думаешь, легко?

Володя слушал и одновременно поглядывал на приглашенных гостей. Взгляд его остановился на ком-то, выносящем из комнаты очередную партию грязных тарелок.

— Слышь, Руслан, сейчас из кухни девица выйдет, желтый костюмчик с черной отделкой.

— И что девица? — не понял Руслан, но голову в сторону двери все-таки повернул.

— Присмотрись к ней. Как зовут — не помню. Ее тещина коллега по работе с собой привела специально, чтобы помогать. Уже второй раз приходит, в прошлом году тестю пятьдесят пять лет справляли, так эта девица тоже помогала, чтобы хозяйке без конца на кухню не бегать. Только костюмчик на ней был другой.

— Да зачем она мне? — искренне удивился Руслан. — У меня на личном фронте полный порядок, сам знаешь, с этим проблем нет.

— А ты все-таки присмотрись, — настойчиво посоветовал Баблоев. — Девушка, всегда готовая помочь. В голове мысль не шевельнулась? Вот она, смотри.

Девушка в желтом костюме показалась Руслану очень симпатичной. Ее он не снимал сегодня, это точно. Где же она была, когда все приглашенные дружно кривлялись перед камерой? Неужели на кухне хлопотала? На бедную родственницу не похожа, костюмчик сшит явно по фирменным лекалам и стоит больших денег. Прямые темно-русые волосы небрежно сколоты на затылке дешевой пластмассовой заколкой, из-под густой челки задорно блестят серые глаза. Странно, костюм дорогой, а в волосах примитивная дешевая заколка. Наверное, все-таки бедная родственница, а одежду одолжила у подруги или у соседки, чтобы на юбилее не позориться. Руслан подхватил фотоаппарат и проскользнул на кухню. Через минуту там появилась девушка. Не обращая внимания на Руслана, она повязала фартук, включила воду и принялась мыть посуду.

— Какой замечательный кадр! — с улыбкой произнес Руслан. — Красивая молодая женщина в дорогом костюме стоит возле раковины и моет посуду, как прислуга. Контрасты нашего времени. Можно, я вас сниму вот так?

— Можно, — весело ответила девушка. — Только насчет костюма вы ошиблись.

— В каком смысле?

— А он не дорогой. Это самострок. Правда, лекала хорошие, это точно.

— Да вы что?! — изумился Руслан. — И где такое можно купить? На рынке?

— Нет, на рынке такое не купите. Я сама сшила. Я портниха, — пояснила девушка, не отрываясь от мытья посуды. — А вы знакомиться со мной пришли или, правда, фотографировать?

Руслан слегка опешил от такой непосредственности, но быстро пришел в себя:

— Если честно, то знакомиться. Меня зовут Руслан. Фамилия — Нильский.

— Я знаю, вы журналист и фотограф. Тут о вас много говорили.

— А вас как зовут?

— Яна.

— Очень приятно, Яна. Володя сказал, что вы специально приходите уже второй раз, чтобы помогать на кухне. Это правда?

— Правда, — легко подтвердила она. — А что вас удивляет? В Европе, например, в таких случаях просто нанимают официантов и прислугу на один вечер, чтобы все было по-человечески. А то у нас как принято? Хозяйка зовет гостей, а сама за столом ни минуточки не сидит, так и снует из комнаты в кухню и обратно. И что это за праздник получается? У всех праздник, а у нее — каторга. Ни посидеть, ни поговорить, ни покушать, ни расслабиться. А потом, когда все разойдутся, еще и убирать до середины ночи. Все наелись, напились и дрыхнут без задних ног, а она с посудой возится. Мне совсем не обидно, что меня помогать зовут. Когда у меня день рождения, я тоже девчонок приглашаю, человек пятнадцать, а они сестренок приводят, чтобы помогали. Нормально, по-моему.

Руслан присел на краешек широкого подоконника, уставленного горшками с кактусами. Через пятнадцать минут вся посуда была перемыта, а с Яной они стали чуть ли не друзьями. Девушка оказалась общительной и остроумной, с удовольствием болтала, рассказывала о себе, охотно смеялась над его шутками, легко перешла с Русланом на «ты». После того как гости расправились с горячим, Яна снова притащила из комнаты кучу грязной посуды, накрыла стол к чаю и опять встала к раковине.

— Сейчас самый нудный этап, — сообщила она Руслану. — Кроме тарелок, придется мыть еще и противень с утятницей. Зато потом останется самое легкое — чашки с блюдцами и тарелки из-под торта.

— А потом?

— Потом домой.

— Я тебя провожу? — полуутвердительно спросил он.

Яна бросила на него короткий взгляд блестящих серых глаз и с улыбкой спросила:

— А хочешь, я тебя провожу?

— Хочу, — серьезно ответил Руслан.

Он давно уже не был юным идиотом, истолковывающим слова девушек буквально. Яна предложила не просто проводить его до дома, а зайти к нему и остаться. И внезапно Руслан понял, что действительно хочет этого. Веселая, добрая девчонка, с легким и отзывчивым характером, без комплексов и без выпендрежа. Таких качеств хватило бы, чтобы его заинтересовать, даже если бы Яна была откровенной уродиной. А она ведь еще и хорошенькая!

ИРИНА

Уже второй час ночи, а Игоря все еще нет дома. И на работе его нет, она звонила. Хотя у следователей все бывает, Игорь ей рассказывал про такие вещи, как следственный эксперимент и следственная реконструкция. Если преступление на самом деле было совершено ночью, то иногда приходится проверять показания именно в ночное время, например, чтобы убедиться, мог ли человек в этом месте при такой освещенности увидеть то, что он якобы увидел.

Ира не беспокоилась, но и спать не ложилась. В семье Мащенко всегда было принято ждать мужа, как бы поздно он ни пришел. Лизавета ждет Виктора Федоровича и, говорят, раньше тоже ждала. И ей придется ждать, чтобы соответствовать стандарту.

Она вылезла из кресла, где читала, свернувшись клубочком, потянулась, почувствовала, как заныли затекшие ноги. Сунула под мышку книгу с закладкой и пошла на кухню. Есть у нее такая дурацкая особенность: если не ляжет спать до полуночи, то к часу ночи в ней просыпается зверский голод. На кухне Ира открыла дверцу холодильника и стала задумчиво изучать его содержимое. Что бы такое съесть не сильно вредное для талии? Восемь килограммов, безжалостно уничтоженных при помощи «Гербалайфа», давно уже подняли голову, ожили и стали понемногу возвращаться, несмотря на отчаянные меры, принимаемые Ирой по соблюдению диеты. Она по-прежнему не ела тортов и пирожных, но каждый раз, когда от души наедалась мясом с жареной картошкой, весы нагло показывали прибавление целого килограмма, который появлялся всего за один вечер, зато изводить его приходилось две недели, в течение которых непременно случалось что-нибудь такое, что вело к нарастанию на фигуре еще нескольких сотен граммов. Проблему с выпадающими волосами ей так и не удалось решить до конца, поэтому теперь Ира панически боялась любых таблеток, оптимистично обещающих сжигание жира и снижение веса всего за месяц без всяких диет. Сначала волосы стали падать, потом ногти начнут ломаться, потом все тело какими-нибудь прыщами обнесет... Нет уж, спасибо. Лучше быть толстой, но холеной, чем худой, лысой и прыщавой.

Чем бы порадовать истошно вопящий от голода организм? Можно съесть йогурт, он низкокалорийный, нулевой жирности, но Ира йогурты терпеть не может. Можно отрезать тоненький кусочек сыра, положить его на хрустящий ржаной хлебец и запить горячим чаем. Не бог весть какое лакомство, но все-таки лучше, чем ненавистный йогурт. Она заварила чай, отрезала сыр, достала из пачки пресный хлебец и устроилась за столом с книгой. В этой семье сопливые любовные романы не больно-то почитаешь, заметят — запрезирают и вообще не поймут, у них менталитет не тот. Слава богу, что есть книги про любовь, написанные такими авторами, про которых даже самые надутые индюки слова худого сказать не посмеют. Франсуаза Саган, например, или Хемингуэй, к чтению которого ее пристрастила Наташка еще тогда, когда Ира исступленно боролась с собственной тягой к алкоголю. А из отечественных ей больше всего нравится Виктория Токарева. В данный момент Ира именно ее и читает.

В коридоре послышались тихие шаги, в кухню вошел свекор.

— Ты почему не спишь? — В голосе Виктора Федоровича Ира услышала непритворную обеспокоенность. — Ты здорова? Болит что-нибудь? Давай я Лизу разбужу.

— Нет-нет, все в порядке, — торопливо успокоила его Ира. — Просто Игоря жду. Его еще нет.

— Иди ложись, — строго произнес свекор.

— Ну как же можно, Виктор Федорович? Я дождусь Игоря. Он, наверное, голодный придет, его покормить надо будет.

— Тебе завтра рано вставать на занятия.

— Ну и что? Всем вставать, и вам, и Игорю тоже. Я подожду. А вы идите спать.

Свекор тяжело вздохнул, плотно притворил дверь и уселся за стол напротив Иры.

— Он что-нибудь сказал? Предупредил тебя, что задержится?

— Нет. Но я же понимаю, у него работа.

— Да, работа, — неопределенно подтвердил Виктор Федорович. — Работа... А что ты читаешь?

Ира с улыбкой закрыла книгу и показала ему обложку.

— Токареву.

— Нравится?

— Очень.

Свекор замолчал, пристально глядя на нее, и Ира вдруг сообразила, что сидит перед ним в вызывающе открытой шелковой пижаме с кружевами, полупрозрачной и воздушной, с глубоким декольте. Черт возьми, неудобно как получилось! Она была уверена, что все спят и никто ее в таком неглиже не увидит. Ладно бы Лизавета, она как-никак женщина, а уж Виктор Федорович...

— Извините, — пробормотала она смущенно, — я пойду накину халат. — Она выскочила из кухни, схватила в ванной длинный зеленый халат на «молнии», натянула его через голову поверх пижамы и снова села за стол.

— Ну, полегчало? — с улыбкой спросил свекор. — Ты прямо пунцовая сделалась от смущения.

— А вы заметили? Я думала, все уже спят, никто меня не увидит.

— Да брось ты, все свои. На пляже ты в одном купальнике была и не стеснялась. Налей-ка мне чайку, я тоже выпью с тобой за компанию.

Ира с облегчением перевела дух. Неловкость сглажена. А все-таки отец Игоря — замечательный человек! Все понимает с одного взгляда и так ловко умеет снять напряжение, обойти острые углы. Кстати, с чего это она так разнервничалась из-за какой-то прозрачной пижамы? Подумаешь, декольте с кружевами. Свекор прав, на пляже она обнажалась куда больше, и ее это ни капельки не смущало, а тут... И вообще, Виктор Федорович считает ее приличной женщиной, поэтому апеллирует только к пляжу, а если бы он знал, какую жизнь его невестка вела когда-то, когда была Иркой Маликовой, в скольких постелях перебывала, сколько абортов сделала да еще и у венеролога лечилась, он бы не меньше самой Ирины удивился ее внезапному смущению. «Да, дорогая, — мысленно сказала она себе, — совсем ты увязла в образе, не только говорить и вести себя, но и чувствовать начала, как положено порядочным девушкам. Голливуд отдыхает! Ау, Американская киноакадемия, где мой «Оскар» за лучшую женскую роль?»

— У тебя скоро день рождения. Что тебе подарить?

Да, действительно, почти через месяц, в конце мая. Уже двадцать шесть стукнет. Интересно, что будет, если она сейчас нарушит все правила приличия и попросит у свекра дорогой подарок, например кольцо с бриллиантом или машину? Наверное, шок с обмороком и инсультом.

— Что вы, Виктор Федорович, для меня самый лучший подарок — это тихое торжество в кругу семьи. Вы же знаете, как я люблю вас и Елизавету Петровну, вы стали не просто моей семьей, вы мне родителей заменили.

— Ну давай тогда в ресторане, что ли, отметим, — предложил Виктор Федорович. — В кругу семьи, но как-то торжественно, нарядно. Закажем дорогие закуски и напитки, чтобы было ощущение праздника. А то мы все твои дни рождения отмечаем дома, мне кажется, тебе это скучно.

Ах, как было бы классно надеть вечерний туалет и пойти в дорогой ресторан! Все бы оглядывались на нее. На столе красовался бы специально заказанный роскошный букет цветов. Официант откроет настоящее шампанское, «Дом Периньон», например, по сто пятьдесят долларов за бутылку. Подадут что-нибудь изысканное, устриц, улиток, паштет из голубей. И в ресторане не будет больше никого, как в фильме «Однажды в Америке». Только они вчетвером. И музыканты будут играть только для них. И она в вечернем платье с открытой спиной будет танцевать с Игорем, одетым в смокинг. А потом с Виктором Федоровичем, который положит руку на ее обнаженную спину и будет смотреть так же, как смотрел сегодня, заметив ее легкомысленный ночной наряд, снисходительно и в то же время заинтересованно... Фу-ты, господи, что за ерунда в голову лезет! Начиталась любовных романов, насмотрелась западных фильмов и совершенно утратила чувство реальности.

— Что вы, Виктор Федорович, не нужно. Лучше всего я себя чувствую дома, не люблю показуху. Да и незачем на это тратиться. Лучше скопить на отпуск, чтобы снова всем вместе в Турцию поехать. Ведь правда же, нам хорошо было прошлым летом? Как в раю!

Ей показалось, что в ночную тишину вторгся зудящий звук лифта. Она настороженно повернула голову в сторону двери:

— Кажется, лифт едет. Наверное, Игорь.

Ира заметила, что лицо свекра напряглось и даже слегка побледнело. А он-то чего нервничает? Точно, это Игорь. Лифт остановился на их этаже, в замке заскрежетал ключ. Ира вышла в прихожую, обняла мужа, поцеловала.

— Как ты поздно, бедненький мой. Устал?

От Игоря пахло спиртным и чужими духами. Ей стало противно, но устраивать сцену Ира не собиралась.

— Ты чего не спишь? — недовольно спросил муж.

— Тебя жду. Думала, может, ты голодный придешь, покормить хотела.

— Иди спать. Я не голоден.

Конечно, не голоден. Небось в ресторане поужинал или у бабы. Интересно, это была случайная связь или постоянная любовница? Как странно, что можно столкнуться лицом к лицу с неверностью мужа и не распсиховаться при этом... Противно — да, но не катастрофа. Наверное, это оттого, что сама Ира в Игоря даже влюблена никогда не была. Она молча повернулась и ушла на кухню. Свекор, видно, все понял, глаза у него были злые и одновременно смущенные. Игорь вошел следом за ней.

— У вас тут что, совет в Филях? — Он пьяно усмехнулся и плюхнулся за стол.

— Ты в таком состоянии вел машину? — спросил Виктор Федорович. Ира видела, что ему стоит огромных усилий сохранять спокойствие.

Видно, тоже не хочет устраивать разборку, только по другим соображениям. Ира-то смолчала, потому как ей нет никакого резона обострять отношения. Она вошла в семью и собирается здесь оставаться. А свекру, по всей видимости, за сынка неловко. Даже, можно сказать, стыдно.

— А в каком я состоянии? В нормальном, — огрызнулся Игорь. — Раз доехал и машину не угробил, значит, состояние вполне пригодное для вождения.

— Где ты был? — продолжал допрос Виктор Федорович.

— Работал. Где мне еще быть...

— Два часа ночи. Ты мог бы позвонить и предупредить, что задержишься допоздна. Ира волнуется, я тоже не сплю.

Ира видела, что свекор начинает понемногу заводиться. Ну

вот, только семейного скандала ей не хватает для полного счастья! Надо срочно гасить тлеющие угли, пока пламя не разгорелось.

— Все в порядке, Виктор Федорович, — примирительно произнесла она и положила ладонь на плечо мужа. — Поволноваться иногда полезно, тонус поддерживает, опять же лишние калории сжигаются. Игоречек, если тебя не нужно кормить, иди мойся и ложись спать, завтра вставать рано. Иди, милый, я скоро приду.

— Не разговаривай со мной, как с маленьким! — вспыхнул Игорь. — Я сам знаю, что мне делать. Тоже мне, защитница нашлась. Если тебе нужно — иди и ложись, а я сам буду решать, чем и когда мне заниматься.

Ира почувствовала, как глаза наливаются слезами. За что он с ней так обращается? Что плохого она ему сделала? Ни одного вопроса не задала, а могла бы и спросить, где его кормили и поили и чьими духами от него разит.

— Игорь, ты ведешь себя безобразно. Ты пьян. Убирайся к себе в комнату и затихни до утра. И не смей шуметь, мать разбудишь. — В голосе свекра явственно зазвучали металлические трубы. — Ира сегодня будет спать в гостиной.

Игорь с демонстративным грохотом отодвинул табуретку и гордо удалился. Ира ощущала, как стекающие по щекам слезы щекочут кожу. Она неподвижными глазами уставилась на свою чашку, расписанную веселенькими зелеными листиками, и думала о том, что в супружеских изменах, наверное, самое унизительное — не то обстоятельство, что тебе предпочли другую, а само поведение неверных супругов. Они чувствуют себя виноватыми, поэтому стараются выставить тебя саму в невыгодном свете, представить дурой, недотепой, уродиной, с которой невозможно не то что жить — даже общаться.

Стоящий в горле ком, наконец, сглотнулся, можно разговаривать.

— Почему вы сказали, что я буду спать в гостиной?

— Потому что уважающий себя человек не должен терпеть подобное обращение. Я не могу себе представить, как после такой отвратительной сцены ты ляжешь с моим сыном в одну постель.

— А я могу представить, — слабо улыбнулась Ира. — Ничего страшного, пойду и лягу. Не нужно беспокоиться. В гостиной надо будет диван раздвигать, постель искать. Нашумим, Елизавету Петровну разбудим. Виктор Федорович...

— Да, Ирочка? Что ты хотела спросить?

Она хотела спросить, через какое время после женитьбы Игорь начал изменять своей первой жене, но вовремя осеклась. Не нужно показывать, что она все поняла, иначе непременно придется объяснять, почему же она это терпит. А что она сможет объяснить? Что ей нравится жить в семье Мащенко в любом качестве, независимо от отношения к ней мужа? Никто этого не поймет, звучит глупо и противоестественно. Что она не может уйти от Игоря, потому что ей некуда возвращаться, потому что в ее комнате живут Наташкины родственники, и если Ира вернется в свою коммуналку, то вообще непонятно, как они там все разместятся? Звучит правдоподобно, но получается, что Ирка — корыстная щучка, кажется, именно так Лизавета называет тех, кто выходит замуж по меркантильным соображениям, из-за денег, из-за квартиры или из-за прописки.

Пауза затянулась, и свекор нетерпеливо повторил:

— Ирочка, ты хотела что-то сказать?

— Да... я... в общем, я хотела сказать, что не сержусь на Игоря. Я все понимаю, у него работа нервная и тяжелая, ему нужно хоть иногда расслабиться, чтобы все забыть, все из головы выкинуть. Честное слово, Виктор Федорович, я не сержусь и не обижаюсь. И я не буду ложиться спать в гостиной. Игорь должен знать, что я всегда его правильно пойму и не стану устраивать скандалы на пустом месте.

— Не обижаешься, а сама плачешь, — заметил Виктор Федорович, протягивая руку через стол и пальцами вытирая слезы с ее щеки. — Ты это всепрощение брось, женщина должна быть гордой и не мириться с оскорбительным поведением.

— Что вы имеете в виду? Что я должна собрать вещи и уйти от Игоря? Да в конце концов, что он такого особенного сделал? Ну пришел в два часа ночи, ну выпил. С кем не бывает? Не понимаю я вас, Виктор Федорович.

— Ну, во-первых, Ирочка, со мной такого ни разу в жизни не было. Я по отношению к Елизавете Петровне ничего подобного себе не позволял. А во-вторых, я совершенно не имею в виду, что ты должна уйти от моего сына немедленно. Я только хочу, чтобы ты знала: мы с Елизаветой Петровной осуждаем такое его поведение, и в этом смысле ты всегда можешь рассчитывать на нашу поддержку и защиту. И если в какой-то момент ты вдруг почувствуешь, что не можешь больше терпеть его выходки, и захочешь уйти, мы тебя поймем.

— Да что случилось-то, Виктор Федорович?! Не в первый же раз Игорь пьяным пришел. И нахамил мне тоже не в первый раз. Вы думаете, что сегодня все как-то по-другому? Да ничего подобного. Просто вы не слышали, как он со мной раньше разговаривал.

Ира казалась сама себе вполне убедительной, но взгляд свекра говорил об обратном. Он хорошо знает своего ненаглядного сыночка и наверняка понял, что тот пришел от бабы, хотя запах духов вряд ли учуял, просто по повадкам догадался. А ей что делать? Как себя вести? Строить влюбленную слепую дурочку, которая ничего плохого не видит, а всему хорошему безоглядно верит? Нет, пожалуй, такое блюдо не пройдет, несъедобно. Четыре года была умной и тонкой, а тут вдруг разом поглупела.

— Почему вы молчите, Виктор Федорович? Вы хотите сказать... — она запнулась, вернее, сделала вид, что запнулась, — вы хотите сказать, что Игорь был у... другой женщины? Этого не может быть... я не хочу в это верить...

Ну вот, теперь можно дать волю слезам. Не искусственно вызванным, а самым натуральным. Рыдания рвались из ее горла, стискивали грудь и выплескивались наружу обильными горькими слезами. Ира не понимала, что с ней происходит, почему она так плачет, ведь ей совершенно все равно, есть у Игоря любовница или нет, если есть — даже и лучше, меньше приставать в постели будет. И ей абсолютно безразлично, пьяным он приходит домой или трезвым. И наплевать ей, в котором часу он возвращается, в восемь или за полночь. Она вошла в эту семью, чтобы защитить Наташку. Влезла змеей, прокралась по-воровски, лгала, притворялась, чтобы втереться в доверие. И неожиданно обрела здесь свой дом, семью, в которой были отец и мать и которая ничего не потеряла бы в глазах Иры, если бы избавилась от одного своего члена — от Игоря. Господи, как хорошо было бы, если бы родители его выгнали к чертовой матери! Конечно, Лизавета — зануда редкостная, порой от ее наставлений и поучений визжать хочется, но ведь она от доброго сердца это делает, она любит Иру и хочет, чтобы у нее все было хорошо. А Виктор Федорович — тот вообще как отец себя ведет, балует невестку, заботится о ней, разговаривает ласково. Никогда у Иры не было настоящего отца. Мать — да, настоящая, конечно, не в счет, она больше пила и по мужикам таскалась, а вот Наташка ей мать в полной мере заменила, только Ира все равно относилась к соседке как к старшей сестре, уж очень молодой она была, всего на пятнадцать лет старше. И бабушка у нее была, не Полина, а Бэлла Львовна. А Ире так хотелось иметь родителей, взрослых, значительно старше себя, мудрых и понимающих, за которых можно спрятаться, как за надежную крепкую стенку. За Наташку теперь не спрячешься, у нее столько проблем, что соседка стала хрупкой, как фарфор, еще одна неприятность — и может с сухим треском рассыпаться на части. Наташка сейчас сама нуждается в помощи и поддержке, и Ира не имеет права на нее рассчитывать. Но если не на нее, тогда на кого же? Лизавета и Виктор Федорович — такие надежные, такие добрые. Нет, ни за что на свете Ира не хотела бы уйти из их семьи. Да и насчет Наташки надо проследить, как бы чего не всплыло. А если Игорь начнет выкаблучиваться, ежедневно напиваться, изменять ей направо и налево, то уходить придется. Или все-таки она сможет смириться и терпеть, не потеряв лица и не растоптав окончательно собственное достоинство? Боже мой, сколько же унижений ей предстоит еще вынести!

Она плакала все сильнее и горше. Виктор Федорович стоял рядом, ласково гладил ее по плечам и спине, прижимал к себе ее голову и что-то тихонько говорил, но слов Ира разобрать не могла. Ей было горько, страшно и одновременно сладко до головокружения. Она не понимала, что с ней происходит, то твердо знала: ни за что она не уйдет. Все стерпит, все вынесет, но не уйдет.

НАТАЛЬЯ

Валька Южаков смотрел на нее, хитро прищурившись. За последние годы он заметно располнел и сменил несколько кабинетов, кресло, правда, оставалось все тем же, то есть должность он не менял, однако по мере роста своего авторитета переезжал во все более комфортабельные помещения. Теперь его служебную обитель украшала стильная офисная мебель, а рядом находилась специальная комната для переговоров с длинным овальным столом и мощными кондиционерами.

— Натаха, мы тут посовещались и решили, что ты занимаешься не своим делом.

Вот оно, началось! Сердце Наташи болезненно дернулось и замерло. Вот и случилось то, чего она так боялась все эти годы. Телекомпания «Голос» встала кому-то поперек горла, и ее хотят уничтожить, воспользовавшись для этих целей Валентином Южаковым, который не моргнув глазом расправится с Вороновой, благодаря которой его когда-то отчислили из института, не дав закончить образование и получить диплом. Все происходит так, как она и предполагала. Но почему Ирка не предупредила? Неужели Виктор Федорович Мащенко так хитер и осторожен, что ни разу не произнес в кругу домашних Наташино имя?

— Ты предлагаешь мне уйти? Освободить место для кого-то другого? Или ты хочешь избавиться от всей телекомпании целиком?

— Вот именно, Натаха, вот именно! В корень зришь.

— Почему?

— Из-за рейтинга. И по стратегическим соображениям. НТВ здорово опережает нас по рейтингу публицистики, это естественно, ведь они — независимое телевидение, а мы — государственный канал, им в любом случае доверия больше. Народ привык, что от государственных СМИ исходит сплошное вранье, а правду говорят только независимые журналисты. Что поделать, Натаха, это печальное наследие времен застоя. Программы у тебя отличные, вот только смотрят их все меньше и меньше. Поэтому в верхах посовещались и решили сделать ход конем. Догадываешься, какой?

— Пока нет, — осторожно ответила она, каждую минуту ожидая от Южакова сокрушительного удара.

— Мы не будем конкурировать с НТВ в области публицистических передач. Мы начнем бороться за зрителя другим способом. Нам нужны качественные сериалы, не латиноамериканское «мыло», которое смотрят в дневное время домохозяйки, а длинное и увлекательное многосерийное кино про нашу жизнь. Такое, какое можно ставить в сетку в прайм-тайм. И тут я вспомнил, что ты еще в институте славилась своей склонностью к мелодрамам. Педагоги все время говорили, что у тебя не очень интересная фабула, но зато сцены, где герои выясняют отношения, ссорятся или мирятся и все такое, просто слезу вышибают. Мы создадим телекомпанию «Сериал». Ты напишешь сценарий. Если захочешь, будешь сама снимать. Как тебе идейка?

— Идейка замечательная. — Слова с трудом сползали с губ, она все еще не верила, что все обошлось. — Только у меня с фабулами проблема, ты же сам говорил.

— Когда это было! Ты тогда совсем девчонкой была, жизненного опыта никакого, одни эмоции. А сейчас тебе... сколько?

— Сорок один.

— Вот видишь, уже сорок один. Больше половины жизни за плечами. Уверен, что ты и историю придумаешь на пять с плюсом. А если не получится — возьмем еще одного сценариста тебе в помощь, да не одного, а целую команду, пусть сюжетные повороты крутят во все стороны. Твоя задача — сделать такое кино, чтобы по нервам било, чтобы сердце замирало, чтобы слезы градом у всех телеэкранов лились. Сумеешь?

— Не знаю, не уверена.

— Но хотя бы попробуешь?

— Можно, — нехотя согласилась Наташа. — Как я понимаю, «Голос» вы все равно прикрываете?

— Само собой. Твои программы стоят в сетке до конца года, заменить их пока нечем, но команда у тебя крепкая, профессиональная, они и без тебя справятся. В будущем году в ваше время пойдут другие передачи, мы сейчас над этим работаем, запускаем несколько новых проектов. А ты прямо сейчас, не откладывая, начинай работать над сценарием.

— Какой формат? — осведомилась Наташа, понимая, что отступать некуда, если она откажется, то останется на неопределенное время без работы. А значит, и без зарплаты.

— Не меньше двадцати серий по пятьдесят две минуты. Сколько времени тебе нужно, чтобы написать синопсис?

Она растерялась:

— Не знаю, я же не пробовала никогда... Да написать-то не проблема, проблема в том, чтобы придумать историю. Может, я ее за три дня придумаю, а может, месяц промучаюсь.

Южаков дробно засмеялся, горошинки смеха словно отскакивали от толстого выпирающего живота и веселыми разноцветными шариками прыгали по черной поверхности стола. Наташа вдруг подумала, что отныне образ Вальки таким и останется для нее, абсолютно черным с яркими цветными пятнышками. Черное — это постоянный источник чувства вины и страха, цветное — жизнерадостный Валькин характер, его неунывающий оптимизм, беззлобность и доброжелательность. Просто удивительно, как он с таким характером столько лет сидит на руководящей должности, да не в детском саду и даже не в средней школе, а на телевидении. Наверное, есть в нем что-то такое, какие-то черты, Наташе неизвестные, но помогающие ему удерживаться в кресле.

— Ну, насчет трех дней ты явно погорячилась, хорошую историю за такой короткий срок не придумать. Месяц — это нормально, но не больше. Натаха, ты пойми, проект «Сериал» — вопрос решенный, делать его мы все равно будем, по твоему ли сценарию или по чьему-либо другому. Но я хочу, чтобы все-таки это был твой сериал, потому что мы давно знакомы, и я тебя ценю как режиссера и просто люблю как классную бабу. А «Голоса» больше не будет, тебе так или иначе придется искать другую работу и влезать в другие проекты. Поэтому я настоял на том, чтобы право первой, так сказать, ночи предоставили тебе. Сначала ты, твоя попытка, а уж потом, если не получится, пригласим других сценаристов. Только красивостями не увлекайся, бюджет у сериала будет маленьким, поэтому никаких взрывающихся зданий, никаких сцен на средиземноморских пляжах и в пятизвездочных отелях, никаких приемов, где мужики в смокингах, а бабы в вечернем, ага? Все должно быть камерно, поменьше натуры, побольше павильона, вся интрига состоит в человеческих отношениях, в конфликтах и разоблачениях страшных тайн. А сэкономленные деньги лучше пустить на гонорары актерам, звезд пригласить.

— Коммунальная квартира, — внезапно вырвалось у Наташи.

— Что? — не понял Южаков.

— Я говорю: коммунальная квартира. И интрига отношений между соседями. Восемьдесят процентов действия происходит в помещении, причем в одном и том же, достаточно построить в павильоне эту квартиру и снимать.

— Гениально! — восхитился Южаков. — Ну я же говорил, что ты, Натаха, талантище! Только смотри, чтобы у тебя не получились вторые «Покровские ворота».

— Ну что ты, — улыбнулась Наташа. — Казаков снимал доброе ласковое двухсерийное кино про людей, которых он любил, а мне нужны злоба, ярость, взаимное непонимание, постоянные стычки и конфликты, страстная любовь, ревность, измены, тайны, и весь этот салат «оливье» — на двадцать серий. Я же понимаю, это должно быть что-то принципиально иное.

Уже у двери она обернулась и лукаво подмигнула Южакову:

— Там непременно будет один ужасно смешной персонаж: молодая женщина, которая озабочена своей фигурой и постоянно худеет разными способами. И я даже знаю, кто будет играть эту роль.

* * *

— Наталья Александровна, может, все-таки покрасимся? — в сотый, наверное, раз жалобно пропела мастерица, у которой Наташа всегда стриглась. — Ну что это такое, вы сами посмотрите, у вас же половина головы седая. Некрасиво же.

— Это тебе некрасиво, а мне нравится, — возражала Наташа, на корню пресекая систематические попытки парикмахера закрасить седину.

На самом деле седые волосы ей не особенно нравились, и это еще мягко сказано. Но она вбила себе в голову, что публицист не должен выглядеть молодо, иначе зритель не будет ему доверять. Какое может быть доверие двадцатилетнему мальчишке, берущемуся с умным видом рассуждать о жизненных проблемах и этических ценностях? Да никакого. Доверие в таком вопросе может быть только к человеку, который прожил на свете достаточно долго, чтобы совершить определенное количество ошибок, сделать из них выводы и таким образом приобрести нужный опыт. И седые волосы играют только на руку имиджу публициста. Наташа твердо стояла на своем, несмотря на то что ее разубеждали и Иринка, и Бэллочка, и Инна с Гришей, и некоторые коллеги на телевидении. Молчали только Вадим и Андрей Ганелин. Андрею, похоже, все равно, есть у нее седина или нет, на его нежное отношение к Наташе это не влияет. А Вадим... Ему, кажется, тоже все равно, ему вообще в последнее время безразлично, как она выглядит, как одета, как накрашена, какая у нее прическа. Иногда Наташе начинает казаться, что для него не имеет значения, дома она или нет, важно, чтобы еда была вкусной и горячей, чтобы в квартире царила чистота и чтобы рубашки были выстираны и выглажены.

Сейчас, вообще-то, можно было бы и покраситься, с публицистикой покончено, еженедельное появление на экране прекращается, а внешний вид сценариста или режиссера мало кого волнует. Интересно, как Вадим отреагирует, если она заявится домой без единого седого волоса? Рассердится, наверное, а то и ревновать начнет, дескать, чего это ты вздумала молодиться, уж не роман ли у тебя на стороне случился. Нет, оставим все как есть. И потом, чем старше она выглядит, тем меньше шансов, что Мащенко ее узнает. И хотя ничего особенного не происходит, литовские скандалы, связанные с сотрудничеством с КГБ, на Россию не перекинулись, все равно страх не изжился. Осел на дне души и сознания и постоянно шевелит лапками, как спящая собака. Вроде и не опасная, пока спит, не кусается, не бросается на людей, но подергивающиеся во сне лапы красноречиво говорят о том, что она живая и в любой момент может вскочить, залаять и загрызть.

Встав с парикмахерского кресла, Наташа бодро тряхнула аккуратно подстриженными волосами и, как обычно, направилась к Рите Брагиной. Андрей заедет за ней в салон только через двадцать минут, так что есть время перекинуться с бывшей соседкой по квартире парой слов.

Рита, до недавнего времени вообще не поддававшаяся старению и выглядевшая на тридцать с небольшим, вдруг резко начала сдавать. Сейчас ей было пятьдесят семь, и все пятьдесят семь лет до единого отчетливо прорисовались на расплывшемся лице с провисающим подбородком. Однако сей прискорбный факт не сделал хозяйку салона красоты менее веселой, тем более что время, отыгравшись на некогда миловидном лице, все же пощадило фигуру. Рита осталась такой же подтянутой, спортивной и упругой.

— Опять не покрасилась, — с упреком накинулась Брагина на Наташу. — Ну сколько можно тебя уговаривать? Ты посмотри, на кого ты похожа! Убери седину — и на двадцать лет помолодеешь. Почему ты такая упрямая, Наташенька?

— Меня мужчины и с сединой любят, — со смехом ответила Наташа, обнимая Риту.

Та моментально отстранилась и с подозрением уставилась на бывшую соседку.

— Мужчины — во множественном числе? Что это значит? Ты завела сердечного друга?

— Давно уже, лет десять назад, если не больше.

— Ах, ты об этом... — Рита безнадежно махнула рукой. — Пропащая ты душа, Наталья, никак человеком не станешь. Чтобы сохранять женственность и привлекательность, нужно флиртовать, крутить романы, изменять мужу. Надо чувствовать себя желанной и любимой. А без этого в момент засыхаешь. Вот посмотри на меня — яркий пример. Как только порвала с одним любовником и не завела нового — тут же рожа поплыла. Теперь все, момент упущен, красота погибла. Больше на меня никто не позарится, придется до конца дней с Брагиным у телевизора сидеть.

Она звонко рассмеялась и полезла в шкаф за традиционной коробкой конфет. Наташа знала, что Рита изменяла своему мужу много лет, не переставая при этом нежно его любить, заботиться о нем и называть не иначе как «мой Брагин». Она была твердо убеждена, что брак придуман для обеспечения будущего детей, а любовники существуют для красоты, здоровья и хорошего настроения. И никакие примеры — ни литературные, ни кинематографические, ни взятые из реальной жизни — так и не смогли убедить ее в ошибочности данного постулата.

Ровно в четыре часа Наташа вышла из салона и села в машину к Ганелину, стоящую на тротуаре прямо у входа.

— Привет!

Он протянул ей нарядный букет, обернутый в красивую шуршащую бумагу.

— Это тебе.

— По какому поводу? — удивилась Наташа.

— Сегодня ровно двенадцать лет с того дня, как мы познакомились.

— Так не круглая же дата! — засмеялась она.

— Дюжина. Десятичная система счисления — не единственная в этом мире. Предлагаю отпраздновать.

— Андрюша...

— Ничего не знаю и знать не хочу. — Он завел двигатель и вырулил на проезжую часть. — Ты сказала, что у тебя будет свободное время между посещением парикмахера и шестью часами. В моем распоряжении два часа. Имею я право ими распорядиться по своему усмотрению?

— Имеешь, — согласилась Наташа, пристегивая ремень безопасности. — Только, пожалуйста, без присущего тебе размаха, ладно? Скромненько посидим, выпьем кофе с пирожным.

— Где ж ты такое пирожное видела, которое можно два часа есть? Нет уж, дорогая моя, отмечать — так отмечать. Тем паче живой пример перед глазами, на прошлой неделе инаугурация Президента состоялась, и всем нам показали, как следует отмечать торжественные события.

— Да уж, — вздохнула она, — зрелище было то еще. Слушай, ты ведь врач как-никак, ну скажи, может здоровый человек так выглядеть и так говорить?

— Не может, — убежденно ответил Андрей. — Так, как выглядел на инаугурации наш Президент, может выглядеть только тяжело больной человек, которого накачали препаратами, чтобы он часа два-три продержался. А вообще-то ты странные вопросы мне задаешь, Наталья. Я был всегда уверен, что телевизионщики все узнают первыми.

— Не всегда. И потом, Андрюша, я уже две недели на работе не показывалась. Ты же знаешь, сижу дома в полном отрыве от текущей информации, придумываю историю на двадцать серий про жизнь, слезы и любовь.

— А как насчет божества и вдохновения? Побоку?

— С божеством некоторая напряженка, поскольку мы — продукты атеистического воспитания. А вдохновение изредка посещает. Хотелось бы, конечно, почаще, но уж и за то спасибо, что хоть иногда приходит.

Андрей привез ее в ресторан на Лубянке. Судя по интерьеру, загадочным лицам официантов и полному отсутствию посетителей, цены здесь были запредельные. Вероятно, денежная публика появится ближе к вечеру, а заскочить сюда пообедать никому и в голову не приходит.

— Андрюша, я есть не буду, мне еще дома придется ужинать, — сразу предупредила Наташа.

— Как положено хорошей хозяйке — со всей семьей? — поддел ее Ганелин. — Скажи, что у тебя сегодня разгрузочный день.

— Не поймут. Я же никогда не пыталась похудеть, у меня лишнего веса нет.

— А для общего оздоровления. Да ладно, не смотри на меня, как на врага народа, заставляющего тебя лгать любимым домочадцам. Закажем что-нибудь совсем легкое.

Пока Андрей вполголоса общался с официантом, Наташа снова отвлеклась на свои мысли. Кажется, в ее жизни начался новый этап, и связан он не только с уходом из телепублицистики, но и с ее поведением. Раньше ее встречи с Андреем Ганелиным проходили либо в присутствии Вадима, либо, по крайней мере, с его ведома. Она бережно относилась к душевному спокойствию мужа и не хотела давать ни малейшего повода для ревности, тем паче, что реальных оснований для нее у Вадима и не было, она знала о чувствах Андрея, но отвечала ему только дружеским расположением. Теперь же вот уже полгода она встречается с Андреем тайком от Вадима. Как это случилось? Да как-то так... Само собой вышло. Сначала голову начали посещать мысли о том, что Вадим слишком отдалился от нее, перестал интересоваться ее работой и ее проблемами, целиком сосредоточился на торговле с целью заработать деньги и освободиться от Люси с Катей. Потом был визит к Грише Гольдману, который позвонил сам и с возмущением напомнил Наташе, что она не была у него уже целый год, хотя заботящиеся о себе женщины должны посещать гинеколога и стоматолога каждые шесть месяцев. Наташа пришла на прием и, отвечая на привычные вопросы врача, вдруг сообразила, что не может вспомнить, когда они с мужем в последний раз были близки. Не то три месяца назад, не то четыре. И это при том, что совсем еще недавно Вадим ни одной ночи не пропускал и ужасно расстраивался, когда по объективным причинам приходилось устраивать перерыв. У самой Наташи период сексуальной активности закончился со смертью маленькой Ксюши, после этого она к выполнению супружеских обязанностей относилась равнодушно, умело притворялась в объятиях мужа и тихонько радовалась, когда ее оставляли в покое. По мере нарастания напряжения в семье после переезда сестры Вадим прикасался к ней все реже и реже, и Наташа даже не заметила, как его интерес к ней угас вовсе. Открытие, сделанное в кабинете доктора Гольдмана, заставило ее о многом задуматься. Объяснить сложившееся положение можно было только двумя способами. Первый: у Вадима есть другая женщина, с которой он чувствует себя более комфортно и может обсуждать свои проблемы, связанные с работой на рынке. Говорить об этом с Наташей ему не хочется, потому что она ничего в этой работе не понимает, и, кроме того, его угнетает сам факт различия в их социальном статусе: она — известная тележурналистка, режиссер, а он на вещевом рынке за прилавком стоит. Второй способ объяснения: резкое изменение статуса, превращение из капитана первого ранга в рыночного торговца причинило Вадиму слишком сильную психическую травму, которая усилилась в связи с появлением в их квартире тещи, свояченицы и племянницы. В результате — психогенная импотенция, которая сама по себе стала дополнительным и самым сильным травмирующим фактором. Другой женщины у него нет, но и Наташа его больше не интересует. Был, правда, и третий вариант, промежуточный: Вадим не может больше поддерживать близость с Наташей, так как не в состоянии завоевать и удерживать статус главы семьи, но есть другая женщина, для которой он — главный в стае и с которой у него все отлично получается.

Первым порывом было поговорить с мужем, прояснить ситуацию и, если он нуждается в ее помощи и моральной поддержке, сделать все возможное, чтобы вернуть ему душевное равновесие. Но Наташа все откладывала решительный разговор, испытывая неловкость и чувствуя какие-то непонятные сомнения. И в один прекрасный день поняла, что никакого разговора не будет. Мудрая и проницательная Инка Гольдман была права, она не любит мужа, тяготится им, без радости возвращается домой. Они с Вадимом совсем чужие. Просто поженились когда-то, потом родились дети, а после этого вроде как само собой разумеется, что нужно поддерживать брак. Зачем? Для чего? Сыновья уже большие, через год Сашка закончит школу, через два года — Алеша. Они вполне разумно отнеслись бы к разводу родителей, тем более что до десяти лет росли фактически без отца, а теперь и вовсе дома почти не бывают и в обществе Вадима особой нужды не испытывают. Конечно, свинство с ее стороны так рассуждать, ведь именно хорошо оплачиваемая тяжелая и вредная для здоровья (рядом с реактором-то!) служба Вадима позволила ей содержать долгие годы всю квартиру, не только детей и себя, но и соседей, еще и Люсе с матерью деньги посылать. А сейчас он занимается постылой и вызывающей отвращение работой, чтобы решить проблемы ее сестры. Ну что ж, Вадим имеет право оставаться ее мужем ровно столько, сколько захочет. Она не может и не должна рвать с ним отношения, но и удерживать его и пытаться сохранить брак она не станет. Бессмысленно.

— О чем ты так глубоко задумалась? — донесся до нее голос Ганелина. — Историю на двадцать серий сочиняешь?

Наташа очнулась, виновато тряхнула головой.

— Я думаю о том, что теперь встречаюсь с тобой тайком от мужа, — честно призналась она, радуясь в душе, что может быть откровенной с Андреем. Как хорошо все-таки, что он есть!

— И тебя от этого коробит?

— Нет, я принимаю это как факт. Но знаешь, не так-то просто менять представления о самой себе. Столько лет считать себя идеальной женой и на сорок втором году жизни вдруг начать бегать на тайные свидания...

— Ну, не преувеличивай, — рассмеялся Андрей. — Разве наши встречи можно назвать свиданиями? Тайными — да, возможно, но уж точно не свиданиями.

— Почему? Ты же цветы подарил, в ресторан повел. Все как положено, как у больших.

— Свидания, Наташенька, существуют не для цветов и ресторанов, а совсем для другого. А мы с тобой за двенадцать лет ни разу даже не поцеловались.

Его губы на круглом пухлом лице по-прежнему улыбались, но глаза сделались грустными. Наташа чувствовала, что в ней происходит что-то... что-то такое, чему она никак не могла дать определения.

— Так в чем же дело? — с наигранной веселостью сказала она. — Давай поцелуемся.

— Прямо здесь?

— Так никого же нет.

— А официанты?

— Они не в счет. Или ты не хочешь?

Андрей медленно поднялся с места, потянул ее за руку. Наташа послушно встала. Господи, она уже забыла это восхитительное ощущение долгого умелого поцелуя, страстного и нежного одновременно. От охватившей ее горячей волны почему-то зазнобило, даже пальцы похолодели. Как странно... Разве можно замерзнуть от горячего?

Ей пришлось сделать над собой усилие, чтобы прервать поцелуй и отстраниться от Андрея. Надо сесть, а то ноги подкашиваются.

— Ты очень хорошо целуешься, — произнесла она, стараясь казаться спокойной, чтобы скрыть охватившее ее смятение.

— Все эти годы я наращивал мастерство, чтобы не ударить лицом в грязь, когда настанет момент, — с улыбкой ответил Андрей, не выпуская ее руки.

Да, Наташа и об этом знала. С самого начала их отношения с Андреем строились на принципах абсолютной взаимной честности. Если один из них задавал вопрос, на который другой по каким-то причинам не хотел отвечать, то в ход не шли ложь или увертки, а говорилось: «Не спрашивай, я не хочу это обсуждать». От всезнающей Инки и обожающей посплетничать Анны Моисеевны Наташа знала, что Андрей Ганелин не живет монахом, у него за годы знакомства с Наташей были женщины, с которыми он спал, но жениться на которых даже и не думал. Однажды Наташа набралась наглости спросить его об этом, и Андрей ответил:

— Да, это правда. Но к тебе это не имеет никакого отношения. Я тебя люблю, и ты это знаешь. А с ними я сплю, потому что я нормальный мужик. Если бы я мог спать с тобой...

— Но ты не можешь, — решительно прервала его тогда Наташа.

— Не могу. Я это понимаю и ни на чем не настаиваю. Но если ты мне скажешь, что тебе неприятна моя личная жизнь, я все это прекращу. Прекратить?

— Я же не садистка, — засмеялась она. — И не собака на сене.

Этот разговор состоялся давно, еще до перевода Вадима из Западной Лицы, и в начале девяностых годов, радостно налаживая новую семейную жизнь с мужем, Наташа частенько думала о том, что не так уж виновата перед Ганелиным. Да, она счастлива с Вадимом, но и Андрей личной жизнью не обделен. В последнее же время мысль о том, что у Андрея есть другая женщина, неприятно скребла сердце.

Во рту пересохло, Наташа залпом выпила бокал легкого вина и с удивлением обнаружила на столе тарелки с закуской. Она и не заметила, когда их принесли! Неужели они целовались так долго, что официанты успели расставить все эти вазочки и салатнички? Ей казалось, что их губы встретились всего на несколько секунд.

— Ты меня совершенно выбил из колеи, — честно призналась она. — Я была уверена, что уже не могу почувствовать такое волнение от обычного поцелуя. В моем-то возрасте и при моем стаже супружеской жизни!

— Это не обычный поцелуй, — мягко возразил Ганелин. — Это поцелуй любящего мужчины, который ждал его двенадцать лет. Я могу задать тебе вопрос?

— Конечно.

— Этот поцелуй был в честь праздника или он что-то означает? Только скажи мне правду, чтобы я понапрасну не надеялся.

Она внимательно посмотрела на его такое доброе круглое лицо. Глаза за большими стеклами очков показались ей незнакомыми. И весь он, полноватый и мягкий, словно бы подтянулся, стал суше, даже щеки как будто ввалились. Бог мой, да тот ли это Андрюша, которого она знает столько лет, с которым дружит, к которому обращается за помощью, а случается — и плачет в жилетку, жалуясь на проблемы и неприятности? Перед ней сидел совсем другой мужчина, оцепеневший от напряжения и готовый к горькому разочарованию. Мужчина, который ее любит. Мужчина, который ее хочет. И что самое удивительное — которого хочет она сама.

Внезапно в ней проснулся зверский аппетит. А эти закуски так вкусно пахнут и выглядят чудесно... Она посмотрела на часы. Без десяти пять. В шесть ей нужно быть дома. Что ж, значит, не сегодня.

— Не сегодня, — машинально произнесла она вслух.

— Ты хочешь сказать, что ответишь мне в другой раз? — глухо спросил Андрей.

— Нет, Андрюша, я хочу сказать, что у нас остался всего час, поэтому давай сегодня побудем здесь. А завтра я к тебе приеду, хорошо?

— Ты не шутишь? Не разыгрываешь меня?

— Даже если бы ты не подарил мне сегодня цветы и не напомнил о годовщине нашего знакомства, я бы все равно тебя поцеловала. Мне кажется, что я... Впрочем, ерунда это все. Давай поедим, а?

Андрей снял очки, зажмурил глаза, потер их пальцами.

— Это не ерунда, — тихо сказал он. — Но все будет так, как ты хочешь. Я очень тебя люблю и надеюсь, что до завтра ты об этом не забудешь. Что тебе положить?

— Вот это, — Наташа ткнула пальцем в салатник, наполненный чем-то пестрым и издающим упоительный запах. — И еще вот это, не знаю, как называется. Короче, клади все подряд, у меня праздник.

— У нас, — с улыбкой поправил ее Ганелин.

— У нас — это само собой. А еще у меня лично. Я впервые за много лет снова почувствовала себя женщиной. За это стоит выпить, как ты считаешь?

* * *

1 сентября, первый день нового учебного года принес неожиданность. Сыновья вернулись из школы, пообедали и сели за уроки. Обычно уже в четыре часа оба убегали в бассейн, но часы пробили пять, потом шесть... Обеспокоенная Наташа заглянула к ним в комнату.

— А на тренировку? Не пойдете?

Сашка только нетерпеливо мотнул головой, не отрываясь от задачника по физике, обстоятельный же Алеша счел нужным объясниться.

— Мама, мы с Сашкой решили больше спортом не заниматься, — солидным баском заявил он.

— Это еще почему? Что случилось? Вас выгнали из команды?

— Никто нас не выгонял. Сашке на следующий год в институт поступать, ему нужно много заниматься. Нечего время зря тратить.

— Ну хорошо, это я могу понять. А ты? — спросила ошеломленная Наташа младшего сына.

— Да ну, чего я без него ходить буду... — протянул Алеша. — Мне одному скучно.

— Сыночек, — строго сказала она, — это рассуждения на уровне маленьких детей. Что значит «скучно»? Если Саша поступит в институт, ты в школу ходить перестанешь, потому что тебе одному скучно?

— Мать, кончай грузить, — подал голос старший сын. — В Чечне война идет, я в армию не хочу. Спорт — это классно, но жизнь не спасает.

— И когда же тебе пришла в голову эта мысль? Вы же только что вернулись со сборов, стало быть, еще месяц назад собирались продолжать тренироваться.

— А вот как раз, когда мы на сборах были, Грозный и бомбили, — пояснил Алеша. — У одного парня брат там погиб, ты его знаешь, Сережка, веснушчатый такой. За ним родители приехали и забрали. Мы тогда с ребятами много об этом разговаривали. Многие испугались, не только мы с Сашкой. После этого полкоманды разбежалось. Все поняли, что надо браться за ум и в институт поступать. Бэлла Львовна сказала, что мы правильно решили.

— Ах, Бэлла Львовна, — протянула Наташа. — Тогда конечно. Только странно, что вы с ней посоветовались, а со мной нет.

— А ты что, не согласна? — удивился Алеша. — Я хотел еще вчера тебе сказать, а Сашка говорит, не надо, мама с Бэллой Львовной всегда заодно, если баба Бэлла одобрила, то и мама будет не против.

— О господи, — Наташа опустилась на диван, на котором спал Саша, откинулась на спинку и вытянула ноги. — Огорошили вы меня. Ну ладно — я, но хотя бы с отцом вы об этом говорили?

— Мы пытались.

— И что он сказал?

— Сказал, что получать образование нужно, но руководствоваться при этом собственной трусостью — стыдно.

— Что, прямо так и сказал? — не поверила Наташа.

— Слово в слово, — подтвердил Саша. — Своими ушами слышал. Тебя дома не было, тогда мы к Бэлле Львовне пошли советоваться. Надо было срочно решать вопрос, чтобы вечером тренера предупредить. Короче, мать, я буду поступать в авиационный институт, на факультет прикладной математики. Компьютеры — это сегодня самое то, что нужно.

— А ты, Алеша? Ты куда собрался?

— А я буду готовиться в Плешку или еще куда-нибудь, где

финансистов готовят. Бухгалтеры знаешь как нужны? Самая модная профессия, и платят хорошо.

— Не соскучишься без Саши? — ехидно спросила она. — Я думала, ты следом за ним в МАИ потянешься.

— Не, — Алеша отрицательно помотал головой, не поняв материнской иронии, — мне там не интересно. Я экономикой хочу заниматься.

— Послушайте, ребята, а вам не кажется, что у вас мания величия?

Сашка соизволил отодвинуть задачник и тетрадь и воззрился на Наташу в полном недоумении:

— Мать, ты чего? Почему у нас мания величия?

— Потому что для поступления в те вузы, которые вы мне сейчас назвали, надо знать математику на принципиально ином уровне. У вас по этому предмету непреходящие тройки, а уж как математику преподают в вашей средней школе, я себе очень хорошо представляю. Сама в ней училась. Даже если вы собираетесь с сегодняшнего дня получать одни пятерки, необходимых для института знаний вы все равно не получите. Можете мне поверить. Вы хоть понимаете, что вам нужен репетитор?

— Да ладно, мать, не выдумывай, — отмахнулся Саша. — Не совсем же мы с Алешкой тупые. Подналяжем на учебники, и все будет тип-топ.

— Сашенька, я еще раз тебе повторяю, ты можешь выучить все учебники для средней школы на «пять» с плюсом, но это тебе не поможет, потому что в них нет тех знаний, которые нужны для поступления в МАИ. Если ты мне не веришь, — пожалуйста, можно достать прошлогодние экзаменационные задачи, чтобы ты сам убедился, что я права. Ты их не только решить не сможешь, ты даже не поймешь, о чем они.

В глазах старшего сына впервые появилась тень сомнения. Самоуверенный, активный, энергичный, Саша всегда считал себя достаточно умным и ловким, чтобы справиться с любой проблемой. Этой уверенностью он заражал и осторожного и осмотрительного младшего брата, который боялся на шаг отойти от Саши, чтобы не оказаться беспомощным и беззащитным. Медлительный и вдумчивый Алеша трудно принимал решения, за него это постоянно делал старший брат, делал не всегда удачно, но зато быстро, благодаря чему обеспечивалось хоть какое-то движение вперед. Оставшись один, Алешка наверняка намертво застрянет на самой элементарной проблеме. Он даже плавки для бассейна сам выбрать не может, ходит от прилавка к прилавку, из магазина в магазин и не решается сделать покупку, ему все кажется, что найдется что-то более удачное. Наташа хорошо помнила, как попросила однажды Алешу съездить на вещевой рынок ЦСКА, где работал Вадим, и купить в подарок Бэлле Львовне теплый зимний шарф. Дала деньги, оговорила стоимость покупки, размер, цвет и качество шарфика. Алешка проходил на рынку целый день и вернулся без подарка, зато с подробнейшим отчетом о том, какие вообще шарфы он там видел, какие бывают материалы, расцветки, размеры и цены. Оказалось, что таких шарфов, о которых ему говорила Наташа, он нашел целых четыре. Нужного цвета, соответствующего качества и подходящей цены.

— Так почему же ты не купил? — не могла взять в толк Наташа.

— Ну мам, их же четыре. Я не мог решить, какой именно покупать.

На следующий день она, наученная горьким опытом, послала сыновей на рынок вдвоем, наказав Алеше в целях экономии времени сразу же провести Сашу к тем прилавкам, где он видел нужные шарфы. Однако дальше первого прилавка они не ушли, Сашка моментально принял решение и остальные шарфики смотреть просто не стал.

Да, пожалуй, Алешу нельзя оставлять одного, без брата. Ладно, пусть не ходит на тренировки, пусть уроки делает. Как быстро они приняли решение! Это, конечно, Сашка давил на брата, стукнуло ему в голову, даже мать не дождался, а ее не было дома всего-то три часа, она ездила на работу, чтобы Вальке Южакову показать синопсис сериала, который делала почти месяц. Ну, если быть честной, делала она его всего десять дней. Потому что до того памятного дня, когда Андрей подарил ей цветы и пригласил в ресторан, она пыталась собрать мозги в кучку и придумать что-то приемлемое, но придумывалось плохо, она начинала работать и выбрасывала исписанные листы. И только после того, как впервые приехала к Андрею и случилось то, что еще три месяца назад казалось ей невозможным, невероятным и постыдным, к ней пришло вдохновение. В голове будто бы сама собой сложилась история любви, ошибок, разочарований, высоких порывов и низменных страстей. Наташа вдруг поняла, почему синопсис так долго не получался: она давно забыла, что такое страсть. А может быть, и не знала толком никогда.

Оставив сыновей наедине с гранитом науки, она зашла к Бэлле Львовне. Мать с наушниками на голове лежала на диване и смотрела какой-то фильм, теперь она могла включать любой уровень громкости, и никому это не мешало. Бэлла Львовна, оторвавшись от книги, с тревогой взглянула на Наташу и рассмеялась.

— Судя по твоему лицу, мальчики тебе сказали.

— А вы-то, Бэллочка Львовна, почему промолчали? — с упреком произнесла Наташа, присаживаясь рядом с матерью и целуя ее в морщинистую щеку. — Ведь вы же со вчерашнего дня все знали.

— А я эксперимент поставила, золотая моя. Мне было интересно, сколько пройдет времени, пока они соизволят родную мать проинформировать. Знаешь, я была уверена, что все случится не так быстро.

— Почему?

— Разве ты не заметила, что твои сыновья давно уже не делают разницы между своими родителями и мной? Это ты, золотая, росла в те времена, когда я была просто соседкой, то есть чужим человеком, волею обстоятельств жившим в соседней комнате. И были семья Брагиных и семья Маликовых. А мальчики всю сознательную жизнь воспринимали меня бабушкой, ведь твоя мама, их родная бабушка, уехала, когда Сашеньке было четыре годика, а Алешеньке — три. Они видели только одно — все обитатели нашей квартиры живут одной семьей. И они с мамой и папой, и баба Бэлла, и баба Полина, и Иринка. Им даже в голову не приходит оценивать степень нашего родства. Мы все — единый организм. Я тебя уверяю, если бы вчера вечером в квартире не оказалось никого, кроме случайно забежавшей в гости Иринки, они посоветовались бы с ней и сочли бы вопрос исчерпанным. Вот мне и стало интересно, как будут развиваться события дальше. Значит, они все-таки сочли нужным с тобой поговорить?

— Да нет, это я сама напросилась. Ввалилась к ним в комнату и стала требовать ответа, почему они не пошли на тренировку. Если бы не спросила, неизвестно, когда бы они сообразили, что нужно поговорить со мной. Смешно...

— От чего тебе смешно?

— Выросли они. Как-то быстро все получилось, я и спохватиться не успела, а пора уже об институте думать, об армии. Я к ним отношусь как к несмышленым малышам, а они уже профессию себе выбрали. Сами решения принимают. У вас с Мариком тоже так было?

— Точно так же, золотая моя. Не переживай, все нормально. Ты больше ничего не хочешь мне сказать?

Вопрос показался Наташе странным. Он звучал так, словно Бэлла Львовна дает ей понять, что пора уйти, если нет больше никаких дел. С чего бы это?

— Вы меня выгоняете? — напрямик спросила Наташа. — Я вам помешала? Извините.

— Да ты с ума сошла! — возмутилась соседка. — Как это ты можешь мне помешать? Я имела в виду, не хочешь ли ты кое о чем поговорить со мной.

— О чем?

— О тебе. И о твоем муже. Мне давно кажется, что у вас не все гладко. Но в последнее время все стало как-то иначе. Нет? Мне показалось?

Наташа бросила испуганный взгляд на мать, но та увлеченно смотрела телевизор. Наушники надежно защищали ее слух от всего, что могло бы нарушить ее душевное равновесие.

— Что вы, Бэллочка Львовна, — залепетала Наташа, чувствуя, как запылали щеки, — у нас все хорошо. Просто Вадик очень много работает, сильно устает, поэтому вечерами бывает злым и раздражительным. Вот соберем деньги, отселим Люсю с Катюшей, ему не нужно будет так много работать, он отдохнет, успокоится. Все хорошо, честное слово.

— Золотая моя, — усмехнулась Бэлла Львовна, — мне семьдесят шесть лет. Я еще недостаточно стара для того, чтобы впадать в маразм. Но в то же время достаточно немолода, чтобы кое-что понимать в жизни. Ты давно разлюбила Вадима, это видно невооруженным глазом.

— Вам видно? — глупо спросила Наташа.

— Конечно. Со стороны просматривается просто прекрасно. Я еще удивляюсь, как сам Вадим этого до сих пор не понял.

— Он хороший муж и хороший отец, — продолжала упорствовать Наташа. — Я не имею права его не любить.

— Деточка, — понизив голос, сказала соседка, — слово «любовь» и слово «право» не могут лежать в одной плоскости. Эти слова из совершенно разных опер.

— А как же стабильность семьи? Все общества и все государства за это борются, а вы меня уговариваете бросить мужа. Бэллочка Львовна, да вы ли это?

— Я, золотая моя, я. Теперь сядь и послушай старуху. И дай слово, что не станешь вскакивать, махать руками и кричать на меня.

— То есть сидеть молча, — уточнила Наташа с улыбкой.

— Нет, почему же, можешь задавать вопросы или подавать уточняющие реплики, только, пожалуйста, без сильных эмоций. Так вот, Наташенька, что я хочу тебе сказать. Семья — замечательная вещь, а хорошая семья — это просто прекрасно. Когда семья создается, она стоит очень близко от понятия «любовь». Практически вплотную. Но это изначально разные вещи, понимаешь? Принципиально разные, как цветок и железнодорожный состав или как симфоническая музыка и плавающая в море рыбка. Разные вещи существуют по разным законам, они по-разному возникают, по-разному развиваются и по-разному умирают. Они идут разными путями. Просто в какой-то момент их дороги пересеклись, и двое любящих друг друга людей создают семью. Образ понятен?

— Да, вполне, — кивнула Наташа, все еще не понимая, куда клонит соседка.

— Идем дальше. Семья начинает жить и развиваться по своим законам, любовь же идет собственной дорогой. Иногда, если сильно повезет, эти дороги совпадают на протяжении всей жизни. Но это не правило, а исключение, и ты должна это понимать.

— Я понимаю.

— Очень хорошо. Когда дороги расположены на близком расстоянии, человек может идти одновременно по обеим, как по параллельным доскам. Но если эти дороги расходятся слишком далеко, приходится делать выбор. Либо сохранять семью, наплевав на любовь, либо выбирать любовь, разрушая семью. Это не катастрофа, это нормальное положение вещей. И тогда человек останавливается и начинает прикидывать, какую дорогу ему выбрать, потому что идти по обеим он уже не может, длины ног не хватает.

Наташа так явственно представила себе человека, идущего под двум расходящимся доскам, что невольно прыснула. Зрелище и вправду было уморительным. Сначала воображаемый мужчина подтягивал брюки, чтобы не тянули, потом пытался идти на полусогнутых ногах, потом прибегнул к помощи палки, опираясь на которую делал крохотные трудные шажочки то одной ногой, то другой, потом доставал до далеко разошедшихся досок только носками ботинок. И в конце концов упал. Лицом в грязь, между проклятыми досками. Да еще и руку подвернул.

— Смеешься? Это хорошо, — невозмутимо продолжала Бэлла Львовна. — Значит, образ получился ярким. Для того чтобы выбрать, по какой доске идти дальше, необходимо понять две вещи. Первое: какого качества эта доска, достаточно ли она прочная и длинная, чтобы выдержать тебя. Второе: куда она приведет? Что находится в том месте, где она закончится? Я не знаю, что у тебя происходит по части любви, хотя явственно вижу, что кое-что происходит. Но твою семейную доску я могу оценить. Она закончится очень скоро. Пойми меня правильно, твоя мама очень стара, да и мне не так уж много осталось. Мальчики уже совсем большие, ты сама в этом сегодня убедилась, да и растили их мы с тобой так, чтобы приучить к самостоятельности и независимости. Еще три-четыре года — и они уйдут из семьи. Что останется? Останутся двое не любящих друг друга людей, ты и Вадим. Доска, как видишь, короткая, а там, где она заканчивается, ничего особо радостного не видно.

— Почему вы считаете, что Вадим меня не любит?

— Я ничего не считаю, золотая моя, я вижу. Я вижу это так же отчетливо, как то, что ты не любишь его.

— Вы ошибаетесь, Бэлла Львовна, — горячо возразила Наташа. — Да, не стану кривить душой, я уже не испытываю к Вадиму таких чувств, как раньше. Но он любит меня, и он так много вложил в нашу семью, так много сделал для нас... Я не имею права расставаться с ним, если он сам этого не захочет.

— Ну вот, ты опять за свое! У вас обоих взгляд зашоренный. Ты вбила себе в голову, что он тебя любит, и поэтому не можешь от него уйти. А он считает, что ты его любишь, и не может тебя бросить с двумя детьми, двумя старухами, сестрой и племянницей. Он выполняет свой долг мужа и отца. Честно выполняет.

Но чего ему это стоит, ты задумалась? У него высшее образование плюс диплом налогового работника. Он вполне может сам себя прокормить, занимаясь уважаемой и квалифицированной работой. А он вместо этого торчит за прилавком и угождает покупателям, потому что считает себя обязанным создать тебе и сыновьям приличные жилищные условия, а для этого нужно во что бы то ни стало отселить Люсю с дочерью. Вы оба обманываете сами себя и друг друга. Не честнее ли будет отпустить его? Снять с него весь груз ответственности за твое многочисленное семейство? И я, и твоя мама, и твоя сестра с племянницей — мы все чужие для него, мы его раздражаем, а он гробит свою жизнь на то, чтобы решить наши проблемы. Во имя чего? Во имя детей, которые, как выяснилось сегодня, в нем мало нуждаются? Во имя любви, которой, можешь мне поверить, давно уже нет? Я хочу тебе сказать, золотая моя, что, если ты порядочный человек, ты просто обязана предложить ему развестись. Прямо сейчас, не дожидаясь, пока он купит квартиру для Люси. Ты понимаешь, что я хочу сказать?

— Не понимаю, — ответила Наташа, глядя в пол, хотя прекрасно все понимала. Если дождаться, пока Вадим заработает денег на Люсину квартиру, и потом уйти от него, это будет уж совсем по-свински. Получится, будто она его использовала, а потом выбросила, как старую рваную тряпку. Но куда же она может уйти? Никуда, ее дом здесь. Значит, уходить придется Вадиму. Опять же — куда? Он здесь прописан, никакого другого жилья у него нет. А денег на новую квартиру, даже на самую маленькую, он пока не собрал. Разменять коммуналку? Не выйдет. Им нужна будет квартира для Люси, квартира для самого Вадима, квартира для Иры, квартира для Бэллочки — четыре однокомнатные. И вдобавок отдельная квартира для Наташи с матерью и двумя почти взрослыми сыновьями — как минимум трехкомнатная. Столько квартир из их четырехкомнатной коммуналки, хотя и в центре, все равно не выйдет.

— И чего же ты не понимаешь? — с поистине ангельским терпением спросила Бэлла Львовна.

— Где Вадим будет жить? Куда ему уходить, если мы разведемся?

— Он купит себе квартиру.

— Но у него пока нет денег...

— А вот здесь, золотая моя, мы подходим к самому главному, — перебила ее соседка. — И я очень тебя прошу выслушать меня спокойно и не говорить «нет». Сколько нужно еще денег, чтобы купить однокомнатную квартиру в приличном районе, не внутри Садового кольца, конечно, но и не на выселках, не за Кольцевой дорогой?

— Тысяч восемь долларов. Это как минимум. Двадцать тысяч у нас уже есть, еще два-три года назад за эти деньги можно было даже «двушку» купить, правда, плохонькую, но теперь квартиры подорожали... Меньше чем за тридцать тысяч ничего пристойного не найдешь.

— Я дам недостающие деньги. Отпусти Вадима, дай ему вздохнуть спокойно. Ему сорок два года, он еще успеет создать новую семью, где жена не окажется всенародно известной личностью, обремененной огромным количеством родни. Он еще сможет стать настоящим главой своего семейства. Ты же не глупая девочка, Наташенька, ты отлично понимаешь, что корень зла не столько в остывших чувствах, сколько в вашем неравенстве. В этом никто не виноват, просто так случилось. Ты когда-то была редактором на телевидении с зарплатой в сто десять рублей, а по твоим сценариям никто не хотел снимать кино, Вадим же был высокооплачиваемым морским офицером и содержал нас всех. Теперь ты стала знаменитой, а он — рыночным торговцем. Такое положение для него унизительно. Будь настоящим товарищем, протяни ему руку помощи, избавь от унижения.

— Бэлла Львовна! — ахнула Наташа. — Да что вы такое говорите? Как это вы дадите ему деньги? С какой стати? Да и откуда у вас столько?

— У меня есть. Мне Марик оставил. И потом, все годы он пытался мне помогать, ты же знаешь, как это делалось. Кто-то уезжает, продает в Москве квартиру, имущество, часть денег по договоренности передает здесь родственникам своих знакомых, живущих за границей, а оказавшись за бугром, получает эквивалентные суммы от тех, с кем договаривался. Вот и мне периодически поступали некоторые суммы, иногда немалые.

— Вы никогда не говорили об этом, — удивилась Наташа.

— А зачем? Мое поколение привыкло копить деньги, откладывать на черный день. Вот и я откладывала. Теперь, я полагаю, пришло время их использовать. И не смей отказываться. Ты не имеешь морального права эксплуатировать человека, которого больше не любишь и который не любит тебя. Это неприлично.

Наташа пошла готовить ужин и все время мысленно повторяла слова Бэллы Львовны. Да, она отдавала себе отчет в том, что не любит мужа, что они отдалились друг от друга, стали совсем чужими. Да, Вадим с каждым днем становится все более нетерпимым к любому беспорядку, к малейшей пылинке, даже к тому, что Катюша, возвращаясь порой довольно поздно, слишком громко хлопает входной дверью. Да, она не хочет больше жить с ним. Но ей никогда и в голову не приходило, что со стороны такое положение может выглядеть как беззастенчивая эксплуатация присущего Вадиму чувства ответственности. Как намеренное унижение. Как что-то непорядочное. А ведь Бэлла права... Она, Наташа, бегает на свидания к любовнику, пока ее муж вкалывает, чтобы отселить ее же сестру. Бэллочка права, она поступает гадко. Мерзко. И какой же выход? Просто так, на ровном месте взять и предложить Вадиму развод? С какой стати? И имеет ли она право брать деньги у Бэллочки? Ведь они на черный день отложены.

Хлопнула дверь, и тут же раздался недовольный голос Вадима:

— Почему опять свет в прихожей горит? Неужели так трудно выключить?

Наташа выбежала ему навстречу, виновато улыбнулась.

— Это я включила, для тебя. Увидела из окна, что ты идешь, и включила, — неловко солгала она.

— А это что?

Он брезгливо поднял пару кроссовок, вокруг которых на полу образовалась грязная лужа. Кроссовки принадлежали племяннице Кате, которая явилась домой полчаса назад, предварительно потоптавшись по обильно политой дождем земле. Вероятнее всего, в каком-нибудь скверике с мальчиком гуляла.

— Неужели так трудно поставить обувь на коврик, чтобы не пачкать пол? — гремел Вадим. — Я специально покупал коврики, вон они, по всей прихожей валяются, чтобы ставить обувь. И почему в этом доме никто не считает нужным соблюдать порядок и убирать за собой грязь?

— Я сейчас вытру, — тихо сказала Наташа. — Не кричи, пожалуйста. Пойдем ужинать, у меня все готово.

— Нет, ты не будешь вытирать! Это чьи кроссовки?

— Катины.

— Вот пусть она и вытрет! Почему ты должна убирать за ней? У нее что, рук нет? Спина больная? Немедленно пойди к ней и скажи, чтобы она вымыла пол в прихожей.

— Успокойся, пожалуйста, она все вымоет. Пойдем ужинать.

Но сегодня Вадим был что-то особенно агрессивен. Каждое Наташино слово вызывало в нем бурю протеста.

— Вадик, что случилось? — наконец не выдержала она. — Чем ты сегодня так раздражен? Что-то произошло?

— Ты меня спрашиваешь, что произошло? — гневно переспросил он. — Ты хочешь сказать, что тебя все устраивает и ты не видишь поводов для раздражения? Твои демократы развалили всю страну, в результате люди, которые честно трудились всю жизнь, не покладая рук, остались нищими. Самые нужные профессии врачей и учителей оплачиваются жалкими копейками. Армия и милиция развалены, разрушены. Это ты считаешь нормальным? Тебя это не огорчает и не раздражает?

— Но Вадик, это случилось не сегодня... Почему именно сегодня ты такой злой? Что тебя достало?

— Именно сегодня? — Он отшвырнул вилку. — Просто сегодня ты соизволила открыть глаза и обратить внимание на мое настроение. Тебе давно уже безразлично, и чем я живу, и как я работаю, и что меня достает! Тебе важна только твоя работа, при помощи которой ты имеешь возможность прославлять преступных политиков, ведущих нашу страну к гибели. Тебе важны только слава, популярность и рейтинги твоих передач, ничто другое тебя не интересует.

— Ты же знаешь, я ушла из программы... — пыталась возразить Наташа, но муж ее не слушал.

— Ну конечно, теперь ты рвешься к славе великого кинорежиссера! Премии, овации, признание! Кинофестивали, тусовки, фуршеты, презентации! А как живет простой народ — ты и знать не знаешь и не хочешь знать. У тебя достаточно денег, чтобы не подсчитывать каждый день, на сколько подорожало масло и сумеешь ли ты купить целую буханку хлеба или только половину.

— Вадик, я отлично знаю, что и сколько стоит, я сама покупаю продукты каждый день. И считаю каждый рубль. Зачем ты меня упрекаешь? Разве ты забыл, как я раскладываю деньги по конвертам, чтобы на все хватило и чтобы не истратить лишнего?

Она все еще пыталась его успокоить, привести какие-то разумные доводы, но понимала, что доводов этих не найдет. Что можно противопоставить реальному обнищанию пенсионеров, врачей и учителей? Что может утешить высококлассного специалиста, не по своей вине превратившегося в безработного? Жалкие слова о неизбежных экономических трудностях переходного периода? Политические резоны? Примеры того, что справедливого социального устройства не бывает в принципе, что при любом экономическом режиме обязательно будут обиженные и обделенные? Об этом можно было бы говорить в газетной статье или с экрана телевизора, но с мужем, дома, за ужином дискутировать на политические темы...

— Давай закроем тему, — примирительно произнесла она, стараясь говорить мягко и тепло. — Ты пришел домой, а не на политический диспут. Лучше поговорим о домашних делах. Мальчики мне сказали...

Но он не дал ей закончить фразу:

— Ах вот как?! Ты считаешь ниже своего достоинства говорить со мной о политике? Ну разумеется, кто я такой, чтобы обсуждать со мной такие сложные проблемы! Всего лишь продавец, стоящий за прилавком на вещевом рынке! Я — торгаш, существо низменное и не достойное уважения. Я — никто в твоих глазах! Ничтожество, годное только на то, чтобы приносить в дом деньги. Так или не так?

Наташа чувствовала, как темнеет в глазах, все вокруг становится ядовито-красного цвета — цвета злобы и ненависти. Все, пора кончать с этим. Бэллочка права. И Инка права. И Вадим прав. Все кругом правы, кроме нее. Но у нее нет больше сил это выносить.

— Это не так, — она говорила совсем тихо, потому что каждый звук болью отдавался в затылке, — но я не хочу, чтобы ты думал... чтобы чувствовал...

Господи, она растеряла все слова, она никак не может составить связную осмысленную фразу, чтобы выразить то, что хочет донести до его сознания.

— Вадим, выслушай меня. Тебе очень тяжело, я это понимаю. Ты попал в невыносимую ситуацию. Я вообще удивляюсь, как ты до сих пор сохранил здоровую психику. Я на твоем месте давно уже свихнулась бы. Но я не хочу больше, чтобы ты мучился. Это не нужно ни мне, ни тебе. Давай купим для тебя отдельную квартиру, и ты будешь жить один. Так будет лучше для всех, поверь мне.

Он резко отодвинул тарелку и встал:

— Ты меня выгоняешь?

— Неправда. Я тебя не выгоняю. Я только хочу, чтобы тебе жилось лучше и легче. Ты очень устал, ты измотан, нервы у тебя на пределе. Ты все время кричишь, ты всем недоволен, постоянно ворчишь, бранишься... Ты запугал всю семью. Тебя все боятся. Разве ты не заметил, что, когда ты приходишь домой, все стараются без необходимости не выходить из своих комнат, чтобы не нарваться на тебя? Не нужно продолжать эту пытку. Давай купим тебе квартиру, и ты освободишься от нас.

— Так, — протянул он. — Стало быть, не нужен стал. Пока был богатым подводником, был нужен, а как стал шмотками торговать, так пошел вон? Еще бы, знаменитой Наталье Вороновой не пристало иметь такого мужа. Ей больше бизнесмен какой-нибудь подойдет, вроде Ганелина, который по тебе давно сохнет. Ну что ж...

— Вадим, как ты можешь?! — почти закричала она. — Ты не должен так говорить! Это неправда...

Она разрыдалась и не услышала, как Вадим вышел из комнаты. И только когда до ее слуха донесся стук закрывшейся за ним входной двери, Наташа поняла, что муж ушел. Куда? И когда вернется?

Она постаралась взять себя в руки, вытерла слезы, убрала со стола, вымыла посуду. И села на диван. Пробовала читать — строчки плыли перед глазами и разбегались в разные стороны. Включила телевизор — и не поняла ничего из того, что ей пытались показать и рассказать. То и дело подступали рыдания, и Наташа давала волю слезам, потом тихонько прокрадывалась в ванную, умывалась, с тоской смотрела на покрасневшие глаза и опухшее лицо и возвращалась к себе.

В одиннадцать вечера Вадима еще не было. В двенадцать тоже. Наташа легла в постель, но свет не выключала, лежала с открытыми глазами и ждала. Но Вадим не вернулся.

Не пришел и на следующий день. С самого утра перепуганная Наташа помчалась на рынок, на стоянке увидела машину Вадима, в торговом зале издалека отыскала глазами мужа, стоящего за прилавком, и с облегчением вздохнула. Слава богу, ничего не случилось, он жив и здоров. К Вадиму она не подошла. Зачем? Если бы он хотел с ней о чем-то поговорить, он вернулся бы ночевать. Раз не вернулся, значит, разговаривать с ней пока не хочет. Или не может.

Вадим появился только через два дня. Он был сух, сосредоточен и деловит. Извинился за то, что пропал и не позвонил. Собрал вещи. Быстро обсудил с Наташей все вопросы. Временно он поживет у товарища, пока будет подыскивать себе жилье. Он на многое не претендует, ему вполне подойдет и квартирка на окраине, тем более что есть машина. Попробует найти что-нибудь за те деньги, которые уже есть. Если это окажется невозможным, он готов вернуться к обсуждению вопроса о том, чтобы одолжить деньги у Бэллы Львовны. Именно одолжить, но ни в коем случае не взять безвозмездно. И он очень надеется, что Наташа не станет препятствовать его встречам с сыновьями.

Слово «развод» не было произнесено ни разу, но оба понимали, что речь идет именно о нем.

ИГОРЬ

Прохладный ветерок залетал в открытое окно, чуть приподнимал легкую штору и тут же стыдливо убегал. День был жарким, город еще не успел остыть, и Вика, поначалу прикрывшаяся было простыней, снова лежала обнаженной, предоставив Игорю возможность любоваться своим совершенным юным телом. Не так давно, примерно месяца два назад, Вика еще жила в загородном коттедже Жорика, и очередной приезд Игоря пришелся как раз на тот момент, когда Жорик подумывал о переселении подружки назад в Москву. Девушка ему понравилась, через пару недель Игорь выяснил, что Жорик с ней расстался, стало быть, можно действовать с чистой совестью. Главным в глазах Игоря Мащенко достоинством красавицы Вики было то, что она категорически не хотела выходить замуж. Девушка даже не скрывала от Игоря, что он в ее жизни — всего лишь переходный этап, заполненная приятным и необременительным времяпрепровождением пауза между предыдущим перспективным любовником и следующим, который непременно появится, нужно только подождать. Вика всех мужчин делила на три категории: к первой относились те, кого можно было бы рассматривать в качестве мужа — сказочно богатые и холостые либо готовые развестись, во вторую категорию входили те, у кого денег было достаточно, чтобы обеспечить ей приятную жизнь в качестве любовницы-содержанки, а к третьей она причисляла приятных симпатичных мужиков, которых можно пустить к себе в постель, но на материальную поддержку которых рассчитывать не приходится. Жора Грек относился, несомненно, ко второй категории, а Игорь — всего лишь к третьей.

Вика сладко потянулась в постели, включила бра над головой и посмотрела на стоящий у изголовья будильник.

— Сколько там натикало? — спросил Игорь, не поворачиваясь.

— Половина первого. Тебе пора?

— Еще целый час есть. Я обещал подъехать к двум, жену привезти со съемок.

— Они что, ночью снимают? — удивилась Вика.

— Ну да, ночная Москва им нужна. Моя жена около двух освободится, а вся группа будет до рассвета работать. У них поточный метод, все ночные сцены на улице за один раз снимают. Как стемнело — так и начали.

— Не понимаю, — раздраженно сказала девушка, выключая свет, — неужели твоя супружница не может сама до дома доехать? Почему ее обязательно нужно встречать? Тоже мне, барыня!

— У нее нет машины.

— Так купи ей тачку, пусть сама разъезжает, куда ей нужно. Почему мы с тобой должны зависеть от графика ее съемок?

— Умолкни, — грубо ответил Игорь. — Не твое дело.

Он не собирался объяснять молоденькой Вике, что Ирина отказывается от машины, за которую заплатили бы, разумеется, родители Игоря. Ей хотелось заработать деньги самой, и вот теперь такая возможность представилась, ее пригласили сниматься в двадцатисерийном фильме для телевидения, и, по ее подсчетам, гонорара за съемки должно будет хватить на недорогую иномарку. Съемочных дней у Ирины в этом фильме достаточно, но поскольку она не звезда, а всего лишь недавняя выпускница ВГИКа, почти год сидевшая без работы, то платят ей не так уж много. Конечно, Ирка — баба не капризная, она без всяких обид взяла бы такси и доехала до дома, но предки этого не понимают. Еще утром, узнав, что невестка будет работать до середины ночи, стали требовать, чтобы Игорь непременно сам поехал за ней. Не собачиться же с ними... И без того отец давно уже косо смотрит на него, догадывается, что Игорь снова начал шляться и изменять жене. Мать молчит пока, но ее сурово поджатые губы говорят о том, что и она в курсе. Только Ирка, святая душа, ни о чем не догадывается, порхает, щебечет, планы строит. Доверчивая она — просто удивительно! Никогда ни о ком плохо не подумает, пока ее буквально мордой в правду не ткнешь.

Вика будто мысли его прочла, тут же спросила:

— А на такси она не может доехать? Все-таки это эгоизм: заставлять мужа в два часа ночи везти ее со съемок. Она-то после сегодняшнего небось отсыпаться будет до обеда, а тебе завтра рано на работу вставать.

— На себя посмотри, — Игорь даже не старался быть вежливым. — Если я от тебя прихожу в два часа ночи — это, по-твоему, нормально, а если жену со съемок привезу — уже эгоизм?

— Сравнил, — фыркнула девушка. — Ради меня можно и пострадать, если бы я не была лучше твоей жены, ты бы сейчас здесь не лежал и не урчал, как кот, обожравшийся сметаной. Кстати, она не догадывается?

— Она — нет. Предки догадываются, но пока молчат.

Вика села в постели, зябко передернула красивыми голыми плечами, натянула простыню.

— А что будет, когда они перестанут молчать?

— Что будет, что будет... Начнут мораль читать, плешь проедать. Жену против меня будут настраивать. Я — такой ужасный, безнравственный, чудовищный, а она — святая. Они в ней души не чают. Ирочка то, Ирочка се... Как будто она им родная дочь, а я — пришлый зятек, к тому же не очень удачный.

— Слушай, а чего ты с ними не разъедешься? — спросила Вика. — Живешь как под колпаком у Мюллера, за каждый шаг отчитываешься. Я давно заметила, ты, когда домой спешишь, все больше о предках своих говоришь, что, мол, они ругаться будут. Жена у тебя и вправду святая, если ничего не замечает, тебе с ней одной легко было бы. Зачем же мучиться?

— Не хочет она разъезжаться, — нехотя объяснил Игорь.

— Кто не хочет? Твоя мама?

— Да нет, мама как раз не против, предки сколько раз предлагали разменять квартиру, а жена ни в какую не соглашается.

— Не может быть! Почему? Каждая нормальная женщина хочет разъехаться со свекровью и жить своим домом. Я, например, даже с родными родителями жить не могу.

Игорь снова замолчал. Не пересказывать же молоденькой благополучной Вике, выросшей с мамой и папой, историю Ирины и все эти разговоры о разъезде, неоднократно возникавшие и заканчивавшиеся неизменно одним и тем же: ее слезами.

— Пожалуйста, Елизавета Петровна, Виктор Федорович, не надо, — говорила она. — Я нашла свою семью, мне так хорошо с вами, я вас так люблю. Вы мне родителей заменили, мне всю жизнь так этого не хватало.

Мать таяла, отец снисходительно улыбался, и тема размена квартиры временно забывалась, снова всплывая только тогда, когда Игорь безобразно напивался, громко хамил жене, а потом Ирка просила у его родителей прощения за шум и беспокойство. Ей было неловко за него, она его стеснялась, как будто такое поведение мужа — исключительно ее собственная вина. Нет, она точно святая.

Но Вика всего этого не поймет. Да и не нужно ей об этом знать, это его внутрисемейное дело, к которому временная (а он ни минуты не сомневался, что роман с Викой скоро закончится) любовница не должна иметь никакого отношения.

— Сделай мне кофе, — попросил он, — а то за рулем усну.

Вика сползла с кровати, накинула изящный пеньюар, пару раз взмахнула щеткой, приглаживая растрепавшиеся волосы.

— Тебе сюда принести?

— Не нужно, я, пожалуй, тоже встану.

Он прошел в ванную, быстро принял душ, натянул светлые легкие брюки и рубашку с короткими рукавами. Все равно на работе приходится переодеваться в форму, так что можно позволить себе ходить без пиджака и галстука. Он пригладил расческой влажные после душа волосы и удобно уселся в кресле рядом с низким широким столиком. Вика принесла кофе и бутерброды. Прозрачный пеньюар распахивался при каждом движении, выставляя на обозрение ее точеные формы, и Игорь любовался девушкой, не скрывая удовольствия.

— Ты красивая просто до ужаса, — восхищенно констатировал он.

— А твоя жена? Как у нее в смысле внешности?

Вика Ирину ни разу не видела, в тот день, когда Игорь познакомился с ней у Жоры Грека, жена была на съемках и поехать с ним за город не смогла.

— Тоже красивая.

— Красивее меня? — недоверчиво прищурилась Вика.

Игорь задумчиво оглядел девушку, что-то прикидывая.

— Пожалуй, да. Вас нельзя сравнивать, вы совершенно разные. Ты — тонкая, стройная, хрупкая блондинка...

— А она — маленькая и толстая?

— Ну что ты, у нее рост метр восемьдесят. Как у манекенщицы.

— А фигура?

— Отличная у нее фигура. Только она крупная, статная. И брюнетка. Я же говорю, вы принадлежите к разным типам. И в своем типе вы обе самые красивые. Удовлетворена?

Вика села по другую сторону столика, поднесла к губам чашку, сделала маленький глоточек и сморщилась.

— Горько. Что-то я с сахаром не угадала. Придется добавить.

Она бросила в свою чашку еще кусочек сахару, размешала маленькой ложечкой, снова попробовала.

— Вот так лучше. Слушай, а почему ты ей изменяешь, если она такая красавица?

— Красота тут ни при чем, — усмехнулся Игорь. — Это инстинкт.

— Кобелиный?

— Можно и так назвать, если хочешь. У любого мужика в генах сидит желание перетрахать как можно большее количество женщин.

— Так уж и у любого? — не поверила Вика.

— Точно тебе говорю, на генном уровне — у любого.

Просто многие умеют этот генетический зов не слышать, а

если и слышат, то умеют с ним бороться. Моральные соображения, религиозные, страх заразиться чем-нибудь и все такое. А многие мужики слышат и действуют. Вот я как раз из таких.

— Да то, что ты кобель, за версту видно, — засмеялась девушка. — Только я не пойму, при чем тут гены.

— В древние времена детская смертность была очень высокой, и чтобы обеспечить расширенное воспроизводство племени, каждый мужчина должен был постараться осеменить как можно большее количество женщин. Вот оттуда и все наши беды.

— Сам придумал или вычитал где?

— Вычитал, конечно. Разве я похож на человека, который способен такое придумать? Мое дело скромное — допросы, очные ставки, обыски, постановления, заключения. А это — наука, — насмешливо произнес он. — Кстати, и твоя личная жизнь этой наукой объясняется.

— Это как же? — заинтересовалась Вика. — Ну-ка расскажи.

— А очень просто. Ты ищешь богатого мужа, то есть такого, который сможет обеспечить нормальное существование твоего потомства. Ты ведь вполне можешь сама заработать столько денег, сколько нужно, чтобы дать своим детям достойное образование, кормить их натуральными продуктами, а не синтетикой, поселить их в экологически чистом месте и организовать в случае необходимости квалифицированную медицинскую помощь. Но ты стремишься найти мужа, который тебе и твоим детям все это даст. А почему? Потому, что на генном уровне ты чувствуешь: жена должна быть хорошей матерью, сидеть дома и заниматься детьми, а не мотаться по командировкам и не торчать до ночи на переговорах. Это тоже первобытный инстинкт.

— Фу, глупость какая, — Вика наморщила носик и отставила пустую чашку. — Если бы все было так, как ты говоришь, то тебя бы здесь не было. Вместо тебя сидел бы богатенький Буратино.

— Так он и сядет вместо меня, как только ты его найдешь. А то, что ты временно позволяешь мне его замещать, говорит только о силе инстинкта: в древние времена женщина без мужчины не выживала. Пусть хоть какой, но чтобы был. На всякий случай, для безопасности.

— Слушай, ты жуткий циник, — чуть удивленно протянула она. — Мы с тобой уже месяц общаемся, а я не догадывалась, какой ты.

— Я не циник, я просто мыслю трезво и объективно. Все, Викуся, — Игорь встал с кресла и направился в прихожую, — мне пора ехать.

— Когда увидимся? — спросила девушка, целуя его в дверях.

— Я позвоню.

До места съемок Игорь по пустым улицам доехал за двадцать минут. Еще издалека он увидел огромные длинные машины и толпу людей. Правда, вблизи оказалось, что это не совсем толпа, просто большое количество работников съемочной группы суетилось на крохотном пятачке. Игорю никогда даже в голову не приходило, что кино снимают такой многочисленной командой. Ему казалось, что на съемочной площадке находятся режиссер, оператор, звукооператор, два-три осветителя, гример, костюмер и актеры. Человек десять, максимум — пятнадцать. А их тут не меньше пятидесяти.

Он припарковал машину и подошел к месту действия. Где же Ирка? Что-то ее не видно. Неужели раньше освободилась и уже уехала? Он взглянул на часы: да нет, не опоздал, приехал вовремя, как и обещал, сейчас пять минут третьего.

— Простите, — обратился он к пробегавшей мимо девице лет двадцати, больше похожей на лохматого мальчишку, — я ищу Ирину Савенич. Она здесь?

— Она на гриме, — бросила на ходу девочка-мальчик. — Вон в том автобусе.

Игорь посмотрел в указанном направлении и увидел автобус, ничем внешне не отличающийся от обычного междугородного «Икаруса». Когда-то на таких автобусах он ездил от аэровокзала на Ленинградском проспекте до аэропорта. Вместе со Светкой... Тогда он был еще юным и глупым и доверчиво полагал, что если девушка ложится с тобой в постель, то это навсегда. И что если тебя любит красивая девушка, то это нормально, потому что отчего же ей не любить Игоря, такого умного и замечательного? Светка преподнесла ему горький урок, болезненный, но полезный. Красивые женщины не могут по-настоящему любить мужчину, они могут любить только самих себя, собственную красоту и собственное благополучие. И каждый мужчина, вступающий в близкие отношения с красивой женщиной, должен твердо помнить, что его безжалостно и не задумываясь променяют на другого, более перспективного. Поэтому красивых женщин нельзя любить, вкладывая всю душу, отдавая всего себя. Их можно только использовать, так же, как они используют мужчин.

Он подошел к автобусу поближе и заглянул внутрь через окно. Ирка сидела в замызганном линялом халатике, а парень-гример уродовал ее роскошные кудри, превращая их в некую нелепую лохматость. Игорь постучал в стекло ребром монетки, Ира скосила глаза в его сторону, улыбнулась и помахала рукой, приглашая его войти.

— Привет, Игоречек. Мне один эпизод остался, крохотный совсем, сейчас снимем — и все.

— И что ты будешь делать в таком виде? — скептически поинтересовался Игорь.

— Буду возле помойки своего возлюбленного догонять, — со смехом сообщила Ира. — Мы поссорились, он ушел, хлопнув дверью, а я бегу за ним и прошу прощения. Весь пробег уже сняли, остался только эпизод, когда я возле мусорных баков его догоняю, бросаюсь на шею, и мы страстно целуемся. Там пока свет ставят, а мне грим поправляют.

В автобус заглянул усатый толстый мужик с переговорным устройством в руке.

— Ира, мы готовы.

— Сейчас, полсекунды, — неожиданно хриплым голосом бросил парень-гример.

— Давай, все ждут, — строго произнес усатый и исчез в темноте. Обещанные гримером полсекунды в действительности оказались пятью минутами. Наконец Ира вышла из автобуса. Игорь с интересом наблюдал за процессом съемок. Надо же, как много всего нужно делать, прежде чем актеры начнут играть! Оказывается, оператор и режиссер выстраивают кадр буквально по сантиметру, размечая, где какой актер должен остановиться. Процесс «вымеривания» при помощи линейки и сантиметра длился долго, Ира и ее партнер по сцене терпеливо стояли возле наполненных доверху мусорных контейнеров и считали шаги. Игорь все никак не мог разглядеть лицо молодого человека, игравшего рассерженного возлюбленного, актер стоял к нему спиной, а Ирка — лицом. Почему-то Игорь был уверен, что парень окажется неказистым и некрасивым, ведь какой еще может быть возлюбленный у такой девицы с неприбранными волосами и в жутком халате, какую изображает его жена.

— Работаем! — раздался уверенный женский голос. — Репетиция.

Ира отошла от партнера на несколько шагов, актер повернулся к ней спиной, и Игорь мысленно ахнул. Евгений Калугин, звезда экрана, знаменитый артист, играет в театре, снялся в бесчисленном количестве фильмов, любимец всей страны. И его жена снимается вместе с ним? Отчего-то Игорю казалось, что телевизионный сериал — заведомо дешевое «мыло», в котором снимают только дешевых, никому не известных актеров. Но Ирка-то какова! Ни разу ни словом не обмолвилась, что снимается с самим Калугиным. Почему? В Игоре моментально проснулся следователь, знающий по профессиональному опыту, что, если человек не афиширует знакомство с кем-либо, это почти всегда означает попытку что-то скрыть. Уж не роман ли у его жены с этим актеришкой? Ирка сказала, что они будут страстно целоваться. И не настаивала на том, чтобы Игорь заехал за ней ночью. Более того, усиленно отказывалась, говорила, что возьмет такси или попросит кого-нибудь подвезти, и сдалась только после того, как мать устроила чуть ли не скандал. Наверняка хотела, чтобы домой ее отвез Калугин... Ну-ка, ну-ка, посмотрим, как вы целоваться будете, голубки!

Поцелуй показался Игорю чересчур страстным и откровенным. Его даже передернуло. И зачем Ирка к нему так прижимается? А он, сволочь, прямо-таки мнет ее спину, проще говоря — лапает. Ну и ну! И сколько же раз это будет повторяться? Сказали — репетиция. А потом еще съемка. Кажется, делают несколько дублей. Черт знает что!

— Женя, все хорошо, только стоять нужно на полшага ближе к мусорке, — раздался все тот же командный женский голос. — И больше страсти в поцелуе, ты же рассержен, зол, вы только что поссорились, из тебя адреналин прет, и все это ты выплескиваешь, когда обнимаешь ее и целуешь. Хорошо?

— Я понял, Наталья.

— Ира, держись свободнее, ты очень зажата, как будто его боишься. Он же твой любовник. Чего тебе бояться?

— Так я же боюсь, что он сейчас убежит и не простит меня. Я нервничаю.

— Не нужно. Ты должна стараться сделать так, чтобы он тебя простил. Понимаешь, что я имею в виду? Больше нежности, больше близости.

— Хорошо, Наталья Александровна, я постараюсь.

— Репетируем еще раз! Начали!

Кто такая эта Наталья Александровна, которая буквально толкает его жену в объятия Калугина? Прямо сводня какая-то! Больше страсти, больше нежности... Да куда уж больше-то? Они так целуются, как будто прямо сейчас свалятся на землю и займутся любовью. Порнография, а не сериал, честное слово!

— Отлично! Можно снимать! Работаем!

— «Соседи», триста сорок шесть, дубль первый! — звонко прокричала та самая девочка-мальчик и щелкнула перед камерой деревянной дощечкой-«хлопушкой».

Калугин снова повернулся спиной к тому месту, откуда должна появиться Ира. Она выскакивает из-за угла, окликает партнера, тот оборачивается, она быстро и горячо что-то говорит. Объятие. Поцелуй. Игорь прикинул — эпизод длится не больше пятнадцати секунд. Нет, пожалуй, даже меньше. А сколько работы, чтобы эти жалкие секунды превратились в полноценный фрагмент фильма! Сколько возни! Сколько людей задействовано, и ведь у всех них — рабочее время, причем ночное, и всем нужно платить зарплату. Кошмар! Теперь хотя бы приблизительно становится понятным, куда деньги идут.

— «Соседи», триста сорок шесть, дубль второй!

О господи, да сколько же можно обниматься и целоваться! До утра, что ли?

— Хороша девчонка, — услышал Игорь за своей спиной чей-то негромкий голос, показавшийся ему знакомым. — Я с ней два эпизода уже сделал, работать — одно удовольствие. Совсем неопытная, но талантливая. Из нее толк будет.

— Кто такая? — спросил другой голос, на этот раз женский. — Я ее в первый раз вижу. Она где-нибудь снималась?

— Нет, это у нее первая картина. Ира Савенич. Запомни имя, ты его наверняка еще услышишь. Наталья с ней хорошо работает.

— Красивая девочка, — без тени зависти констатировал женский голос. — Что-то они из графика вышли, нас на два часа вызвали, а уже почти три. У тебя сколько эпизодов сегодня?

— Два. Один с тобой, другой с Женькой.

Игорь осторожно отступил назад и сбоку исподтишка оглядел беседующих. Точно, со знакомым голосом он не ошибся, это же Привалов, еще одна звезда экрана. Даже почти две, потому что рядом с ним стоит актриса, которую Игорь видел в нескольких фильмах, но вот имя вспомнить не может.

Сняли еще два дубля, прежде чем послышалось:

— Спасибо, снято! Делаем сцену у магазина. Привалов здесь?

— Здесь, Наталья Александровна, уже давно приехал.

— Милицейская машина есть?

— Стоит.

— Массовка?

— Мы готовы, Наталья Александровна.

— Наташа! — стоящий рядом с Игорем Привалов приподнялся на цыпочках и помахал рукой. — Я тут!

— Здравствуй, Алик! Идите пока с Женей одевайтесь и на грим.

Подошел Калугин, они с Приваловым обнялись и о чем-то оживленно зашептались. Игорю было плохо слышно, но по отдельным доносящимся словам он понял, что речь идет о каком-то внутрикиношном скандале. Ира куда-то исчезла, Игорь отошел в сторонку и достал сигареты. Совсем близко от него прошла женщина, которая командовала всем процессом и которую называли Натальей Александровной. В джинсах и рубашке с закатанными до локтя рукавами, с усталым и сосредоточенным лицом. Она попала в полосу света, и Игорь заметил обильную седину в ее волосах. Наверное, лет пятьдесят, если не больше, решил он, хотя фигура хорошая, подтянутая. Без седой головы он бы дал ей лет тридцать пять.

— Игоречек, я здесь.

К нему подбежала Ира, возбужденная, с блестящими глазами. Вместо жуткого застиранного халатика на ней были брюки и трикотажная маечка с глубоким вырезом. Взлохмаченные гримером кудри кое-как приглажены и схвачены на затылке большой заколкой.

— Можем ехать? — с трудом сдерживая недовольство, спросил Игорь.

— Да, поехали.

В машине она сразу отодвинула сиденье назад, вытянула ноги и закурила.

— Напрасно ты Елизавету Петровну послушался. Тебе поспать останется всего ничего, и на работу. Если бы я знала, что все так затянется...

— То что бы ты сделала? — зло прервал ее Игорь. — Объяснила бы маме, что в два часа ночи тебя нужно встречать, а в три — уже нет?

— Ты прав, — со вздохом согласилась Ира. — Ничего не изменилось бы. Я пыталась ее убедить в том, что прекрасно доберусь домой сама, но она и слушать ничего не хотела. Извини, что так получилось. Это больше не повторится, у меня больше не будет ночных съемок на этой картине.

— Ты с таким сожалением об этом говоришь, — ехидно заметил Игорь, не желая скрывать свое плохое настроение.

— Почему с сожалением? — не поняла Ира.

— Откуда же мне знать, почему. Может, тебе нравится в два часа ночи целоваться с этим Калугиным. Я даже допускаю, что ты не хотела, чтобы я тебя встречал, потому что рассчитывала проехаться по ночной Москве в обществе кинозвезды.

— Не говори глупости, — спокойно ответила она, — мне совсем не нравится с ним целоваться. Кроме того, моя работа на сегодня закончена, а у Жени еще один эпизод, ему сниматься еще часа полтора. Ты что, пытаешься изобразить ревность?

— Ну, допустим.

— Не старайся, у тебя ничего не выйдет.

— Почему это?

— Потому что у тебя нет для этого никаких оснований.

Ни-ка-ких, — по слогам произнесла Ира. — Лучше честно признайся, что ты опять не в духе и ищешь, к чему бы придраться.

Он не ответил, внутренне признавая правоту жены. Да, ему не понравилось, что Ира неоднократно целовалась с посторонним мужчиной, но как он ни вглядывался в прильнувшие друг к другу фигуры, он не сумел увидеть в этой сцене ничего личного. Оба отстранялись друг от друга мгновенно, по команде режиссера, ни разу не затянув объятие ни на одну лишнюю секунду.

— И все-таки я не понимаю, почему ты не уйдешь со службы, — продолжала жена. — Ты так выматываешься, ты постоянно злой, нервный. И денег зарабатываешь — кот наплакал. И вставать каждый день приходится ни свет ни заря. Как было бы хорошо, если бы ты мог завтра поспать подольше, а то я чувствую себя такой виноватой. Виктор Федорович тебя все время уговаривает перейти в министерство на более спокойную должность, если уж ты так держишься за свои погоны. Ну почему ты такой упрямый?

— Не лезь не в свое дело. Я сам буду решать, где мне работать.

— Если б ты хотя бы взятки брал, я бы еще понимала! Шучу, конечно. Но в самом деле, Игоречек, объясни мне, почему ты так держишься за свою работу, а? Ты же ее ненавидишь, она тебе поперек горла стоит.

— Чушь! — резко ответил Игорь. — Я люблю свою работу и не хочу ни на что ее менять.

— Да не любишь ты ее, — продолжала упорствовать Ира. — Я же не слепая, я прекрасно вижу, с каким настроением ты уходишь утром и возвращаешься вечером. Когда человек любит свою работу, она ему в радость, даже если она безумно тяжелая, а твоя работа тебе не в радость. Что, есть какая-то причина, о которой ты не хочешь мне говорить? Ты кому-то чем-то обязан, и поэтому не можешь уйти?

Да замолчит она или нет?! Еще не хватало с ней обсуждать самый болезненный в его жизни вопрос. Женька Замятин — его крест, который он будет нести всю свою жизнь. Он, Игорь Викторович Мащенко, обязан работать следователем, потому что следственная работа — его истинное призвание. Ради этого призвания он предал друзей, обманул их, лишил возможности учиться в летном училище, пообещал устроиться на работу и потом вместе с ними идти служить в армию, а сам уехал поступать на юридический. И он обязан оправдать свой поступок. Если он уйдет из следствия, это будет равносильно признанию в том, что следственная работа — отнюдь не самое главное в жизни. И какими же глазами посмотрит на него после этого Жека? Жека, от которого никуда не скрыться, который знает его адрес, и все телефоны, и место работы, и будет звонить и говорить Игорю все, что думает о нем. Он ведь и так уже догадался насчет письменного экзамена, и, хотя Игорь все отрицает, не признается, Замятин ему не верит. Боже мой, ну почему, почему он попал в такую зависимость от Жеки? Почему не может жить свободно, так, как хочется? Почему он всей своей жизнью должен оправдываться перед безногим инвалидом и перед памятью погибшего на той же войне Генки Потоцкого? Как так получилось? И есть ли выход? Ответов на эти вопросы Игорь не знал.

А тут еще отец со своей политической деятельностью, масла в огонь подливает, требует, чтобы Игорь бросил следствие и ушел в Главное управление по борьбе с организованной преступностью или в Главное управление по экономическим преступлениям. Отец своего интереса не скрывает, говорит прямо:

— Мне нужен человек, имеющий доступ к информации.

Впервые он завел этот разговор полгода назад, но еще в мягкой форме. Ни на чем не настаивал, только предлагал подумать. Игорь, естественно, упирался, лепетал что-то насчет любви к работе и нежелания уходить в министерство и участвовать в аппаратных играх. Но отец настойчиво возвращался к этой теме и с каждым разом становился все более и более жестким. Не далее как вчера он снова заговорил о переводе Игоря в другую службу.

— Но у тебя же есть связи в любом ведомстве. Почему я? Зачем тебе нужен именно я?

— Мне нужен свой человек. Такой, которому я могу доверять

и который меня не подведет. Тебе все равно давно пора идти на повышение. Это очень хороший вариант.

— Я... не могу, — неуверенно пробормотал Игорь, понимая, что никакие разговоры о любви к ненавистной и надоевшей до смерти следственной работе уже не пройдут. Можно обмануть Жеку Замятина, можно даже себя обмануть, но с отцом у него это никогда не получалось.

— Что значит, ты не можешь? Почему? — требовательно и встревоженно спросил Виктор Федорович.

— Не хочу. — Игорь не нашел лучшего ответа, хотя и понимал, что звучит это не просто глупо — совершенно по-идиотски.

— Разве я спрашиваю тебя, хочешь ли ты? Я ставлю тебя в известность о том, что мне нужно. Оглянись на свою жизнь. Каждый раз, когда ты делал то, что хотел, получалось черт знает что. Твои желания меня больше не интересуют, — холодно произнес отец.

— Ты не можешь меня заставить.

— Могу. И заставлю.

Игорь до сих пор находился под впечатлением от этого разговора. С одной стороны — Женька, с другой — отец.

Они оба морально сильнее, с обоими ему приходится бороться, но безуспешно. Ни с одним, ни с другим ему не справиться. Что же делать? Как жить дальше? Выход один: плюнуть на все, уволиться к чертовой матери и уйти в глухой запой. Ничего не знать, ничего не помнить, ни за что не отвечать. Допиться до белой горячки и сдохнуть.

ИРИНА

Они издалека увидели хвост огромной очереди, выстроившейся к стойке таможенного досмотра. Первой сориентировалась Ира:

— Елизавета Петровна, вы пока заполняйте декларацию, а я очередь займу.

Лизавета с Виктором Федоровичем отправились искать бланки таможенной декларации, а Ира пристроилась в конец очереди и стала с любопытством и завистью оглядывать тех, кто уже через каких-то пять-шесть часов окажется рядом с морем, где-нибудь в Турции, Испании или, как свекровь, в Австрии. После того замечательного двухнедельного райского отдыха в Турции им так и не удалось больше съездить всем вместе на Средиземное море, то Игоря не отпускали летом, то Виктор Федорович не мог, то Лизавета. Конечно, Ире предлагали поехать одной, но она не соглашалась. Что это за семья, если отдыхать врозь? Несколько раз складывалась возможность поехать всем вместе, но не летом, а ведь у Иры занятия в институте... Так ничего больше и не состоялось, дальше дачи уехать ей не удалось.

Этим летом она даже на дачу не ездила, снималась у Наташки в сериале «Соседи». И теперь, в начале сентября, неожиданно сложилось такое... Ей даже подумать страшно. Игорь в составе следственной бригады уехал почти на месяц в Краснодар, там какое-то большое и сложное экономическое дело разматывают. Лизавета улетает в Австрию, где состоится международный семинар, куда ее отправляют за счет клиники обмениваться передовым медицинским опытом. И она остается на целую неделю с Виктором Федоровичем. Одна.

Ира больше не обманывала себя и не мучилась над вопросом, почему порой так смущается и краснеет в его присутствии, почему, поджидая поздними вечерами загулявшего мужа, не сидит больше в своей комнате, а устраивается с книгой на кухне в надежде, что свекор выйдет из спальни и посидит с ней. Без Лизаветы и без надоевшего хуже горькой редьки Игоря. Иногда так и случалось, и это были самые радостные и волнующие минуты ее жизни. Негромкий неторопливый разговор в полумраке при свете настенного бра, горячий чай, ощущение тайны, недоступной окружающим и известной только им двоим. Ей было двадцать семь лет, вполне достаточно, чтобы понимать, что означают и дрожь в пальцах, и внезапно накатывающая горячая волна, и беспричинные слезы, и неостановимый радостный смех. Она влюбилась. Конечно, не в первый раз в жизни. Но чтобы так... И в кого? В собственного свекра. В отца своего мужа. В Наташкиного врага.

Она порой вела себя глупо, но поделать с этим ничего не могла. Вот и сегодня увязалась провожать вместе с Виктором Федоровичем Лизавету в Шереметьево, хотя в этом не было никакой необходимости. Что и говорить, Лизавете приятно, что ее провожают всем имеющимся в наличии семейным составом, но, в сущности, хватило бы и одного Виктора Федоровича, ведь суть проводов в недельную командировку не в том, чтобы лить слезы возле таможенной стойки и долго махать рукой, а всего лишь в доставке от дома в аэропорт.

Очередь шла быстро, уже минут через двадцать Лизавета положила перед таможенником паспорт, билет, декларацию и справку-разрешение на вывоз валюты. Таможенник окинул Лизавету скучными глазами, оценивающе посмотрел на провожающих, слегка задержал взгляд на Ире и шлепнул штамп на заполненный неразборчивым Лизаветиным почерком бланк. Свекровь подхватила легкий чемоданчик, помахала им рукой и направилась к стойке регистрации.

— Какие планы? — спросил Виктор Федорович, когда они сели в машину. — Куда тебя отвезти?

— Я сегодня свободна. А вы?

— Я тоже, сегодня же суббота.

— А давайте уроки прогуляем, — озорно предложила Ира.

— То есть?

— Будем вести себя неправильно, не так, как положено серьезному профессору и молодой актрисе. В конце концов, в городе праздник.

Москва в эти дни праздновала свое 850-летие, но до сегодняшнего утра Ире и в голову не приходило, что все это может иметь лично к ней хоть какое-нибудь отношение. Народные гулянья, уличные представления — это все, как ей казалось, хорошо и интересно для приезжих и для подростков. И, только проснувшись сегодня утром, она увидела в прихожей чемодан свекрови и окончательно осознала, что остается один на один с человеком, которого любит. Пусть он и не подозревает об этом, но какое это имеет значение...

— Сначала мы поедем домой, поставим машину, — начала она излагать Виктору Федоровичу свой план, — потом наденем удобную обувь для долгого гулянья и отправимся на метро в центр. Пройдемся по Тверской, по Садовому кольцу, пообедаем в итальянском ресторане, возле метро «Маяковская» есть чудесный ресторан, «Патио Паста», выпьем в честь праздника. Потом еще что-нибудь придумаем.

Свекор одобрительно улыбнулся:

— Годится. Нельзя постоянно быть серьезным и деловым, надо хоть иногда расслабляться.

Они весело болтали всю дорогу до дома, Виктор Федорович поставил машину в расположенный рядом с домом гараж-«ракушку», и уже через полчаса они, переодевшись и переобувшись, шли к метро. Погода стояла изумительная, теплая, солнечная. Выйдя из метро на станции «Охотный Ряд», они сразу влились в толпу гуляющих. Движение транспорта по случаю праздника было перекрыто, и люди чувствовали себя вольготно, не спеша шагая по широкой проезжей части. Огромные куклы, чучела, воздушные шары, клоуны и ряженые, визжащие от восторга детишки, продавцы мороженого и сладостей, голубое небо и приятный ветерок, идущий рядом мужчина, который крепко держит ее под руку — все это мгновенно слилось в душе Иры в единое пронзительно-острое ощущение невероятного восторга. И почему она решила, что народное гулянье — это развлечение для приезжих? Откуда в ней этот аристократический снобизм, с ее-то более чем сомнительным происхождением?

Погуляв около двух часов, они зашли в «Патио Паста», где, против обыкновения, оказалось столько народу, что с трудом нашелся свободный столик. Ира просматривала меню и прикидывала, до какой степени имеет право нарушить диету. Самое вкусное здесь как раз то, что ей категорически нельзя. Спагетти — те же макароны, к которым она привыкла с детства, а спагетти «болоньезе», на ее взгляд, мало чем отличались от макарон «по-флотски» с кетчупом, которые она поглощала в немыслимых количествах в юности. Макароны Ира обожала и могла есть их три раза в день семь дней в неделю. Ну и черт с ним, сегодня такой день, что можно нарушить не только диету.

Как хорошо вот так сидеть вдвоем среди толпы, без мужа и свекрови, пить вино и разговаривать ни о чем! А впереди еще вечер, уютный домашний вечер с чаем, телевизором и острым ощущением оторванности от всего мира. И еще семь таких же чудесных вечеров... Виктор Федорович смотрит на нее теплыми глазами, подносит зажигалку, когда Ира закуривает, и она, не желая отказывать себе в маленьких радостях, каждый раз обхватывает его руку своими пальцами, наклоняя кончик сигареты к подрагивающему пламени. От этого прикосновения ее бьет током, и она, едва затушив окурок, считает для приличия до десяти и снова тянется к пачке. Во рту горечь, от избытка никотина пересохло в горле и побаливает голова, но Ира снова и снова наклоняется к его руке, держащей зажигалку, и прикасается к его теплой чуть шершавой коже.

— Ты слишком много куришь, — с улыбкой замечает Виктор Федорович.

— Я немного нервничаю, — отвечает Ира, глядя прямо ему в глаза.

— Нервничаешь? Отчего? Тебе здесь не нравится? Тебя что-то напрягает?

— Мне здесь очень нравится.

— Тогда в чем же дело?

— Я вас боюсь.

— Очень мило! — рассмеялся Виктор Федорович. — Мы знакомы шесть лет, почти пять живем вместе, и вдруг выясняется, что ты меня боишься. С чего это? Чем я тебя так напугал?

— Не смейтесь, — очень серьезно сказала Ира. — Вы меня волнуете. Не знаю, что со мной происходит, я никогда так не волновалась в вашем присутствии.

Что она делает, боже мой, что делает?! Зачем она это говорит? Чего добивается? Чтобы он узнал, что она его любит? И что дальше? Она совсем голову потеряла. Но есть вещи, которые она чувствует даже не шестым — десятым, двенадцатым чувством, чутьем опытной самки. Она ему нравится, и не просто как невестка. Она ему небезразлична. Ира не может ошибаться в таких вещах, она точно это знает.

Улыбка исчезла из его глаз, дернулись желваки на скулах.

— Ты играешь с огнем, девочка. С пожилыми мужчинами нельзя так разговаривать, не то они могут возомнить бог знает что.

Ира продолжала смотреть прямо ему в глаза. Вот он, решающий момент. Еще можно отступить, перевести все в шутку и уйти на привычную спокойную дорогу. А можно сделать шаг вперед и прыгнуть в пропасть, из которой еще неизвестно, как потом выбираться, если вообще жива останешься, все кости не переломаешь.

— Я не играю с огнем, я говорю правду. Не думайте, что мне это легко.

— Правду говорить легко и приятно. Помнишь, откуда это?

Ну вот, он стремится увести разговор в сторону. Ира все сказала, а Виктор Федорович не знает, что с этим делать. Скорее всего, думает, как бы поделикатнее дать ей понять, что ее интерес к нему остается без взаимности.

— Булгаков, «Мастер и Маргарита», — ответила она, по-прежнему не отрывая взгляда от его лица и на ощупь находя пачку и вытаскивая из нее очередную сигарету.

Щелкнула зажигалка, вспыхнуло желто-голубое пламя. Ее пальцы ложатся на его руку, первая затяжка, струйка дыма, но пальцы остаются там же. Ира не убирает их.

— Виктор Федорович, я взрослая женщина, я хорошо понимаю, что делаю, и точно знаю, чего хочу. Говорить правду легко и приятно. А каково ее слушать?

Его рука под ее пальцами судорожно сжимается в кулак с такой силой, что от зажигалки, кажется, останутся одни крошки. Он аккуратно высвобождает руку.

— Я попрошу счет.

— Конечно.

Неловкое тяжелое молчание висело между ними всю дорогу до метро. Однако попытка доехать до дома натолкнулась на неожиданное препятствие. Все станции, с которых можно было попасть на Сокольническую ветку, оказались перекрыты, поезда следовали мимо них без остановок. Все платформы, вестибюли и переходы были забиты людьми. Виктор Федорович взял Иру под руку и плотнее прижал ее локоть к себе.

— Ты не знаешь, что происходит?

— Понятия не имею... Ой, я поняла! Сегодня на Воробьевых горах выступает Жан-Мишель Жарр, там будет грандиозное представление. Поэтому ветку и перекрыли, чтобы на месте концерта давки не было.

Она говорила быстро и возбужденно, радуясь, что прорвана, наконец, плотная пелена молчания. Еще немного, и она просто задохнулась бы в этой пелене.

— Что будем делать?

— Попробуем через Кольцевую линию, — предложила Ира. — На «Комсомольской» сделаем пересадку.

Они с трудом пробирались сквозь гудящую толпу. Воинственно настроенная группа тинейджеров врезалась прямо в них, Виктор Федорович не удержал Иру, и они мгновенно оказались разделенными потоком людей. Ира прижалась к колонне, ожидая, пока свекор доберется до нее. Не говоря ни слова,

Виктор Федорович крепко взял ее одной рукой за плечо, другой обнял за талию.

— Придется двигаться так, иначе потеряемся.

Прошло немало времени, пока им удалось оказаться в поезде, следующем по Кольцевой линии метро. То есть немало времени прошло, если верить часам. Ира вообще не замечала течения минут и секунд, она только чувствовала его руку, которую от ее кожи отделял всего лишь тонкий слой ткани. Тело горело в том месте, где лежала его рука. И с каждым пройденным вместе шагом пожар распространялся все дальше и дальше, захватывая спину, грудь, ноги и голову. Ее спина и плечи оказались плотно прижатыми к его груди, и Ира исступленно боролась с искушением повернуться к нему лицом, обхватить руками и... Нельзя, нельзя, не думай об этом, выбрось из головы. Это неправильно, это плохо. Он этого не хочет. И при каждом движении она будто ощущала, как кровь пульсирует в его жилах, отчаянно крича: «Хочет! Хочет! Повернись! Прижмись к нему! Поцелуй его!» Не слышать этого, не думать об этом. И сделать так, чтобы эта дорога в толпе никогда не кончалась...

Но она кончилась. Наконец Ира и Виктор Федорович оказались в вагоне поезда.

— Извините, — покаянно произнесла она, только чтобы что-нибудь сказать, только бы не молчать. — Если бы я знала, что в метро творится такой кошмар, я бы вас не потащила гулять в центр.

— А по-моему, мы чудесно провели время. Ты молодец, что вытащила меня, а то я все время или за столом сижу, или в машине еду. Скоро совсем ходить разучусь.

Однако и станцию «Комсомольская» поезд проскочил без всякого намерения остановиться. Им пришлось выйти на «Проспекте Мира» и взять такси. Ира почему-то была уверена, что они сядут рядом на заднем сиденье, но Виктор Федорович, усадив ее сзади, сам сел впереди, рядом с водителем. «Он не хочет сидеть рядом со мной, — отрешенно думала Ира, глядя на проносящиеся за окном дома. — Он дает мне понять, чтобы я не надеялась. Ни на что не надеялась, кроме отцовского отношения. Но я все равно люблю его. И буду любить. Господи, за что мне это наказание!»

Машина затормозила возле их дома, Виктор Федорович расплатился, вышел из машины, открыл заднюю дверь и протянул Ирине руку. Она снова прикоснулась к его ладони и снова вздрогнула. Неужели теперь это будет преследовать ее всю жизнь?

В прихожей было темно. Ира сразу принялась расстегивать ремешок на босоножках и, только уже стоя босиком на полу, сообразила, что Виктор Федорович так и не зажег свет. Он был совсем рядом, она чувствовала его дыхание, его руки на своей спине. Его губы... Они мягко прикоснулись к ее закрытым глазам, к виску.

— Ты — жена моего сына. Я никогда не смогу переступить через это, — прошептал он.

— А если я перестану быть его женой?

— Это ничего не изменит. Ты вошла в нашу семью как дочь, и с этим ничего нельзя поделать.

— А вы хотели бы это изменить? — все еще надеясь, шепотом спросила Ира.

— Бессмысленно это обсуждать. Мы не можем это изменить.

Он обнимал ее все крепче, и то, что он делал, было совершенно противоположным тому, что он говорил. Он хотел ее так же сильно, как она хотела его, в этом невозможно было ошибиться.

— Что же нам делать? — совсем по-детски спросила она.

— Ничего. Бережно относиться к тому, что есть. Благодарить судьбу за то, что это есть, и не желать большего.

— Бережно относиться к чему?

Ей хотелось ясности, полной досказанности. Ире казалось, что, чем больше слов будет произнесено, тем проще ей будет убедить Виктора Федоровича в том, что не нужно отказываться от своего счастья. Она боялась, что разговор слишком быстро иссякнет, и тогда им придется отстраниться друг от друга, зажечь свет, и все вернется на круги своя. Этого нельзя допускать, пока Ира не добилась своего. Пока он ее не поцелует по-настоящему, не в висок или в щеку, а так, как целует влюбленный мужчина. Только одно прикосновение к губам, а там уж Ира найдет аргументы, которые штормовой волной сметут все его принципы и установки. Эти аргументы она научилась использовать много лет назад, когда еще школьницей была.

— К чему мы должны бережно относиться? — настойчиво повторила она, не дождавшись ответа. Ее руки при этом ласково гладили его шею и затылок.

— К семье, которая у нас есть.

— А к нашим чувствам?

— И к нашим чувствам тоже. Ты — чудесная девочка, но не нужно меня провоцировать, мы оба потом об этом горько пожалеем.

— Я не пожалею, — упрямо прошептала Ира.

Но все было напрасно. Виктор Федорович протянул руку к выключателю. Вспыхнул свет. Мираж растаял, так и не материализовавшись.

Ей удалось взять себя в руки и не расплакаться. Ира тихонько поцеловала свекра в щеку и негромко сказала:

— Спасибо вам, Виктор Федорович.

— За что? — Его лицо было грустным и отрешенным. — Я смертельно обидел тебя. Нельзя допускать, чтобы женщина признавалась в своих чувствах, а потом отвергать ее. За такое не благодарят.

— Вы ничего не понимаете. — Она через силу улыбнулась. — Вы преподнесли мне урок, это всегда полезно. Вы удержали меня, не дали сделать то, что потом принесло бы нам обоим массу сложностей. А чувства никуда не денутся, они всегда будут с нами, правда?

— Правда.

Виктор Федорович тоже нашел в себе силы усмехнуться, и Ире стало легче.

— Тогда пойдемте пить чай.

Весь остаток вечера оба старательно делали вид, будто ничего между ними не произошло. Пили чай, смотрели в гостиной телевизор. Около десяти часов Виктор Федорович ушел в кабинет, сославшись на то, что ему нужно еще поработать. Скрывшись в своей комнате, Ира до крови кусала губы и пыталась привести мысли в порядок. Она никак не могла понять, как относиться к тому, что случилось. Виктор Федорович отказался от нее, открытым текстом объяснил, что им никогда не быть вместе. Но он не кобель, не кинулся с жадностью на легкую добычу, которая сама в руки идет. Плохо это или хорошо? В голове полный сумбур, в душе смятение, она ничего не может понять, ни в чем не может разобраться. Она знает только одно: она его любит. И после всего, что произошло, любит еще больше. Наваждение какое-то... Завтра же она позвонит Наташке, прямо с утра позвонит и договорится о встрече. Наташка умная, она поможет разложить все по полочкам, успокоит, утешит, посоветует, что делать, как жить с этим. И Наташка — единственный человек на свете, которому Ира может признаться, перед которым не стыдно. Наташка про нее такое знает, что уже ни в чем не стыдно признаваться.

Всю ночь она проворочалась без сна, прикидывая, когда удобно позвонить. Завтра воскресенье, нерабочий день, все хотят выспаться. В восемь, пожалуй, еще рановато, а вот в девять уже можно. Как медленно двигаются стрелки часов!

Без десяти девять Ира не выдержала и схватила телефонную трубку. Подошла Катя. Странно. Катерина обычно не утруждает себя ранним подъемом по выходным дням, валяется почти до полудня.

— Привет, — торопливо проговорила в трубку Ира. — Наталья уже встала?

— Ее нет.

— А где она в такую рань? Сегодня же нет съемок. Она у Андрея Константиновича?

Катя некоторое время молчала, и Ире почудилось в этом молчании что-то недоброе.

— Она еще из больницы не вернулась, — наконец проговорила девушка с явным трудом.

— Из больницы?! Что случилось?!

— У нас бабушка умерла. Сегодня ночью. Ее на «Скорой» увезли, Наташа поехала с ней в больницу. А потом позвонила и сказала, что...

Катя расплакалась. Ира сглотнула вставший в горле ком. Галина Васильевна умерла... Она была уже совсем старая, больная, немощная. Наташку жалко.

— Я сейчас приеду, — сказала Ира и положила трубку, не дожидаясь ответа.

Она должна быть рядом с Наташей. Ира быстро умылась, оделась, тратить время на завтрак не стала, оставила в кухне на столе записку Виктору Федоровичу, в которой объясняла, что случилось, и предупреждала, что ее не будет целый день, а если она будет нужна, то ее можно найти по старому домашнему телефону. Свекор еще не вставал, накануне он допоздна работал, Ира еще около двух часов ночи слышала его осторожные шаги в коридоре и по звукам, доносившимся из кухни, поняла, что Виктор Федорович наливает воду в чайник. Отчаянно борясь с искушением выйти к нему, она металась по комнате, впиваясь зубами в костяшки пальцев. Она выдержала. Это была маленькая победа над собой, но все-таки победа. Хорошо, что он еще спит. Чем больше времени пройдет до их следующей встречи, тем легче ей будет. И ему, наверное, тоже.

Три дня Ира целиком провела на своей старой квартире, помогала Наташе разбирать вещи Галины Васильевны, ездила с Андреем Константиновичем в морг, чтобы отдать одежду, в которой будут хоронить Наташину мать, потом в церковь — договариваться об отпевании, потом на кладбище. Со всем этим Ганелин прекрасно мог бы справиться и один, но Ире необходимо было почувствовать, что она делает для Наташи хоть что-то полезное. Она даже смоталась к Вадиму, который уже не стоял на рынке за прилавком, а был повышен до должности офис-менеджера, и сообщила ему о кончине бывшей тещи.

— Я Наташе не сказала, что поеду к тебе. Но я считаю, что знать о смерти ее матери ты должен, — сказала она.

— Спасибо, — ответил Вадим. — Я обязательно приду проститься с Галиной Васильевной.

Несмотря на печальные хлопоты, Ира не смогла не отметить, что после развода с Наташей Вадим изменился в лучшую сторону. Лицо разгладилось, стало мягче, исчезли злые складочки вокруг губ, придававшее ему вид вечно недовольного брюзги. Он выглядел сытым и ухоженным, что, впрочем, вовсе не свидетельствовало об успехах в личной жизни, Вадим был аккуратным и хозяйственным и умел сам позаботиться о себе.

— Ты женился? — не выдержав, спросила Ира.

— Да.
— На ком?
— А тебе не все равно?
— Просто интересно.
— На женщине. Ты ее не знаешь.

Он так явно не хотел обсуждать тему своей новой женитьбы, что Ира не стала настаивать.

Наташка держалась молодцом, никаких слез, никаких истерик. Саша и Алеша исправно ходили на учебу, один — в институт, другой — в школу, смерть Галины Васильевны их не особенно взволновала, они так и не научились воспринимать ее как родную бабушку. Люся сидела в своей (точнее — в Ириной) комнате и всем своим видом выражала глубокую скорбь, в искренность которой Ира ни минуты не верила. Люся может скорбеть только по себе самой и своему загубленному, никем не признанному таланту. А вот Катя искренне горевала, ведь она выросла на руках у бабушки. Девушка часами сидела в комнате Бэллы Львовны, на бабушкином диванчике, и рыдала, уткнувшись лицом то в шерстяную шаль Галины Васильевны, то в ее теплый халат.

В среду Наташину маму отпели в церкви, похоронили рядом с Александром Ивановичем, помянули дома по русскому обычаю, с кашей и киселем. На поминках были только свои, все подруги Галины Васильевны или уже умерли, или были настолько немощны, что не выходили из дома. Вадим тоже пришел, правда, только на отпевание и похороны, молча поцеловал Наташу, пожал руку Андрею Константиновичу, обнял сыновей, положил на свежую могилу цветы и исчез.

Домой Ира, как и в предыдущие дни, вернулась около десяти вечера. Виктор Федорович молча смотрел, как она вынимает из сумки и складывает черный шелковый шарф, которым покрывала голову в церкви.

— Тяжко было? — сочувственно спросил он.
— Ну как сказать...

Ира пожала плечами и улыбнулась.

— Ничего. Когда умирают одинокие старики, похороны проходят спокойно, никто не рыдает в голос, не бьется в истерике. Народу мало.

— Погоди, — удивился свекор, — я что-то не понял. Ты говорила, что это мать твоей соседки, а теперь выясняется, что она была одинокой. Как же так?

— Ой, Виктор Федорович, к такому возрасту все становятся одинокими. Друзья умирают, а те, кто еще жив, уже не ходят. Только родственники и соседи остаются. Нас всего-то и было девять человек. Вы ужинали?

— Да нет, как-то не собрался.
— Давайте я вас покормлю. Только переоденусь.

Она сняла черные брюки и черный джемпер, задумчиво посмотрела на красивый пеньюар, решительно достала бирюзовые бриджи и домашнюю свободную футболку и закрыла шкаф. За три минувших дня они ни словом не обмолвились о случившемся, говорили в основном о болезнях, старости, похоронах и всем прочем, что сопутствует смерти. Ира так и не поняла, то ли Виктор Федорович проявляет уважение к ситуации с соседкой невестки, то ли считает состоявшийся в субботу разговор единственным и последним. Но в любом случае она не намерена форсировать события и навязывать любимому человеку выяснение отношений, если он сам того не хочет.

Виктор Федорович был нежен и ласков, слова его были добрыми, а улыбка — теплой. И Ира совершенно успокоилась. Он не собирается строить из себя холодного и отчужденного святошу, осуждающе глядящего на распущенную невестку с высоты своих непоколебимых моральных принципов. Он не тяготится ситуацией, его все устраивает. Он знает или по крайней мере догадывается, что Ира его любит, и этот двусмысленный факт не приводит его в трепет и негодование. Его все устраивает. Значит, точно так же все должно устраивать и ее. Да, они не будут спать вместе. Но они все равно будут жить в одной квартире, сидеть за одним столом, смотреть друг на друга и радоваться. Может быть, это тоже счастье?

Но умиротворенное состояние души длилось у Иры недолго. Оно закончилось, как только Виктор Федорович пожелал ей спокойной ночи и ушел к себе, не поцеловав в щеку, как делал всегда на протяжении пяти лет. Она почувствовала себя почти оскорбленной. Он что же, не доверяет ей, считает ее совсем полной дурой, которая человеческих слов не понимает? Боится даже по-отечески поцеловать ее, чтобы не дать повод быть неправильно понятым? Ведь они же обо всем договорились!

С утра Ира убежала на студию. На три дня Наташа объявила перерыв в съемках, но сегодня предстоит работать. Чтобы окончательно не выбиться из графика, в ближайшие дни из-за вынужденного простоя нужно будет снимать по двенадцать часов.

День не задался с самого начала. Оператор попал в транспортную «пробку» и опоздал на сорок минут. Актер Калугин, вызванный на одиннадцать утра, явился в половине двенадцатого в совершенно непотребном виде, опухший и с трудом ворочающий языком, так что Наташе вместе с оператором пришлось срочно перестраивать всю сцену, чтобы снимать звезду экрана как угодно, только не крупным планом и не анфас. Вдобавок ко всему, едва закончили выставлять свет, на всей студии вырубилось электричество, которое чинили битый час. За этот час Калугин успел еще «добавить», Наташа, с трудом сдерживаясь, чтобы не дать ему в морду, отменила съемки эпизодов с его участием, бедолага директор картины метался от телефона к телефону, разыскивая и вызывая на студию других актеров, чтобы окончательно не пропадал съемочный день. Актеры пришли, но поскольку к съемкам в этот день не готовились, то и роли не выучили. Ира, наблюдая со стороны за злой, издерганной Наташей, все выискивала момент, чтобы договориться с ней о встрече, но подходящей ситуации, как назло, все не было. В конце концов она решила не торопить события, все равно в ближайшие дни Наташка будет снимать до десяти вечера, какие уж потом могут быть личные встречи. Она устанет как собака, да и поздно будет. Ничего, с разговорами о любви можно и подождать. Улучив минутку, Ира схватила за рукав пробегавшего мимо нее директора картины.

— Дай график посмотреть, — попросила она.

График, переделанный с учетом трехдневного простоя, гласил, что в воскресенье предстоит съемка на натуре. Место — база отдыха на Учинском водохранилище. В списке актеров Ира увидела и свою фамилию. Вот это, пожалуй, подойдет. На натурных съемках у режиссера обычно бывает свободное время, потому что природа — это тебе не павильон, где все в наличии и все подключено. Пока идет техническая подготовка к съемкам, режиссер может позволить себе отдохнуть. Вот в воскресенье она и поговорит с Наташей.

Но опять все получилось не так, как Ире хотелось. Началось все еще в субботу, с приезда Лизаветы. Виктор Федорович поехал в Шереметьево встречать жену, а Ира осталась дома делать уборку и готовить обед. Лизавета влетела в квартиру взбудораженная и тут же кинулась проверять, все ли в порядке, ведь она впервые оставила невестку «на хозяйстве» на такой долгий срок. Тут же выяснилось, что окна не вымыты, летние вещи не сданы в химчистку, а в открытой когда-то банке с солеными огурцами уже плавает плесень.

— Ну неужели нельзя было доесть два несчастных огурца, чтобы не пропадали? — с отчаянием приговаривала Лизавета, выливая испорченный рассол в туалет. — Я же говорила, чтобы ты обязательно сделала винегрет и покрошила туда огурчики. Я все лето, как каторжная, торчу по выходным на даче, делаю соленые огурцы и помидоры, а в результате все выбрасывается.

Виктор Федорович кинулся на выручку, стал объяснять жене, что Ира всю неделю приходила поздно и заниматься винегретом ей было некогда, после чего последовала очередная часть допроса на тему: а чем же ты, Витюша, всю неделю питался, если Ира ничего не готовила. Лизавета никак не могла свыкнуться с мыслью, что без ее жесткого контроля в доме ничего не вышло из строя и никто не умер от голода, и все пыталась найти яркие доказательства своей незаменимости и полной беспомощности остальных членов семьи. Уняв пыл надсмотрщика, свекровь принялась раздавать подарки, а затем подала команду садиться за стол. Эта часть вечера получилась куда более приятной, но не для Иры, которая с закипающей яростью смотрела на родителей мужа, воркующих как голубки. Лизавета то и дело чмокала мужа в щечку, гладила по голове, брала за руку и всячески демонстрировала право собственности на него. Виктор же Федорович улыбался, называл ее Лизонькой и говорил жене комплименты. Ире казалось, что еще чуть-чуть — и она не выдержит, завизжит, вцепится Лизавете в волосы и выцарапает ей глаза. Чего она так липнет к мужу? Как будто сто лет его не видела. Тоже мне, новобрачная выискалась.

И снова Ира не спала всю ночь, прислушиваясь к звукам в квартире. Воспаленное и ослепленное ревностью воображение рисовало ей картины супружеской близости между Виктором Федоровичем и свекровью. Почему она? Ну почему она, а не Ира? Почему этой старой перечнице достаются его ласки, прикосновения его чудесных рук, почему ей дана возможность вдыхать запах его кожи, почему у нее, а не у Иры есть право засыпать на его плече? Почему все так несправедливо? Она то плакала, уткнувшись в подушку, то вскакивала и садилась в кресло с сигаретой, то пыталась читать, то выходила на цыпочках в коридор и прислушивалась, не доносятся ли из другой комнаты какие-нибудь звуки. Никаких звуков она не слышала, и это на некоторое время Иру успокаивало, она ложилась в постель и уже начинала было засыпать и вдруг так явственно вспоминала ощущение его рук на своем теле, его дыхание на своем лице и охватывающую ее при этом сладкую дрожь, что слезы начинали литься сами собой.

В пять утра она спохватилась, что за субботними домашними хлопотами не выучила текст роли для предстоящей съемки. Встала, умылась, сделала себе кофе и уселась на кухне, положив перед собой сценарий. В восемь часов на кухню выплыла Лизавета и всплеснула руками:

— Боже мой, деточка, что с тобой? Ты ужасно выглядишь! Ты не заболела?

Сама свекровь была хороша, как невеста на выданье. Свежая, розовая, с ясными глазами. Ей от природы дано было редкое качество выглядеть после сна как после процедуры у хорошего косметолога. Никаких припухлостей, никаких примятостей на лице. Правда, Лизавета исступленно следит за здоровьем, не пьет и не курит, не ест ничего вредного и за два часа до отхода ко сну старается даже глотка воды не сделать. Не то, что Ира, обожающая не только чайку попить перед сном, но и глубокой ночью себе в этом не отказывающая. Оттого и лицо по утрам бывает отекшим и расплывшимся. И еще одному свойству свекрови Ира завидует смертельно: слезы ее не портят, лицо не краснеет, глаза не опухают. Ира же, даже если совсем чуть-чуть всплакнет, моментально становится похожа на какое-то чудовище, веки превращаются в огромные валики, полностью скрывающие большие яркие глаза, губы распухают, на щеках появляются отвратительные пятна, которые потом долго не проходят, горят и ужасно чешутся. Однажды ей кто-то сказал, что это результат аллергии на какие-то вещества, находящиеся в слезах. Одним словом, плакать ей совсем нельзя, а уж всю ночь напролет — тем более.

— Почему ты в такую рань поднялась? — продолжала пытать ее свекровь. — Что-нибудь случилось?

— У меня сегодня съемка, вот роль учу, — вяло улыбнулась Ира, показывая Лизавете переплетенный сценарий.

— Почему же ты вчера не подготовилась? — строго вопросила Елизавета Петровна. — Надо было выучить текст заранее, чтобы перед съемкой выспаться как следует. Ты посмотри на себя. Как ты будешь сниматься в таком виде?

Ну, началось. Квартиру убери, окна вымой, вещи в химчистку сдай, винегретик ненаглядному Витюше сделай, чтобы два несчастных огурчика не пропали, обед к приезду любимой свекрови приготовь, да еще и роль вовремя выучи, чтобы выспаться перед съемкой. И откуда только берутся такие правильные тетки? В каком инкубаторе их выводят? Показали бы Ире этот инкубатор, она бы под него мину подложила, чтобы на корню истребить всех Лизавет разом и на сто лет вперед. Дабы они, когда им стукнет пятьдесят семь, не смели претендовать на мужчин, которых любят молодые женщины. Мысль промелькнула в голове мгновенно и тут же исчезла, оставив после себя легкий шлейф стыда. Нельзя так думать, нехорошо это, неправильно. Лизавета ни в чем не виновата, она не знает о чувствах своей невестки и не обязана с ними считаться, даже если бы и знала о них.

Тем не менее к появившейся накануне вечером ярости и измотавшей ее за длинную ночь ревности утром прибавилось еще и раздражение, вызванное нравоучениями свекрови. Ира со злостью захлопнула сценарий, оделась и поехала к «Мосфильму», откуда отправлялся к месту съемки автобус с членами съемочной группы. Большинство, конечно, приезжало на съемки на собственных автомобилях, а Ира поедет вместе с ассистентами, помощниками и массовкой. Ничего, вот подкопит еще деньжат и тоже будет ездить на своей тачке, ни у кого не одалживаясь.

Пока автобус тащился по Ярославскому шоссе к Учинскому водохранилищу, Ира буквально изнемогла в борьбе с собственным организмом, который вдруг решил вспомнить, что всю минувшую неделю ему не давали как следует выспаться и отдохнуть. Руки, держащие открытую тетрадь со сценарием, безвольно падали на колени, глаза закрывались, а мозг упорно отказывался воспринимать напечатанный на бумаге текст, не говоря уж о том, чтобы запомнить его. А тут еще гример, сидящий через проход от нее, то и дело всматривался в Ирино лицо и огорченно качал головой, приговаривая:

— Господи, Ира, как мне тебя сегодня делать? Что ты сотворила со своим лицом? Оно же у тебя в два раза больше, чем обычно, в кадр не влезет. А глаза куда ты девала? Как без глаз работать?

Ира злилась на всех: на Лизавету, на гримера, на водителя автобуса, но в первую очередь — на себя саму. Ведь знала же, что закончились у нее таблетки от аллергии, еще два дня назад смотрела на опустевший флакон фенкарола и наказывала себе не забыть зайти в аптеку. И забыла. Ну как можно до такой степени потерять рассудок? В воскресенье в девять утра аптечные киоски в метро еще закрыты, а заехать в дежурную аптеку она уже не успевала без риска опоздать на автобус.

База отдыха вызвала у нее приступ ужаса. Почему-то Ира считала, что это должно быть нечто вроде санатория с многоэтажным корпусом и ухоженной территорией, на которой есть и дорожки для прогулок, и скамеечки. Здание будет, разумеется, со всеми удобствами, включая душ и туалет. На самом же деле база отдыха представляла собой два десятка деревянных неказистых домиков без канализации. Для умывания существовали обычные рукомойники, в которые нужно было наливать воду из ведра, а туалет являл собой традиционную дощатую будку-«скворечник», одаряющую каждого вошедшего неземным ароматом. Все вокруг было каким-то нищим, запущенным, неухоженным.

До начала съемок поговорить с Наташей не удалось, она постоянно была занята разговорами то с директором, то с оператором, то с руководителем массовки. Потом вдруг села в машину и куда-то уехала, появившись уже перед самой съемкой, когда Ира сидела в кресле у гримера. Начали репетировать, Ира с ужасом понимала, что не может связно произнести текст и вообще делает все не так. Наташа сначала терпеливо поправляла ее, потом начала сердиться. Ира очень старалась, но у нее ничего не выходило. Партнеры по сцене потихоньку выходили из себя и тоже начали сбиваться и делать не то.

— Перерыв двадцать минут! — громко объявила Наташа. — Ира, давай отойдем, поговорим.

Они вдвоем отошли в сторону, поближе к воде, и уселись на расстеленный кусок брезента.

— Что с тобой, Иринка? — заботливо и в то же время строго спросила Наташа. — Что происходит? Ты совершенно не можешь работать.

— Прости, — пробормотала Ира виновато. — Я сегодня действительно в плохой форме.

— Возьми себя в руки, маленькая моя, я же не могу отменить съемку. У тебя что-нибудь болит?

— Душа у меня болит.

— Что случилось?

— Натулечка, я давно хотела с тобой поговорить, но все случая не было... Мне обязательно надо с тобой поговорить, мне так плохо, ты не представляешь, — быстро заговорила Ира, боясь, что им помешают, и торопясь сказать самое главное. — Это ужасно, то, что случилось, но оно уже случилось и не дает мне жить, дышать не дает, и я ничего не могу с этим поделать...

— Да что случилось-то? Говори толком, время идет, — нетерпеливо перебила ее Наташа.

— Я... я влюбилась.

— Прекрасно, — усмехнулась Наташа. — И в кого же?

— В него.

— В кого — в него? Имя у него есть?

— Виктор Федорович.

Глаза Наташи сузились, сверкнули недобрым блеском.

— Как ты сказала? Виктор Федорович?

— Да, Натулечка. Виктор Федорович Мащенко. Я знаю, это ужасно, ты никогда мне этого не простишь...

— Господи, Ира, ну что ты несешь? При чем тут я? Ты вбила себе в голову какую-то бредятину и развела на пустом месте трагедию. Как ты могла в него влюбиться? Он же твой свекор, он отец твоего мужа.

— Я его люблю, — тупо проговорила Ира, глядя на водную рябь. — Ты не представляешь, Натулечка, как я его люблю.

— И представлять не хочу. Я вполне допускаю, что Виктор Федорович — славный человек, умный, образованный. Он очень обаятелен, это я хорошо помню по собственному опыту. Он умеет располагать к себе людей, вызывать доверие. Ты просто расположена к нему, любишь его как старшего родственника, как отца, в конце концов. Это естественно и очень хорошо. Но при чем тут твоя вина передо мной и, главное, твоя неспособность работать?

— Как ты не понимаешь! — вспыхнула Ира. — Я его не так люблю, не как отца, не как родственника. Я его люблю как мужчину. Я не могу, Натулечка, я умираю, я все время думаю о нем, мечтаю о том, как он меня обнимет, поцелует... А все это достается Лизавете! Я не могу этого вынести! Она вчера прилетела, липла к нему весь вечер, только что на колени не садилась, а я всю ночь промаялась, представляла, как они там, в спальне...

Ира снова разрыдалась.

— Тише. — Голос Наташи стал суровым. Она крепко взяла Иру за руку и повернула так, чтобы ее лицо не было видно находящимся неподалеку людям. — Прекрати истерику, на нас смотрят. Ты все это выдумала, это плод твоего воображения, и ты прекрасно знаешь, откуда все это тянется. Ты никогда не могла построить нормальные отношения с молодыми мужчинами, тебя всю жизнь тянуло к тем, кто значительно старше. Вот ты и выбрала в своем ближайшем окружении наиболее подходящий объект. Ты просто внушила себе, что испытываешь к Виктору

Федоровичу какие-то особые чувства. На самом деле никаких особых чувств нет, и выбрось эту чушь из головы. Слышишь?

— Ты не должна так говорить, — всхлипывала Ира. — Я — взрослая женщина, у меня есть не только душа, но и тело. Душу обмануть можно, можно себя уговорить, убедить, можно даже запретить себе думать, но тело-то не обманешь! Я его хочу, Натулечка, я умру, если он мне не достанется.

— Выживешь, — холодно отрезала Наташа. — От этого не умирают. Ты уже достаточно наслушалась того, что тебе говорило твое тело. Тебе мало? Еще хочется? Не смей даже давать ему понять, что тебе в голову приходят такие мысли.

— Почему? Почему нельзя?

— Потому что нельзя. Если он твоего желания не разделяет, то тебе будет стыдно. Если же он пойдет у тебя на поводу и соблазнится молодым телом, то вы не будете потом знать, что с этим делать. Допустим, вы стали любовниками. И как вы после этого будете каждую ночь расходиться по своим спальням, каждый со своим супругом? Как ты будешь каждый день смотреть в глаза его жене, а он — твоему мужу? Как ты себе это представляешь? Ваша жизнь превратится в повседневный ад. Уверена, что Виктор Федорович понимает это очень хорошо. А у тебя пока еще ветер в голове гуляет.

— Да, — Ира рукавом отерла лицо, — он действительно понимает.

Наташа внимательно и настороженно посмотрела на нее.

— Ты что, говорила с ним?

— Да.

— И... что он сказал тебе?

— Он сказал, что он — отец моего мужа и никогда не сможет через это переступить.

— Вот видишь. — Наташа вздохнула с явным облегчением. — Виктор Федорович оказался в сто раз умнее и дальновиднее тебя. Он вас обоих спас от мучений и терзаний. Кстати, я совершенно не уверена, что ты ему нравишься как женщина. Мащенко никогда не был замечен в излишнем интересе к молоденьким студенткам. Даю голову на отсечение, что он не воспринимает тебя как потенциальную любовницу, а уж тем более жену.

— Да что ты понимаешь! — Ира в отчаянии снова повысила голос. Наплевать, что их слышат, пускай. Ей сейчас не до политесов. — Ты за всю свою жизнь знала только двух мужчин. Как ты можешь разбираться в этом? Как ты можешь судить?

— Для того чтобы разбираться в любви, совсем не обязательно переспать с сотней мужиков. Иди на грим, у тебя все потекло. И соберись, будь любезна, вся группа ждет. Нам надо работать.

Перед глазами у Иры заплясали желтые огоньки, ее захлестнула ярость. Наташка... Единственный человек на свете, с которым она могла посоветоваться, поделиться, перед которым могла выговориться. Наташка ее предала, оттолкнула, не захотела понять.

— Я тебя ненавижу! — выкрикнула Ира. — Это все из-за тебя!

— Успокойся, — Наташина рука плотной тяжестью опустилась на ее плечо, — возьми себя в руки. Что «из-за меня»? В чем я перед тобой провинилась?

— Ты во всем виновата, ты! — Ира уже не понимала, что говорит, она не слышала сама себя. — Если бы тебе не нужен был Мащенко, я не ложилась бы под Игоря. Если бы я не была женой Игоря, я сейчас могла бы быть счастлива. И он тоже. Он сам сказал, что, если бы я не была его невесткой, все было бы по-другому. Ты когда-то сделала глупость, а теперь мне всю жизнь за нее расплачиваться!

— Сейчас ты тоже делаешь глупость, — еле слышно проговорила Наташа. — И потом будешь раскаиваться. Иди на грим. Время вышло.

РУСЛАН

Яна намотала на пальчик прядь Руслановых волос и легонько подергала.

— Э-эй, — шепотом позвала она, — ты уже проснулся?

— Угу, — промычал он, не открывая глаз.

— Ты знаешь, — девушка заговорила громче, — я вот тут лежала и думала...

— Полезное занятие, — хмыкнул Руслан, — вполне заменяет утреннюю гимнастику.

— Не смейся. Я вот тут подумала: а ты что, вообще никогда не врешь? Всегда только правду говоришь?

— Ну, это ты погорячилась, — рассмеялся Руслан. — Вру, и еще как! Придумываю всякие легенды, чтобы разговорить людей, узнать правду, и при этом чтобы они не вздумали бежать к Бахтину и рассказывать ему о моем интересе.

— Это профессиональное, это я понимаю. А по жизни как? Мы с тобой вместе уже несколько месяцев, и я что-то не помню, чтобы ты соврал. Ты только со мной такой или со всеми?

— А тебе, профессиональной врушке от рождения, это удивительно?

Руслан нежно обнял лежащую рядом Яну и крепко поцеловал. Ему было удивительно легко и спокойно с этой веселой, некапризной и покладистой девушкой, у которой почти не было недостатков. Единственным, что могло бы остановить общающегося с ней человека, было ее постоянное стремление сказать неправду, которое безумно раздражало любого субъекта, не обладающего чувством юмора. Яна не была лживой, она просто обожала всяческие розыгрыши, порой и вправду глупые, но вовсе не нацеленные на то, чтобы ввести человека в заблуждение и заставить совершить определенные поступки. Ей хотелось посмеяться от души, поэтому она лгала, но уже через пять минут признавалась в этом. С чувством юмора у Руслана был полный порядок, и он совсем не злился. И когда Яна прибегала к нему с испуганным видом, вытаскивала из сумки упаковку дорогого карбонада или баночку черной икры и говорила: «Давай быстрей съедим, я это украла в магазине, меня заметили и вот-вот догонят!», Руслан преспокойно засовывал деликатес в холодильник и отвечал, что ворованное всегда слаще, а если она боится погони и разоблачения, то он может временно спрятать преступницу в темной комнате, где проявляет и печатает фотографии. В самый первый раз он именно так и поступил, втолкнул Яну в чуланчик, запер снаружи на ключ и уселся писать статью. Сначала девушка сидела тихо, как мышка, поддерживая легенду о краже и погоне, потом, минут через сорок, начала проситься наружу и каяться во лжи.

— Мы друг друга стоим, — со смехом констатировала она, оказавшись на свободе. — Я всегда вру, но все вокруг обижаются. А ты сделал вид, что поверил, и я же сама оказалась в дураках.

С тех пор это превратилось в игру, которая искренне забавляла обоих. Яна придумывала очередную байку, а задачей Руслана было отреагировать на нее таким образом, чтобы девушка оказалась в ловушке собственной лжи. Сам же он был нормальным среднестатистическим молодым мужчиной и без острой необходимости неправды не говорил, поэтому на вопрос Яны, часто ли он врет в обыденной жизни, ответил не задумываясь:

— А зачем? Пусть меня любят такого, какой я есть, я ни под кого подлаживаться не собираюсь. Если меня, к примеру, посылают в командировку с требованием уехать в течение часа, а я могу ехать только завтра, потому что сегодня вечером иду на день рождения к приятелю, я никогда не буду врать, что мне к зубному надо или у меня квартиру затопило и я слесаря вызвал. Я честно скажу про приятеля. Если руководству надо получить материал срочно — другого пошлют. Но чаще всего оказывается, что ничего срочного нет, дело может подождать и до завтра.

— А зачем же тогда срочно посылают? — удивилась Яна.

— Для имитации активности. Начальство спросит, а они отрапортуют: человек уже выехал, завтра материал будет готов, послезавтра можно ставить в номер. А некоторые проделывают такие штуки для того, чтобы самому себе доказать: вот я какой крутой, пальцем махнул — и все на уши встали сей же секунд. Психотерапия такая, понимаешь? В конкретной профессии не состоялся человек, вот и пытается показать, что он — начальник, который умеет быстро и четко решать вопросы. Но я им в этом деле не помощник. Я в журналистике уже десять лет кручусь и всегда могу точно сказать, задание в самом деле срочное или это просто начальственный выпендреж.

— А если и в самом деле срочное, а ты не можешь ехать?

— Тогда поеду, конечно, нет вопросов.

— А как же приятель с днем рождения? Он ведь обидится. Тебе придется придумывать какую-то уважительную причину, а то он с тобой дружить перестанет. Особенно если это не просто приятель, а твоя девушка.

— Янка, ты хочешь сказать, что приятелю или девушке я буду врать про заболевший зуб или про внезапно приезжающую родственницу, которую надо встречать на вокзале? Да ни за что на свете! Скажу все как есть, если у него или у нее ума нет, то и пусть себе обижаются, мне такие безмозглые друзья не нужны.

— Не боишься один остаться? Так всех близких растеряешь со своей хваленой честностью. И женщин всех вокруг себя распугаешь. Холостым помрешь, — шутливо предупредила Яна.

— Ты же не испугалась, — улыбнулся Руслан, прижимая ее к себе. — Вот и выйдешь за меня замуж. Будешь компенсировать своим враньем мою невыносимую правдивость.

— А если не выйду?

— А куда ты денешься? — резонно возразил он. — Кто тебя, кроме меня, будет терпеть с твоими бесконечными выдумками?

Он действительно всерьез подумывал о том, чтобы жениться на Яне, но считал, что сделать предложение еще успеет, а тут разговор так повернулся, что все само собой вышло. Уж с кем с кем, а с Яной жизнь пресной не будет, Руслан был в этом твердо убежден. Что же касается его правдивости, то была она следствием скорее не внутренней честности, а стремления к самоутверждению. Он, когда-то смешной маленький очкарик, не умевший постоять за себя, мальчик без высшего образования, без поддержки и протекции, приехавший из маленького провинциального городка, начавший с работы курьером и только в двадцать четыре года поступивший на заочное отделение факультета журналистики, к двадцати восьми годам сделал себе имя, которое знают все жители Кузбасса, читающие газеты. Его печатали в «Огоньке», его сама Воронова приглашала работать в Москве, а к руководству правоохранительных органов Руслан теперь может входить без стука, потому что написал множество статей в поддержку милиции, прокуратуры и суда. Он достиг успеха, достиг сам, без посторонней помощи, только благодаря своим способностям, упорству и трудолюбию. И теперь он имеет полное право никому не врать и ни перед кем не стелиться. Он говорит правду из принципа, как бы желая подчеркнуть для самого себя и для окружающих: он — Руслан Нильский, он такой, какой есть, а кому не нравится — идите сами знаете куда. И с тайным удовлетворением отмечал, что ему это сходит с рук. Им дорожили в редакции.

Статьи о проблемах борьбы с преступностью были частью его стратегического плана. С конца восьмидесятых годов на органы правопорядка обрушился шквал разоблачений и поношений, вся страна с упоением читала про милиционеров-убийц и насильников, про следователей-взяточников, про продажных и трусливых судей и любящих сладострастные утехи прокурорских работников. Руслан решил пойти от противного, разобраться и написать о том, как трудно работать сегодня в милиции, на какие ухищрения приходится идти руководителям, чтобы удержать на местах остатки стремительно разбегающихся кадров. Он добросовестно вникал в причины нераскрытия какого-нибудь громкого преступления, и появлялся материал, из которого читатели узнавали, как оперативники и следователи не спали и не отдыхали на протяжении нескольких месяцев, носом землю рыли, уже почти схватили преступника за руку, но все закончилось ничем, потому что доказать его виновность невозможно, свидетели подкуплены или запуганы и показаний против виновного не дают. А что наша нищая и втоптанная журналистами в грязь милиция может противопоставить подкупу и запугиванию? Ничего. Ей остается только взывать к чувству гражданской ответственности свидетелей, но чувство это крепко спит, убаюканное неожиданно свалившимися деньгами или загнанное в угол страхом за себя и своих близких. Статьи были яркими, убедительными, написанными хорошим и острым языком, их бурно и увлеченно обсуждали в самом Кемерове и перепечатывали в областной прессе, тираж «вечерки», в которой продолжал работать Руслан, рос не по дням, а по часам, а для органов внутренних дел журналист Нильский стал самым желанным и дорогим гостем, которому можно показать любые материалы и поделиться любой секретной информацией. Все знали, что Нильский — могила, если пообещал не писать об этом — точно не напишет, слово держать умеет. Это было правдой, Руслан никогда данного им слова не нарушал и если слышал предупреждение или просьбу о чем-то не писать, то и не писал. Он ведь не ставил перед собой задачу скомпрометировать правоохранительные органы, втереться в доверие, а потом исподтишка сделать гадость. Нет, цель у него была совсем другая, и он ее добился. В отдельной папке у него лежал список людей, убитых, скончавшихся от тяжелых ранений или пропавших без вести в период весны—лета 1984 года. Руслан рассудил, что искать нужного человека среди убитых зимой 1984 года или даже раньше — бессмысленно, почему-то он был уверен, что между двумя убийствами интервал был небольшим. Список был полным, без малого восемьсот фамилий, и включал не только тех, кто стал жертвой преступления, оставшегося нераскрытым, но и тех, чьи убийцы были изобличены и наказаны. Если брата Михаила смогли обвинить в том, что он напился и затеял поножовщину, но почему кого-то другого не могли посадить за убийство, которого он не совершал? Вполне могли. И по печально известному Витебскому делу, и по делу маньяка Чикатило были несправедливо осужденные и расстрелянные, об этом все знают. Отныне задачей Руслана было выяснить, не был ли кто-то из указанных в списке людей знаком с Бахтиным, а еще лучше — не было ли между ними неприязненных или даже конфликтных отношений. Нужно было найти первую жертву Бахтина, свидетелем убийства которой и стал несчастный брат Руслана, оболганный и посмертно униженный.

Любовницу Бахтина, уехавшую летом 1984 года на стажировку, найти оказалось невозможным. Сначала Любовь Витальевна Молостовец вышла замуж, сменила фамилию и переехала к мужу в Свердловск, затем развелась и в 1992 году снова вступила в брак, и снова со сменой фамилии и переездом, на этот раз в Москву, а в 1996 году бросила и этого мужа, зарегистрировала брак с гражданином Бельгии и благополучно отбыла за границу на постоянное проживание. Правда, в Гурьевске, откуда Любовь Витальевна была родом, до сих пор проживали ее родители, и Руслан с Яной съездили к ним, но ничего интересного не узнали. Да, у Любочки было много поклонников, она и сейчас необыкновенная красавица, а в юности — просто глаз было не оторвать. Среди поклонников были и серьезно настроенные молодые люди, делавшие предложения руки и сердца и отчаянно страдавшие, когда Люба им отказывала. Одно время у нее даже жених был, очень представительный мужчина, с хорошей должностью, они собирались пожениться после того, как девушка вернется со стажировки, но что-то там не сложилось, и Любочка его бросила. Стало понятным, что об осуждении своего возлюбленного за убийство девушка родителям не сказала. Более того, они не знали даже о том, что жених этот был мужем другой женщины и для женитьбы на их дочери ему следовало сначала развестись. Глядя на сидящих рядышком пожилых людей, Руслан понимал причины такой скрытности. Они совершенно точно не одобрили бы Любу, доведись им узнать, что она крутит роман с женатым мужиком, а уж известие о том, что он оказался убийцей, свело бы их в могилу.

Тем не менее удалось выцарапать у стариков два имени особенно настойчивых ухажеров Любочки. В списке криминальных трупов и без вести пропавших этих имен не оказалось, а дополнительная проверка, предпринятая Русланом с помощью верной подруги Яны, показала, что с ними все в полном порядке, они никуда не исчезли и здравствуют и по сей день. Но эту линию следовало вести до конца, ведь Любочка Молостовец, что очевидно, не очень-то откровенничала с родителями, и если среди ее кавалеров были и другие женатые мужчины, то о них папа с мамой наверняка ничего не знали. Если уж и искать жертву Бахтина среди тех, кто мог безумно ревновать Любу, то необходимо выходить на ее однокурсников по институту.

На все это уходило немало времени. Женщины вступали в брак, меняли фамилии и переезжали к мужьям в другие города, области и республики, мужчины фамилий не меняли, но тоже не лишены были склонности к перемене мест. Далеко не всегда Руслан имел возможность ездить сам, и вместо него ездила и разговаривала с людьми Яна. Появлялись все новые и новые факты, имена, адреса, но ни одно из имен так и не пересеклось со списком Руслана, составленным для него в информационном центре областного управления внутренних дел.

Круг профессионального и дружеского общения Бахтина в интересующий Руслана период был очерчен уже давно, но ни одно имя из этого круга в списке тоже не выплыло. Оставался последний способ поиска истины: тщательно отрабатывать каждого погибшего или пропавшего без вести на предмет возможного пересечения его жизненного пути с Бахтиным. Этот путь был самым трудным и муторным, но все остальные варианты обнаружить жертву первого убийства ни к чему не привели. Руслан с Яной засели за работу, обрабатывая несколько сотен фамилий на предмет вычеркивания явно неподходящих. На ноже, которым Бахтин убил Михаила Нильского, обнаружены следы крови двух разных групп. Следовало исходить из того, что свою первую жертву Бахтин убил тоже ножом, поэтому из списка последовательно вычеркивались те, кто лишился жизни вследствие удушения, утопления, повешения, огнестрельного ранения, отравления и ударов тяжелыми предметами, а также сбрасывания с высоты и травмирования транспортными средствами. Список составлялся в информационном центре на основании карточек первичного учета, в которых содержалось немало полезной информации, в том числе возраст и социальное положение потерпевшего и способ совершения преступления. В компьютер заносились только те данные, которые нужны для составления отчетности о зарегистрированных преступлениях и о выявленных преступниках, отчетности по потерпевшим не существовало, поэтому карточки приходилось обрабатывать вручную, и сотрудницы информационного центра проделали для Руслана поистине гигантскую работу. Никогда бы ему не получить этот список, если бы самое высокое руководство не дало соответствующую команду. А команды бы не было, если бы Руслану не доверяли.

Когда в списке остались только жертвы ножевых ранений, из них стали последовательно исключать родителей, убитых пьяными детьми, и детей, убитых родителями. Такие преступления, как правило, бывают очевидными, раскрываются быстро, и ошибок при этом не происходит. Затем пришел черед лиц, убитых в ходе коллективных драк, при которых крайне маловероятно сокрытие от следствия кого-то из участников: неизбежно хотя бы один из свидетелей, обвиняемых или оставшихся в живых потерпевших его рано или поздно назовет. В итоге список погибших сократился весьма существенно, в нем осталось всего семьдесят шесть человек.

Список пропавших без вести также подвергли тщательной чистке, для начала вычленив мужчин и женщин, не стоявших на учете в психоневрологических диспансерах и считавшихся на момент своего исчезновения социально благополучными. Из общения с сотрудниками милиции Руслан узнал, что чаще всего пропадают либо убегающие из дома в поисках бесконтрольной жизни подростки, либо лица, страдающие психзаболеваниями или тяжелыми формами алкоголизма. Конечно, Бахтин мог убить кого угодно, в том числе и подростка, и впавшего в маразм старика, не знающего, откуда он и куда направляется, и сумасшедшую девицу, ушедшую из дома по велению голоса свыше, но все-таки это казалось Руслану маловероятным. Для убийства у Бахтина должна была быть веская причина.

— Слушай, Руслан, — задумчиво произнесла Яна, с отвращением глядя на внушительных размеров список, — а насчет ревности как? Почему ты ее отметаешь?

— Как это я ее отметаю! — возмутился Руслан. — Ты что?! Такую работу по поклонникам Любы Молостовец проделали! Тебе мало?

— Я не про Любу говорю, а про твоего Бахтина. Он ведь тоже человек, его тоже можно ревновать.

— Да ладно тебе, — отмахнулся Руслан. — Глупости какие-то.

— Нет, не глупости, — заупрямилась Яна. — Ты сам говорил, что он своей жене постоянно изменял. Представь, что он какую-то бабу бросил ради Любы, а ей это не понравилось, она начала его преследовать, домогаться. Может быть, она даже ребенка от него родила или беременная была в тот момент, хотела, чтобы он на ней женился или ребенка признал по крайней мере, а он хвостом вильнул — и на сторону свалил. К молоденькой красоточке. А эта брошенная мать-одиночка начала его шантажировать, угрожала сообщить в парторганизацию, поднять скандал. Может быть, она даже была дочерью крупного руководителя, от которого зависела карьера Бахтина. Вот тебе и повод для убийства. А? Чем плохая история?

— Янка, — засмеялся Руслан, — фантазерка ты неисправимая! Если бы Бахтин завел шашни с дочерью или хотя бы племянницей одного из своих начальников, об этом знал бы весь вычислительный центр, в котором он работал. И весь институт сплетничал бы. А у меня таких сведений нет.

— Ну хорошо, — не сдавалась девушка, — пусть она не дочь начальника, но все остальное-то вполне могло быть. И у родителей, например, мог быть выход на партийное руководство города или области.

— Янчик-хулиганчик, возьми себя в руки, обуздай полет фантазии, — строго произнес он. — Где мы возьмем имена бахтинских любовниц периода до 1984 года? Ну ты сама подумай, где? Мы Любу-то эту с трудом выявили, и то у самого Бахтина пришлось спрашивать. Этих девушек и женщин могли знать его друзья и коллеги по работе в НИИ, но как ты к ним подберешься? Что ты им скажешь? Кем представишься? Есть такой крупный бизнесмен и благотворитель Бахтин, так вот мы хотим какую-нибудь грязь о его прошлом накопать. Так, что ли?

— Придумай что-нибудь, ты же всегда легенды придумываешь, для тебя это не проблема.

— Да придумать-то не проблема, только всегда есть опасность нарваться на человека, с которым Бахтин до сих пор дружит. Один неосторожный вопрос — и нам с тобой жить останется совсем немного, а хотелось бы еще успеть до загса добежать, — пошутил Руслан. — А если серьезно, Янчик, мои поиски потому и продвигаются так медленно, что я не хочу, чтобы Бахтин о них узнал. Далеко не к каждому интересующему меня человеку я могу обратиться со своими вопросами. Помнишь, я тебе рассказывал, как изучал подноготную Флоры Николаевны Григорян?

— Флоры? — Яна недоуменно приподняла красивые брови. — Не помню.

— Ну судебного медика, у нее еще настоящее имя такое сложное — Патимат Натиг-кызы.

— А, вспомнила! Ты хотел узнать, не запугивал ли ее кто-нибудь и не давали ли ей взятку в тот период, когда шло следствие по делу об убийстве твоего брата. Да, помню.

— Я потратил год на это. Целый год! Вокруг до около ходил, по зернышку информацию склевывал, чтобы не дай бог Флора не заподозрила, что я ею интересуюсь. Вон на полке синяя папка стоит, видишь, какая толстая? В ней все досье на Флору Григорян, все сведения, которые мне удалось накопать. А результат? Нулевой. Я не нашел ничего, что говорило бы в пользу возможной фальсификации экспертного заключения. Может быть, на самом деле фальсификация и была, только я не смог этого установить, потому что не все сведения могу получить и проверить. Более того, я даже уверен, что результаты анализа крови моего брата на предмет наличия алкоголя — поддельные, липовые. Мишка на природу ездил душой отдохнуть, а не напиваться в грязь. Но как это доказать — ума не приложу. Единственный способ — это найти первую жертву Бахтина и связать то убийство с убийством Мишки. Тогда все уляжется на свои полочки. И единственный способ сделать это, не потревожив и не насторожив самого Бахтина, это идти от возможной жертвы, то есть от этого вот списка, — Руслан в сердцах отшвырнул папку на середину стола.

— Чего ты злишься-то? — Яна обиженно надула губы. — Папками швыряешься, голос повышаешь. Думаешь, ты самый умный, да? Я, например, считаю, что ты должен встретиться с бывшей женой Бахтина.

— Я тебе тысячу раз объяснял, почему это опасно! У тебя что, в одно ухо влетает, а в другое вылетает? — Руслан и впрямь начал сердиться. — Если она в свое время проявила по отношению к нему такую преданность и великодушие, то она скорее всего и до сих пор его любит. И при малейшем тревожном сигнале тут же ему сообщит.

— Ну точно, ты на сто процентов уверен, что самый умный, — театрально вздохнула Яна. — А все остальные — так, во двор пописать вышли. Теперь послушай, что я тебе расскажу. Представь себе женщину, разведенную, имеющую двоих детей. Сыну двадцать с чем-то, дочери — ровно двадцать вот-вот исполнится. Сын живет отдельно в другом городе, работает мелким клерком на фирме, зарабатывает не очень много, во всяком случае, машину пока еще не купил, на троллейбусе ездит. Дочь уносит из дома все мало-мальски ценные вещи, начиная от собственного серебряного колечка, подаренного мамой на шестнадцатилетие, и заканчивая маминой шубой из нутрии.

— Она воровка? — уточнил Руслан.

— Нет, Русик, она не воровка. Она — героиновая наркоманка. Несчастная мать пытается что-то делать, возит дочь в клиники, показывает врачам, даже к бабкам водит, которые якобы зависимость снимают. Но ничего не помогает. А ведь у девушки есть отец, пусть он с матерью развелся, но отцом-то быть не перестал. Вот я и спрашиваю, почему отец ничем не помогает? Почему денег на дорогостоящее лечение не дает? Почему женщина зимой ходит без шубы, в каком-то задрипанном старом пальто, и жутко мерзнет, а он бывшей жене ничем не поможет, даже шубу не купит новую? Вот ты ответь мне, почему?

— Два варианта, — тут же откликнулся Руслан. — Или он ничего об этом не знает, или он — полное дерьмо. Это что, тест на сообразительность?

— Что-то вроде, — уклончиво ответила Яна. — Ты сам и ответил на все свои сомнения. Если Бахтин ничего не знает об этом, значит, Алла Григорьевна с ним не общается и с дочерью он не встречается. Если же знает, но бездействует, то он — такая редкостная сволочь, что любить его невозможно. Надо видеть Аллу Григорьевну и знать ее, чтобы понимать, что я права.

Руслан в изумлении уставился на Яну.

— Так ты что, про Аллу Григорьевну рассказывала?

— Дошло, наконец.

— Про Аллу и Бахтина? — все еще не верил он.

— Ну а про кого же?

— И откуда такие сведения? Как ты об этом узнала?

— Русик, для того, чтобы что-то узнавать, совсем не обязательно быть сыщиком или журналистом. Иногда достаточно быть обыкновенной портнихой. Ну, может, не совсем обыкновенной, а работать в лучшем ателье города, но все равно портнихой. Алла Григорьевна с недавних пор шьется у нас. Ты же сам видел, как я работаю. Модель — как из рук Сен-Лорана, а стоит копейки. За настоящую фирменную вещь надо платить бешеные бабки, потому что больше половины стоимости — это цена имени. А у нас — только ткань и работа. Дешево и сердито. Поэтому дамочки, которыми настоящая фирма не по карману, а выглядеть хочется, бегут к нам. А закройщица — она что? Все равно что шофер такси или проводница в поезде, случайно встретившийся представитель обслуги. Мы пока в примерочной с клиентом работаем, знаешь, сколько всего узнаем? На сагу о Форсайтах хватит, и еще на мексиканский сериал останется. Так вот после всего того, что я от Аллы Григорьевны выслушала, я тебе могу гарантировать, что либо она со своим бывшим мужем совсем не общается, либо должна его люто ненавидеть. И в том, и в другом случае ты ничем не рискуешь, если поговоришь с ней.

— Да, конечно, — задумчиво пробормотал Руслан, — это сильно меняет всю картину. Но ты, Янка, тоже хороша! Нарыла такую ценную информацию и молчала! Давно ты об этом узнала?

— Недели две назад примерно.

— Почему же сразу не сказала?

— А толку-то с тобой говорить? Ты же упрямый, как я не знаю кто. Втемяшил в голову, что к Алле Григорьевне нельзя близко подходить, и носишься со своими идеями, как курица с яйцом. Я тебе что ни предложу — ты меня тут же дурой выставляешь. Вот я и не лезу, я же понимаю, ты — журналист, у тебя опыт какой-то есть, а я — всего лишь закройщица, маленькая портнишка, мой номер — шестнадцатый.

В голосе Яны впервые за все месяцы их знакомства явственно зазвучала обида, и Руслан вынужден был признать, что девушка права. Он действительно считал, что только ему известно, как отыскать истину в деле Нильского—Бахтина, только себе одному он приписал право генерировать идеи и оценивать результаты их воплощения в жизнь, а Янка, как, впрочем, и иногда помогавший Володя Баблоев, — всего лишь подручные средства, подсобный материал, не имеющий права голоса. Идет март девяносто восьмого года, еще несколько месяцев — и будет ровно четырнадцать лет его упорной и до последнего времени одинокой борьбы за разоблачение лжи и отстаивание правды об убийстве своего брата. Четырнадцать лет — срок огромный, за эти годы Руслан привык считать поиски разгадки своим детищем, своим ребенком и, как почти любая мать, искренне полагал, что только он знает лучше всех, чем его кормить, как лечить и как воспитывать. Никто не имеет права ему советовать, он позволяет только помогать себе. А правильно ли это? Может быть, у него за четырнадцать лет глаз, что называется, замылился? Может быть, он в своей упрямой гордыне не замечает очевидного?

— Янчик, конфеточка моя, не обижайся на меня, ладно? Ты у меня редкостная умница, и я обязательно обдумаю твой совет. Ой, — он бросил взгляд на часы, — включай телик, через две минуты новости начнутся, я пока за картошкой сбегаю.

И Яна, и Руслан очень любили жареную картошку и предпочитали это нехитрое блюдо любым кулинарным изыскам, поэтому если ужинали вместе, то вопрос о меню никогда не стоял. Руслан обычно привозил картошку из Камышова, когда ездил к матери, — целый мешок, который хранился в подвале многоквартирного барака, откуда он пока так и не переехал. Набрав полную кастрюлю красноватых крупных клубней, он вернулся к себе, попутно захватив на общей кухне глубокую миску с водой и два ножа: картошку чистили они обычно вдвоем, устраивая соревнования то на скорость, то на длину полоски счищенной кожуры, то на ее толщину, то на гладкость и округлость очищенного клубня. С самого начала в их отношения был привнесен элемент детской игры, будь то Янкины розыгрыши, или совместная чистка картофеля, или поход по магазинам за продуктами, во время которого выигрывал тот, кому удавалось углядеть на витринах большее количество ценников с заранее оговоренными цифрами.

Яна встретила его такими глазами, какие в народе иногда называют растопыренными.

— Русик, ты представляешь, Черномырдина сняли!

— Я знаю, — равнодушно откликнулся Руслан, расстилая на полу старые газеты и готовя плацдарм для битвы за ужин. — Нам еще утром из Москвы сообщили.

— Но за что?! Чем он провинился?

— Янчик, мы с тобой этого все равно никогда не узнаем. Невозможно понять, что делается в голове у нашего Президента, живем как на пороховой бочке.

— А этот, новый который? Он какой?

— Кириенко-то? Да кто ж его знает, какой он. К тому же его назначили пока только исполняющим обязанности премьер-министра. Потом Президент внесет его кандидатуру в Думу, а Дума будет думать, то ли утверждать его, то ли нет. Бери нож. На что играем?

— На круглость, — решительно ответила Яна. — На длину полоски ты всегда выигрываешь, а круглость у меня лучше получается.

— Честная ты моя, — усмехнулся Руслан.

Они принялись ловко орудовать ножами, бросая очищенные картофелины в наполненную водой миску.

— Русик, а Дума обязательно нового премьера утвердит? — снова вернулась Яна к политике.

— Вовсе нет. Как захочет, так и сделает.

— А что тогда будет?

— Да ничего. Президент снова внесет кандидатуру, а Дума снова будет думать. И так три раза.

— А потом что? Если Дума его так и не утвердит, что будет?

— Янка, ты с ума сошла! Откуда такие черные мысли? Думе тоже жить хочется, они же там не самоубийцы. Либо Президент должен согласиться с тем, что его кандидатура неудачная, и предложить новую, либо Дума должна быть распущена. Ты часто слышала, чтобы наш Президент признавал свои ошибки?

— Не помню. Кажется, нет.

— Вот именно. Все хотят сохранить лицо. Помнишь, как у Льва Кассиля: если слон на кита влезет, кто кого одолеет? И все начинают с умным видом прикидывать, кто из них сильнее. Хотя младенцу понятно, что слон ни при каких условиях не сможет влезть на кита, потому что там, где может плавать кит, там слон утонет, а там, где ходит слон, кит задохнется. Задачка чисто умозрительная, не имеющая реальной основы. Что это тебя на политику потянуло? Не иначе — к дождю.

— Просто интересно. Дикторша в телевизоре с таким лицом про это говорила, что я подумала, может, правда, это вопрос жизни и смерти.

— Спокуха, Янчик, — весело ответил Руслан, — выживем.

Через несколько дней он, предварительно позвонив, явился к Алле Григорьевне Бахтиной. Да, Янка ничего не преувеличила, квартира была похожа на пустыню. Ни одной вещи на вешалке в прихожей, ни одной безделушки на полках. В мебельной стенке стоит телевизор, а рядом — пустая полка, на которой одиноко валялись несколько компакт-дисков. Совершенно очевидно, что здесь до недавнего времени находился музыкальный центр. Яна говорила, что Алла Григорьевна вынуждена всю верхнюю одежду хранить у соседки — куртки, плащи, пальто, приличные платья и костюмы, иначе дочь-наркоманка тут же все вынесет и толкнет на базаре за бесценок, только бы на дозу наскрести.

Сама Алла Григорьевна, рано увядшая и располневшая женщина с печальными глазами, не выказывала особого радушия при виде гостя.

— Вы не очень внятно изложили мне цель нашей встречи, — заявила она прямо у порога. — И я не понимаю, чем могу быть вам полезна.

— Я занимаюсь изучением обстоятельств осуждения вашего мужа, — честно ответил Руслан. — И мне в этом деле далеко не все понятно.

— А с какой стати вы этим занимаетесь? Прошло четырнадцать лет.

— Видите ли, я много пишу о правоохранительной проблематике, и сейчас мне предложили подготовить большой материал о судебных ошибках, имевших место как в настоящее время, так и в прошлом. Я обратился в первую очередь в следственные органы с вопросом, нет ли у них претензий к справедливости приговоров, вынесенных по тем делам, которые они расследовали, и мне назвали целый ряд дел, в которых, по мнению следствия, суд повел себя необъективно. Среди них было и дело вашего бывшего мужа. Поэтому я и пришел к вам.

— А почему ко мне? Вас муж прислал?

— Нет, это была моя идея — встретиться с вами.

— Я вряд ли смогу добавить что-нибудь к тому, что вам сказал мой бывший муж.

Руслан отметил, что Алла Григорьевна упорно не называет Бахтина по имени. Неужели Янка оказалась права, и эта женщина ненавидит своего бывшего мужа настолько сильно, что даже имя его произнести не в силах? Надо же, она совершенно уверена, что Руслан уже побывал у Бахтина. Как же повести себя? Поддерживать в ней это заблуждение или привести разумную причину, объясняющую, почему настырный журналист не задает свои вопросы самому осужденному? Лучше второе, решил Руслан. Если врать слишком отчаянно, легко можно проколоться.

— Алла Григорьевна, я не встречался с вашим мужем, потому что он не может быть объективным в этом вопросе, согласитесь. Каждому осужденному кажется, что его наказали излишне сурово, ни один из них еще не посетовал на мягкость наказания.

Она так и не предложила ему пройти в комнаты, они продолжали беседовать, стоя в прихожей.

— И что вы от меня хотите?

— Я хочу, чтобы вы рассказали мне, что там произошло на самом деле. Ситуация, согласитесь, совершенно невнятная. Уважаемый человек, член партии, директор вычислительного центра, кандидат наук едет в лес, в тихое место, чтобы вдали от суеты собраться с мыслями, немного отдохнуть и закончить научную статью. И вдруг вместо этого напивается и устраивает поножовщину с первым встречным. В это трудно поверить, Алла Григорьевна. Я видел только текст судебного приговора, из которого вытекает, что все было так, как я только что описал. Но следователь меня уверяет, что в материалах уголовного дела все было не так, что на самом деле имели место смягчающие вину обстоятельства, которые суд не учел, потому и приговор оказался таким суровым. Вы можете мне что-нибудь рассказать об этом?

Ее лицо словно почернело, губы сжались в полоску.

— Мне нечего вам рассказать. Следователю виднее.

— Алла Григорьевна, почему ваш муж отказался от участия в деле адвоката?

— Таково было его решение. Со мной он не советовался.

— Я понимаю, но, может быть, он как-то объяснял вам причину такого решения?

— Он не считал нужным ничего объяснять, он принимал решения и выполнял их.

Так, к типу разговорчивых болтушек дамочку явно отнести нельзя. Она не хочет обсуждать обстоятельства осуждения Бахтина. Но ведь она вернулась к нему, носила в тюрьму передачи, ездила на свидания в колонию. Неужели обычная жалость к несчастному? Или желание сохранить брак и понимание того, что после освобождения мужа ее преданность будет должным образом вознаграждена? Надо попробовать сыграть на этом, а вдруг получится?

— Знаете, я собирал сведения о жизни вашего мужа в тот период, и мне стало известно, что в то лето, когда он совершил убийство, он уже не жил с вами вместе. Вы разошлись и планировали в скором времени оформить развод. Это так?

— Да, так. Вы хорошо информированы.

— Я старался, — улыбнулся Руслан. — А вот после того, как его арестовали, вы к нему вернулись. Вы ждали его, пока ваш муж отбывал наказание, и встретили у ворот колонии. Почему?

— Я так решила.

— Но почему? Согласитесь, это было неординарным решением. Чаще случается наоборот. Узнав, что их любимые совершают такое тяжкое преступление, женщины обычно отворачиваются от них. Вы же поступили наоборот, а ведь речь шла уже не о любимом муже, коль вы ушли от него. Так почему же?

— Вы, как я понимаю, расследуете обстоятельства судебного процесса, а не мою личную жизнь. Она вас не касается, — холодно ответила Бахтина.

— Не потому ли, Алла Григорьевна, что вы знали: ваш муж не так уж виноват, а может быть, и совсем не виноват в том, за что его осудили. Я прав?

Руслан заранее избрал такую тактику. Если Алла Григорьевна — человек добрый и порядочный, а судя по всему, она именно такая, то разговорить ее можно будет только под предлогом снятия обвинений с Бахтина. Заикнись Руслан о том, что убийцу наказали слишком мягко и что на самом деле вина Бахтина куда более серьезна, она вообще разговаривать не станет, как бы сильно ни ненавидела бывшего мужа. Такие женщины не наносят удар в спину из-за угла.

— Приговор был основан на материалах уголовного дела, и тяжесть наказания соответствует содеянному, — произнесла она, и Руслану показалось, что эти слова сказала не она, а некое механическое устройство, считывающее заготовленные кем-то формулировки, взятые из учебников и официальных документов.

— Алла Григорьевна, зачем вы так? Я хочу восстановить истину, а вы отшвыриваете меня, как попрошайку.

— Мне нечего вам сказать. Я не смогу ответить на ваши вопросы.

И в этот момент Руслан отчетливо почувствовал: она все знает. Она точно знает, почему Бахтин убил Михаила Нильского. Именно поэтому она ждала его столько лет. Она была уверена, что Бахтин никуда теперь от нее не денется, потому что доверил ей тайну, может быть, неосмотрительно, в минуту душевной слабости, но рассказал ей. После этого он уже не сможет плохо обращаться с ней, ибо сильно рискует: в ее руках находится мощное оружие, при помощи которого Алла Григорьевна может в три секунды загнать его обратно на нары. Вот на что она рассчитывала. А он все-таки бросил ее. Почему же она не воспользовалась своим оружием, чтобы удержать Бахтина от развода и нового брака? Из благородства? Или банально разлюбила его, и он стал ей не нужен? Как бы там ни было, но она знает, теперь Руслан в этом уверен. Это видно по ее печальным глазам, по судорожно поджатым губам, по сникшим, словно под гнетом непомерной тяжести, плечам.

— Вы ведь знаете, что произошло на самом деле. Я не ошибаюсь? — осторожно спросил он, выдержав паузу.

— Нет, не ошибаетесь.

— Пожалуйста, прошу вас... Мне необходимо это знать. Это очень важно для меня.

— Вот именно, для вас. Но не для меня. И не для него.

Алла Григорьевна говорила медленно и монотонно, не глядя на Руслана. Глаза ее были прикованы к пустым крючкам на вешалке в прихожей.

— Люди должны знать правду.

— Кто вам это сказал? Вам хочется узнать правду — это другой вопрос. Но это ваш частный интерес. И меня никто не может обязать с ним считаться. Мне была доверена конфиденциальная информация, если вы вообще понимаете смысл этих слов. Мне было оказано доверие, а вы пытаетесь заставить меня поступить непорядочно.

— Вы хотите меня обидеть?

— А вы что, обиделись? Забавно. Впрочем, мне это безразлично. Да, я все знаю, но я вам ничего не расскажу. И не приходите ко мне больше.

— Но ведь речь идет о преступлении...

— Все виновные осуждены и наказаны. Чего вам еще?

— Мне этого недостаточно. Я ищу истину.

— Ищите. Сожалею, но ничем не могу вам помочь.

По-прежнему не глядя на Руслана, она отомкнула замок и

распахнула перед ним дверь жестом, который был красноречивее всяких слов. Ему пришлось уйти. Ничего не вышло. Бывшая жена Бахтина ничего не рассказала. Но и такой, казалось бы, тупиковый разговор был для Руслана огромным шагом вперед. Он не ошибся, чутье не подвело его. В деле об убийстве Михаила Нильского все не так, как написано в уголовном деле и в приговоре. Все было по-другому. Только почему-то никто не хочет рассказывать, как именно. Ну что ж, не хотят рассказывать — сами узнаем. Не боги горшки обжигают. Не зря же говорят: пока знает один — знает один, если знают двое — узнает и свинья. Знают двое, Бахтин и его бывшая жена Алла Григорьевна. Значит, у Руслана есть все шансы восстановить истинную картину происшедшего.

Прошло еще несколько недель, и Руслан решил, что пора везти Яну в Камышов знакомить с матерью. Разумеется, нельзя сваливаться домой как снег на голову, да еще и с гостьей. Он загодя позвонил, чтобы предупредить мать.

— Мамуля, я на майские праздники хочу приехать и привезти с собой одну замечательную девушку. Ты не возражаешь?

Ольга Андреевна так искренне обрадовалась, что у Руслана даже настроение поднялось.

— Конечно, сыночек, конечно, привози. Я могу надеяться, что это серьезно?

— Вполне серьезно, мамуля, иначе я бы ее не привозил. Как Семен Семенович? Здоров?

— Да мы в порядке, сынок, ты за нас не волнуйся. Хорошо, что ты заранее позвонил, мы тут как следует подготовимся, чтобы твою девушку принять. Ей отдельную комнату готовить?

— Ты что, мам! — возмутился Руслан. — Мы же не дети.

— Ну и хорошо, ну и славно. А у меня к тебе тоже просьба будет. Сонечка переезжает в Новосибирск, с детьми съезжается, чтобы внуков нянчить. Ты уж не сочти за труд, забеги к ней на пару часиков, помоги там с вещами. Она мне как раз позавчера звонила, так все жаловалась, что верхние полки разобрать не может, как по стремянке поднимется — так голова кружится.

— Нет вопросов, мамуля! — бодро пообещал Руслан. — Прямо сегодня же после работы и забегу к ней.

Софья Ильинична была старинной подругой матери Руслана, коренной кемеровчанкой. Ольга Андреевна всегда останавливалась у нее, когда приезжала в столицу области. Именно у Софьи Ильиничны она и жила весь тот месяц, когда ухаживала за попавшим в больницу сыном.

Руслан слово сдержал и после работы помчался к подруге Ольги Андреевны.

— Показывайте, тетя Соня, где у вас проблемные зоны, сейчас мы их оприходуем.

Он ловко и споро, прыгая по стремянке вверх и вниз, достал

и разложил на полу многочисленные коробки, сумки и старые фибровые чемоданчики, загромоздившие настроенные по всей квартире антресоли.

— Вот спасибо тебе, — приговаривала Софья Ильинична, — вот спасибо. Что бы я без тебя делала?

— Соседей бы позвали.

— Да что ты, милый? Стыдно. Это ты для меня как свой, родной, а перед чужими я стесняюсь таким древним хламом трясти. А вот это маме отдай, это ее вещи.

Она протянула Руслану плотно набитый пластиковый пакет с крепкими ручками.

— Что это? — удивился он.

— Я же говорю — Оленькины вещи. Сколько я в этой квартире живу, уж больше тридцати лет, так мама твоя всегда у меня останавливалась. То тюбик с кремом забудет, то платок оставит, то лекарство, то кофточку засунет куда-нибудь, а как на поезд бежать — так искать времени нет. Вот и накопилось за тридцать-то лет. Я сейчас к переезду всю квартиру вверх дном перевернула, каждую вещичку перебрала, и все мамины вещи нашлись, я их отдельно сложила.

Дома Руслан бросил пакет на пол на видное место, чтобы не забыть взять, когда поедет в Камышов. Пакет немного постоял, подумал и упал набок. Из него выпал конверт. Руслан поднял его, покрутил в руках. Не запечатан. Заглянул осторожно и тут же с облегчением улыбнулся: никакой любовной переписки, никаких таинственных документов. Просто добросовестная тетя Соня собрала не только вещи, но и бумажки, и сложила их отдельно. Вот рецепт, датированный 1993 годом. Это рецепт на лекарство, которое ему прописали, когда он лежал в больнице, и мама, помнится, обегала все аптеки города, но так его и не нашла. Это использованные билеты в драмтеатр за март 1979, сентябрь 1983 и июнь 1990 годов. Да, мамочка у нас театр любит, использует каждый свой приезд в Кемерово, чтобы сходить на какой-нибудь спектакль. А это что? Ничего не понятно, какие-то загадочные символы: 2 л, 2 и, 3 л, 4 и... И какой-то странный чертеж. Схема, где клад искать, что ли?

— Янчик, — позвал он девушку, накрывавшую на стол к ужину, — посмотри-ка на это. Как ты думаешь, это шифр?

Яна взяла листочек, несколько секунд смотрела на него, потом рассмеялась:

— У тебя крыша поехала на почве детективов! Это схема вязания свитера. «Л» — лицевые петли, «И» — изнаночные. И набросок выкройки. Между прочим, — она прищурилась и внимательно посмотрела куда-то в область Руслановой груди, — если я не ошибаюсь, как раз этот свитер на тебе сейчас и надет.

Точно! Руслан вспомнил, что, пока мать сидела рядом с ним в больничной палате, она связала ему свитер, именно этот, в котором он сегодня утром ушел на работу. Ладно, посмотрим, что там еще есть. Вкладыш-аннотация к какому-то лекарству, еще одна аннотация, но уже не на лекарство, а на косметику. А это? Название фирмы и номера телефонов. И то и другое Руслану очень хорошо знакомо. И это название, и эти телефоны есть в досье, которое ведется на Бахтина.

— Янчик, подай мне, будь добра, серую папку. Нет, не ту, вон ту, — попросил он, не отрывая взгляда от букв и цифр, написанных на листочке твердым маминым почерком.

Он открыл папку, полистал ее. Все точно. Именно так называлась фирма Бахтина в 1990 году, и именно такие там были телефоны. Выходит, мать встречалась с ним после освобождения. Или не встречалась, а только собиралась. Зачем? Зачем она его искала, записывала название фирмы, ее адрес и телефоны? Очень интересно...

НАТАЛЬЯ

Она с трудом привыкала к простору. Огромная гостиная, большая спальня, уютный кабинет с компьютером и расставленными вдоль стен книгами, комната Алеши, отдельно — комната для гостей, если кто-то остается ночевать. Обставленная встроенной мебелью кухня-столовая. Немыслимых размеров ванная комната с джакузи, душевой кабиной с массой приятных и полезных устройств. Для гостей — отдельный туалет, в который можно войти из просторного холла. Сколько же денег Андрей вложил в эту квартиру? Даже подумать страшно.

Наташа до сих пор отчетливо помнила то состояние шока, в которое впала, увидев у подъезда своего дома командующего грузчиками Андрея Ганелина.

— Что происходит? — спросила, ничего не понимая.

— Я переезжаю в этот дом, купил здесь квартиру, на втором этаже, — без тени улыбки ответил Ганелин, зорко следя за рабочими, сгружающими упаковки керамической плитки. — Сначала сделаем с тобой ремонт, потом будем здесь жить.

Наташа молча стояла на улице, хватая ртом воздух и не в силах произнести ни слова. Наконец ей удалось собраться с мыслями.

— Как это понимать, Андрюша? Что это все означает?

— Дорогая моя, это означает только одно: я тебя очень люблю, — он слегка улыбнулся. — И я с пониманием отношусь к твоей семейной ситуации. Ты не можешь оставить мальчиков без присмотра, особенно Алешу, ему этим летом в институт поступать. Ты не можешь оставить Бэллу Львовну, потому что ей уже семьдесят восемь лет. Ты не можешь бросить свою беспомощную и не приспособленную к жизни сестрицу. И тебе приходится разрываться между мной и твоим семейством. Вот я и решил: зачем тебе так мучиться? Я буду жить в том же доме, что и ты, и мы все будем рядом, но в то же время отдельно, чтобы не мозолить друг другу глаза. Ты будешь жить со мной на втором этаже, твоя комната освободится, и мальчики смогут, наконец, разделиться. Таким здоровым лбам давно уже тесно вдвоем в одной комнате, ни девушку привести, ни музыку послушать. Кстати, — добавил он, — я предлагаю, чтобы Алеша все-таки жил с нами. Саша — студент, у него уже взрослая жизнь, а Алешке пока надо очень много заниматься, и будет лучше, если мы будем его контролировать. Тогда твоя безумная сестрица сможет избавиться от дочери. Катерина переедет в твою комнату, и все жильцы будут в полном восторге.

Он говорил легко и уверенно, как о чем-то давно обдуманном и решенном.

— Андрюша, у меня это в голове не укладывается... — растерянно проговорила Наташа. — Ты приходил сюда, смотрел квартиру, оформлял куплю-продажу — и ни слова мне не сказал? Я не понимаю, как так можно. Честное слово, не понимаю. Мы с тобой что, чужие? Почему ты скрывал от меня?

— Наташенька, дорогая моя, я просто не хотел тебя дергать. Ты только-только закончила снимать сериал, сейчас ты днями и ночами торчишь то в монтажной, то в тон-ателье, на озвучании. У тебя цейтнот, потому что телеканал хочет показать сериал в мае, пока не начался дачный сезон и народ не разбежался по своим фазендам. Ты же сама мне все это объясняла, разве нет?

— Объясняла, — подтвердила Наташа.

— Ну вот видишь. Зачем бы я стал тебя дергать и нервировать? Но согласись, что решение я принял правильное.

Она внезапно разозлилась. Никогда никто не принимал за нее решений, всю жизнь Наташа делала это сама, и ситуация, подобная нынешней, оказалась непривычной и совершенно выбила ее из колеи.

— Значит, ты хочешь, чтобы я жила на два дома? — сердито заговорила она. — Мало мне огромной четырехкомнатной квартиры, которую я должна мыть и убирать и где я должна стирать и готовить на всех, так я еще буду отдельно вылизывать твои хоромы, да? И готовить тебе отдельные обеды и ужины? И отдельно мыть за тобой посуду? Ты хочешь, чтобы я вообще перестала работать и превратилась в домохозяйку? В этом заключается твоя любовь?

Андрей несколько секунд в изумлении взирал на нее, потом от души расхохотался, даже слезы на глазах выступили.

— Ну ты даешь! Тебе сорок три года, Наталья, ты всю жизнь тащила на себе свою коммуналку и другого способа существования просто не видишь. Ты слыхала такое слово: домработница?

Нет? Пойди посмотри в словаре. Мы пригласим домработницу, которая будет полностью обслуживать твою старую квартиру.

— Ты и это за меня решил?

— Послушай, не упрямься, а? Ты не можешь до конца дней быть домработницей и экономкой, хватит уже, наработалась! Твое дело — снимать кино, ты сценарист и режиссер, так и занимайся своим делом. Для чего ты получала два образования? Для того, чтобы всю жизнь подавать обед, мыть полы и драить унитазы за всеми, кому посчастливится жить рядом с тобой? Ты привыкла считать себя самой здоровой и сильной. Тебе никогда не было в тягость помочь другим, ну как же, они такие больные, слабые, немощные, занятые, возвышенные, им не до бытовых проблем. А тебе — нормально, тебе нетрудно, ты за всех все сделаешь — и все довольны. Ты посадила их себе на шею, причем так давно, что им тоже другой способ существования не мыслится. Я не говорю о Бэлле Львовне, она — отдельная статья. Но твои сыновья ни разу в жизни веник и тряпку в руках не держали, пыль в своей комнате не вытерли. Это что, по-твоему, правильно? Твоя сестрица Людмила пальцем о палец не ударяет, полагая, что все вокруг ей должны. И дочь свою так же воспитала. Сашке уже восемнадцать, в любой момент он может привести в дом молодую жену, а там и Алешка подтянется, для него старший брат всю жизнь был примером для подражания. В квартире могут появиться молодые женщины, которые сразу увидят, что здесь есть хозяйка, которая сама все делает и сама решает все бытовые вопросы. И очень хорошо! Им же легче, меньше проблем. Между прочим, Катерина, которая старше твоих сыновей, тоже может со дня на день преподнести тебе аналогичный сюрприз. Она и за собой-то не убирает, а уж за мужем тем более не станет. И все это снова повиснет на твоих плечах. А дети пойдут? Опять все на твоих руках расти будут? Наташенька, с этим надо заканчивать.

— Заканчивать? — машинально повторила она. — А как?

— Очень просто. Ты должна жить со мной. Не с ними, а со мной. Ты должна отделиться от них, дать им привыкнуть к мысли, что у них нет больше бесплатной домработницы. Пусть сами как-то устраиваются. Я не говорю, что нужно бросить всех на произвол судьбы, у Бэллы Львовны и Люси — мизерная пенсия, у Катерины и Сашки — крошечная стипендия, понятно, что на эти деньги они не проживут. Мы с тобой будем продолжать их содержать, это не вопрос. Но заботиться о себе они все-таки должны сами. Для начала пригласим домработницу, которая будет покупать продукты и готовить каждый день, а убирать — один раз в неделю. Пусть хотя бы посуду научатся за собой мыть и крошки со стола сметать. Потом оставим за ней только кухню. В конце концов, Бэлле Львовне трудно готовить на всех, а Людмила с Катей просто ничего не умеют, они там всех отравят. Но ты должна от проблем своей коммуналки полностью устраниться. И если ты с этим не согласна, я буду капать тебе на мозги до тех пор, пока не продолблю дыру в твоей упрямой голове.

Несколько дней Наташа ходила оглушенная и плохо понимала смысл происходящего вокруг нее на киностудии, где полным ходом в две смены шел монтаж сериала и его озвучание. Но чем больше она размышляла над тем, что сделал и сказал Ганелин, тем увереннее приходила к выводу, что он прав. Она всегда все брала на себя, полагая, что делает доброе дело, облегчает всем жизнь, помогает. И чем это оборачивается? Тем, что ее сыновья выросли беспомощными захребетниками, да и племянница тоже привыкла к тому, что можно ничего не делать. Как же они будут жить дальше, когда у них появятся собственные семьи? Снова все свалят на Наташу? А она ведь не молодеет, ей уже сорок три, и хотя здоровье пока, тьфу-тьфу, не подводит, но с годами его не прибавится. Нет, прав Андрюша, надо разрывать этот порочный круг, пока не поздно. Бэллочка по-прежнему останется на ней, это даже не обсуждается, а вот все остальные должны научиться жить без нее.

Это произошло в январе девяносто восьмого, а к концу апреля ремонт в новой квартире был закончен. Понемногу привозили заказанную заранее мебель, но комнаты все еще были наполовину пустыми, полностью оборудованными к этому времени оказались только кухня-столовая и санузлы. Сегодня, в первый понедельник мая, начинается телевизионный показ сериала «Соседи», рассчитанный ровно на четыре недели — по пять серий в неделю, по будням, в прайм-тайм, в самое удобное время. Скоро придет Иринка, она так волнуется, что боится смотреть фильм дома, ей отчего-то спокойнее, если рядом будет Наташа. Вот глупышка! Хотя Наташа и сама нервничает. Она сто раз видела каждую серию и в черновой сборке, и на мастер-кассете, но одно дело, когда смотришь одна или в узком кругу членов съемочной группы, и совсем другое — когда одновременно с тобой это видят миллионы телезрителей. Точно такое же волнение, близкое к панике, охватывало Наташу и тогда, когда по телевидению показывали ее документальные фильмы, и каждый раз она пыталась найти рациональное объяснение, понять, в чем же разница между индивидуальным просмотром и телепоказом. Но так и не поняла. Просто чувствовала, что разница есть, и огромная. И каждый раз волновалась почти до обморока.

Наташа бесцельно бродила по пустой квартире, не находя в себе сил заняться чем-нибудь полезным, и то и дело поглядывала на часы. До начала показа — два часа. Скоро придет Андрей. Потом Иринка. Или сначала Иринка, а потом Андрей? Господи, да какая разница-то? Надо будет сходить за Бэллочкой, пусть посмотрит фильм вместе с ними, тем более Андрей денег на технику не пожалел, телевизор у них в гостиной — целый домашний кинотеатр, большой плоский экран на стене висит, и краски на нем яркие, сочные. Надо бы, конечно, Люсю с Катей пригласить, хоть и не хочется смотреть на их постные брюзгливые физиономии, но и не пригласить нельзя, не по-родственному как-то.

Она уселась на широкий подоконник, оперлась спиной о стену и стала смотреть на улицу. Вот появился темно-красный «Форд-Эскорт» — это Иринка. Добилась-таки своего, на полученные за съемки деньги купила машину, правда, сильно немолодую, с большим пробегом, но зато именно такой марки, какой хотела. Глядя на Иринку из окна, Наташа невольно любовалась ею. Эта красивая молодая женщина — результат многолетних Наташиных трудов, изнурительных, политых потом и слезами. Сколько же всего пришлось вынести, прежде чем из взбалмошной пьянчужки и шлюхи Ирки Маликовой получилась актриса Ирина Савенич!

Наташа распахнула дверь, не дожидаясь звонка. Иринка влетела в квартиру, за ней легким облачком пронесся тяжелый сладкий запах духов.

— Натулечка! Ты как?

— Я нормально, а что? — недоуменно спросила Наташа.

— Ой, а я — в грязь! В хлам! Еле доехала до тебя, даже удивительно, что ни в кого не врезалась. От страха ничего не соображаю.

— Да успокойся ты ради бога, все будет хорошо.

— А вдруг плохо? Вдруг я совсем бездарная? Надо мной вся страна будет смеяться.

— Ириша, если бы было плохо, я бы тебя не снимала. Заменила бы тебя другой актрисой. Пойдем кофе выпьем, а когда придет Андрюша — будем ужинать.

— Тебе хорошо говорить, — ныла Ира, усаживаясь на кухне за большой деревянный стол, — на тебя никто смотреть не будет. На имя режиссера и сценариста внимания почти никто не обращает, если фильм не получился. Если успех — тогда все знают, а если провал — режиссера никто и не вспомнит. А актер — он на виду. Представляешь, меня будут узнавать на улице и говорить: это та бездарь, которая играла Зою в «Соседях» и весь сериал испортила, и зачем только ее снимали? Небось чья-нибудь любовница.

— Ну что ты выдумала? — мягко уговаривала ее Наташа, включая кофемолку. — Ты очень хорошо работала, твоя Зоя обязательно понравится зрителям. Давай-ка, пока Андрея нет, расскажи, как ты живешь.

Они обе понимали, что имелось в виду. После того разговора в сентябре, во время съемок на натуре, Ира долго просила прощения у Наташи, клялась, что на самом деле не думала того, о чем говорила, просто у нее от отчаяния разум помутился. Она совершенно не считает Наташу в чем-то виноватой, ведь Наташа не только не просила ее выходить замуж за Игоря, а, наоборот, всячески отговаривала. И Ира очень хорошо помнит, что Наташа брала с нее слово немедленно уйти от мужа, как только ей встретится человек, которого она полюбит. Нет, Наташа ни в чем не виновата, и она, Ира, даже представить не может, что это на нее тогда нашло. Бес, что ли, вселился и заставил произнести вслух отвратительные и несправедливые слова. Иринка так искренне раскаивалась, так горячо просила прощения, а Наташа прислушивалась к себе и понимала, что виновата. Действительно виновата. Когда-то давно, много лет назад она поступила дурно, некрасиво, и нет ей оправдания. Можно сколько угодно говорить себе о том, что она всей душой поверила профессору Мащенко, что она была настоящей комсомолкой, свято верящей в идеалы коммунизма, что она искренне болела за повышение роли кинематографа в коммунистическом воспитании. Да, все было так, она в тот момент не кривила душой. Но потом, став старше и мудрее, научившись смотреть на мир не сквозь очки, стекла которых испещрены демагогическими лозунгами и призывами, а нормальными глазами, Наташа поняла, что была обманута. Не только Виктором Федоровичем, а может быть, и вовсе не им, ведь профессор Мащенко был продуктом системы, таким же, как сама Наташа, он точно так же мог искренне и горячо верить в правильность линии партии, правительства и цензуры и делал все, чтобы эту линию поддерживать. Она была обманута самой идеологической линией партии. Как же можно было быть такой слепой? Как можно было так безоглядно верить? Тогда, в семидесятых, Наташа делала все правильно, потому что верила. И теперь ей было мучительно стыдно за эту веру. Безмозглая идиотка, тупица, безропотно позволившая заморочить себе голову! И из-за этой своей тупости испортившая кому-то жизнь. Вальке Южакову, например... А потом, когда к острому и непроходящему чувству стыда прибавился еще и страх, испортившая жизнь Иринке. Конечно, никто не мог предполагать, что все так обернется, что Иринка не просто подойдет поближе к Мащенко, но решит войти в их семью, выйдет замуж за Игоря, влюбится в его отца и будет страдать. Никогда не знаешь, что будет потом... Тогда, в семидесятых годах, невозможно было представить, что где-то откроют архивы КГБ и начнут выявлять и клеймить тех, кто сотрудничал с комитетом, вытащат на свет божий чьи-то подписки и будут через суд выяснять, настоящая на них подпись или поддельная, как это случилось с Казимерой Прунскене. А потом, когда скандал с Казимерой был в самом разгаре, трудно было предположить, что все заглохнет, что волна разоблачений не перекинется на Россию и что вопрос сотрудничества с КГБ вообще перестанет кого бы то ни было волновать. Если бы уметь предвидеть будущее, скольких ошибок люди могли бы избежать! Но им не дана такая способность, и каждый раз, совершая поступок или принимая решение, они не знают, чем это обернется. Можно предполагать, можно тщательно просчитывать варианты и анализировать возможные последствия, но все равно нельзя знать точно. И приходится опираться только на свою совесть, оценивая, будет ли тебе в будущем стыдно за этот поступок или за это решение. Казалось бы, точный и безупречный критерий, но даже он не может гарантировать спокойствия души, если меняются или вовсе разрушаются моральные устои и принципы. Разве стыдно было когда-то помогать государственной идеологической политике? А теперь вот выходит, что стыдно.

Конечно, Наташа не сердилась на Иринку и не обижалась, она прекрасно понимала, что происходит в душе ее воспитанницы. Прошла осень, наступила зима, съемки закончились, Наташа дневала и ночевала на студии, встречаясь с Ирой только на озвучании. Возможность поговорить без спешки и присутствия посторонних выпадала нечасто, но Наташа видела, что Иринка постепенно успокаивается, свыкаясь с ситуацией. Все реже и реже она вспыхивала негодованием по поводу того, что не ей, а Лизавете достается счастье быть с Виктором Федоровичем, обнимать его и говорить ему «ты». Острая влюбленность мало-помалу переходила в спокойное глубокое чувство, печальное в своей безысходности и прекрасно-хрупкое в своей нереализованности.

Наташа разлила кофе в маленькие изящные чашечки, поставила на стол сахар и, специально для Иры, пластмассовую коробочку с заменителем сахара, сливки и вазочку с по-прежнему любимым печеньем «курабье».

— Как у тебя дома? — спросила она Иринку.

— Все спокойно. Муж пьет и шляется, свекровь зарабатывает деньги в частной клинике, свекор вершит политику. Все как обычно.

— А на душе как?

— Смутно, — Ира вздохнула, размешала ложечкой сахарные таблетки, — но в целом тоже спокойно. Кажется, я смирилась и привыкла. Надо же, когда-то мне казалось, что умру, если он мне не достанется, помнишь?

— Помню, конечно, — улыбнулась Наташа.

— И ведь не умерла, — Ира с недоумением пожала плечами. — Продолжаю жить, как ни странно. Удивительно, иногда у меня тело берет верх над разумом, и тогда я такое творю, что потом даже подумать страшно. До сих по не могу без стыда вспомнить, что наговорила тебе тогда на съемках.

— Прекрати, — поморщилась Наташа, — ну сколько можно об одном и том же. Проехали и забыли, хватит.

Да, тело у Иринки частенько брало верх над разумом, это верно. И Марик, ее отец... Пошел на поводу у голоса тела, переспал с красивой, но абсолютно не нужной ему соседкой, и вот результат. Надо же, как гены сказываются! Это у нее точно не от матери, Ниночка целенаправленно охмуряла и соблазняла Марика, хотела замуж за него выйти. Красивый парень, во всех отношениях приличный, с образованием, непьющий — это куда лучше, чем алкаш-работяга Николай. Для Ниночки близость с Мариком не была продиктована зовом тела. Впрочем, мать Иринки никогда себя не блюла, но отнюдь не оттого, что была нимфоманкой, не умеющей справляться с собственными сексуальными желаниями, а исключительно по «внетелесным» соображениям: за новые туфельки, за бутылку или просто для веселья, за компанию. А вот Марик поступил, может быть, всего один раз в жизни, именно так, как потом постоянно вела себя его дочь. Марик-то, судя по всему, умел справляться с голосом тела, он всегда, кроме того единственного случая, был разумным и осторожным, но Иринке этих качеств не передал. Она от матери унаследовала легкомыслие и бесшабашность, тягу к спиртному и нежелание сопротивляться собственному «хочу».

— Спасибо, Натулечка, — Ира подошла к мойке, сполоснула свою чашку, вытерла ее льняным полотенцем и поставила в шкаф, не замечая ироничной улыбки Наташи. — Тебе с ужином помочь?

— Не надо, у меня все готово. Я смотрю, ты даже в гостях теперь за собой посуду моешь.

— У тебя я не в гостях, — отпарировала Ира. — И потом, ты за мной столько посуды перемыла когда-то, что теперь и мне пора чем-то расплатиться.

— Ах ты боже мой! — рассмеялась Наташа. — И всю эту перемытую мною за двадцать лет посуду ты решила компенсировать одной малюсенькой вымытой чашечкой? Не ищите легких путей, девушка, вам со мной придется всю жизнь расплачиваться.

Она шутила, но Ира восприняла ее слова неожиданно серьезно.

— Натулечка, я все понимаю. Ты для меня столько сделала, сколько иногда и родная мать не сделает. Я всегда буду у тебя в долгу.

Ее большие темные глаза налились слезами, и Наташа поняла, что Иринка снова вспомнила маленькую Ксюшу. Нет, только не сейчас, не дай бог она заговорит об этом...

— Не будь такой серьезной, — весело сказала Наташа, — у нас с тобой сегодня большой день, мы должны радоваться, что сегодня вся страна увидит нашу с тобой работу. Пошли, я покажу тебе новую мебель для гостевой комнаты, вчера только привезли. Она еще не распакована, в ящиках стоит, но картинка есть.

Ира со свойственным ей умением быстро переключаться тут

же вспомнила, что нужно волноваться и переживать, и снова затянула свою песню:

— Я так боюсь, прямо в глазах черно. Особенно в сценах с Приваловым я плохо выгляжу, он меня все время переигрывал, он же настоящий профессионал...

Они обсудили обстановку гостевой комнаты, глядя на цветную картинку в проспекте мебельной фирмы, потом долго советовались насчет того, какого цвета должен быть плафон на светильнике в кабинете. Но отвлечься самой и отвлечь Иру от неумолимо надвигающегося начала показа первой серии «Соседей» так и не удалось. Обе то и дело поглядывали на часы, потом на свои все сильнее дрожащие руки, потом друг на друга и виновато улыбались.

— Нет, это невозможно! — наконец воскликнула Наташа, безнадежно взмахивая руками. — Ты меня заражаешь своей тревогой, как генератор. Поднимись к нашим, приведи Бэллочку, она на меня успокаивающе действует. А вдвоем мы тут с тобой умом тронемся.

— Ты права, — согласилась Ира, — с Бэллой Львовной будет полегче. Люсю с Катей звать?

— Позови.

— А может, не надо? — с сомнением спросила Ира. — Будут ворчать и пищать, что это низкопробное «мыло».

— Ириша, придется позвать. Неудобно. Будем надеяться, что они сами откажутся.

— А мальчики где?

— Алеша в университете на подготовительных курсах, он часов в десять появится. А Сашка по своим делам носится, он теперь подрабатывает в какой-то фирме.

— Ты что, хочешь сказать, что у матери премьера, а сыновей это не волнует? — возмутилась Ира.

— Выходит, так. Но я не обижаюсь. Если бы это была моя самая первая работа — другое дело. А так они давно привыкли к тому, что мать каждую неделю появлялась на телеэкране. Теперь снова появится, только в другом качестве. Они еще слишком маленькие, чтобы чувствовать разницу между публицистической программой и художественным фильмом на двадцать серий. Им кажется, что это разные проявления одной и той же работы, а раз она одна и та же, так чего суетиться? И потом, если бы я сняла боевик, они бы с самого утра торчали перед телевизором, чтобы не пропустить. А сериал — это для мальчиков не интересно. Ируська, иди за Бэллочкой, полчаса осталось до начала.

Иринка с Бэллой Львовной и Андрей появились одновременно. Наташа из гостиной услышала звяканье ключей и подозрительное шушуканье.

— Что тут у вас происходит?

Андрей выглядел смущенным, Ира воровато оглядывалась, и только Бэлла Львовна безмятежно улыбалась.

— Ирочка, детка, я, кажется, у себя телевизор не выключила, сбегай, посмотри, — попросила она.

Ира торопливо выскользнула из квартиры, захлопнув за собой дверь.

— Что происходит? — повторила Наташа, переводя встревоженный взгляд с Андрея на соседку.

— Обсуждаем твою сестру, которая категорически отказалась идти к тебе в гости, — невозмутимо сообщила Бэлла Львовна. — Люся заявила, что для нее оскорбительна даже сама мысль, будто она может смотреть мыльную оперу. Мы тут потихоньку советовались, передавать тебе ее речь дословно или смягчить формулировки.

— И что решили?

— Решили сказать так, как есть на самом деле. Знание, золотая моя, — великая сила, я всегда учила тебя этому. Надо знать, что думают о тебе люди, чтобы не попадать в неловкое положение.

— А Катюша что же? Тоже считает для себя оскорбительным побыть рядом со своей теткой на премьере? — спросил Андрей, втискивая ноги в домашние тапочки.

— Андрей Константинович, голубчик, что вы хотите от двадцатилетней девочки? Ей и к тетке в гости смертельно хочется, и маму обидеть смертельно боится. При такой альтернативе она выбрала маму, по-моему, это вполне естественно. Но я вас уверяю, как только наступит время, она наврет маме, что ей нужно заниматься, запрется в своей комнате, нацепит наушники, чтобы из коридора ничего не было слышно, и будет смотреть кино как миленькая. У нее это на лице было написано, когда Люсенька фыркала и корчила презрительные мины.

— То есть как — запрется? — не понял Ганелин. — От кого? От родной матери?

— Люся тоже запиралась, — пояснила Наташа, быстро вытаскивая из духовки мясо и расставляя на столе салаты и закуски, — это у нее наследственное. Господа хорошие, в нашем распоряжении двадцать минут. К сожалению, я не могу вас кормить в гостиной, там пока еще нет стола. Поэтому все дружно сели, взяли в правую ручку нож, в левую — вилку, и вперед.

— Ира! — крикнула она, услышав, как открылась входная дверь. — Быстро за стол!

— А как она вошла? — удивился Андрей. — Разве Ира брала ключи?

— Нет, я открыла дверь, когда мы все пошли в кухню, — отозвалась Наташа, накладывая ему посыпанный укропом отварной картофель. — Чтобы не бегать, ломая ноги, когда она позвонит.

Через двадцать минут все четверо сидели в гостиной на мягком полукруглом диване. Справа от Наташи — Андрей, слева — Иринка. Реклама, заставка, титры... Все, началось.

— Какой кошмар, — то и дело вполголоса бормочет Ира, — ну и рожа у меня. Господи, какая же я все-таки корова! Вот, так я и знала, что в этой сцене у меня не получилось... Нет, я совершенно бездарная! Боже мой, что я делаю! Это же надо было играть совсем не так...

— Перестань, — каждый раз шипела на нее Наташа, — не мешай смотреть. Потом все обсудим.

Ей тоже не все нравилось, но Наташа знала этот эффект «разных глаз». Ведь окончательно смонтированный и озвученный фильм она видела в последний раз всего несколько дней назад, и тогда этих недостатков не замечала. Несколько дней назад она была в одном душевном состоянии, сегодня — в другом, отсюда и различия в восприятии. Через полгода она увидит в фильме совсем другие недостатки, а те моменты, которые не нравятся ей сегодня, будут казаться удачными или по крайней мере вполне приличными. Это неизбежно, так уже было и с «Законами стаи», и с «Что такое хорошо...», с этим нужно смириться и не впадать в панику.

В демонстрации пятидесятидвухминутной серии сделали четыре рекламные паузы. Обычно Наташа во время перерыва на рекламу либо брала книгу или журнал, либо бежала на кухню за чашкой чая или конфеткой, либо использовала освободившиеся три минуты для того, чтобы сделать срочный телефонный звонок. Но сегодня она сидела перед экраном как приклеенная, с трудом справляясь с дрожью во всем теле и выслушивая успокаивающие тирады Андрея и Бэллы Львовны:

— Как чудесно, Наташенька! Ты такая талантливая! Прелестный фильм, яркие герои. Ну что ты так переживаешь? Все хорошо, все отлично. И Ирочка у нас молодец, как хорошо играет!

Ира, пунцовая, как маков цвет, сидела рядом и приговаривала:

— Какой ужас! Какой кошмар! Все не так, все неправильно. Зачем ты меня снимала, Натулечка? Тебе нужно было взять хорошую актрису, а я тебе весь фильм загубила.

Серия закончилась. Наташа на ватных ногах встала и направилась в сторону кухни.

— Сделаю чай, — деревянным голосом произнесла она. — Андрюша, придвинь маленький столик, я все сюда принесу.

— Я с тобой! — сорвалась с места Ира.

— Ну как? — тревожным шепотом спросила она, оставшись вдвоем с Наташей на кухне.

— Все нормально, перестань психовать, — Наташа выдавила из себя некое подобие улыбки. — Ты хорошо играешь, я тебе сто раз об этом говорила.

— Но Привалов меня переигрывает! Я как чувствовала...

— Чего же ты хочешь, миленькая? Привалов — актер с огромным опытом, он снялся в пятидесяти с лишним картинах, не говоря уж о том, что он всю жизнь играет в театре. А ты думала, что выйдешь вместе с ним на площадку и сыграешь лучше, чем он? Так не бывает. Талант — талантом, а опыт ни за какие деньги не купишь, его собственным горбом наживать надо. И потом, эпизод с Приваловым мы снимали в самом начале, весной прошлого года. Вот посмотришь, в тех эпизодах, которые снимались осенью, ты выглядишь намного лучше, ты за время съемок много чему научилась, кстати, у того же Привалова. В той серии, когда ты приходишь к нему наниматься на работу, вы играете на равных, можешь мне поверить.

— Ой, Натулечка, не успокаивай меня. Позор, просто позор! Как я сегодня дома появлюсь? Не представляю.

Наташа услышала, как в гостиной зазвонил телефон. У них пока был только один телефонный аппарат, Андрей считал, что покупать аппараты нужно после того, как вся мебель окажется на своих местах, чтобы телефоны соответствовали всему интерьеру по цвету и дизайну.

— Наталья, — в кухне появился Ганелин, — звонила твоя сестра. У них там телефон разрывается, все тебя требуют. Может быть, тебе имеет смысл подняться наверх и посидеть у Бэллы Львовны?

Она совсем недавно переехала к Андрею, забрав с собой Алешу и уступив свою комнату племяннице. Мало кто знал номер телефона в квартире Ганелина, понятно, что все звонят в ее старую квартиру.

— А не проще попросить Люсю всех переадресовывать сюда? — задала Иринка вполне резонный вопрос. — Пусть всем дает этот номер.

— Ты — большая оптимистка, — хмыкнула Наташа. — Неужели ты думаешь, что наша Людмила возьмет на себя такой непосильный труд?

— Просто она бесится, что ей никто не звонит и она никому на фиг не нужна, — ехидно заметила Ира. — Вот и вредничает.

— Не злись, пожалуйста. Андрюша, мы поднимемся наверх. Сейчас придет Алешка, пусть поест сам, там мясо с картошкой и салат. И проверь у него химию, ладно? Он вчера с какими-то задачами мучился.

Вместе с Ирой и Бэллой Львовной Наташа поднялась на четвертый этаж. Первое, что она увидела, была огромная корзина цветов, стоявшая прямо посередине прихожей.

— Ну вот, — огорченно вздохнула Ира, — сюрприз не получился. Андрей Константинович принес корзину, я ее здесь спрятала, а он хотел вручить тебе после показа.

Наташа с подозрением глянула на старую соседку.

— Это называется «Ирочка, я телевизор не выключила», да?

— А что ты хотела, чтобы я сказала? «Ирочка, на лестнице

стоит корзина цветов, сбегай наверх, спрячь ее от Наташи»? Лучше трубку сними, сейчас аппарат разорвется.

Телефон и в самом деле истошно звенел. В дверях бывшей Иринкиной комнаты возникла сухопарая фигуры Люси.

— Ты будешь снимать трубку или нет? — раздраженно спросила она. — Никакого покоя, черт знает что.

— Извини, дорогая, — равнодушно бросила Наташа, подходя к столику, на котором стоял телефонный аппарат, и снимая трубку.

— Алло!

— Прошу прощения, нет ли у вас случайно Ирины Николаевны? Это ее свекровь.

— Да, конечно, она здесь. Одну минуту. Тебя, — шепнула она, передавая трубку Ире.

— Кто? — Ира округлила глаза.

— Твоя Лизавета.

— А что ей надо?

— Ты меня спрашиваешь? У нее и спроси.

Ира поговорила со свекровью и с облегчением перевела дыхание.

— Им понравилось. Ты представляешь, Натулечка, им ужасно понравилось! Лизавета сказала, что я талантливая, а ты — просто гениальная!

— Ну вот, а ты боялась.

Из своей комнаты выглянул Саша, поцеловал мать и Иру.

— Здорово! Кино показывали?

— А как же! Мог бы сам включить телик и убедиться, — Иринка, конечно, не удержалась, чтобы не поддеть юношу.

— Да я только минут десять назад пришел, — принялся оправдываться он. — Ну, какие впечатления?

— Сильные, — фыркнула Ира. — Никакого уважения к труду собственной матери! Хоть бы с премьерой поздравил, три цветочка подарил для приличия, раз уж фильм смотреть не стал. Правильно говорят, что сыновья — это жизнь, выброшенная в форточку. Растишь вас, растишь, и никакой отдачи.

— Ирка, уймись, — одернула ее Наташа В течение ближайшего часа Наташе позвонили десятка полтора друзей и знакомых с поздравлениями по случаю премьеры. В одиннадцать вечера Иринка на своем красном «Форде» умчалась домой, а Наташа задержалась у Бэллы Львовны.

— Ну что, Бэллочка Львовна, подведем итоги. Можем ли мы считать, что выполнили просьбу вашего сына и вывели Иринку в люди?

— Я думаю, можем, — с улыбкой ответила соседка. — Я обязательно напишу Марику о твоем фильме. Как ты думаешь, можно записать весь сериал на видеокассету? Я бы ему послала, пусть своими глазами посмотрит, какую дочь мы с тобой вырастили.

— Запишем, — кивнула Наташа, — это не проблема. Теперь скажите мне два слова про домработницу. Вы ею довольны или надо подыскивать другую?

— Ну что ты, золотая моя, Тамара — прекрасная женщина. Хорошо готовит, чисто убирает. Спасибо тебе и Андрею за заботу.

— Что-то я энтузиазма в вашем голосе не слышу. Что-нибудь не так?

— Нет-нет, все так, все замечательно.

— И тем не менее...

— Видишь ли, золотая моя, когда ты мирилась с высокомерием своей сестры, это было твоим личным делом и твоим решением. Люсенька — твоя сестра, какой бы она ни была, и ты ее любишь, несмотря ни на что. Но когда с этим вынужден сталкиваться посторонний человек, мне, право же, не по себе. Неловко как-то. Люся постоянно всем недовольна. Особенно ее злит, как я понимаю, что ты теперь живешь в прекрасной большой квартире, а она по-прежнему вынуждена жить в коммуналке с соседями. Она ведь не только меня, но и Сашеньку воспринимает как соседа. Ей не нравится.

Еще бы ей нравилось! Она же королева в изгнании, а все остальные вокруг нее — грязные дешевые плебеи. Бесталанная младшая сестра-неудачница вышла замуж аж во второй раз, пусть и неофициально, и живет в шикарных хоромах. Соседская девчонка, дочка нищих алкашей, выросла красавицей и выбилась в артистки, опять же замуж вышла, в девках не засиделась, в профессорскую семью вошла. И только ее, Люсю, такую красивую, такую умную и талантливую, такую чудесную и неординарную, так никто и не оценил по достоинству. Завыть впору. Люсино больное ущемленное самолюбие с удовольствием воспринимало тот факт, что младшая сестра, известная на всю страну, готовит для нее еду, стирает ее белье и моет за нее полы. Это было справедливым и правильным и лишний раз подчеркивало, что Люся все-таки лучше Наташи, коль Наташа ее обслуживает и обстирывает. А теперь что же? Чем теперь себя утешать? Какими иллюзиями себя обманывать? Понятно, что Люся пребывает в бешенстве.

— Ничего не поделаешь, Бэллочка Львовна, — спокойно сказала Наташа, — Люсе придется принять то, что есть. Ничего лучшего я ей предложить не могу. Она хотела жить в Москве? Живет. Она хотела иметь отдельную комнату? Она ее имеет. Она хотела сочинять свои романы? У нее есть такая возможность. Она не работает, живет на мои деньги и пишет книги, которые ни одно издательство не берется печатать. Правда, она еще хотела, чтобы ее на руках носили и восхищались ее талантом, но этого я ей купить не могу. Я сделала для нее все, что могла.

А угождать ей и прислуживать, чтобы потешить ее непомерное самолюбие, я больше не буду. Вы меня осуждаете? Вы считаете, что я поступаю не по-родственному?

— Золотая моя, я не перестаю удивляться, как ты вообще терпела все это столько лет! Ты совершенно права. Знаешь, я хотела с тобой посоветоваться...

— Да, Бэллочка Львовна, о чем?

— Марик все время просит, чтобы я приехала к нему, пожила месяц-другой. Он очень настаивает.

— Ну, а вы?

— Не могу решиться. Я ведь понимаю, он по мне не скучает.

— Что вы говорите, Бэллочка Львовна, как это он не скучает, — попыталась защитить Марика Наташа, но соседка выразительным жестом велела ей замолчать.

— Если бы Марик скучал, он приезжал бы сюда, и не один, а с семьей, показал бы мне внуков. Но он был здесь четыре с половиной года назад — и все. Только письма и телефонные звонки, правда, регулярные, не стану жаловаться. Я отлично понимаю, что он хочет показать мне, как он живет, какой у него дом, на каких машинах они все ездят, в каком бассейне купаются. Он похвастаться хочет, доказать мне, что он состоялся, что у него все прекрасно, что его отъезд не был ошибкой. А для этого мне ехать совсем не хочется. Хотя внуков посмотреть хочу, очень хочу. Вот и терзаюсь, не знаю, какое решение принять.

— Я считаю, что надо ехать, — твердо заявила Наташа. — Всегда лучше жалеть о том, что сделано, чем о том, что не сделано. Вы же ничего не теряете. Оформите визу на два месяца, чуть что не понравится — покупаете билет и улетаете оттуда раньше времени.

— Говорят, американское посольство плохо дает визы, надо долго в очереди стоять, деньги платить, какое-то собеседование проходить, а потом визу могут не дать без всяких объяснений. Двум моим приятельницам отказали и не сказали, почему. Они собирались в Штаты друзей навестить. Такая морока с этой поездкой, прямо и не знаю, — пожилая женщина с сомнением покачала головой.

— Бэллочка Львовна, когда откажут — тогда и будем горевать, а пока что надо пробовать. Вы прислушайтесь к себе. Если у вас нет твердой установки на то, чтобы точно не ехать, тогда надо ехать. Обязательно надо. Там ваша семья, сын, невестка, внуки. Вам представляется возможность провести с ним несколько недель. Кто знает, как в будущем все сложится.

— Ты намекаешь на то, что мне уже немного осталось? — усмехнулась соседка.

— Ну что вы, я...

— Не хитри, я тебя насквозь вижу. И сама о том же думаю. Ехать мне не хочется, все эти посольства, справки, бумажки, визы, очереди, многочасовые перелеты — это в моем возрасте не самое удачное и легкое мероприятие. Но увидеть их всех хочу. Жаль будет умирать, не повидавшись и даже не узнав толком, какие у меня внуки. Значит, ты считаешь, я должна поехать?

— Обязательно. Звоните Марику, пусть оформляет приглашение. Мы вам поможем, отвезем куда надо, справки все соберем, в очереди с вами постоим. Поезжайте, Бэллочка Львовна, я не думаю, что вы когда-нибудь пожалеете об этом.

Подхватив за плетеную ручку корзину с цветами, Наташа спустилась в свою новую квартиру. Алеша давно уже поужинал и крепко спал в своей комнате на стареньком диванчике, который перетащили с четвертого этажа в ожидании новой мебели. Ганелин в гостиной смотрел телевизор.

— Ну как, получила свою порцию поздравлений? — спросил он Наташу.

— Получила. И твою порцию тоже. Спасибо тебе, Андрюша. Мне никогда еще не дарили таких красивых цветов.

Она засыпала, уткнувшись носом в его плечо. Мысли в сонной голове путались, волнение от показа сериала сплеталось с насмешливым негодованием в адрес сестры и тревогой за Бэллу Львовну: как она в ее возрасте и с ее-то болячками перенесет длительный перелет, смену часовых поясов и климата. Сны ей снились цветные, яркие, неспокойные, но утром, несмотря ни на что, Наташа чувствовала себя вполне отдохнувшей и бодрой. Она все еще не избавилась от привычки в первые же после пробуждения секунды перечислять в уме домашние дела, которые необходимо переделать прямо с утра, и после переезда к Андрею не уставала наслаждаться ежеутренним внезапным озарением, пониманием того, что теперь ее все это беспокоит гораздо меньше. Когда в квартире живут не шесть человек, а только трое, то и грязи, и стирки, и готовки в два раза меньше. И каждое утро, с наслаждением потягиваясь в мягкой просторной кровати и с нежностью глядя на уютно сопящего Андрея, Наташа вспоминала слова из популярного фильма «Москва слезам не верит»: в сорок лет жизнь только начинается. Правда, у Наташи эта самая жизнь началась чуть позже, в сорок три года, но сути это не меняет.

ИРИНА

В мае по телевидению прошел показ сериала, а в июне на фильм «Соседи» напала пресса. Картину ругали на чем свет стоит, обзывали дешевым «хозяйственным» мылом, намекая на его коммунально-бытовую тематику. Многие резко критиковали режиссера и сценариста Наталью Воронову, обвиняя ее в излишней самонадеянности, мол, если ты хороший документалист и публицист, то это вовсе не означает, что тебе и художественные фильмы по плечу. На десяток резко отрицательных рецензий приходились одна-две более или менее положительные. Ира страшно расстраивалась, переживала и каждый день созванивалась с Наташей.

— Ну что ты так страдаешь, — успокаивала ее Наташа. — Это же все политика, игрища. Ни один нормальный режиссер никогда не интересуется, что о его работе думают журналисты. Вот хоть у кого спроси — никто этих статей в газетах не читает.

— Но они же ругают сериал! — негодовала Ира.

— Ну и что? Хоть в одной статье написано, что актриса Ирина Савенич плохо сыграла?

— Нет. То есть я не знаю, может, где-то и написано, но я не читала. Актеров вообще-то во всех статьях хвалят, а фильм в целом ругают.

— Вот видишь, актеров хвалят. Диалоги хвалят, это я сама читала. Оператора хвалят. Кстати, знаешь ли ты, что у нашего сериала высочайший рейтинг? Его вся страна смотрела, на другие каналы не переключалась. А ты говоришь — ругают.

— Так ведь ругают же, — не унималась Ирина. — Актеры хорошие, сценарий хороший, оператор хороший, а ругают. Почему?

— Ирка, ты как маленькая, честное слово! — смеялась в ответ Наташа. — Потому что сериал. Сериал по определению не может быть хорошим. Хорошее кино — это Феллини, Спилберг, Тарковский, Форман, Коппола. А сериал — это мыло для домохозяек, его нельзя хвалить, а то можно репутацию потерять. Понимаешь, Ируська, есть четкая градация, что и кого хвалить можно и нужно, а кого ни в коем случае нельзя. В точности как при советской власти, там тоже была такая градация: книги Брежнева — это гениально, а книги Солженицына — злобная клевета на строй. Разница только в том, что при советской власти эту градацию придумывал идеологический отдел ЦК партии, а сегодня ее устанавливает неизвестно кто, маленькая тусовка деятелей культуры вкупе с журналистами, с которыми их связывает личная дружба. Поверь мне, ко всем этим статьям нельзя относиться серьезно.

Но Ира тем не менее относилась к ним серьезно и обижалась на каждое резкое слово, сказанное в адрес сериала или лично Натальи Вороновой. Ее саму критика не коснулась, авторы критических статей либо вообще не называли ее имени, либо одной фразой отмечали несомненную удачу начинающей актрисы Ирины Савенич. Пару раз Иру даже узнали на улице и попросили автограф. Оба раза это были молоденькие девушки, лет по семнадцать, и Ира таяла от восторга, ловя их восхищенные взгляды. Она добилась своего, она стала актрисой, снялась в кино, ее узнают на улице. Пусть совсем редко, всего два раза попросили автограф, но это ведь только начало. Ей по силам любая цель.

Она может гордиться собой. Все в ее жизни складывается так, как ей хочется, если не считать одного... Но об этом лучше не думать, все равно это нельзя изменить. И ей достаточно просто видеть Виктора Федоровича, говорить с ним, жить с ним под одной крышей и знать, что он рядом. И иногда, редко-редко ловить его взгляд, предназначенный ей одной, взгляд, в котором и тепло, и нежность, и грусть, и память о принадлежащей им двоим тайне.

В июле поток критических статей поутих, все чаще стали появляться и положительные рецензии, но Наташу это вообще ни капельки не интересовало. Алешка, младший сын, сдавал экзамены в институт, Наташка безумно боялась, что в случае провала его заберут в армию, а ведь Алеша такой неприспособленный, не умеет, в отличие от старшего брата, постоять за себя и непременно станет жертвой «дедовщины». Кроме того, за два года службы он напрочь забудет все, чему его учили в школе, и тогда с мечтой о высшем образовании придется распрощаться. Все ее мысли крутились только вокруг этого, и любые попытки Ирины обсудить с ней очередную статью наталкивались на полную отчужденность.

Работы не было, никто не рвался приглашать ее сниматься, и Ира почти все время сидела дома, готовила еду, смотрела телевизор, штудировала прессу и читала книги. Однажды в воскресенье Игорь ни с того ни с сего предложил ей съездить на книжную ярмарку в спорткомплексе «Олимпийский». Оказалось, ему нужна какая-то специальная книга про автомобиль, который он собирался покупать вместо своего белого «Форда». Ира с радостью согласилась составить ему компанию, все-таки развлечение, да и книжечек можно прикупить, а то совершенно неизвестно, сколько еще ей предстоит сидеть без работы. Может, год, а то и два. Если Наташка соберется снимать еще что-нибудь, она, конечно, Иру позовет, а вот про других режиссеров ничего сказать нельзя.

В выходной день народу на ярмарке уйма — не протолкнешься. Зато книжек — на любой вкус. Вцепившись в руку идущего впереди мужа, Ира медленно продвигалась вдоль прилавков, жадно шаря глазами по ярким обложкам. Вот это бы купить, и еще вот это, и вот эту книгу тоже хочется. Ладно, пусть сначала Игорь найдет то, что ему нужно, а потом уж она собой займется.

Совсем рядом в толпе мелькнуло знакомое лицо. Ой, да это же Вадим, Наташкин бывший муж.

— Вадим! — крикнула Ира, поднимая над головой свободную руку. — Вадим!

Тот услышал, закрутил головой, встретился глазами с Ирой и подошел. С ним была симпатичная тетка, крохотного росточка, брюнетка с зелеными глазами. Наверное, жена, он же говорил, что женился. Интересно посмотреть, на кого он Наташку променял. Вадим пожал руку Игорю, с которым познакомился еще на свадьбе, радостно чмокнул Иру в щеку и представил свою спутницу:

— Это, Вера, моя жена.

— Очень приятно, — церемонно кивнула головой зеленоглазая, но по ее лицу было отчетливо видно, что ей совсем не приятно. Более того, ей ужасно неприятно.

— Ириша, ты такая молодец! — возбужденно заговорил Вадим. — Мы с удовольствием посмотрели Наташин сериал, она тоже молодец, просто умница. Я так вами обеими горжусь. Я вчера разговаривал с Натальей, мы теперь все время на связи, пока Алешка поступает. Когда у него следующий экзамен? Кажется, завтра?

— Завтра, — подтвердила Ира. — Наташка прямо из-под себя выпрыгивает от волнения.

— Я тоже переживаю, — кивнул Вадим. — Завтра вечером позвоню Наталье, узнаю, как Алешка сдал.

Они распрощались и влились в плотные потоки покупателей, двигающиеся в разные стороны. Прошло некоторое время, прежде чем Ира заметила, что Игорь чем-то не то разозлен, не то раздосадован.

— Ты чего такой хмурый? — весело спросила она. — Устал от давки? Хочешь, выйдем на улицу?

— Пошли.

Игорь резко дернул ее за руку и потащил в сторону выхода. На улице они отошли в сторонку, вытащили сигареты.

— Ты знаешь, кто это был? — неожиданно спросил Игорь, сделав несколько глубоких затяжек.

— Где был? — не поняла Ира.

— Ну та женщина, с Вадимом.

— Так это его жена, он же сказал.

— Ага, это сейчас она его жена. А раньше это была моя жена.

РУСЛАН

Утро выдалось хмурым и дождливым, но это не испортило им настроения. Яна проснулась первой и принялась тормошить жениха.

— Русик, немедленно вставай! Мы опоздали! Боже мой, мы с тобой все проспали, уже двенадцать часов!

Перепуганный Руслан открыл глаза и рывком сел на постели. Как же так? Ведь в одиннадцать они должны быть в загсе, там свидетели ждут, друзья, родственники. Неужели они с Яной так переволновались накануне, что слишком поздно уснули и все проспали? И в суете предсвадебных хлопот забыли завести будильник.

Руслан посмотрел на часы и с облегчением вздохнул. Всего половина восьмого. В эти пасмурные дни, когда солнце надежно скрыто тяжелыми плотными облаками, с ходу и не отличишь раннее утро от полудня. Невеста в очередной раз его разыграла.

— Янка! Опять? — с упреком сказал он.

— Не опять, а снова. А что, ты поверил? Испугался?

— Испугался, — признался Руслан.

— Ну ничего, зато быстро проснулся, а то раскачивался бы еще целый час.

Это верно, вставал он по утрам тяжело, с трудом, по миллиметру выдергивая себя из сна, то и дело сдавая завоеванные позиции и проваливаясь в дремоту.

— Как ты думаешь, Русик, твоя мама приедет? — спросила Яна за завтраком.

— Надеюсь. Но что-то слабо верится. Во всяком случае, когда я вчера ей звонил, она сослалась на нездоровье и заранее извинилась.

— Она на тебя так сильно рассердилась? — В голосе девушки звучало искреннее сочувствие.

— Сильно, — кивнул Руслан.

На самом деле словосочетание «сильно рассердилась» не передавало сути. Ольга Андреевна была в ярости. И хотя со времени той поездки домой на майские праздники, когда Руслан представил матери Яну, прошло больше двух месяцев, он до сих пор не мог без содрогания вспоминать разговор с матерью и последовавший за этим скандал.

— Мамуля, а что тебе нужно было от Бахтина? — спросил тогда Руслан. Спросил как будто между прочим, совершенно спокойным тоном. В тот момент все четверо — мама с Семеном Семеновичем и он с Яной — сидели на веранде и пили чай.

Ольга Андреевна вздрогнула, быстро поставила чашку на блюдце, расплескав чай.

— Я не понимаю, о чем ты, — ответила она, пряча глаза.

— Восемь лет назад, в девяностом году, ты искала его. Записала его служебный адрес и телефон. Ты хотела с ним встретиться? Зачем?

— Ничего я не хотела. Откуда ты это взял?

— Вот отсюда.

Он вытащил из нагрудного кармана рубашки записку и положил на стол перед матерью.

— Это название фирмы Бахтина и его телефоны. И почерк твой. Ты можешь это как-нибудь объяснить?

— Я не буду ничего тебе объяснять. — Ольга Андреевна уже пришла в себя от неожиданности, и ей даже почти удалось взять себя в руки. — Откуда у тебя эта бумажка?

— Тетя Соня отдала вместе со всеми твоими вещами. Мама, ну пойми, бессмысленно же отпираться, все и так ясно.

— Что тебе ясно? Если тебе все ясно, тогда не спрашивай.

Мать сильно нервничала, это было видно не только Руслану, но и Семену Семеновичу, который успокаивающим жестом погладил Ольгу Андреевну по руке и встал.

— Яночка, пойдем в дом, — сказал он примирительно, — у матери с сыном семейный разговор, не будем им мешать.

Янка, верный товарищ, нагнулась к Руслану, сделала вид, что целует его в щеку, и шепнула:

— Мне остаться?

— Не нужно, — тихо ответил он. — Мы сами разберемся.

— Мама, нам пора объясниться, — решительно начал Руслан, когда они остались одни. — Я уже много лет пытаюсь выяснить правду о смерти Мишки. И ровно столько же лет ты этого не одобряешь и меня в этом не поддерживаешь. Ты говоришь, что никакая правда не сможет вернуть нам Мишку и не нужно тратить силы на ее поиски. Ну хорошо, я готов понять твои аргументы, я готов смириться с тем, что моя мать не желает разобраться в убийстве собственного сына. И вдруг я узнаю, что за моей спиной ты пыталась встретиться с убийцей. А может быть, не только пыталась, но и встретилась. И ни слова не сказала мне об этом. Согласись, это выглядит странным.

— Мне все равно, как это выглядит. Ты нашел свою правду?

— Пока нет. А ты? Ты ее случайно не нашла? О чем ты говорила с Бахтиным? Что он тебе сказал?

— Я с ним не встречалась.

— Тогда зачем эти телефоны? — Он в сердцах ткнул пальцем в лежащую на столе записку. — Что все это означает?

Ольга Андреевна побелела, судорожно сжала в пальцах чайную ложечку, которой нервно постукивала по столу.

— Я запрещаю тебе разговаривать со мной в таком тоне! Ты слишком увлекся образом Шерлока Холмса и забыл, что перед тобой мать, а не посторонняя женщина. Много лет я тебе твержу, чтобы ты прекратил свои поиски, потому что они ни к чему не приведут. Я тебя умоляла, заклинала, уговаривала. Я плакала. Только что на колени перед тобой не становилась. Но ты продолжаешь делать по-своему. Ты не слышишь моих слов и не уважаешь мои чувства. Ты вообще забываешь о том, что я — твоя мать и ты должен со мной считаться.

— Я ничего не забываю, мама, я помню о том, что ты — мать, у которой отняли сына, а потом еще и оболгали его, выставили пьяницей и хулиганом. И все эти годы я не понимал твоего равнодушия. Почему ты так против того, чтобы я узнал правду? Почему ты пытаешься выгородить Бахтина?

— Я никого не выгораживаю, я защищаю свой душевный покой. Я не желаю, чтобы ты копался в этом деле, я не желаю вспоминать о смерти Мишеньки и говорить об этом. Можешь ты хотя бы это понять?

— Могу. Тогда зачем ты искала Бахтина? Зачем, мама? О чем ты собиралась говорить с ним, если не о Мише? О погоде? О политике?

Мать молчала, глядя через открытое окно на распускавшуюся в саду нежную зелень. Руслан подсознательно чувствовал, что надо остановиться, свернуть разговор и вывести его снова в мирную колею. Но остановиться уже не мог. Его глубоко задевала мысль о том, что мать тайком от него встречалась с убийцей брата. Ладно, пусть она не одобряет и не поддерживает его поиски истины, это ее дело. Но действовать за спиной сына — это уж слишком. Выходит, ее нежелание узнать правду — всего лишь показуха. На самом деле она хочет что-то скрыть. От кого? От него, от своего сына Руслана?

— Я уже давно подозревал, что ты пытаешься от меня что-то скрыть, — продолжал он. — Кому может помешать правда об убийстве? Только одному человеку — Бахтину. И тот факт, что ты не желаешь этой правды, говорит о том, что ты хочешь защитить убийцу. Никакого другого объяснения нет. Что вас связывает? Давнее знакомство? Любовь? Общий ребенок? У Мишки был другой отец, Колотырин. Значит, остаюсь я.

— Это не так, — едва слышно прошептала Ольга Андреевна.

— Мама, как я могу тебе верить? Ты все время обманываешь меня, ты встречаешься с Бахтиным и скрываешь это. Вспомни, мне было четырнадцать лет, когда я нашел Колотырина. Всего четырнадцать. Неужели ты думаешь, что я сейчас, в двадцать восемь, не смогу выяснить, от кого ты меня родила? И не делаю я этого по одной-единственной причине. Я подозреваю, что мой отец — Бахтин, но пока я не закончу свое расследование, я не хочу подходить к нему слишком близко, чтобы он раньше времени не встревожился. Но, может быть, я напрасно беспокоюсь? Может быть, ты еще восемь лет назад предупредила его, и он уже восемь лет отлично знает, что я под него копаю? Предупрежден — значит, вооружен, не так ли? Я столько лет бьюсь над тайной убийства моего брата, а Бахтин, оказывается, давным-давно в курсе и принимает соответствующие меры к тому, чтобы я ничего не узнал. Подкупает свидетелей, обрубает концы, все как положено. Мама, а тебе не кажется, что ты меня предала? Меня, своего сына, которого ты вырастила, ты продала с потрохами давнему случайному любовнику. Почему? Почему он оказался для тебя дороже? Потому что у него денег больше?

— Остановись, Руслан, — громко и предупреждающе произнесла Ольга Андреевна, — ты говоришь страшные вещи.

— Не останавливай меня. Тебе нужны были деньги, поэтому ты разыскала Бахтина и предупредила его, да? Сколько он тебе заплатил за эту информацию? За сколько ты продала своего сына?

Ольга Андреевна вскочила, опрокинув стул.

— Не смей! — закричала она. — Замолчи немедленно! Не смей так говорить! Ты чудовище! В тебе нет ничего человеческого! В твоей душе одни грязные мысли и черные подозрения! Убирайся с глаз моих, чтобы я тебя больше не видела!

На крик прибежали испуганные Семен Семенович и Яна. Девушка схватила Руслана за руку и по ступенькам силой стащила с крыльца в сад. Семен Семенович хлопотал над рыдающей Ольгой Андреевной, капал в мензурку валокордин и что-то негромко говорил ей. Руслан был уверен, что к утру мать остынет, но, когда на следующий день Ольга Андреевна не произнесла в его адрес ни слова и даже взглядом не удостоила, он понял, что дело плохо. С Яной мать была приветливой и любезной, но сына для нее словно вообще не существовало. В тот же день Руслан с Яной уехали из Камышова.

Сразу же после майских праздников они подали заявление в загс, регистрацию брака им назначили на конец июля, о чем Руслан, конечно же, поставил мать в известность. Ольга Андреевна говорила с ним по телефону сухо, сдержанно поздравила и положила трубку. Точно таким же деревянно-сухим тоном она разговаривала с ним и на протяжении последующих двух месяцев. За несколько дней до свадьбы Руслан позвонил матери, пригласил на торжество, но Ольга Андреевна ничего не обещала, уклончиво заявив, что не очень хорошо себя чувствует. Накануне он позвонил снова и снова услышал такой же холодный голос и такой же невыразительный ответ. За два с лишним месяца мать так и не простила его. Руслан ни минуты не сомневался в том, что интуитивно угадал истинное положение вещей. Потому мать и взбесилась. Конечно, ошибкой было говорить с ней так резко и откровенно, мать все-таки. Но по сути он, безусловно, прав. Бахтин был предупрежден, именно поэтому Руслану не удалось найти ни одного свидетеля, который рассказал бы что-нибудь существенное. Ну ничего, есть еще списки убитых и пропавших без вести, если, конечно, проинформированный матерью Бахтин заранее не побеспокоился о том, чтобы карточка с именем его первой жертвы не была изъята из картотеки информационного центра. Если же так, то... Что ж, и тут есть поле для поиска. Узнать полный перечень сотрудников информационного центра областного управления внутренних дел, работавших там с 1990 по 1997 год, и постараться выяснить, не был ли кто из них знаком с Бахтиным. Возможности выяснить правду всегда есть, руки опускать рано. Жаль только, что Янка переживает из-за матери. Расстроилась ужасно, узнав, что Ольга Андреевна скорее всего не приедет на свадьбу.

— Нехорошо это, когда семейная жизнь начинается с конфликта с родителями, — огорченно повторяла девушка. — Русик, тебе надо помириться с мамой.

— Но я-то что могу сделать? — разводил руками Руслан. — Я ей регулярно звоню, делаю вид, что ничего не произошло, никакой ссоры не было, а она не хочет со мной разговаривать. Что ты мне предлагаешь? Чтобы я в ноги упал и голову пеплом посыпал?

— Что-то вроде этого. Тебе надо как-то покаяться, что ли, и попросить прощения.

— Ну уж нет, — твердо отказывался Руслан. — Каяться я не собираюсь. Я сказал правду. А если моей матушке эта правда пришлась не по вкусу, то тут я ничего поделать не могу.

Утром в день свадьбы Яна уже не предлагала ему покаяться перед матерью, только горестно вздыхала и выражала надежду на то, что Ольга Андреевна окажется способной подняться над конфликтом и все-таки приехать на бракосочетание сына. Руслан этих надежд не разделял. И оказался прав. Когда без двадцати одиннадцать они с Яной вышли из машины возле загса, среди встречающей их толпы Ольги Андреевны не было. Яна в белом воздушном, сшитом собственноручно платье и Руслан в новом темном костюме в сопровождении друзей и родителей новобрачной чинно проследовали в зал торжественной регистрации браков.

НАТАЛЬЯ

Алешка таки не набрал нужное количество баллов и по конкурсу не прошел.

— Ничего страшного, — успокаивал ее Андрей, — пусть поступает на платное отделение. Там вообще экзаменов сдавать не нужно, только собеседование пройти и тестирование.

— Но это же безумно дорого, Андрюша.

— Никогда не жалей денег, которые вкладываешь в здоровье и в образование, — смеялся Ганелин. — Это все потом окупится.

Алеша подал документы на платное отделение, прошел тестирование и ждал собеседования. Наташа заметно успокоилась, ей казалось, что уже ничего плохого случиться не может, мальчик наверняка поступит и будет учиться в престижном вузе, имеющем государственную аккредитацию, что немаловажно в наше смутное время, когда расплодилось огромное количество частных лавочек, гордо именующих себя академиями и институтами, а на поверку выдающих по окончании такие дипломы, которые нигде не принимаются и не котируются.

Наташа утром проводила Андрея на работу и села читать сценарий. После того как «Соседи» получили такие высокие рейтинги, Валентин Южаков предложил ей взяться за следующий сериал.

— Мы начинаем три новых проекта, — возбужденно говорил он, — один — детективный сериал по книгам известного писателя со сквозным героем, серий на тридцать, второй — по оригинальному сценарию, из современной жизни, и третий — экранизацию исторического романа. Оригинальный сценарий уже есть, правда, совсем сырой, но история неплохая. По экранизациям пока только синопсисы, но ты можешь прочесть первоисточники. Тебе, Натаха, как всегда, предоставляется право первой ночи. Можешь выбирать, за какой сериал возьмешься.

— За детектив точно не возьмусь, — сразу же ответила Наташа. — А остальные два посмотрю.

— Да ты не отказывайся от детектива, — уговаривал ее Южаков, возглавлявший на телеканале кинопроизводство, — это сегодня самое рейтинговое кино, все смотрят.

— Валя, при чем тут рейтинги? Я умею снимать про человеческие чувства. А детектив — совсем другой жанр, требующий совсем других способностей. Я не смогу сделать его хорошо.

— Ерунду не пори, — без тени сомнения отмахнулся от ее аргументов Южаков. — Вот тебе три папочки, иди домой и все внимательно прочти.

Наташа добросовестно читала. Начала с синопсиса детективного сериала и почти сразу поняла, что снимать это не станет ни за какие блага. Правда, была вероятность скверной работы сценариста, поэтому она специально сбегала в Дом книги на Новом Арбате и купила два романа именитого писателя из числа тех, которые предполагалось экранизировать. Терпеливо прочла их с карандашом в руках, делая на полях пометки и то и дело сверяясь с синопсисом, и, перевернув последнюю страницу, утвердилась во мнении, что эта работа — точно не для нее. Ей в этом сюжете делать нечего, одни события, факты, драки, погони и разоблачения. Ни тебе любви, ни драматических переживаний, ни страстей, ни сложных отношений.

Наученная опытом, к синопсису экранизации исторического романа она приступила только после прочтения самого романа. Вот тут ей было где развернуться! Тайны, интриги, внешне немотивированные поступки, в основе которых лежали сильные страсти. Личные драмы, конфликты нравственных устоев простолюдина с дворянской моралью. Синопсис, правда, ей не понравился, в нем просматривался слишком сильный акцент на действие, а все то, что было так интересно Наташе, оставалось за бортом, но это не беда, это же только синопсис, а не готовый и утвержденный сценарий.

История, изложенная в сценарии на современную тему, тоже показалась ей любопытной, но, конечно, сильно уступала историческому роману.

Именно это она и заявила вчера Южакову. Директор кинопроизводства выглядел озабоченным и, казалось, совсем не слушал Наташины объяснения по поводу того, почему она не хочет браться за детектив и чем ее не устраивает сериал из сегодняшней жизни.

— Все это замечательно, Натаха, но нам с тобой придется все пересмотреть.

— Что пересмотреть?

— Весь подход. Есть информация, что вот-вот может начаться девальвация рубля. Если это произойдет, нам ни на что денег не хватит. Экранизация исторического романа выходит самой дорогой, костюмы и интерьеры в копеечку встанут, весь бюджет сожрут, там ведь даже массовке надо одежду шить. Если браться за этот проект, придется в корне переделывать сценарий, чтобы строить меньше комнат, убирать массовые сцены, все эти улицы, балы, охоты, приемы и гулянья в городском саду.

— Но тогда дешевизна будет в каждом кадре видна, — возразила Наташа. — Это же невозможно будет смотреть.

— О том и речь. Поэтому у нас два выхода: или делать этот проект дешевым, или не делать вообще. Ты как? Согласна на сокращение бюджета?

— А большое сокращение?

— Да кто ж знает. Специалисты говорят, что если падение рубля хлопнет по голове, то доллар подскочит в три-четыре раза. Вот и считай. Если сегодня предполагается бюджет из расчета тридцать пять тысяч долларов на серию, то на деле может оказаться тысяч десять. Сможешь снять костюмный фильм за такие деньги?

— Нет, конечно, — усмехнулась Наташа. — Я не самоубийца.

— Вот то-то и оно. Поэтому тебе остается выбирать между детективом и фильмом про нашу жизнь.

— Валя, я уже сказала, что за детектив не возьмусь. Ты что, меня совсем не слушал?

— Слушал, слушал, извини. Значит, готова снимать про нашу сегодняшнюю жизнь?

— Придется, — со вздохом согласилась Наташа. — Не сидеть же мне без работы, а ничего другого ты мне не предлагаешь. Дай мне еще неделю, я снова перечитаю сценарий, подумаю, сформулирую свои идеи, потом встречусь со сценаристами.

Пятнадцать, по числу серий, папок со сценарием лежали перед ней, и Наташа весь день внимательно читала, попутно отмечая на полях те места, которые можно будет переделать в целях экономии, если девальвация рубля все-таки случится. То и дело ей приходилось снимать трубку и звонить директору производства на сериале «Соседи», чтобы проконсультироваться, сколько примерно может стоить тот или иной объект, аренда машин, помещений или съемки на центральных улицах города, в настоящих больницах и магазинах.

Когда пришел Андрей, рядом с папками на столе лежали многочисленные листки с записями цен в долларах и рублях.

— Ты ударилась в экономику? — насмешливо спросил Ганелин, глядя на ее записи.

— Ой, и не говори. Меня в институте учили, что режиссер — это творец, а теперь выходит, что, прежде чем браться за съемки, я должна максимально удешевить их на этапе подготовки сценария. Вообще-то это не моя работа, но лучше я сама во все вникну, прежде чем возьмусь снимать.

— А зачем удешевлять? В вашей телекомпании финансовые трудности?

— Пока нет, но Южаков меня вчера до смерти напугал возможностью девальвации рубля. Он сказал, что если финансы рухнут, то снимать придется за копейки. Вот я и хочу понять, можно ли это, — она выразительно показала на стопку папок, — снять за копейки, чтобы не браться за заведомо провальное дело. Кстати, бизнесмен Ганелин, ты как думаешь, будет девальвация или нет?

— Наталья, ты телевизор сегодня включала? — ответил он вопросом на вопрос.

— Нет, а что? Я со сценарием работала. Какие-то новости? — встревожилась она.

— Сегодня наш горячо любимый Президент твердо и четко пообещал, что российский рубль девальвироваться не будет.

— А почему таким тоном, Андрюша? У тебя другие сведения?

— Ну, как тебе сказать... — неопределенно протянул Ганелин.

— Но он же пообещал... Погоди, ты сам слышал? Или тебе кто-то пересказал?

— Сам. Через десять минут начнутся новости по НТВ, можешь включить телевизор и послушать. Мы ужинать будем?

— Да-да, конечно, — спохватилась Наташа. — Иди переодевайся, у меня все готово.

Она включила телевизор в кухне-столовой, накрыла на стол, позвала Алешу. Тот явился с книгой, в которую немедленно уткнулся прямо за столом. Наташа заглянула на обложку — Роджер Желязны. Ну что ж, нормальный современный мальчик. Когда она была в его возрасте, мальчики-ровесники читали Стругацких, Азимова и Кларка. Из приключений уже выросли, а до философии еще не доросли.

Началась программа «Сегодня». Одним из первых прошло сообщение о словах Президента: «Никакой девальвации рубля не бу-дет!» Уверенно, громко, по слогам.

— Але, молодое поколение будущих экономистов, — обратилась Наташа к сыну, — оторвись от книжки.

Алеша поднял голову и рассеянно посмотрел на нее:

— Да? Что?

— Ты слышал, что сказал Президент насчет нашего рубля?

— Угу.

— И как ты считаешь, будет девальвация рубля или нет?

— Будет, а как же.

— Почему? Обоснуй свою позицию, — со смехом потребовала Наташа.

— А чего тут обосновывать-то? Раз Боря сказал, что не будет, значит, точно будет. Президенты всегда врут, на то они и президенты.

Андрей от души рассмеялся и приступил к еде.

— Вот, Наталья, смотри, каким растет новое поколение. Ни во что не верят, никому не верят, только писателям-фантастам.

Алеша снова уткнулся в книгу, быстро поел и скрылся в своей комнате. Дождавшись, когда сын уйдет, Наташа озабоченно спросила:

— Так какие у тебя сведения? Будет рубль падать или нет?

— Будет. Только я тебе этого не говорил.

— Разумеется. А узнал откуда?

— Ну, есть источники, — уклонился от ответа Ганелин. — Это не точно, но с большой степенью вероятности. Так что удешевляй свое кино как можно больше. Очень вкусно, — сменил он тему. — Ты никогда раньше это не готовила. Новый рецепт?

— Ага, у Анны Моисеевны списала. Получилось?

— Вполне. Честно-честно, — добавил Андрей, заметив ее недоверчивый взгляд. — Ты вообще очень здорово готовишь. Мне даже стыдно немного.

— Стыдно? — удивилась Наташа. — Почему?

— Потому что я забрал с четвертого этажа первоклассную повариху. Твой младший сын имеет возможность поглощать кулинарные шедевры, а бедный Сашка питается неизвестно чем.

— Андрюшенька, во-первых, наша домработница Тамара вполне прилично готовит, я регулярно у Бэллочки спрашиваю, она очень ею довольна.

— А во-вторых?

— А во-вторых, вспомни себя в восемнадцать лет. Ты готов был есть одни сосиски, булочки и пирожки всухомятку, только бы предки тебя не доставали и не контролировали, когда ты ушел, что ты надел и кого привел к себе в гости. Я первое время тоже комплексовала из-за того, что взяла Алешку сюда, а Сашку оставила в коммуналке. А потом поняла, что он совершенно счастлив. С одной стороны, я рядом, если что — можно спуститься на два этажа, повидаться, поесть, поболтать, пожаловаться, посоветоваться, деньжат перехватить. С другой стороны, меня вроде бы и нет, он взрослый и самостоятельный, никто над душой не висит и нотаций не читает. Сашка абсолютно самодостаточен, ему никто не нужен. Вот с Алешкой будет труднее, он такой медлительный тугодум, что, если рядом не будет кого-то, кто помогал бы ему принимать решения, он всю жизнь будет на одном месте топтаться. Нам с тобой придется держать его при себе и сдать с рук на руки жене, одного его оставлять нельзя. Кстати, о родителях и женах. Я все забываю тебе сказать. Ты знаешь, на ком женился Вадим? На первой жене Иринкиного мужа Игоря. Ты представляешь, какое совпадение!

Андрей, казалось, остался равнодушным к этому сообщению, он продолжал увлеченно поглощать блюдо, приготовленное по рецепту Анны Моисеевны Левиной.

— А почему ты не удивляешься? — настороженно спросила Наташа, не дождавшись никакой реакции.

— Я об этом знал, — коротко ответил Ганелин.

— Откуда? Тебе Иринка сказала?

— Да нет, я давно знал. Вера Алексеевна работает у меня на фирме. Собственно, они на моих глазах и познакомились.

— Да ты что? — изумилась Наташа. — Ты никогда не говорил мне об этом. Почему?

— Я боялся, что тебе неприятно будет. Все-таки Вадим был твоим мужем...

— И что из этого?

— Ничего. Не каждой жене нравится, когда их бывшие мужья снова женятся. И не каждой приятно обсуждать его новую жену. Не хотел тебя расстраивать.

— Господи, Андрюша, — расхохоталась Наташа, — ты меня столько лет знаешь и мог подумать обо мне такую глупость! Да я рада от всей души, что у Вадима все хорошо, что он нашел свое счастье, что у него новая семья. Там же, кажется, ребенок есть.

— Да, мальчик. Павлик.

— Большой?

— Лет двенадцать или что-то вокруг этого.

— Ну и чудесно, я действительно очень рада за Вадика. А как они познакомились? Ты говорил, что присутствовал при этом.

— Вадим приходил ко мне в офис, а у меня в кабинете как раз была Вера Алексеевна. Я их представил друг другу.

— Вадим к тебе приходил? Зачем?

— Ему нужно было проконсультироваться.

— О чем? — не отставала Наташа. — Какая консультация?

— У кого-то из его товарищей возникли проблемы с желчным пузырем, нужно было показаться хирургу-полостнику. Вадим пришел ко мне, чтобы я его направил к хорошему специалисту. Он же знал, что я сам в прошлом полостник.

— А-а, — протянула она, — понятно. Погоди-ка, я помню эту историю с желчным пузырем, Вадик мне рассказывал, но это же было очень давно. Кажется, году в девяносто пятом. Я не ошибаюсь?

— Нет, — словно нехотя подтвердил Ганелин, — ты не ошибаешься. Это было в девяносто пятом году.

— То есть когда мы с ним еще были женаты? — на всякий случай уточнила Наташа. — Очень интересно. И как у них роман начал развиваться? Бурно?

— Наталья, ты не о том говоришь, — поморщился Андрей. — Какое значение имеет, когда они познакомились? Важно, что сейчас они вместе и вполне счастливы.

— Нет, минуточку, как это не имеет значения? — возмущенно возразила Наташа. — Ты хочешь сказать, что Вадим начал мне изменять задолго до того, как мы с ним разошлись? И ты об этом знал, но молчал? Покрывал Вадима? Так получается?

— Нет, не так, — резко ответил Ганелин.

— А как же тогда? Ну объясни мне, как эта ситуация выглядит в твоих глазах.

— Не могу я тебе объяснить, Наташенька. Ну не мог я тебе сказать об этом, понимаешь? Я любил тебя много лет, я мечтал только об одном — чтобы ты разочаровалась в своем муже и пришла ко мне. Я мог всеми силами доказывать тебе, что я хороший, но я не мог, понимаешь, не мог доказывать тебе, что твой муж плохой. Это не по-мужски, непорядочно. Я знал, что у него складываются близкие отношения с Верой Алексеевной, она, собственно, от меня этого и не скрывала, она знала, что я хорошо знаком с тобой, и надеялась, по всей вероятности, что я открою тебе глаза на Вадима и тем самым ускорю ваш разрыв. Я все знал, и молчал, и терпеливо ждал, когда все сложится само собой. Я не имел права давить на тебя и оборачивать ситуацию в свою пользу. Ты бы мне потом этого не простила.

Наташа долго молча смотрела на него, потом нежно погладила по щеке:

— Ты удивительный, Андрюша. Как хорошо, что я наконец это поняла.

Все последующие дни этот разговор не шел у Наташи из головы, мешая сосредоточиться на сценарии. Надо же, какие секреты выплывают наружу! Теперь понятно, почему Вадим в последний год их совместной жизни стал таким невыносимо раздражительным и брюзгливым. Теперь понятно, почему он так легко ушел от нее, после первого же серьезного скандала, почему так быстро согласился жить отдельно. Ему было куда уйти и к кому. Ну что ж, тем лучше. По крайней мере Наташа может не чувствовать себя виноватой в разрушении семьи. Вадим оказался в этом заинтересован не меньше нее самой.

А 17 августа все рухнуло. Всего через три дня после того, как Президент четко и твердо пообещал, что ничего никуда не рухнет. Семнадцатилетний Алеша оказался провидцем, а источники информации Ганелина достойны доверия. Фирма Андрея тоже сильно пострадала от дефолта, но пока держалась на плаву, хотя доходы резко упали. Вероятно, Ганелин успел воспользоваться своевременно переданной ему конфиденциальной информацией и подстраховался.

Алешка благополучно прошел собеседование и был зачислен на первый курс, но тут Наташу снова стали одолевать сомнения:

— Андрюша, у тебя теперь проблемы с деньгами. Сможем ли мы платить за Алешину учебу? Может быть, лучше ему забрать документы и пойти работать? В конце концов, бог с ней, с армией, из Чечни войска вывели, мы нигде не воюем. Будет служить, как все.

Ганелин обнял ее и стал баюкать, как ребенка.

— Не думай об этом. Мне есть что продать, если все будет совсем плохо и фирма лопнет. Парень должен учиться. За образование никаких денег не жалко, а в этом институте дают очень хорошее экономическое образование, я узнавал. Это один из лучших, если не лучший экономический вуз в Москве.

Из трех проектов кинопроизводители телеканала приостановили два, экранизацию исторического романа и детективный сериал.

— У нас пока нет денег, чтобы купить у автора права на тридцать произведений, а потом еще платить группе сценаристов, — объяснил Наташе Южаков. — Ну а про костюмы и интерьеры ты сама все понимаешь. Остается твой сериал. Ты уж не подведи, Натаха. Режиссеры сидят без работы, двоим в связи с приостановкой проектов пришлось отказать, они оба хотели снимать третий сериал, все связи подняли, чтобы их на эту картину пригласили, им же тоже деньги надо зарабатывать и семьи кормить, так теперь они точат на тебя острый зуб за то, что ты им дорогу перебежала. Ты смотри, если во время работы что-то будет не так, они моментально узнают и по всей киношной общественности будут про тебя гадости рассказывать.

— Я понимаю, — вяло улыбнулась Наташа.

ИГОРЬ

— Ты еще здесь? — удивленно спросил коллега, заглядывая в кабинет. — Я был уверен, что ухожу последним. Иду по коридору, смотрю, из-под твоей двери свет, думал, что ты погасить забыл.

— Сижу пока, — Игорь изобразил на лице деловитую озабоченность. — Не успеваю обвиниловку закончить, завтра в десять уже адвокат примчится.

— Да? Ну, тогда до завтра. — Коллега бросил недоверчивый взгляд на девственно-чистый стол Игоря и закрыл за собой дверь.

На самом деле никакого обвинительного заключения, которое требовалось бы срочно готовить, не было. А была растерянность и внутренняя борьба между необходимостью действовать и острым нежеланием что бы то ни было предпринимать. Сегодня около пяти часов вечера ему позвонил Жека Замятин.

— Меня хотят убить, — заявил он без предисловий. В голосе Жеки слышались страх и неуверенность.

— С чего ты взял?

— Знаю.

— Тебе открыто угрожали? — поинтересовался Игорь.

— Нет, но...

— Может быть, тебе показалось? Приснилось?

— Не делай из меня придурка! Намекаешь на то, что я много пью?

— И на это тоже.

— Послушай, я говорю серьезно. Мне стало известно, что меня собираются убрать. Я слишком много знаю, я стал для них неудобен и опасен, и они хотят от меня избавиться. Никто мне пока не угрожает, они в открытую не действуют, обстряпывают свои делишки потихоньку. Но я знаю точно, мне верные люди шепнули. Ты должен мне помочь.

— Как?

— Не мне тебя учить. Ты сам знаешь, как. Я назову тебе имена, а ты уж сам решай. Я на тебя надеюсь. Если ты не поможешь — никто не поможет. Сделаешь?

— Конечно. Давай имена.

Положив трубку, Игорь методично продолжал работать, писал постановления о производстве судебно-бухгалтерских экспертиз по большому, тянущемуся больше года делу о злоупотреблениях и финансовых нарушениях в одном из московских банков, и одновременно краешком сознания обдумывал то, что сказал ему Замятин, и прикидывал, к кому из знакомых оперативников лучше обратиться с этим вопросом. Можно к ребятам из «убойного» отдела на Петровке, можно в управление по борьбе с организованной преступностью, а можно и к разыскникам по месту жительства Женьки, среди них тоже есть знакомые, они сделают все как надо и возьмут преступников тепленькими при попытке совершения убийства.

Он не стал звонить сразу же, работа должна быть на первом месте, вот сперва он все закончит, а потом займется Жекиными проблемами. Однако все необходимые документы были давно уже составлены и распечатаны на принтере, толстые папки уголовного дела убраны в сейф и надежно заперты, а Игорь все сидел за столом, не уходил домой и никому не звонил. Вместо того чтобы заниматься спасением Жекиной жизни, он курил одну сигарету за другой и вспоминал тот день, когда встретил на улице Колобашку-Колбина, и тот день, когда впервые после долгого перерыва увидел Жеку в инвалидной коляске, без ног, с неизменным окурком в углу рта, и тот их разговор, когда Замятин прямо обвинил его в трусости и умышленном провале на экзамене по математике, и постоянно стоящий в Женькиной комнате портрет Генки Потоцкого с траурной ленточкой, пересекающей угол рамки.

На часах было начало двенадцатого, когда Игорь поднялся из-за стола и стал собираться домой. Он уже потянулся к выключателю, чтобы погасить свет, когда затренькал телефон.

— Это я. Я тебе домой звонил, сказали, что ты еще с работы не пришел. Ну? — нетерпеливо проговорил Замятин.

— Что — ну?

— Ты поговорил с кем надо?

— Поговорил.

— Они обещали тебе что-нибудь?

— Обещали. Ни за что поручиться не могу, но они сказали, что сделают все возможное.

— Но они надежные люди? — продолжал допытываться Жека. — Не подведут?

— Не знаю. Я сделал все, что мог. Остальное — их работа. Что ты от меня хочешь? Чтобы я с автоматом в руках стоял около твоей квартиры и охранял тебя? Я тебя сто раз предупреждал, чтобы ты не связывался с криминалом. Но ты же у нас самый умный, ты лучше всех знаешь, как и что надо делать.

— Слушай, — взорвался Женька, — я к тебе обратился за помощью, а не за нравоучениями. Когда мне нужен будет учитель жизни, я найду, у кого совета спросить.

— Вот я и смотрю, что советчиков ты себе нашел первосортных. До беды дошел с их советами. А я гожусь только на то, чтобы разгребать дерьмо после вашей бурной деятельности, — зло ответил Игорь.

Женька в ярости бросил трубку. Ничего, пусть побесится, это полезно. А что же он себе думал? Деньги преступным путем зарабатывать и ничем за это не расплачиваться, только удовольствие получать? Интересно все-таки, участвует он в квартирном бизнесе с одинокими инвалидами или у Жеки другой профиль? Впрочем, неважно. Если Женька останется в живых, то будет Игорю, спасшему его от убийц, навек благодарен, и тогда уже они разговаривать будут совсем по-другому. А если нет — значит, не судьба. Тогда и разговаривать будет не с кем и не о чем.

Выйдя из здания, Игорь подошел к своей новой машине, «Рено-19», такой же белой, как «Форд», на котором он ездил раньше. Как удачно все получилось! В конце июля он продал «Форд» за семь с половиной тысяч долларов. Это была очень хорошая цена для машины-восьмилетки, правда, водитель он аккуратный, автомобиль ни разу не был в авариях и вообще, как принято говорить, «не убитый». Потом, после дефолта, рынок рухнул, цены на автомобили стали падать, и ему подвернулся замечательный «Рено-19» французской сборки, всего лишь годовалый. Владелец стремился продать машину поскорее, пока цены не упали еще больше. Сговорились на тринадцати тысячах, недостающую сумму родители добавили. И вот уже две недели Игорь Мащенко с удовольствием ездит на новом автомобиле и мысленно благодарит судьбу за то, что успел продать старый «Форд» до 17 августа. Сегодня за него если бы полторы тысячи долларов давали — и то было бы большой удачей. Судьба повернулась к нему улыбчивым ликом. Может, сделает ему еще один подарок, избавит от Женьки?

«Как будет — так и будет», — думал Игорь по дороге домой. Пусть судьба сама решает. Именно судьба, никакие оперативники к этому отношения не имеют. Потому что Игорь им не звонил. И звонить не собирался.

Когда он вошел в квартиру, никто еще не спал. Жена с матерью колдовали над чем-то на кухне, отец смотрел телевизор.

— Опять работал допоздна? — презрительно бросил отец. — Жену бы пожалел.

— Именно работал. Не пил и не шлялся по бабам. — Игорь сел в кресло напротив отца. — Папа, если ты все еще хочешь устроить мой перевод в министерство, то я готов.

Виктор Федорович скупо улыбнулся и похлопал сына по руке.

— Я рад, что ты одумался. Давно пора. Думаю, что смогу решить этот вопрос в течение месяца. Это очень кстати, после Нового года ты мне понадобишься.

На следующий день Игорь впервые за много лет без отвращения открывал дверь своего служебного кабинета. Скоро все это закончится! Уже совсем скоро! Даже если Женька с перепугу сгустил краски, даже если на самом деле никто не собирается его убивать, все равно он будет думать, что его жизнь отныне — прямая заслуга Игоря. И не посмеет нагло усмехаться, узнав, что Игорь оставил «горячо любимую» следственную работу и поменял ее на более высокооплачиваемое и менее хлопотное кресло.

А еще через несколько дней ему позвонила старшая сестра Замятина. Женю убили. Похороны во вторник.

ИРИНА

Жизнь похожа на весы с гирьками, на которых во времена ее детства в магазине взвешивали продукты. Только равновесия никогда не бывает, всегда какая-то чаша перевешивает. Когда она снималась у Наташи в «Соседях», была при деле и при зарплате, Игорь каждый день уходил на работу мрачный и приходил домой злой, много пил и почти не прикладывал усилий к тому, чтобы Ира не догадывалась о его бесконечно сменяющих друг друга любовницах. Теперь у него, кажется, все наладилось.

Он понял, наконец, что нужно менять работу, переходить на повышение. Его нынешняя служба нравится ему куда больше, у него всегда были аналитические способности, ему постоянно предлагали идти в науку, писать диссертацию, а он, придурок, отказывался. Работает он не в научном учреждении, а в Министерстве внутренних дел, занимается чем-то хитрым, связанным с информацией, с ее обработкой и анализом. Как раз то, что ему по душе. Он даже пить почти перестал, только иногда приходит поддатым, когда у кого-то на работе день рождения или очередное звание обмывают. Ну и когда с бабами своими встречается, это уж само собой, но и это случается куда реже, чем прежде. И все равно нынешний Игорь — совсем не то, что прежний, и настроение у него хорошее, и злится не так часто, и выглядит заметно посвежевшим.

А вот у Иры все далеко не так радостно. В новый сериал Наташка ее не пригласила, сказала, что для нее там нет роли. Ира приняла отказ безропотно, режиссеру виднее, кого из актеров брать на роли, и личные отношения сюда примешиваться не должны. Она надеялась, что после «Соседей» ее позовут сниматься еще куда-нибудь, все-таки роль там была большая, и она с ней в общем-то неплохо справилась. Но ее никуда не звали, пару раз приглашали на пробы, но на роль не утверждали. Зато поступили предложения от рекламщиков, Иринины густые блестящие кудри показались им достаточно привлекательными для демонстрации достоинств шампуней и лаков для волос.

— Как ты думаешь, соглашаться? — с сомнением спросила она Наташу.

— Тебе что, жить не на что? У тебя семья голодает?

— Да нет, — растерянно ответила Ира.

— Тогда сиди тихонько и жди, когда тебя позовут в кино, — решительно посоветовала Наташа. — Только очень известный актер может себе позволить роскошь зарабатывать на рекламе, потому что все и так знают, на что он способен как актер. Вот Ульянова, например, рекламирует «Комет», но она же всю жизнь блистательно играла на Таганке и в кино снималась, и, если она будет нужна какому-нибудь режиссеру, он ее пригласит ни минуты не раздумывая, потому что для зрителя она навсегда останется Ульяновой. Понимаешь? А если твоя рожица примелькается на экране в связи с шампунем, то зритель, увидев тебя в кино, что подумает?

— Что я маленькая миленькая профурсеточка, которую для начала богатый любовник пропихнул в рекламу, а потом заплатил, чтобы меня снимали в кино, — уныло констатировала Ира. — Но ведь меня все уже видели в «Соседях», все знают, что я актриса.

— Зайка моя драгоценная, если «Соседей» не будут крутить по всем каналам подряд, тебя зрители очень быстро забудут.

Одна роль в телевизионном сериале — это ничто. Ты посмотри, сколько времени по телевизору гоняют «Ментов», а говорить об актерах начали только сейчас. И это при том, что там всего пять переходящих персонажей, три основных — Ларин, Дукалис и Казанцев, и два начальника — Соловец да Мухомор. А в «Соседях» у нас их больше десяти. Чтобы заметить, оценить и запомнить каждого актера, надо посмотреть картину раз пять, не меньше. Кроме звезд, конечно, их и без того все знают. Так что на дивиденды от «Соседей» ты не очень-то рассчитывай, режиссеры тебя заметят, а зрители — вряд ли.

— Что же мне делать? — огорченно спросила Ира. — Без дела сидеть? Мне же нужно чем-то заниматься.

— Дорогая, а ты о чем думала, когда профессию выбирала? У актеров такая судьба, ничего не поделаешь. Между прочим, я тебе об этом много раз говорила, а ты меня не слушала. Даже звезды, случается, подолгу без работы сидят, особенно сейчас, когда ни у кого денег нет на съемки. А уж про начинающих актеров и говорить нечего. Сиди и жди, пока позовут. Тусуйся, общайся, напоминай о себе, старайся, чтобы тебя видели. Кстати, воспользуйся свободным временем, попроси разрешения присутствовать на съемках, когда звезды снимаются, посмотри, как мастера работают. По театрам походи, тоже очень полезно. В «Сатириконе» Стуруа поставил «Гамлета» с Костей Райкиным, а в Театре Российской армии Питер Штайн поставил того же «Гамлета» с Женей Мироновым, ты небось ни одной постановки не видела. Киноклассику на видео смотри. Книжки читай, в конце-то концов! Делом надо заниматься, а не нытьем.

— Так я о том и говорю, Натулечка, что делом хочу заниматься! А его нет.

— Ириша, дело — это совсем не обязательно съемки.

Работай над собой, учись, набирайся ума. Это тоже дело, и очень ответственное. И кстати сказать, далеко не самое легкое. В марте мы начинаем снимать, я тебе дам график, чтобы ты точно знала, когда у меня на площадке будут звезды.

И вот Ира сидела дома, до одури пересматривала записанные на видеокассеты шедевры кинематографа, читала модного писателя Пелевина, тусовалась со знакомыми актерами то на «Мосфильме», то на студии имени Горького, то в клубе «Кино», иногда ходила в театр, вытаскивая с собой мужа и Лизавету с Виктором Федоровичем, и ждала, когда Наташка начнет снимать свою новую картину.

В начале марта она озаботилась поисками подарка для свекрови к Женскому дню. Полдня пробегала по магазинам, нашла то, что хотела, — очаровательную маленькую гипсовую копию скульптуры «Похищение Сабинянки» — и с чувством выполненного долга возвращалась домой. Она закрывала машину, когда из их подъезда вышел человек, показавшийся ей ужасно знакомым. Где-то она видела этого типа, только давно... Мужчина встретился с ней взглядом, радостно улыбнулся, и тут Ира его вспомнила. Ну конечно же, это тот парень из Кемерова, который Наташку фотографировал, а потом стал журналистом, статью про Воронову написал, ее в «Огоньке» напечатали. Он еще, помнится, приезжал в Москву, хотел, чтобы Ира ему про Наташку рассказала. Кажется, Руслан... Вот это встреча!

— Какими судьбами? — Она улыбнулась ему в ответ.

— В командировке. А ты?

— А я здесь живу.

— Ну надо же! Значит, переехала с Арбата?

— Давно. Пять лет назад, как замуж вышла. А ты что в нашем доме делал?

— У меня здесь была деловая встреча с одним очень информированным человеком. — Руслан хитро подмигнул.

— Да ну? И на каком же этаже в нашем доме живут информированные люди?

— На девятом. А на каком этаже живут такие красивые актрисы? — в тон ей спросил Руслан.

— Тоже на девятом. Ты небось у Виктора Федоровича был, угадала?

— Угадала, — удивленно протянул Руслан. — А ты уж не жена ли ему будешь?

— Нет, дружочек, всего лишь невестка. Я замужем за его сыном.

В этот момент она сообразила, от какой опасности ее отвела чистая случайность. Вернись она домой на десять, даже на пять минут раньше, она непременно столкнулась бы с Русланом в прихожей, и тогда Виктор Федорович неизбежно узнал бы об их давнем знакомстве. О том, что она еще в девяносто первом году приезжала в Кемерово вместе с Вороновой, потому что Наталья боялась оставлять ее одну. О том, что она не просто знакома с Вороновой, а прожила всю жизнь рядом с ней и является ее воспитанницей. О том, что она безобразно вела себя, срывалась, кричала, хамила, с трудом удерживалась от того, чтобы не пить. Конечно, Руслан вряд ли стал бы вываливать перед Виктором Федоровичем все подробности их знакомства, он просто обозначил бы сам факт, но, если свекор заинтересуется, он всегда может разыскать журналиста и задать ему множество конкретных вопросов. Московские издания, делая материалы о Вороновой, никогда не писали об Ирине, поэтому скрывать от семьи Мащенко факт давнего и близкого знакомства с Наташкой никакого труда не составляло. Но кемеровский журналист знал куда больше. Как знать, не собирается ли Руслан снова встречаться с Виктором Федоровичем...

— Слушай, ты торопишься? — спросила она. — Здесь за

углом есть симпатичное заведение. Давай посидим, поболтаем. Столько лет не виделись. Как ты?

— Как мне помнится, ты раньше что-то не жаждала со мной поболтать. Помнишь, как отбрила меня по телефону?

— Да дура я была, молодая и без башни. Ты уж извини. Пойдем?

— Пошли, — согласился Руслан.

В будний день в кафе народу было немного, им удалось занять столик в углу возле окна. Ира заказала себе кофе, сок и овощной салат, Руслан взял шашлык из свиной шейки и попросил сто граммов коньяку.

— Если бы своими глазами не видел сериал, никогда бы не поверил, что ты действительно станешь актрисой, — сказал он. — Я был уверен, что ты с твоим характером даже институт не сможешь окончить.

— А ты смотрел сериал?

— Только полторы серии. Этот жанр не для меня, да и работы много. Зато жена все двадцать серий перед экраном проторчала, слезами обливалась.

— Правда? — обрадовалась Ира. — Это здорово. А кто у тебя жена?

— Портниха. Правда, не рядовая, обшивает наших гранддам.

— И ты с ней познакомился, когда пришел в ателье заказывать себе теплые кальсоны с подстежкой? — не удержалась от ехидства она.

— Нет, я заказывал себе смокинг для приема у главы администрации. Я смотрю, с хамством у тебя по-прежнему полный порядок.

— Извини, просто сорвалось. Знаешь, приходится все время держать себя в руках, свекор со свекровью — люди старой закалки, при них не то что нецензурно не выскажешься, а даже просто грубовато. Их от этого коробит. Дворянская интеллигенция, Версаль, ядрена мать. Расслабиться не с кем.

— Со мной, выходит, можно расслабиться? — полуутвердительно спросил Руслан.

— Ну ты же свой парень, нормальный. При них мне постоянно приходится делать вид, что я приличная девушка, получившая достойное воспитание. Они, между прочим, не знают о моем бурном прошлом. Я могу надеяться, что ты не испортишь мне репутацию и не расскажешь им о моих выходках в юные годы?

— Могила, — серьезно пообещал он. — А твой муж чем занимается?

— А, — она махнула рукой, — в МВД где-то штаны протирает, делает вид, что анализирует информацию. Бумажная работа, но зато спокойная. Раньше он следователем был. Кстати, начинал работать где-то у вас в области, в какой-то Тмутаракани.

— Понятно, — пробормотал Руслан, и взгляд его сделался отстраненным и задумчивым. — Тогда понятно.

— Что тебе понятно? — внезапно забеспокоилась Ира.

— Откуда у Виктора Федоровича информация. Твой муж ему подбрасывает. Ну что ж, тогда я спокоен. Значит, сведения проверенные, а не сплетни.

— А ты что, сыщиком заделался? — небрежно усмехнулась она. — Я думала, ты в газете прозябаешь. Бросил, значит, это дело?

— Ничего подобного. Твое здоровье, — он поднял рюмку с коньяком, отпил небольшой глоток. — Моя карьера развивается по плану. До недавнего времени трудился все в той же «вечерке», прославился на всю область, а в начале года наше издание слилось с крупной областной газетой, и мы всем коллективом перешли туда.

— Прославился, говоришь? — недоверчиво протянула Ира. — Кто бы мог подумать, маленький тихий фотограф превратился в акулу пера.

— Ладно, один-один, согласен, — рассмеялся Руслан.

— А к нам зачем приходил? Компру на кого-то собирал?

— Точно. В команде губернатора идет война, одни демократы подсиживают других. В общем, это все политика, нечего забивать твою красивую головку всякими глупостями. Твой свекор работает на партию, у которой есть свои представители в команде нашего губернатора, естественно, он заинтересован в том, чтобы оказать им поддержку.

— То есть полить грязью соперников, если говорить проще? — уточнила Ира.

— Вот только не надо грубости, — брезгливо поморщился Руслан. — Поливание грязью — далеко не единственный способ борьбы с политическими противниками. Есть еще такая вещь, как правда. Слыхала про такую?

— Да как-то не приходилось. У нас в Москве это не продают. Может, у вас в провинции это на грядках выращивают? Просвети меня, темную.

— Слушай, — серьезно предупредил ее Руслан, — кончай хамить, а то разговора не получится.

— Ладно-ладно, извини, я ж тебе объясняла, что расслабляюсь в твоем обществе. Так что там насчет использования правды в политической борьбе?

— Видишь ли, мне лично симпатичны политические взгляды одной группировки и глубоко не симпатичны взгляды их соперников. Поэтому мне захотелось понять, действительно ли эти люди, я имею в виду противников, убеждены в своей политической правоте, или же они действуют из корыстных устремлений либо по указке своих богатых спонсоров. Для этого мне понадобилась информация о каждом из них. А у кого может быть такая информация? У их врагов. Вот так я и оказался у твоего свекра. Понятно?

— Ага. Это как в старом анекдоте. Если муж захочет узнать, как вела себя его жена, пока он был в командировке, пусть спросит у соседки. Старо, как мир. Ну и дальше что? Узнаешь ты про них что-то плохое, напишешь об этом, все прочитают про их прегрешения. Я в толк не возьму, чем в этой ситуации правда отличается от поливания грязью.

— Правда — это факты, а грязь — это домыслы и сплетни. Уяснила?

— А-а-а, ну если так, то конечно... Ладно, ты меня убедил.

РУСЛАН

Он разговаривал с Ириной и все пытался понять, действительно ли она столь наивна или прикидывается, провоцирует его, валяет дурака. Надо быть совсем не от мира сего, чтобы при сегодняшней включенности всех средств массовой информации в политическую борьбу все еще не понимать, что главное оружие в этой борьбе — информация. Победить в споре можно только двумя способами: либо доказать свою правоту, либо показать ничтожность соперника. С доказыванием собственной правоты дело обстоит как-то неважно, поэтому в ход идет уничтожение тех, кто твою точку зрения не разделяет, вот и все. В идеале свою роль как журналиста Руслан Нильский видел в том, чтобы писать нелицеприятную правду обо всех участниках конфликта, но идеал, как известно, крайне редко стоит рядом с реальностью. У областной газеты, в которой он теперь работал, были собственные политические установки, и делать разоблачительные материалы обо всех подряд ему никто не позволит.

Близкие отношения с правоохранительными органами давали Руслану возможность добывать очень интересные материалы, в свете которых моральная и деловая репутация многих известных деятелей Кузбасса начинала выглядеть более чем сомнительной. Он по-прежнему не отступал от своего железного принципа: не разглашать информацию, если источник информации просит этого не делать. Поэтому Нильскому доверяли, зная, что он не подведет, и обсуждали при нем порой весьма деликатные вопросы, особо оговаривая, что «это не для печати». Если же подобной оговорки не было, Руслан знал, что об этом можно написать.

К Виктору Федоровичу Мащенко его направили, когда в борьбе двух группировок оказалось уже недостаточно информации, собранной на местном уровне. Вернее, не направили даже, а просто посоветовали созвониться с ним, приехать в Москву и встретиться лично. Виктор Федорович работал чем-то вроде политтехнолога в рядах именно тех политических сил, сторонников которых в администрации губернатора поддерживала газета. Руслан позвонил по указанному номеру, легко договорился о встрече, прилетел в столицу и явился к Мащенко. Тот снабдил его довольно любопытными сведениями, на основе которых можно было делать яркий, острый материал. Вот, собственно, и вся история.

А неожиданная встреча с Ириной его удивила. Вот ведь как мир тесен! Журналистское любопытство взыграло в нем, ведь тайна отношений Вороновой с Ириной так и осталась для него закрытой. И хотя тема за давностью лет потеряла актуальность, Воронова давно ушла из политики и публицистики, и какие бы то ни было пикантные подробности, иллюстрирующие ее моральный облик, уже никому не были интересны, для Руслана остался вопрос, на который он так и не получил ответа. А это раздражало. Интересно, Ирина и сейчас не захочет об этом говорить? Или для нее тема тоже утратила остроту? Надо бы попробовать...

— Как поживает Наталья Александровна? Снимает что-нибудь новенькое? — поинтересовался он.

— Скоро приступает. Через две недели начнутся съемки, — оживилась Ирина и с удовольствием принялась рассказывать ему про новый проект Вороновой для телевидения. Руслан слушал вполуха, съемки очередного «мыла для домохозяек» его мало волновали.

— А у тебя там большая роль?

— Нет, я там не снимаюсь.

— Почему? — удивился Руслан. — Я думал, Воронова теперь всегда будет тебя приглашать в свои картины. Она же, как я понял, всю жизнь тебя опекала.

— Опекала, пока я была маленькой, — кивнула Ирина. — Но теперь-то я уже взрослая тетка, замужем. Сколько можно со мной возиться? И вообще, в этом сериале для меня нет роли.

— Слушай, — Руслан прищурил глаза, — а вы случайно не поссорились, а?

— Да ты с ума сошел! Это Наташка может со мной поссориться, а я с ней — никогда.

Интересная формулировка. Это что же, выражение отношений полной подчиненности?

— Почему? — спросил он с невинными глазами. — Я что-то не понял.

— Да потому, дружок, что Наташка в моих глазах всегда будет права, что бы она ни сделала. Я никогда на нее не обижусь и никогда с ней не поссорюсь. А вот я — это совсем другое дело, я до сих пор еще могу что-нибудь отчудить, и у Наташки вполне может появиться повод со мной поссориться. Только я этого не допущу, понял? Если что-нибудь натворю — прибегу, кинусь к ней в ноги и буду просить прощения до тех пор, пока она не перестанет сердиться. Я ей всем обязана.

— Даже если будешь считать, что поступила правильно? Все равно будешь каяться и извиняться? — не поверил Руслан.

— Все равно буду, — твердо ответила Ирина. — Ты пойми, для меня совершенно неважно, права я или нет. Для меня важно только одно: чтобы Наташка не расстраивалась и не сердилась.

Да, вот оно, различие мужского менталитета и женского. Он, Руслан, никогда не просит прощения и не делает шага к примирению, если уверен в том, что прав. И даже для матери он не сделал исключения. Обиделись? Скатертью дорога, обижайтесь сколько влезет. Он чувствовал себя абсолютно независимым и имеющим право делать и говорить все, что он считает правильным. Он положил годы труда на то, чтобы из редакционных курьеров выбиться в журналисты, он получил высшее образование, ни на один день не прекращая работу, он сделал себе имя, и всем этим он завоевал собственную независимость. Теперь он может ни на кого не оглядываться. И ему с высокой колокольни плевать на тех, кто может на него обидеться или рассердиться. На что обижаться-то? На правду? Так на этот случай есть замечательное правило: не подставляйся. Не хочешь, чтобы тебя называли вором, — не воруй, и все будет отлично. А уж если воруешь — будь готов к тому, что об этом узнают и начнут показывать на тебя пальцем. Единственные рамки, в которых он должен держаться, это редакционная политика, вернее, политическая ориентация издания, в котором он работает. Но это естественная и неизбежная плата за возможность быть журналистом. И потом, он ведь тоже человек, а не машина, у него есть собственные политические пристрастия, которые в данном случае полностью совпадают с позицией газеты, иначе он не перешел бы туда работать. Если его взгляды изменятся, он в тот же день перейдет в другое издание, его всюду примут с распростертыми объятиями, да и на областное телевидение давно уже зовут, и с двух радиостанций постоянно звонят, на работу приглашают.

— Все-таки удивительно, что Воронова еще что-то снимает, — продолжил он интересующую его тему. — Сейчас ведь ни у кого денег нет. Или она опять нашла себе спонсора?

— Никаких спонсоров, все на деньги телеканала. Они собирались запускать три проекта, но из-за дефолта два пришлось приостановить, вот один только и остался. И то пришлось удешевлять по всем направлениям.

— А что же спонсор? — настойчиво повторил Руслан. — Ведь у Натальи Александровны был когда-то человек, который давал ей деньги на съемки. Фамилию его никак не вспомню...

— Ганелин, — подсказала Ирина. — Андрей Константинович.

— Вот-вот, Ганелин. Он что, разорился? Или не хочет больше ей помогать?

— Да нет, ну что ты, — с улыбкой возразила Ирина. — Кризис по нему, конечно, тоже катком проехался, но ничего, фирма пока держится. Наташа вышла за него замуж.

— Вот как? Значит, дождался он своего светлого часа, — насмешливо констатировал Руслан. — Мне еще в девяносто первом году говорили, что он безответно влюблен в Наталью Александровну. Мне тогда это показалось невероятным. В наше время — и безответная бескорыстная любовь! Смешно!

— Ничего смешного, — сердито ответила она. — Если не понимаешь в любви — сиди и молчи. А тебе Анна Моисеевна разболтала, да? Я знаю, мне Наташка говорила. И вообще, нечего лезть в Наташкину личную жизнь, ты за информацией приехал — ты ее получил. А от Наташки свои загребущие ручонки убери, ничего тебе тут не перепадет для скандальной хроники в твоей желтенькой газетенке.

Глаза Ирины засверкали гневом, она снова сбилась с интеллигентного тона на полухамский, и Руслан явственно вспомнил ту взбалмошную, непредсказуемую, грубоватую и невежливую девчонку, которая закатила истерику у него дома.

Он расплатился, проводил Ирину до подъезда и поехал в гостиницу. До самого вечера ему приходила на ум фамилия Ганелина, и каждый раз возникало такое ощущение, что мысль останавливается перед закрытой, но незапертой дверью. Толкни слегка — и она распахнется. Руслан злился оттого, что слабая мысль не находила в себе сил сделать этот единственный толчок и куда-то убегала, потом появлялась снова, доходила до этой заколдованной двери и опять трусливо исчезала.

Дверь открылась ночью. Руслан проснулся и понял, что было там, за дверью. Он видел Виктора Федоровича Мащенко в приемной у Ганелина еще тогда, в декабре девяносто первого года, когда приезжал в Москву собирать материал для большой статьи о Вороновой. Он тогда, помнится, ошибся и принял высокого красивого представительного мужчину в годах за владельца фирмы «Центромедпрепарат» и подумал, что если у Вороновой есть любовник, то он должен быть именно таким. И кто сказал, что Москва — большой город? Деревня, где все друг друга знают и постоянно друг с другом сталкиваются. Впрочем, ничего странного в этом совпадении нет, Мащенко был знаком с Ганелиным, поэтому рано или поздно и встретились сын Виктора Федоровича и воспитанница Натальи Вороновой. Все закономерно.

Удовлетворенный тем, что память его не подвела, Руслан повернулся на другой бок и крепко уснул.

НАТАЛЬЯ

Бэлла Львовна никогда не была легкой на подъем, а ее ежегодные поездки во Львов к родственникам являлись скорее выработанным за много лет ритуалом, нежели проявлениями любви к путешествиям. С трудом приняв летом 1998 года решение съездить к сыну в США, пожилая женщина под тем или иным предлогом поездку откладывала, то ссылаясь на разболевшиеся осенью ноги, то на поднявшееся сырой теплой зимой давление. И только в мае 1999 года Наташа и Андрей отвезли, наконец, Бэллу Львовну в аэропорт. Предполагалось, что она проведет у сына все лето и вернется в конце августа.

— Если это лето будет таким же кошмарно жарким, как в прошлом году, я его не переживу, — говорила она, собирая чемодан. — В Америке, конечно, тоже не Северный полюс, но у Марика в доме полно кондиционеров, я пересижу там самый тяжелый период. Синоптики обещают, что лето в этом году в Москве будет еще хуже. Золотая моя, как ты думаешь, брать с собой палку?

— Зачем, Бэллочка Львовна? — смеялась Наташа. — У вас же сейчас ноги не болят.

— А если там разболятся? Как я буду ходить?

— Так там и купите. Или вы думаете, что в Нью-Йорке палки не продаются?

— Может быть, они там дорогие... Куда я засунула свою аптечку? Боже мой, я же собрала все лекарства, которые мне могут понадобиться! И куда я их дела?

— Они уже в чемодане, вы их полчаса назад уложили.

— Идиотка! Зачем я их положила в чемодан? Я же буду сдавать его в багаж, а вдруг у меня в дороге что-нибудь заболит?

Перед отъездом Бэлла Львовна ужасно нервничала, без конца сверяла содержимое чемодана с заранее составленным списком, вспоминала еще о чем-то, что совершенно необходимо взять с собой, и постоянно звонила Ганелину, консультируясь с ним о содержимом ручной клади.

— Андрюшенька, как вы думаете, мне взять с собой в самолет что-нибудь теплое? Я там не замерзну?

— Бэлла Львовна, вы летите бизнес-классом, там выдают специальные пледы на такой случай, — терпеливо отвечал Андрей.

— А воду? Сколько бутылочек воды мне брать?

— Во время полета вас будут поить, сколько захотите.

— А покушать? Что лучше, взять бутербродики или, может, пирожки? Девять часов лететь все-таки.

— Бэлла Львовна, дорогая, там кормят на убой. Возьмите в салон только книжку для чтения и необходимые лекарства, больше вам ничего не понадобится, — авторитетно уверял ее Ганелин, который регулярно летал за границу по делам бизнеса и вполне компетентно мог судить об уровне сервиса в салоне бизнес-класса.

В аэропорту волнение по поводу неправильно собранного чемодана несколько улеглось, поскольку изменить все равно ничего нельзя было, зато настал черед обязательных к исполнению указаний.

— Золотая моя, не забудь, пожалуйста, поливать цветы, — в сотый, наверное, раз повторяла Бэлла Львовна. — Через день, хорошо? Не забудешь?

— Не забуду, — кивала Наташа.

— Двадцать шестого июня у Соломона Израилевича день рождения, поздравь его, пожалуйста, от моего имени. Я не знаю, удобно ли мне будет звонить от Марика, может быть, там связь дорогая. Я специально оставила на столе на видном месте свою записную книжку, там все телефоны. Не забудешь позвонить?

— Ни в коем случае. Вы же знаете, я с детства питаю слабость к дяде Моне за то, что он прочил меня в невесты Марику.

— Хорошо, теперь насчет Иринки. У нее двадцать пятого мая тоже день рождения, я приготовила для нее маленький подарочек, он в коробочке, на трюмо. Обязательно ей передай.

— Обязательно передам, не волнуйтесь.

Указания следовали вплоть до прохождения таможенного контроля. Наташа и Андрей еще некоторое время постояли возле стойки таможенника, наблюдая, как Бэлла Львовна регистрирует билет, сдает в багаж свой чемодан и медленно, будто нехотя, проходит к паспортному контролю.

— Что-то у меня на душе неспокойно, — грустно сказала Наташа, прижимаясь к Андрею и беря его под руку.

— Это ты Бэллочкиным настроением заразилась, — успокоил ее Ганелин. — Ей страшно ехать в такую даль, она паникует, а тебе передалось. Все будет хорошо, увидишь. Она повидается с сыном, с невесткой, познакомится с внуками, поживет в шикарном доме с бассейном. Наверняка ее повозят немного, покажут разные интересные места, она получит массу впечатлений, которыми будет делиться целый год после возвращения.

— Хорошо, если так, — вздохнула она. — Поехали, Андрюша, подбрось меня к памятнику Пушкину, мы там через два часа будем снимать.

В дороге ей удалось отвлечься от тягостных мыслей и настроиться на предстоящую съемку. До сих пор работа над сериалом шла более или менее гладко, без очевидных сбоев, актеры не болели и не уходили в глухой запой, чего можно было ожидать как минимум от двоих утвержденных на роли. И деньги, вопреки опасениям, поступали вовремя. Дай бог, чтобы так и дальше продолжалось...

Ее внимание привлекла доносящаяся из включенного радиоприемника песенка, слова которой показались Наташе более чем странными: «Убили негра, убили негра, ни за что ни про что, суки, замочили!» Сперва она решила, что ослышалась, ведь таких слов просто не бывает, их не может быть. Прислушавшись повнимательнее, однако, поняла, что слух ее не подвел, и слова были именно такими.

— Андрюша, — в полном изумлении спросила она, показывая пальцем на приемник, — это что? Это теперь такое поют?

— Да уж месяца полтора, — весело отозвался Ганелин. — А ты что, ни разу не слышала? У меня в машине радио всегда включено, так я этот шедевр регулярно слушаю. Группа называется «Запрещенные барабанщики».

Услышанная песенка, несмотря на очевидную тупость текста и примитивность музыкального оформления, заставила ее мысль идти в рабочем направлении. Если уж сериал, который она сейчас снимает, про современную жизнь, то в нем вполне может найтись место и для этого шедевра, и может получиться забавная сцена, которой нет в сценарии, но которая еще ярче высветит характеры основных персонажей. Надо будет обсудить этот эпизод со сценаристами, пусть допишут маленький кусочек, диалог буквально на полминутки. Очень смешно получится!

Новая идея показалась Наташе неплохой, она приободрилась и через некоторое время окончательно забыла о том остром чувстве тоски, которое охватило ее при виде удаляющейся Бэллы Львовны.

На следующий день Наташа позвонила Марику в Нью-Йорк, узнала, что соседка благополучно долетела, поговорила с самой Бэллой Львовной, обстоятельно доложившей о том, как проходил полет, сколько раз и чем ее кормили и поили и кто сидел рядом с ней. Пожилая женщина казалась радостно возбужденной и всем довольной, и Наташа с облегчением подумала о том, что не зря настояла на этой поездке. Положительные эмоции и новые впечатления могут дать толчок для прилива жизненных сил, которые у Бэллы Львовны в последнее время стали, кажется, убывать. И то сказать, ей семьдесят девять, это все-таки не сорок и даже не шестьдесят. У нее в Москве нет никого из родственников, многие друзья уже скончались, а Наташины сыновья выросли и больше не нуждаются в постоянной опеке бабушки-соседки. Если ей понравится у сына, она захочет приехать еще раз, и тогда появятся смысл и цель: нужно обязательно дожить до следующей поездки, при этом если уж не укрепить, то хотя бы сохранить здоровье. На память тут же пришел виденный когда-то фильм «Это мы не проходили», где школьница, страдающая тяжелым заболеванием, должна лечь на операцию, которая в девяноста процентах случаев заканчивается благополучно. Девочка же все время думает о тех десяти процентах, которые заканчиваются иначе, а врач заявляет, что при таком настрое делать операцию нельзя, потому что у больного должна быть жесткая установка на выживание, иначе ничего не получится. И тогда одноклассник больной девочки везет ее в горы. Они целый день проводят вдвоем, среди тишины и снежной белизны, и девочка понимает, что обязательно должна выжить, поправиться и снова пережить те яркие и восторженные чувства, которые испытала здесь. Она больше не думала о черных десяти процентах. Может быть, и с Бэллой Львовной так получится.

Двадцать пятого мая, в день рождения Иринки, Наташа нашла приготовленный Бэллой Львовной подарок и вручила от имени соседки виновнице торжества одновременно со своим подарком. Двадцать шестого июня она не забыла позвонить Соломону Израилевичу, дяде Моне, и поздравить его. Наташа звонила в Нью-Йорк каждую неделю и с удовлетворением слушала бодрый и веселый голос Бэллы Львовны, уверявшей, что ей здесь очень хорошо, просто отлично, Марик работает целыми днями, но невестка Танечка уделяет ей много внимания и очень о ней заботится. Внуки, конечно, дома не сидят, у них каникулы, они резвятся в обществе своих сверстников, куда-то все время уезжают большими компаниями, по-русски говорят плохо и с заметным акцентом, но все понимают. Они чудесные дети, и Марик с Танечкой по праву ими гордятся.

В начале августа, недели за две до возвращения, голос Бэллы Львовны, как показалось Наташе, немного погрустнел и словно бы потускнел. Наверное, ей не хотелось расставаться с сыном и его семьей. А спустя еще несколько дней раздался звонок от Марика. Бэлла Львовна скоропостижно скончалась в одной из нью-йоркских больниц, куда ее доставили врачи «Скорой помощи». Она уже дней десять плохо себя чувствовала, но специально скрывала это от Наташи, чтобы не пугать и не расстраивать.

— Я похороню маму здесь, — сказал Марик. — Я знаю, что она хотела бы лежать рядом с моим отцом, но будет лучше, если она останется здесь. Рано или поздно это случится со всеми нами, и здесь мы будем вместе. У моих детей будут свои дети, потом внуки, наши могилы будут ухоженными. А в Москве — сама понимаешь...

«Это я виновата, — думала Наташа, глядя на телефонную трубку, которую только что положила после разговора с Мариком. — Это я уговорила ее поехать. Не надо было, не надо было, ведь Бэллочка не хотела этой поездки, она ее боялась, как чувствовала... Сколько раз мне рассказывали истории о том, как старики не переносят перемену обстановки, как начинают болеть и быстро угасают! А я поддалась всеобщему убеждению, что чужие примеры — про чужих людей, а с нами ничего подобного случиться не может. Почему не может? Почему с другими это может случиться, а с нами — нет? Потому что мы — особенные, мы не такие, как все? Кто дал нам право так думать и на это надеяться? Я не должна была ее уговаривать. Это я во всем виновата».

Ей было трудно свыкнуться с мыслью о том, что Бэллочки больше нет. Ну как же так? Она же всегда была рядом, в соседней комнате, она занималась с Наташей русским языком и литературой, когда та была школьницей, она терпеливо выслушивала ее и давала советы, она помогала растить сначала Иринку, потом Наташиных сыновей Сашу и Алешу. Она учила Наташу быть мудрой и терпимой. Она дала деньги Вадиму, чтобы тому было где жить после развода. И не потому, что любила Наташиного мужа и стремилась облегчить его жизнь, а единственно потому, что любила Наташу и хотела, чтобы та имела возможность развестись, когда поняла бессмысленность и тягостность своего брака. Бэллочка называла ее «золотая моя». И отныне Наташа больше никогда не услышит этих двух слов.

Надо позвонить Ире, сказать о Бэллочке. Наташа сняла трубку, набрала номер, но, услышав Иринкин голос, вдруг почувствовала, что не может. Не может сказать, что Бэллочка умерла. Ее охватило странное ощущение, что, как только она произнесет эти слова вслух, Бэллочка и в самом деле умрет. А пока она этого не сказала, старая соседка жива. По крайней мере в сознании Иринки.

— Натулечка! — звенел в трубке знакомый голосок. — А я как раз собиралась тебе звонить.

— Зачем? — тупо спросила Наташа, борясь с собой.

Сказать или не говорить? Да или нет?

— Я тут по Интернету лазила, смотрела, кто что пишет о твоих съемках. И нашла замечательную вещицу! Представляешь, в одной газете написано, что знаменитая Воронова снимает новый сериал, который, по предварительным оценкам, может стать таким же рейтинговым, как «Соседи», хотя сегодня трудно себе представить, что можно снять что-то более интересное и эмоционально насыщенное. Натуля, они признали-таки, что «Соседи» — хорошее кино!

— Да, — равнодушно ответила Наташа, — спасибо. Приятно слышать.

— А ты чего звонишь? Случилось что-нибудь?

— Да нет, что должно было случиться? — смалодушничала она. Не может она сказать этого вслух. Пока не может.

— Мы же с тобой сегодня виделись на съемках, — настороженно сказала Иринка.

— Ну да. Я только хотела тебе сказать, чтобы ты завтра обязательно пришла. Завтра мы снимаем сцену на вокзале, я хочу, чтобы ты посмотрела, как будет работать Снеткова.

— Я знаю, у меня же график есть. Мы с тобой сегодня говорили об этом, ты разве забыла?

— Забыла, извини. Закрутилась. Ладно, Ириша, до завтра.

Поздно вечером Наташа рыдала на плече у вернувшегося после затянувшихся переговоров Андрея. Алешка нахмурился, услышав, что бабы Бэллы больше нет, и ушел к себе. Судя по тому, что, против обыкновения, из его комнаты не раздались звуки включенного телевизора, он переживал потерю в тишине и одиночестве. Только примерно через час он вышел, чтобы сделать себе чай, и, увидев на кухне Наташу с сигаретой в руках, спросил:

— Сашка знает?

— Пока нет. До одиннадцати его не было дома, а позже я звонить не стала, чтобы Люсю не разбудить.

Юноша молча кивнул, словно получил ответы на все животрепещущие вопросы, налил в кружку чай и снова скрылся в своей комнате.

Прошло несколько дней, прежде чем Наташа нашла в себе силы войти в комнату Бэллы Львовны. Нужно взять записную книжку, которая по-прежнему лежала на столе, и обзвонить ее друзей с горестной вестью. Открыв пухлую потрепанную книжечку, Наташа начала методично двигаться по алфавиту, от страницы к странице, от буквы к букве, с печалью отмечая, что многие телефоны зачеркнуты, а рядом с ненужными теперь цифрами стоят даты, обозначающие дни поминовения. Вот и номер дяди Мони, которого Наташа совсем недавно поздравляла с днем рождения.

— Боже мой, боже мой, — заохал Соломон Израилевич, — бедная Бэллочка! Какое несчастье! Подумать только, она как будто чувствовала, что не вернется оттуда.

— Да, Бэлла Львовна не очень хотела ехать, — согласилась Наташа.

— Я не о том. Она ведь завещание написала. Буквально за неделю до отъезда оформила.

— Завещание? — Наташа не поверила своим ушам. — Зачем? Она ничего мне не говорила. Вы точно знаете, Соломон Израилевич? Может быть, Бэлла Львовна пошутила?

— Да какие же шутки, Наташенька? Бэллочка приезжала к моей внучке в контору, у меня внучка — нотариус. Я сам Бэллочку к ней и привел, все на моих глазах было.

— Бред какой-то, — растерянно проговорила Наташа. — Зачем ей нужно было завещание? Она же не собиралась... Она так хорошо себя чувствовала, о плохом никогда не говорила.

— Не говорила — не значит, что не думала. Ты же знаешь нашу Бэллочку, она все плохое при себе держала, чтобы окружающих не расстраивать.

— А что она вам говорила, дядя Моня? Почему решила написать завещание? И главное — почему мне ничего не сказала?

— Она для тебя отдельно от завещания оставила письмо. Наверное, там все сказано. Приезжай, прочтешь сама.

На следующий день сразу после съемок Наташа помчалась к старому адвокату. Завещание! Да что там завещать-то? Можно подумать, у Бэллочки были несметные богатства и куча жадных родственников, которые будут с пеной у рта отстаивать свое право на долю в наследстве. Неприватизированная комната в коммунальной квартире в прежние времена отошла бы государству, а по новым правилам права на нее переходят соседям, в коммуналки в последние годы никого не подселяют. Остаются книги, мебель, одежда и наличные, Вадим как раз недавно полностью выплатил свой долг. Большая часть мебели и одежда старые, их даже продать невозможно, только выбросить или отдать кому-то в виде благотворительной помощи. Правда, есть и хорошие антикварные вещи, если их подреставрировать, то они еще могут представлять значительную ценность, но кто будет этим заниматься? Книги и наличные должны достаться Марику — единственному наследнику. Он должен сам решить, будет ли продавать богатую библиотеку, отдаст кому-то или увезет с собой. С наличными тоже все ясно, они принадлежат ему и его семье. Так зачем же завещание?

«Золотая моя, может быть, я поспешила со своими указаниями, но мне так будет спокойнее, — начиналось письмо. Наташа пальцем вытерла слезы, мгновенно навернувшиеся при виде такого знакомого обращения. — Я очень люблю своего сына, но при всем том хорошо знаю цену и ему, и тебе. Боюсь, у него может не хватить душевного такта поступить так, как мне бы понравилось. А ты, со своей стороны, никогда не стала бы ему перечить и настаивать на чем бы то ни было, ведь Марик — мой законный наследник. Поэтому я сочла необходимым составить завещание и нотариально заверить его у Машеньки, Мониной внучки. Процедура оглашения завещания и открытия наследства довольно длинная, и понадобится она только в том случае, если Марик поступит не так, как я хочу. А хочу я вот чего, золотая моя: продай все, что сможешь, и отдай деньги Ирочке. Наличные тоже отдай, я их оставила на хранение Моне. С книгами поступай, как сочтешь нужным, но знай: мне было бы приятно, если бы всю библиотеку ты забрала себе. Если она тебе не нужна, отдай в ту библиотеку, где я много лет работала. Все распоряжения на этот счет есть в завещании. Само завещание тоже хранится у Мони, и если Марик захочет сам распорядиться тем, что я имею, придется давать делу официальный ход. В противном случае ничего такого не понадобится, ты просто сделай, как я прошу. Не обижайся на мое решение, Андрей хорошо тебя обеспечивает, и ты в этих деньгах не нуждаешься. А Ирочка — моя внучка, и я хочу подарить ей хоть капельку независимости от мужа и его родителей. Целую тебя, золотая моя, и обнимаю. Твоя Б.Л.».

По дороге домой от Соломона Израилевича Наташа в машине еще несколько раз перечитала письмо. Его придется показать Андрею и Иринке, а это значит, что придется рассказывать о том, о чем они с Бэллой Львовной молчали столько лет. Можно ли расценивать это письмо как разрешение открыть Иринке и всем окружающим правду о ее отце? Или письмо предназначается только одной Наташе, поэтому Бэллочка по неосторожности открыто назвала Иру своей внучкой? Да нет, Бэлла Львовна всегда была очень предусмотрительной, она должна была понимать, не могла не понимать, что, начни Наташа распоряжаться ее вещами и деньгами, сразу возникнет вопрос: а почему именно так, а не иначе? Наташа должна будет сослаться на волю покойной, в подтверждение чего придется показывать письмо. Значит, Бэллочка согласилась с тем, что Ире пора узнать, кто ее настоящий отец. Ну что ж, стало быть, так и надо сделать.

Выйдя из такси возле своего дома, Наташа миновала второй этаж и, не заходя к себе, поднялась в старую квартиру. Вставила ключ в замок Бэллочкиной двери — ключ не проворачивался. Она подергала за ручку и с удивлением обнаружила дверь открытой, а племянницу Катю — увлеченно обследующей книжные полки.

— Почему ты здесь? — строго спросила Наташа. — Как ты сюда вошла? У Бэллы Львовны был только один ключ от комнаты, и он у меня.

— Да ну, здесь замок хлипкий, три раза дернула — он и открылся, — небрежно ответила Катя, листая толстый том стихотворений Батюшкова 1883 года издания. — Клевая книжка, букинистическая ценность.

Том в темно-коричневом переплете лег на стол, где уже возвышалась солидная стопка редких и ценных изданий, в том числе и тех, которым насчитывалось больше ста лет.

— И что же ты здесь делаешь? — с видимым спокойствием, с трудом сдерживая ярость, произнесла Наташа. Милая Бэллочка, добрая и деликатная, сделала в своем письме только один акцент — на Марика, на своего сына. Теперь совершенно очевидно, что она имела в виду не только его, но и Люсю с Катериной. Живя с ними бок о бок, мудрая женщина изучила их характер и прозорливо предвидела их желание постервятничать на добрососедской основе.

— Книги смотрю, а что? Нельзя?

— Ты без разрешения вошла в чужую комнату, к тому же запертую. Тебя никогда не учили, что это неприлично?

— Так она же ничья, — девушка удивленно пожала плечами, — Бэлла Львовна умерла.

— То, что Бэлла Львовна умерла, вовсе не означает, что все это отныне принадлежит тебе.

— А кому же? — Катя зло прищурилась. — Тебе, что ли? Это по какому же праву, интересно знать? Ты ей была такой же соседкой, как мы с мамой. Если у тебя есть какие-то права на Бэллины вещи, то точно такие же права есть и у нас.

— Нет у тебя никаких прав! — заорала Наташа, неожиданно для себя теряя контроль и срываясь на истерику. — Убирайся отсюда и не смей переступать порог этой комнаты! И книги поставь на место!

На крик явилась Люся с выражением надменного недоумения на высохшем узком лице.

— Что происходит? — ледяным тоном спросила она. — По какому праву ты кричишь на мою дочь?

Наташу обдало холодом, и это помогло ей взять себя в руки.

— Я пытаюсь объяснить твоей дочери, что нельзя брать чужое без разрешения хозяина, — ответила она уже более спокойно. — Мне казалось, что такие простые истины детям объясняют не посторонние люди, а родители, и не в двадцать лет, а намного раньше. Очевидно, ты Катю воспитывала по какой-то другой методике, и она с этими истинами незнакома. Будь любезна, растолкуй ей это здесь и сейчас.

— У этих вещей больше нет хозяина, — невозмутимо возразила Люся.

— Ты ошибаешься.

— Уж не Марика ли ты имеешь в виду? — презрительно протянула старшая сестра. — Думаешь, он примчится из своей сладкой Америки в нашу вонючую страну за этими книгами? Кроме книг, здесь и взять-то нечего, не старье же это забирать. Так твой драгоценный Марик, по которому ты столько лет сохла на потеху всей квартире, не имеет права даже на битую чашку, потому что оставил мать на твое попечение. Если он посмеет сюда явиться, я его даже на порог не пущу, имей это в виду.

— В любом случае твоя дочь не должна была взламывать дверь и отбирать для себя книги, — ответила Наташа уже совсем спокойно, хотя выпад сестрицы насчет ее влюбленности в Марика прозвучал грубо и оскорбительно. — Ты не можешь принимать никаких решений и высказывать какие бы то ни было суждения. Есть воля Бэллы Львовны, и есть ее просьба ко мне эту волю исполнить. Чем я и собираюсь заняться.

— Ты хочешь сказать, что Бэлла оставила завещание? И что в нем?

— Не сверкай глазами, Люся, тебе ничего не отписано, — мстительно сказала Наташа. — Книги достаются мне, а все остальное — Ире.

— Ире?!

Впервые за долгое время на Люсином лице проступило некое подобие эмоций, отличных от презрения и раздражения.

— С какой стати?! У нее и без того все есть, выскочила замуж за мужика с богатыми родителями, как сыр в масле катается, на собственной машине разъезжает, чего ей еще? Зачем ей эти старые вещи, эта рухлядь? Твоя Бэлла на старости лет совсем из ума выжила!

— Если это рухлядь, то почему ты так возмущаешься? Тебе она тем более не нужна.

— Это для Ирки рухлядь, она и так в достатке живет. А мне эта мебель пригодилась бы.

— Ну конечно, пригодилась бы, — согласилась Наташа. — Кому ж не пригодится антикварный столик из палисандрового дерева с инкрустацией. И бюро середины девятнадцатого века тоже очень неплохое, за ним, наверное, тогдашние красавицы любовные письма писали своим кавалерам. Ты надеешься, что твой бессмертный роман станет лучше, если ты будешь дописывать и переписывать его за этим бюро? И заодно обставишь комнату книгами, изданными в прошлом веке. Будет настоящая обитель классика русской литературы. Все, Людмила, обсуждение закончено. Бэлла Львовна ясно и недвусмысленно высказала свои распоряжения, и я буду их неукоснительно исполнять.

Если бы Люся была раза в три крупнее и раз в десять сильнее, вряд ли она смогла бы захлопнуть дверь громче. Со стен даже штукатурка посыпалась. Стоя у порога, Наташа с сожалением обвела глазами комнату Бэллы Львовны. Эта комната больше никогда не будет синей. Отныне здесь не будет надежного приюта, где можно спрятаться от невзгод, ссор и конфликтов, где решаются все проблемы, даже те, которые кажутся неразрешимыми, где каждая вещь дышит покоем, мудростью и уютом. Ничего больше не будет...

Часа через два вернулся домой Андрей. Наташа молча протянула ему письмо Бэллы Львовны.

— Вот, значит, как, — задумчиво сказал он, прочитав письмо и возвращая его Наташе. — Стало быть, у тебя от меня целых две тайны, а я-то наивно полагал, что только одна, касающаяся 1984 года, когда мы с тобой познакомились. Или, может быть, их еще больше?

— Андрюша, пойми, я не могла тебе рассказывать об этом. Бэлла Львовна взяла с меня слово, что я буду молчать. А теперь она сама открыто написала о том, что Ира — ее внучка.

Она подробно, как привыкла с детства, обстоятельно и последовательно рассказала ему о Марике и Ниночке, о своей последней встрече с сыном Бэллы Львовны перед его отъездом в Израиль, о его просьбе не бросать Иринку, остающуюся на руках троих сильно пьющих людей, которые не смогут и не захотят дать девочке ни нужного образования, ни нормального воспитания.

— Выходит, Ира тоже не знает, что она — дочь Марка?

— Конечно, нет. Теперь придется сказать. Я ей уже позвонила, попросила приехать. Она явится с минуты на минуту.

— Ты сама ей скажешь? Или хочешь, я поговорю с Иринкой? — предложил Ганелин.

— Да нет, Андрюша, не нужно, ты только будь рядом, ладно? Мне с тобой спокойнее.

Это было правдой. В присутствии Андрея ей всегда было спокойнее, она чувствовала себя более уверенно, твердо зная, что рядом находится человек, готовый в любую секунду и в любой ситуации кинуться ей на помощь. И даже если она к этой помощи не прибегала, все равно осознание того, что поддержка будет в нужный момент обязательно оказана, придавало Наташе сил в самые сложные моменты.

К приходу Иринки у Наташи была готова целая речь, выверенная чуть ли не по буквам и со всей возможной деликатностью объясняющая ситуацию. Однако все получилось не совсем так, как Наташа планировала. Едва она взяла в руки письмо Бэллы Львовны, чтобы начать понемножку, по отдельным фразам зачитывать Ире, снабжая прочитанное своими комментариями, дабы подготовить молодую женщину к неожиданной новости, как Ира выхватила письмо из ее рук со словами:

— Дай я сама прочту.

Наташа и глазом не успела моргнуть, как Ирина уже уселась на мягкий диван в гостиной и впилась глазами в листок, исписанный знакомым почерком. Быстро прочла, ни один мускул на лице не дрогнул. Может, она пока и не блестящая актриса, но кое-какие профессиональные навыки у девочки, безусловно, имеются.

— Я так и знала, — спокойно заявила она, кладя письмо на журнальный столик.

— И давно ты знала? — с подозрением спросила Наташа.

— Нет, не точно, конечно, но чуяла, что тут что-то не так. Бэллочка никогда не показывала мне фотографий этого козла. Сколько раз я ее семейные альбомы просматривала, а там фотки чьи угодно, только не его. Я сначала думала, что она на сына сердится за то, что он уехал, а ее бросил одну, поэтому все его карточки повынимала из альбомов, чтобы на глаза не попадались и душу не бередили. А уж когда он самолично сюда явился и я его рожу увидела, вот тут у меня сомнения и закрались. Я тогда, помню, смотрела на себя в зеркало и думала: «Что-то ты, Ирина Николаевна, до неприличия похожа на соседкиного сынка Марка Аркадьевича. Ну просто одно лицо». Но ты же помнишь, я тогда как раз замуж выходила, мне не до родословной было, мысли другим заняты. И потом, на фиг мне было все это выяснять, а вдруг окажется, что я наполовину еврейка, а Мащенкам это не понравится? Они-то все чистокровные русские, мне было бы жаль, если бы из-за этого свадьба сорвалась. Потом, конечно, я поняла, что они нормальные люди, не антисемиты. Но подумала, раз Наташка и Бэлла Львовна столько лет ничего не говорят, значит, мне показалось. Мало ли людей друг на друга похожих. А вот выходит, что не показалось. Ну, козел! Ну и козел!

— Погоди, — ошарашенный этой тирадой Андрей потряс головой, — ты о ком говоришь? Кто — козел?

— Да кто же? Марк Аркадьевич уважаемый, папаня мой.

— Ира, побойся бога, что ты говоришь? — возмутился он. — Он же твой отец. Как ты можешь так отзываться о нем!

— Ой, Андрей Константинович, ну я вас умоляю! Какой он мне отец? Завалил смазливую соседку под горячую руку, с похотью не справился, вот и все его отцовство. Что вы на меня так смотрите? Что я, неправду говорю? Да мне бабка Поля сто раз рассказывала, как маманя моя блудливая, царствие ей небесное, под соседского сына подлечь пыталась, а он ни в какую не хотел, боялся, что жениться потом придется. И про тот единственный раз, когда мамане этот фокус все-таки удался, тоже бабуля поведала, она в выражениях не стеснялась, сами знаете, и деликатничать со мной не пыталась. Только баба Поля не знала, что ее дочка от этого фокуса забеременела. Маманя, судя по всему, тоже не знала или не была уверена, она же тогда со своим будущим мужем вовсю трахалась. Поди пойми, от кого она меня родила. Тем более у официального моего папки Николая дед был рослый и чернявый, вот на него и списали. Это еще хорошо, что его вовремя посадили, а то посмотрел бы он на меня взрослую — сразу бы увидел, что дедом его тут и не пахнет, что тут сплошное соседское наследство.

Ира говорила, все больше и больше распаляясь. Наташа слушала ее с изумлением и видела, что с каждым словом будто по кусочкам отваливается фасад Ирины Савенич, обнажая грубую и бесцеремонную девчонку Ирку Маликову.

— Ирина, я попрошу тебя следить за речью, — жестко сказала Наташа. — Как бы там ни было, но ты говоришь о своих родителях, о матери и об отце. Имей уважение к ним.

— О матери и об отце? — взвизгнула Ира. — О какой матери и о каком отце? О матери, которая пила водку литрами еще до моего рождения, которая скакала от мужика к мужику за бутылку дешевого портвейна и допилась до того, что на ровном месте угодила под машину? Об отце, который меня не признал и смотался в сытую заграницу, оставив меня с тремя алкашами? И это говоришь мне ты, Натуля? Ты, которая заменила мне и мать, и отца, и сестру? Ты, которая двадцать лет со мной мучилась? Да нет у меня к ним ни любви, ни уважения, нет и быть не может. Они меня предали, они меня бросили на произвол судьбы. Когда я еще совсем маленькой была, мать со мной ни разу не погуляла, я знаю, мне баба Поля рассказывала. Все на тебя спихнули, Натулечка, и гулять со мной, и играть, и в детскую кухню за питанием для меня бегать, и пеленки мои стирать.

— Не надо так говорить, Ириша, — тихо попросила Наташа. — Не надо говорить «спихнули». Мне это было в радость. Я очень тебя любила.

— Да как ты не понимаешь?! — в отчаянии воскликнула Ира. — Это должно было быть в радость матери, а не тебе! Я тебе до конца жизни буду благодарна за то, что ты все это делала, но я никогда не прощу свою маманю за то, что она этого НЕ делала! И козел этот американский мне не нужен! Раз он меня бросил, раз я ему была не нужна, то я и слышать о нем ничего не хочу.

— Ну-ну-ну, успокойся, — пришел на помощь Андрей, который решил взять ход разговора в свои руки. — Никто тебе Марка Аркадьевича не навязывает, никто не заставляет тебя с ним общаться. Речь идет вообще не о нем, а о твоей бабушке Бэлле Львовне. У тебя не может быть к ней никаких претензий, она вместе с Наташей делала все для того, чтобы ты выросла здоровенькой и красивенькой. Она тебя не бросила, она от тебя не отказывалась. Верно?

— Верно, — всхлипнула Ира, которая, выплеснув негодование в крике, уже успела расплакаться. — Она меня любила. И я ее тоже любила.

— Ну вот и славно. Значит, ты с чистым сердцем примешь ту часть бабушкиного наследства, которую она тебе отписала. А любить Марка Аркадьевича тебя никто не обязывает, можешь не любить, если не хочешь.

— Все равно он козел, — с детским упрямством твердила Ира. — Это же надо до такого додуматься! Свинтить за бугор и поручить Наташке заботиться о его матери и вырастить его внебрачную дочь! Да Наташке самой-то тогда всего семнадцать было, она же только-только школу закончила. Ей надо было в институт поступать, образование получать, а тут на тебе — целых два человека на нее свалились, и крутись как хочешь. Ему хорошо, он свой депутатский наказ оставил — и вперед, к сияющим вершинам, к достатку и удовольствиям. А Наташка, бедненькая, одна осталась со всеми его проблемами. Бэллу Львовну уговорить не смог, чтоб с ним ехала, — ладно, Наташа поможет, поддержит, позаботится, она же добрая девочка, всем помогает. Нет чтобы самому остаться с матерью, раз уж так вышло, что она уезжать не хочет. Да куда там! Своя рубашка-то — она завсегда ближе к организму. С соседкой переспал, ребеночка ей заделал, так нет чтоб жениться, признать ребенка официально, — нет, мы гордые, нам такие Ниночки не ровня, мы себе получше найдем, поблагороднее, пообразованнее, такую найдем, у которой родственники есть на исторической родине, чтоб уехать побыстрее. А ребенок — что? Тьфу. Наташка и сама справится, вырастит, воспитает. Она у нас такая, на все руки мастерица, и за старым ходить, и за малым, и в сутках у нее не двадцать четыре часа, как у всех, а тридцать шесть, поэтому она все успевает. Козел, козел! Ненавижу!

Наташа принесла кофе, подала Ире чашку и смотрела, как та судорожными глотками пьет горячий ароматный напиток. Ира со стуком поставила чашку на столик, достала сигареты, закурила, глубоко вдыхая дым.

— Ну все? Успокоилась? Выговорилась? — ласково спросила Наташа, присаживаясь рядом с ней.

По лицу Иры быстрыми ручейками текли слезы, но она уже не всхлипывала и не задыхалась.

— Просто противно, — проговорила она, — я всегда думала, что меня два человека предали, мама и отец, которого посадили. А теперь оказывается, их было трое. И никому из троих я не была нужна. Думаешь, мне не обидно? Ну скажи, Натулечка, что во мне такого плохого было, что они все меня бросили? Я бы еще понимала, если бы они от меня отказались, когда мне было пятнадцать или шестнадцать, тогда да, тогда меня любой нормальный человек на три буквы послал бы, и я бы его поняла. Только такая святая, как ты, могла все это терпеть. Но в годик, в два, в три — кому я что плохого сделала? Почему они меня не любили? Почему мама не брала меня на руки, не ходила со мной гулять, не играла со мной? Только пила и шлялась, пила и шлялась. Почему отец допустил, чтобы его посадили? Ведь если бы он меня любил, он бы все время помнил, что у него маленький ребенок, и надо вести себя правильно, чтобы ребенок не остался без родителей. Почему он об этом не подумал? Почему не вернулся к нам после отсидки? Ему на меня наплевать было. А про козла американского я вообще не говорю. Самовлюбленный эгоист, других слов у меня для него нет.

— Но ты была нужна мне, — мягко возразила Наташа, обнимая Иру и гладя ее по волосам. — И ты была нужна Бэлле Львовне. Мы обе тебя любили. Не надо думать о горьком и обидном, думай о хорошем. И выпей быстренько лекарство, у тебя уже глаза распухли.

Ира тыльной стороной ладони вытерла глаза и полезла в сумку за таблетками. Остаток вечера прошел спокойно, уже не было истерик, но были тихие слезы светлой печали по человеку, которого обе любили и рядом с которым прожили всю свою жизнь.

На девятый день Наташа позвонила Марику и после обычных слов соболезнования спросила, есть ли у него претензии на наследство.

— Это все твое, — грустно ответил Марик, — это по праву принадлежит тебе, если, конечно, у мамы не было других пожеланий. Мне ничего не нужно.

— Бэлла Львовна хотела, чтобы я взяла книги, а все остальное отошло бы Ирочке. Ты не возражаешь?

— Как я могу возражать? Раз мама так хотела, пусть так и будет. Спасибо тебе за все, Туся. Звони, не пропадай.

— Ты тоже звони, — дежурно ответила Наташа, в глубине души понимая, что Марик никогда больше ей не позвонит. Ему не интересны ни она сама, ни его собственная дочь. И Наташа тоже звонить не станет. Еще одна часть ее жизни оторвалась и улетела в бездну...

Через две недели после смерти Бэллы Львовны Андрей заявил:

— Я рассчитал домработницу.

— Что случилось? — испугалась Наташа. — Она сделала что-то не так? Что-то с деньгами?

— Нет-нет, что ты, — улыбнулся Ганелин, — Тамара — честнейшая тетка, ни копейки лишней в карман не положит. Просто она больше не нужна. Бэллы Львовны нет, а содержать помощницу по хозяйству для двух вполне самостоятельных женщин и одного молодого мужчины я не считаю правильным. Людмила на пенсии, свободного времени у нее много, вот пусть и занимается всем, чем положено, для себя и своей дочери. Сашка у тебя тоже вполне самостоятельный и зарабатывает на своей фирме неплохо, с какой стати держать для него домработницу? Финансово помогать ему — это другой вопрос, мы с тобой это и делаем. А ходить для него в магазин и стирать его носки — это ему будет слишком шикарно. Ты не согласна?

— Да нет, — растерялась Наташа, — в целом ты прав, конечно, но... Как-то неожиданно... Выходит, пока Бэлла Львовна была жива, ты считал, что это нормально, когда Сашка пользуется услугами домработницы.

— Наталья, не передергивай. Я никогда так не считал. Но, нанимая помощницу для Бэллы Львовны, было бы неприличным оставить в стороне всех остальных. Теперь же ситуация в корне иная. И кроме того, мы с тобой, кажется, договаривались, что будем постепенно приучать наш четвертый этаж жить самостоятельно. Уже полтора года, как они обходятся без тебя. Первый шаг сделан, пусть теперь обходятся без домработницы.

— Андрюша, это жестоко, — простонала Наташа. — Они же ничего не умеют, они никогда ничего не делали.

— Это не жестоко, это правильно, — твердо сказал Ганелин. — Считай, что это хирургическая операция. Больно, страшно, но необходимо.

— Но Люся и Катя не проживут на одну пенсию и одну стипендию! Мы с тобой платили домработнице и давали ей деньги на продукты, а что теперь будет? На что они будут жить?

— Будешь давать им деньги, только и всего, — пожал плечами Андрей. — Но ходить в магазин они будут сами, и у плиты стоять, и у раковины тоже будут сами. И полы мыть, и стирать, и пылесосить. Я не понимаю, чего ты так боишься. Ты же делала это всю жизнь — и ничего, не сломалась, не развалилась. Так почему они не могут? Не умеют? Научатся. Не вижу никакой катастрофы.

Наташа и сама понимала, что Андрей прав, ну куда это годится — содержать домработницу для двух здоровых молодых студентов и одной пенсионерки, тоже вполне здоровой и совсем еще не старой, всего-то шестидесяти одного года. Может быть действительно пора прекратить заниматься этой благотворительностью? Одно дело деньги, и совсем другое — повседневная работа по дому. Деньги она будет давать по-прежнему, а все остальное пусть делают сами.

Ей трудно было примириться с новым положением вещей, ночью Наташа спала плохо, в мозгу всплывали нелепые картины: квартира на четвертом этаже постепенно покрывалась пылью, крупные лохмотья которой свободно летали по воздуху, на кухне день ото дня росла, превращаясь в Монблан, гора невымытой посуды, а оконные стекла чернели от грязи до тех пор, пока в комнатах не делалось абсолютно темно. Утром, готовя завтрак для Андрея, Алеши и себя, она все время думала о том, что будут есть сегодня утром Люся, Катя и Сашка. А вдруг у них ничего нет? Они ведь еще не приспособились к тому, что нужно обо всем заботиться самим, наверное, даже в магазин вчера не сходили, по привычке полагая, что домработница все купит и все приготовит.

Она уже проводила Андрея на работу и сына в институт и одевалась, чтобы ехать на съемку, когда позвонила Люся.

— Наташа, что это значит? Тамара мне вчера сказала, что вы ее уволили. Я была уверена, что она пошутила. Но сегодня утром она не явилась к нам. Как это понимать?

— Так, как она сказала. Мы ее рассчитали. Она больше не будет у вас работать.

— С какой это стати? Почему ты за нас решаешь? Она же у нас работала, а не у тебя. Какое ты имеешь право...

— Материальное, дорогая, — насмешливо ответила Наташа. — Пока я оплачиваю ее труд, я имею право решать, работать ей у вас или нет. Возьми себя в руки и посмотри правде в глаза. Домработницу я нанимала только для Бэллочки, потому что обязана была о ней позаботиться. А о тебе должна заботиться твоя дочь, а не я. Вам с Катей просто повезло, что вы жили рядом с Бэллочкой, поэтому и вам перепала возможность бездельничать. Но теперь с этим покончено. Я буду каждый месяц давать вам деньги на продукты, но ни на что большее вы рассчитывать не должны. Я доходчиво объяснила?

— То есть ты хочешь сказать, что мы с Катюшей должны будем обслуживать твоего оболтуса? — зашипела в трубку Люся. — Или ты собираешься забрать его в свои хоромы?

— Не собираюсь. И обслуживать Сашу не нужно, он сам себя покормит, тем более что он и дома-то почти не бывает, только спать приходит. Убирать места общего пользования будете по очереди, как положено в коммуналке. Ты, помнится мне, раньше этого не делала, мама тебя берегла, и в нашу очередь уборкой занималась либо она, либо я. Вот и попробуй для разнообразия, может быть, это придаст новый импульс твоему литературному творчеству. Заодно и Катю приучишь заниматься хозяйством, ей это тоже пойдет на пользу, в семейной жизни пригодится. Извини, Люся, мне нужно бежать, я опаздываю.

Сестра пыталась сказать еще что-то возмущенное и обиженное, но Наташа уже повесила трубку. Поздно вечером примчался голодный Сашка и прямо с порога заявил:

— Мать, ну ты даешь! От кормушки отлучила без предупреждения. Катька в трауре, тетя Люся рвет и мечет. Покормишь?

— Конечно, — рассмеялась Наташа. — Хочешь к нам переехать?

— Ну уж нет, это вам фигушки с макушкой! Я уже к свободе

привык. Это Алешке с вами хорошо, вот пусть и живет здесь, а мне нужна свобода маневра. Кстати, где этот шпингалет? Я с ним уже два дня не виделся.

— Шпингалет пошел с девушкой в клуб на дискотеку.

— Во! Ему тоже со дня на день свобода понадобится. Если что — пусть возвращается к нам, у нас теперь комнат навалом.

— Можно подумать, я твою свободу так уж сильно ограничивала, — фыркнула Наташа, наливая сыну полную тарелку супа.

— Не, мать, не в том дело, что ты меня ограничивала. — Саша схватил ложку и начал жадно есть. — Вкусно — смерть! А белого хлеба нет?

— Есть, сейчас отрежу. Так в чем же дело, если я тебя не ограничивала?

— В том, что я, как нормальный человек, тебя стесняюсь. Я же понимаю, что если мы живем вместе, то я должен все время звонить, докладываться, когда приду, куда ушел, зачем пошел, кто у меня в гостях, с кем я дружу, с кем, пардон, сплю. А там я ни перед кем не отчитываюсь, никто меня ни о чем не спрашивает, кого захотел — того привел, куда захотел — туда ушел. Один раз в день позвонил тебе, сообщил, что жив-здоров, узнал, что у тебя все в порядке, и вопрос закрыт. Ты только не обижайся, ладно?

— Я не обижаюсь, — с улыбкой ответила Наташа, — мне тоже когда-то было девятнадцать лет, не думай, что я родилась сорокалетней. Что ты будешь на второе, котлеты или эскалоп?

— И то и другое, давай две, нет, три котлеты и один эскалоп.

— Не треснешь? — с подозрением спросила она.

— Не, в самый раз будет. И жареной картошечки побольше, — добавил Саша, наблюдая, как Наташа разогревает на сковороде оставшуюся после ужина картошку.

— Сашенька, ты можешь меня внимательно послушать? — спросила она, когда сын насытился и не спеша пил чай с конфетами.

— Локаторы приведены в действие, — бодро ответил он. — Готов к приему информации.

— Тебе придется научиться заботиться о себе самому, — начала Наташа. — Разумеется, здесь для тебя всегда открыты двери, ты можешь, если захочешь, завтракать у нас, обедать и ужинать. Но убирать свою комнату ты должен будешь сам. И самое главное — по очереди с Катей и Люсей делать уборку в местах общего пользования. Я имею в виду прихожую, коридор, ванную, туалет и кухню.

— По очереди — это как?

— Очень просто. Составляете график и соблюдаете его. Как во всех коммунальных квартирах.

— Это что же получается, я, к примеру, буду у тебя питаться, кухней пользоваться не стану, а все равно мыть придется?

— Придется, дружочек, — кивнула Наташа. — И плиту оттирать, и пол мыть, и раковину, и стены.

— Ну ни фига себе! — протянул юноша. — Это с какого же перепугу?

— А с такого, что ты там живешь. Это закон коммуналки. Тебе же свободы хочется? Вот и плати за нее своим трудом. Не хочешь заниматься уборкой? Переезжай сюда и плати своей свободой. Выбор за тобой.

— У-у-у, как все непросто... Ладно, прорвемся. Свобода — она завсегда дороже, верно, мать?

— Не знаю, — не кривя душой ответила Наташа. — У меня ее никогда не было.

Саша в изумлении воззрился на нее:

— Ты что, серьезно?

— Вполне. Я никогда не жила так, чтобы ни за что и ни за кого не отвечать, кроме себя самой. Только, может быть, когда совсем маленькой была, но тогда приходилось слушаться родителей, какая уж тут свобода. А потом началось: Иринка, Бэлла Львовна, вы с Алешей, ваш папа, мои родители, Люся с Катей. Так и тянулось.

— И что, неужели никогда не хотелось на волю, в пампасы?

— Представь себе, нет. На волю хочет тот, кто ее попробовал и ему понравилось. А я всегда жила в большой семье, о которой нужно было заботиться, и мне казалось и до сих пор кажется, что это естественное состояние. Я привыкла так жить. Налить тебе еще чаю?

— Не, спасибо, я помчался, мне завтра вставать ни свет ни заря. Напомни Алешке, что мы в воскресенье идем с отцом на футбол.

— Он помнит, у него на компьютере записка приклеена.

— Ну все, целую, пока.

Саша на ходу чмокнул Наташу в щеку, и через секунду она услышала его быстрые шаги, удаляющиеся вверх по лестнице.

Наташа очень надеялась, что ее сын сможет легко перестроиться с жизни одной семьей на жизнь в коммунальной квартире с соседями. Сашка, хоть и прожил все свои девятнадцать лет в квартире на четвертом этаже, никогда не знал, что такое «уборка мест общего пользования по графику» и как делить лежащие в холодильнике продукты на «наши» и «чужие». Наташа содержала всех, кто там жил, вела общий бюджет, еда готовилась на всех и не существовало никаких графиков. Какие же могут быть графики и дележка в одной семье? Племянница Катя тоже с коммунальным бытом незнакома, но Люся как-никак прожила с соседями без малого сорок лет, уж она-то не забудет ни про очередность уборки, ни про раздельные продукты. Можно надеяться, что под ее жестким руководством жизнь как-то наладится.

Однако надежды Наташины не оправдались. Буквально через три дня после отказа от услуг домработницы позвонила разгневанная Люся и дрожащим от злости голосом сообщила, что Саша съел ее колбасу. Он пришел накануне поздно, когда все уже спали, а утром Катя хотела сделать себе на завтрак бутерброд к чаю и обнаружила, что колбасы, которую она только вчера купила, и след простыл.

— Будь любезна, объясни своему сыну, что он теперь должен сам покупать себе продукты. Моя дочь не обязана ходить для него в магазин, — потребовала сестра.

— Хорошо, я поговорю с ним, — кротко пообещала Наташа. — Извини, что так вышло. Он еще не привык.

— Так пусть привыкает! — взвизгнула Люся.

Вечером Наташа провела еще один цикл разъяснительной работы на тему своих и чужих продуктов и посоветовала сыну разделить стоящие на кухне холодильники.

— Пусть один будет твой, другой — Люсин, тогда ты не будешь путаться, просто запомнишь, что к ее холодильнику даже притрагиваться нельзя.

— Да ну, мать, фигня какая-то получается, — негодовал Саша. — Она же моя тетка, а Катька — сестра двоюродная, что им, колбасы жалко для меня?

— Дело не в том, что им жалко, — терпеливо объясняла Наташа, — дело в принципе. Либо вы живете одной семьей, либо превращаетесь в соседей по коммуналке, третьего не дано. Одной семьей вы жить не можете, Люся и Катя не хотят ни готовить для тебя, ни убирать за тобой. А ты, в свою очередь, не хочешь ни перед кем отчитываться. Значит, вы должны сосуществовать как соседи. Как чужие, понимаешь?

— Да понимаю я, — обреченно вздыхал Саша. — Но все равно мне так не нравится.

— Ничего не поделаешь, ты сам выбрал свободу, — усмехнулась Наташа. — Терпи.

Следующий всплеск возмущения последовал еще через неделю, на этот раз от Саши, примчавшегося на второй этаж прямо с утра в воскресенье и поднявшего с постели еще не проснувшихся Наташу и Андрея.

— Мать, ну это вообще, ну это я не знаю как называется! — говорил он, бурно жестикулируя. — Тетя Люся график составила, сегодня моя очередь квартиру убирать. А Катька вчера гостей назвала, человек десять, не меньше. Представляешь, сколько они грязи с улицы натащили? Прихожую всю затоптали, вчера дождь был, короче, сама понимаешь. Катька каких-то полуфабрикатов из кулинарии притащила, ее подружки на кухне все это жарили-парили, все вокруг жиром заляпали, и пол, и стены, про плиту я уж не говорю. И самое главное — они же все в наш туалет ходили. Так что мне теперь, прикажешь после них толчок отмывать? Я за чужими задницами сортир мыть не нанимался.

— Между прочим, когда к вам с Алешей приходили друзья, они тоже пользовались туалетом, — сдержанно ответила Наташа. — И я точно так же мыла его за ними. Почему-то тебя это не коробило. Я не спорю, если бы Катя была тактичной девочкой, она бы сама сегодня все убрала после того, как принимала гостей, но требовать ты от нее этого не можешь. Твоя очередь убирать — вот и убирай. Я ничем не могу тебе помочь. Ты там живешь и обязан соблюдать правила.

— Да она специально их позвала именно вчера, потому что знала, что сегодня моя очередь! — кипятился Саша. — Она назло это сделала. Могла бы их в следующую субботу пригласить, сама бы и убирала потом.

— А ты попробуй с ней договориться, — посоветовала Наташа. — Предложи изменить правила сосуществования. Например, если к кому-то из вас приходят гости, тот и должен делать уборку после них. Не нужно бегать ко мне жаловаться, нужно учиться договариваться и решать проблемы самостоятельно. Ты же такой взрослый, на третьем курсе учишься, работаешь, с девушками спишь, за свободу цепляешься, а с сестрой договориться не можешь.

— Ты сама мне говорила, что она не сестра, а соседка, — буркнул Саша.

— Никакой разницы. В данном случае она — человек, с которым тебе придется договариваться. Вот и учись переговорному процессу, в будущем очень пригодится. Пойдем, позавтракаешь с нами, а потом будешь убирать свою обитель свободы.

Наташа говорила с сыном спокойно и даже, как могло бы показаться, равнодушно, но на самом деле сердце ее разрывалось на части от жалости к девятнадцатилетнему парню, брошенному ею на растерзание двум закоренелым эгоисткам, привыкшим считать, что они — самые лучшие и самые необыкновенные на свете, а все окружающие — примитивные плебеи, которые должны им поклоняться и их обслуживать, поскольку больше ни на что все равно не годятся. Даже Наташе, битой жизнью и умудренной житейским опытом, было трудно сохранять разумное спокойствие при совместном существовании с ними, а мальчишке-то каково! Но ничего, она слишком долго держала сыновей в тепличных условиях, пусть взрослеют. Если бы Алешка сегодня заявил, что хочет жить один и возвращается в старую квартиру, она бы не моргнув глазом отпустила его на четвертый этаж. Хочешь свободы и бесконтрольности — плати. Бесплатный сыр, как известно, бывает только в мышеловке. А ошибки следует исправлять если не вовремя, то по крайней мере чем раньше — тем лучше.

К концу осени обстановка в квартире на четвертом этаже накалилась до такой степени, что из холодной войны превратилась в «Бурю в пустыне». Люся регулярно жаловалась Наташе на то, что ее сын недобросовестно убирает квартиру, оставляет в ванной на видном месте грязные носки и трусы и не гасит свет в местах общего пользования, платить за который им приходится, между прочим, поровну. Сын же, в свою очередь, заскакивая к матери поесть, обрушивал град упреков на сестру за то, что та по вечерам висит на телефоне и оставляет трубку в своей комнате, из-за чего Саша не может сделать нужных звонков ни поздно вечером, когда возвращается, ни рано утром, потому что Катька или уже спит, или еще спит. Кроме того, она упорно продолжает приводить к себе гостей точнехонько накануне его очереди убирать квартиру. И еще у нее есть вредная привычка заниматься на кухне, потому что Катька — жуткая обжора, ей постоянно надо или пить чай, или что-нибудь жевать, а поскольку все время ходить из комнаты в кухню ей лень, она устраивается поближе к холодильнику, раскладывает на всех столах свои книжки и конспекты и торчит на кухне, не давая Саше возможности приготовить поесть. А тетя Люся без конца делает ему замечания и учит жизни. И что самое мерзкое — постоянно говорит ему гадости про мать. То есть про Наташу. И нет у него никаких сил все это выносить.

Незадолго до Нового года, после очередного скандала, разгоревшегося из-за лампочки на кухне, на этот раз не выключенной Катей, Андрей решительно сказал:

— Их надо разводить по разным квартирам.

— То есть разменивать коммуналку? — испугалась Наташа. — И что будет?

— Ничего особенного. Четыре однокомнатные квартирки, для Иры, Саши, Алеши и Люси с Катей. Для Люси с Катей можно и двушку выменять, если подальше от центра. А если Иришка пропишется к мужу, то из вашей четырехкомнатной коммуналки можно сделать три очень приличные хаты в хороших домах и в хороших районах.

Наташа покачала головой. Ира ни за что не пропишется в квартиру к Мащенко, ей намного спокойнее жить, зная, что в случае чего есть куда уйти. Кроме того, она даже вопрос так поставить не может, чтобы муж и его родители не сочли ее корыстной хищницей, намеревающейся в случае развода претендовать на часть жилплощади. До тех пор пока Ира остается прописанной здесь, никто не даст разрешения на смену собственника квартиры, если не будет четко указано, куда выбывают все ее жильцы. Значит, при расселении необходимо получить квартиру и для Иришки.

— Ничего не выйдет, — сказала она, — Ирину нельзя оставлять без жилья.

— Хорошо, значит, будут четыре квартиры, но похуже. В любом случае этот узел надо развязывать, пока они там с ножами друг на друга не начали кидаться.

— Может быть, лучше уговорить Сашу жить с нами? — робко предложила Наташа. — Пусть Люся с Катей сами друг с другом разбираются. Мать и дочь уж как-нибудь договорятся.

— Тебе самой не смешно? — строго спросил Ганелин. — Ты

готова оставить сестру с дочерью вдвоем в огромной четырехкомнатной квартире? Ради чего? Чем они заслужили такую благодать? Твои сыновья выросли, Наташенька, милая моя, пойми это наконец. Они скоро захотят жениться, им нужно собственное жилье. Или ты хочешь, чтобы Саша и Алеша приводили своих жен сюда и превращали эту квартиру в коммуналку? А Люся и ее дочь будут бродить по четырем комнатам?

— Знаешь, — слабо улыбнулась Наташа, — я бы, честно говоря, не возражала, если бы мои мальчики со своими женами жили у нас. Я привыкла жить в большой семье, мне это было бы в радость.

— Тебе — да, не сомневаюсь. А им? Ты уверена, что мальчики к этому стремятся? Ты уверена, что их женам это понравится?

— Ты прав, Андрюша, ты во всем прав, но...

— Что — но? Я чего-то не учел? Поправь меня.

— Я не знаю, что тебе сказать. Я только чувствую, что моя жизнь разрушается. Моя жизнь — это большая квартира, где живут мои родные и люди, которых я искренне люблю. Они все рядом со мной, я могу о них заботиться, и они тоже позаботятся обо мне, если что случится. Сначала умер папа. Потом Иринка вышла замуж. Потом умерла мама. Потом я переехала к тебе, но все равно оставалась рядом с сыном, с сестрой, с племянницей и с Бэллой Львовной. Потом умерла Бэллочка. Потом ты уволил Тамару и лишил меня ощущения, что я продолжаю заботиться о тех, кто остался на четвертом этаже, что благодаря моей опеке они накормлены и ухожены. А теперь ты хочешь, чтобы все разрушилось окончательно, чтобы мы все оказались в разных домах, на разных улицах, в разных концах города. Я не смогу так жить, Андрюша. Это будет уже не моя жизнь, не та, к которой я привыкла и в которой нормально себя чувствую.

Ганелин сел рядом с ней, обнял за плечи.

— Наташенька, я хочу кое-что тебе сказать, только сначала ты ответь на мои вопросы, хорошо?

— Хорошо, спрашивай.

— Тебе нравится тот сериал, который ты сейчас заканчиваешь?

Наташа отстранилась и удивленно взглянула на Андрея:

— Какое это имеет отношение к размену квартиры? Ты хочешь сменить тему?

— Нет, это как раз по теме. Так нравится или нет? Только честно.

— Честно? Андрюша, это добросовестная работа на твердую четверку. Вот и все, что я могу сказать.

— А почему не на пятерку?

— Не знаю. Я делала все, что могла, но я чувствую, что чего-то не хватает. Этот сериал такой же, как «Соседи», в точности такой же по уровню, по актерам, по операторской работе. Он ничуть не хуже. Но ведь «Соседи» — это был мой первый сериал, и понятно, что в чем-то я ошибалась, где-то мне не хватало опыта. А сейчас я делаю картину точно такого же уровня и понимаю, что это неправильно. Новый сериал должен быть лучше, потому что я же должна была чему-то научиться на «Соседях». А выходит, что я ничему не научилась, потому что он не лучше, он такой же. Поэтому я не могу оценить его на пятерку.

— Очень хорошо, — удовлетворенно сказал Андрей. — Следующий вопрос: ты помнишь, как отказывалась снимать детективный сериал?

— Еще бы, — усмехнулась Наташа. — Южаков был в полном недоумении, по сегодняшним вкусам детектив — самое выигрышное дело. Потом, правда, проект похоронили из-за нехватки денег, но теперь, я слышала, его отрыли из руин и собираются все-таки делать. А что?

— Я бы хотел, чтобы ты сформулировала причины своего отказа.

— Андрюша, ну чего тут формулировать? Все же понятно, детектив — это не мое, я его не люблю, не чувствую. Мне бы про жизнь, про любовь снимать, я это всегда любила.

— Хорошо. Еще вопрос: сколько времени ты в разводе?

— Господи, да ты что? Что за вопросы такие странные?

— И все-таки.

— Ты сам прекрасно знаешь. Вадим ушел в августе девяносто шестого, а зимой девяносто седьмого мы оформили развод. Объясни, пожалуйста, что означают твои вопросы. Ты мне совершенно голову заморочил. То мы обсуждаем расселение квартиры, то мой развод. Где поп, а где приход? Какая связь?

— Прекрасно, — констатировал Ганелин, пропуская мимо ушей ее тираду, — стало быть, если сейчас у нас конец девяносто девятого года, то можно считать, что ты уже три года как развелась. При этом с восемьдесят четвертого года ты знакома со мной, с восемьдесят седьмого, это я точно помню, ты знаешь, что я тебя люблю, поскольку я сам тебе об этом заявил, с девяносто шестого ты свободна, с этого же времени ты ответила, наконец, на мою любовь, и вот уже полтора года как мы с тобой живем вместе в этой квартире. И ты по-прежнему отказываешься регистрировать наш брак. Ты можешь мне внятно ответить, почему?

— Не могу, — призналась Наташа. — Просто я не вижу, что изменится в нашей жизни, если мы распишемся. Мы ведь и так живем вместе, нас все воспринимают как мужа и жену, даже мои дети. К чему формальности?

— А я бы сформулировал по-другому. Ты боишься, что в жизни что-то изменится. Ты цепляешься за свою привычную жизнь обеими руками. На каком-то этапе это, наверное, правильно. Но всегда рано или поздно наступает момент, когда это начинает мешать. Ты побоялась браться за экранизацию детективов. Ты взялась за привычное «про жизнь, про любовь» и уперлась лбом в стену, потому что не можешь взлететь выше, чем можешь. Тебя держит твоя старая жизнь. Ты боишься второй раз выходить замуж. Ты боишься отпускать своих близких от своей юбки. Признайся себе, ты ведь не думаешь, что они без тебя пропадут. Да ничего с ними не случится, они все здоровые, нормальные, самостоятельные люди. Это ты без них пропадешь, потому что таков твой образ жизни: собрать вокруг себя всех любимых и дорогих и опекать их, как наседка цыплят. Наташенька, милая моя, надо уметь делать шаг вперед. Ты погрязла в прошлом по самые уши, у тебя ведь даже идеология осталась из семидесятых годов. Ты думаешь, я не понимаю, почему ты не хочешь выходить за меня замуж?

— Ой, Андрюшенька, да я и сама этого не понимаю. Просто не вижу...

— Это я уже слышал. И могу предложить тебе свою версию. Ты в первый раз выходила замуж за молодого лейтенанта, которому определили место службы за Полярным кругом. Зарплата у него в тот момент была не очень большая, жить вы должны были вдали друг от друга. Вот это было то, что надо, это было не стыдно. Военный. Разлука. Трудности. Вполне в духе идеологии того времени. А я? Богатый москвич, с которым не нужно жить в разлуке. И тебе совестно. Ну как это ты со своим комсомольско-партийным прошлым, со своей верой в светлое будущее — и вдруг выйдешь замуж за предпринимателя? Немыслимо. Вот ты и не мыслишь.

— Но я же все-таки нашла в себе силы уйти от военного, — слабо улыбнулась Наташа.

— Э, ласточка моя, не хитри, — засмеялся Андрей, — ты ушла не от военного, а от продавца в частной торговой фирме, то есть от такого же служащего негосударственной структуры, как я, только мелкого. Ну так как, милая, у тебя в голове не прояснилось?

— Пока не очень. То есть нутром я что-то такое начала понимать, но не отчетливо.

— Ладно, перейдем к конкретике, — со вздохом произнес он. — Я считаю, что, если ты хочешь снимать кино на пятерку, а не на «четверку», ты должна найти в себе силы сделать шаг в другую жизнь. Если же ты будешь продолжать цепляться за старое и привычное, ты не продвинешься вперед. Ты навсегда останешься режиссером, снявшим «Соседей», но не более того. Наташенька, тебе в феврале исполнится только сорок пять, ты еще очень молода и можешь еще очень много сделать. Но у тебя никогда не выйдет ничего путного, если ты не расстанешься со старой жизнью. Она всю тебя опутала веревками и не дает двигаться вперед.

Наташа вытянула ноги на диване и уютно устроила голову на коленях Андрея. Неужели он прав? Неужели ее привязанность к семье, к близким мешает ей жить? Да нет же, так не бывает, семья — это одна из вечных ценностей, а вечные ценности не могут мешать никому и ничему, это абсурд! Разве может помешать любовь? Или честность? Или верность? Нет, нет, Андрюша чего-то недопонимает, он видит все в искаженном свете...

— Нет, не верю, — твердо сказала. — Ты не можешь быть прав. Никогда такого не было, чтобы любовь к близким мешала профессиональному росту.

— Ты передергиваешь, — мягко ответил Ганелин. — Я говорил вовсе не об этом.

— А о чем же?

— О необходимости преодолеть страх перемен. Это прекрасно, что ты любишь своих близких. Но ты посмотри, во что это превратилось! Ты держишь их возле себя, вынуждая жить в непереносимой обстановке взаимной ненависти. Ты душишь их своей любовью. Им плохо рядом друг с другом, но зато тебе-то как хорошо! Они рядом, на два этажа поднялась — и вот они во всей своей красе. Ты терпеть не можешь свою сестрицу...

— Неправда, — перебила его Наташа, приподнимая голову, — я люблю Люсю. Конечно, она стерва та еще, но все равно она остается моей родной сестрой, и мне ее ужасно жалко, потому что она очень несчастна и одинока. И Катюшу я люблю. Я ругаюсь с ними, потому что они этого заслуживают, но от этого они не перестают быть моими близкими родственниками, о которых я должна позаботиться.

— Вот и позаботься. Дай им возможность жить спокойно. Дай своему сыну и сестре с племянницей отдельное жилье, раздели их наконец, чтобы они не действовали друг другу на нервы. Оторвись от них. Перестань бояться жизни без Саши, Люси и Катерины. Как только ты преодолеешь этот страх, все остальное постепенно встанет на место. Ты перестанешь бояться снимать другое кино. Ты перестанешь бояться выйти за меня замуж. Ты вырвешься на свободу из этих своих веревок, которые тебе мешают.

Андрей был очень убедителен. Наташа долго размышляла над его словами, мысленно спорила с ним, приводила свои аргументы и где-то недели через две сдалась, признав его правоту. Ганелин тут же связался со знакомым риэлтором и дал ему задание заняться расселением квартиры на четвертом этаже. Сын и сестра с племянницей не скрывали своей радости по этому поводу, и Наташе с грустью пришлось признать, что они вовсе не страдают от предстоящей разлуки с ней.

Новогодняя ночь прошла в бурном обсуждении неожиданного ухода в отставку Президента Ельцина, январь и февраль — в поисках квартир и в оформлении необходимых документов, в марте Ганелин пригнал грузовички и развез Люсю с Катей и Сашу по их новым квартирам. Ира заранее сказала, что никакую мебель из своей комнаты перевозить на новое место не собирается, все это давно пора выбросить на помойку. Она приехала, перебрала оставшиеся в квартире вещи, и все, что сочла нужным оставить, уместилось всего в две коробки, которые она увезла на своем красном «Форде». Наташа с трудом сдерживала слезы, глядя на пустеющую по мере выноса мебели и вещей квартиру. Здесь прошла почти вся ее жизнь. Здесь выросла она сама и ее дети. Здесь жил Марик, которого она любила. Здесь ходили и дышали ее мама, отец и Бэллочка, которых уже нет в живых. Здесь вся ее душа, ее сердце, ее слезы и ее радости. Здесь была маленькая Ксюша. Здесь был Вадим — огромный кусок ее жизни, который невозможно, да и не нужно вычеркивать из памяти. А завтра сюда придут рабочие, снесут внутренние перегородки и начнут делать евроремонт для нового владельца. И это будет уже совсем другая квартира, в которой не останется ничего от Наташиной жизни. Она даже не подозревала, что ей будет так больно...

В апреле она заканчивала озвучание фильма и целыми днями пропадала в тон-ателье. В один из таких дней ей на работу позвонила Ира.

— Я улетаю в Кемерово, — проговорила она срывающимся голосом.

— Что случилось? Почему в Кемерово? — не поняла Наташа.

— Они травят Бориса Ивановича. Я не могу молчать. Я не буду молчать.

И бросила трубку.

ИРИНА

Она сидела в салоне самолета, летящего в Кемерово, и, прикрыв глаза, твердила про себя: «Я не буду молчать. Пусть все узнают, как все было на самом деле. Пусть от меня все отвернутся, пусть меня больше никто никогда не будет снимать, но я не позволю, чтобы Бориса Ивановича обвиняли в том, чего он не делал. Подонки! Сволочи! И Руслан — первый из подонков!»

Она никогда особенно не интересовалась политикой, тем более на региональном уровне, но, если складывалась возможность посидеть перед телевизором вдвоем с Виктором Федоровичем, Ира никогда ее не упускала, какая бы передача ни шла в этот момент. Она готова была смотреть и «Зеркало», и «Итоги», и ежедневные информационные программы, и даже футбол с хоккеем, в которых не понимала ровным счетом ничего. Вчера Лизавета ускакала проведать захворавшую приятельницу, Игорь еще не вернулся с работы, и она тихо коротала вечер вдвоем со свекром, радуясь тому, что он есть на свете, что он рядом, что она может его видеть и даже иногда словно случайно прикасаться к его руке. По телевизору шла очередная информационная программа, и Ира делала вид, что добросовестно слушает новости, то и дело слегка поворачивая голову, чтобы увидеть профиль Виктора Федоровича. И вдруг услышала:

— В ходе избирательной кампании в Сибири разгорелся новый скандал. На этот раз жертвой неожиданных разоблачений стал кандидат в губернаторы одной из областей Борис Бахтин. Некоторое время назад в местной прессе высказывалось сомнение в том, что человек, совершивший убийство, признанный судом виновным и приговоренный к восьми годам лишения свободы, может стать руководителем крупного региона в Кузбассе. И вот сегодня кемеровская газета опубликовала статью журналиста Руслана Нильского, в которой он обвиняет кандидата в губернаторы Бориса Бахтина еще в целом ряде преступлений, за которые он не понес наказания. В частности, пишет Руслан Нильский, есть все основания полагать, что Бахтин совершил девять убийств молодых девушек. Преступления остались нераскрытыми, а преступнику в свое время удалось избежать наказания...

Диктор говорила что-то еще, но Ира уже не слышала ее слов. Как же так? Ведь Борис Иванович звонил ей несколько раз и всегда говорил, что у него все в порядке. Правда, в первый раз он позвонил, кажется, лет десять назад, ну да, правильно, в девяностом году, спустя шесть лет после того, что случилось. Но все равно он ничего не говорил о том, что его осудили и отправили в тюрьму. И Ира все эти шестнадцать лет пребывала в абсолютной уверенности, что для него все обошлось. Никто не узнал о том, что он убил человека, никто его не тронул. А выходит, что тронули, да еще как! Но ее саму никуда не вызывали, и к ней никто из милиции не приходил, и это однозначно свидетельствовало о том, что Борис Иванович свое намерение осуществил. Представил все как пьяную драку, а об Ире ни слова не сказал. И теперь этот придурок, этот настырный журналюга Руслан Нильский смеет обвинять Бахтина!

Она выскочила из комнаты, не сказав Виктору Федоровичу ни слова, и убежала к себе дозваниваться в справочную аэропорта, чтобы узнать, когда завтра утром самый первый рейс на Кемерово и есть ли билеты. Ей хотелось избежать разговоров с Игорем, который в последнее время стал намного более общительным и находил удовольствие в том, чтобы поболтать с женой на ночь глядя. И вообще объясняться по поводу своей поездки ей не хотелось. Ира предупредила Виктора Федоровича, что принимает снотворное и ложится спать, потому что назавтра ей предстоит тяжелый день, и нырнула в постель, не дожидаясь прихода мужа. Утром она дождалась, пока все уйдут на работу, оставила на видном месте записку со словами о том, что срочно уезжает на несколько дней и непременно позвонит, покидала в небольшую дорожную сумку самое необходимое и помчалась в аэропорт.

В самолете Ирина снова и снова вспоминала тот август восемьдесят четвертого года. Сначала была деревня в Оренбургской области, где жила отцова тетка со своей многочисленной семьей, в которой никто друг за другом не следил и никогда не известно было, кто где находится. Была большая компания, состоявшая из местных и приезжих ребят, в которой на восемь парней приходилось три девчонки. Ира была самой младшей, всего четырнадцать, остальным — по семнадцать-восемнадцать, но ее держали за ровню, потому что выглядела она, рослая и крупная, с пышной грудью, куда старше своих лет, с удовольствием пила и самогонку, и дешевое вино, курила взатяг и не отказывала в интимных радостях. Сперва развлекались на местном уровне, потом у кого-то из ребят возникла идея отправиться за две тысячи километров на реку Томь, где у этого парня живут родичи и полно свободного места. Сказано — сделано, родители никого особо не удерживали, да и были они только у местных, приезжие ребята — перекати-поле — сами собой распоряжались. Купили самые дешевые билеты, сели в поезд и отправились в новое место с намерением как следует погулять, развлечься, покататься на лодках. Сначала все шло хорошо, весело и дружно, провели пару дней у родича, потом закинули на спину рюкзаки с палатками и двинулись вдоль реки Томь. По пути воровали картошку на чужих участках, ловили рыбу, готовили на костре нехитрую еду, которой закусывали спиртное. А потом начали назревать конфликты. Поводов было много, и на них в принципе можно было и внимания не обращать, будь они постарше. Но Ира в свои четырнадцать воспринимала все слишком серьезно, разругалась со своей компанией в пух и прах, наговорила ребятам много обидных слов, еще больше выслушала в свой адрес, гордо развернулась и ушла в чем была. Первые часа два она шла быстрым шагом, кипя от негодования и мысленно продолжая прерванную ссору. Потом сообразила, что вообще-то не знает, куда идти, не представляет, где находится, и денег у нее нет. И решила идти вдоль дороги в надежде на помощь какого-нибудь сердобольного автомобилиста.

И помощь не заставила себя ждать. Он был симпатичный, темноволосый, худой, лет двадцати, так ей, во всяком случае, показалось. Назвался Михаилом. Посадил в машину, с сочувствием выслушал ее сбивчивый рассказ и предложил не расстраиваться, а вместо этого приятно провести время. Против приятного времяпрепровождения Ирка Маликова никогда не возражала. Она и не думала сообщать новому знакомому о том, сколько ей на самом деле лет, наоборот, искренне радовалась, что он обращается с ней как со взрослой, покупает выпивку и, не стесняясь, намекает на сексуальные утехи, обещает какие-то невероятные изыски и острые ощущения. Она совершенно не боялась. А чего бояться-то? В первый раз, что ли?

Михаил завез ее на опушку леса, они вместе распили бутылку водки, потом прямо здесь же, на травке, приступили к делу. Сначала все было как обычно, и Ира даже разочарованно заскучала, ведь Миша ей что-то такое невозможное и невероятное обещал, и она сгорала от любопытства, а где оно, это невероятное? А потом он достал нож. Лицо его исказилось до неузнаваемости и сильно побледнело, на висках выступил пот, крупными каплями стекавший на ее тело, глаза потемнели и превратились в какие-то страшные пятна на мертвенно-белом лице. Он резал ее осторожно, аккуратно, стараясь не задеть жизненно важные органы, чтобы она, не дай бог, не умерла раньше времени. Об этой своей тактике он ей сам сообщил, сделав очередной надрез. Ира кричала что было сил, но Михаилу звуковое сопровождение быстро надоело, он оторвал кусок ткани от ее рубашки-ковбойки и засунул ей в рот вместо кляпа.

— Зря стараешься, — ласково приговаривал он, примериваясь ножом к очередному месту, где собирался сделать надрез, — тебя никто не услышит. Здесь никого не бывает, глушь, безлюдье. И вообще, чего ты орешь? Тебе должно быть приятно, а ты визжишь как ненормальная.

В какой-то момент она потеряла сознание от боли, но ее мучителя это, по всей видимости, не устроило, потому что она очнулась от того, что Михаил лил ей на лицо холодную воду из канистры.

— Ты чего? — недовольно говорил он. — Я еще не кончил, а ты уже в осадок выпадаешь. Рано, погоди, успеешь умереть, я тебе потом помогу. А пока доставь мне удовольствие, я тебя резать буду, а ты будешь дергаться. Хорошо, что я водой запасся, как знал, что пригодится.

У нее темнело в глазах, из горла вырывались низкие хриплые звуки, она пыталась собраться с силами и сбросить его с себя, но ничего не выходило, от острой боли она быстро слабела. И вдруг увидела совсем рядом с собой чьи-то ноги. Чья-то рука потянулась к ножу, лезвие которого уже нацеливалось на новый участок ее тела, рядом с ключицей. Мгновение — и нож оказался в этой незнакомой руке, а потом в груди Михаила.

— Ах ты ж мразь, — с ненавистью произнес чей-то голос.

Над ней склонилось приятное лицо мужчины лет тридцати пяти. Он осторожно извлек кляп из ее рта.

— Ты как, жива?

У нее не было сил говорить, она только издала в ответ нечленораздельное бульканье. Мужчина легко, как пушинку, подхватил Иру на руки и куда-то понес. В тот момент ей было совершенно все равно, кто ее несет и куда, она понимала, что хуже, чем только что было, уже не будет. Ее принесли в деревянный дом, где знакомо пахло сушеными травами и грибами, точь-в-точь как у отцовой тетки в деревне. На протяжении двух дней Ира то впадала в забытье, то приходила в себя и неизменно видела рядом того мужчину, который заботливо держал ее за руку. Сквозь болезненный туман она чувствовала, как он чем-то промывает порезы, смазывает их, перебинтовывает. Боль в ранах то утихала, то становилась сильнее, ее лихорадило, но через два дня Ира все-таки оклемалась.

— Меня зовут Борисом Ивановичем, — представился мужчина. — А тебя? И откуда ты тут взялась?

— Я — Ира из Москвы, — послушно ответила она и зачем-то добавила: — Ира Маликова.

— Ну а я, стало быть, Бахтин Борис Иванович. Давай, Ира из Москвы, выкладывай, как эта петрушка с тобой случилась.

Заливаясь слезами стыда и раскаяния, она без утайки все рассказала. Какой смысл врать человеку, который ради тебя на убийство пошел? А может, тот парень не умер?

— Вы его убили? — робко спросила Ира, закончив свое повествование.

— К сожалению, да, — очень серьезно ответил Борис Иванович. — Пока ты спала, я сходил проверил. Он умер.

— Вас теперь в милицию заберут и в тюрьму посадят?

— Не обязательно. Может, все и обойдется. Но нам с тобой надо решить одну важную проблему. Если все сложится очень плохо, если меня найдут и обвинят в убийстве, я должен буду как-то это объяснить. Ведь согласись, странно, если окажется, что я ни с того ни с сего взял и убил незнакомого человека, которого видел в первый раз в жизни. У меня будет два выхода: или сказать правду, или солгать. Если я скажу правду, к тебе придут люди из милиции и заставят рассказывать, как ты отправилась в поход с ребятами, как поссорилась с ними, как этот парень, Михаил, тебя подобрал на дороге, как ты согласилась с ним поехать, как вы вместе пили водку. И про все остальное тоже. Ну... ты понимаешь, о чем я. Ты будешь это рассказывать много раз в присутствии разных мужчин. Кроме того, тебя отправят на медицинскую экспертизу, снова заставят все подробно рассказывать и будут задавать вопросы. А потом тебе придется все это повторять в суде, где уже будет не один следователь или эксперт, а много людей. Судья, два народных заседателя, секретарь, представитель прокуратуры, адвокат, родственники убитого, их может оказаться много. Ну и я, само собой, на скамье подсудимых. И опять снова-здорово, во всех деталях, как уложил на траву, как снял с тебя белье, как расстегнул брюки, как спустил трусы и далее — везде. И при всем при том каждый, заметь себе, каждый из тех, с кем ты будешь иметь дело, обязательно начнет тебе рассказывать, какая ты дрянь, как плохо ты себя ведешь в своем нежном возрасте, пьешь водку и соглашаешься на близость с совершенно незнакомым человеком. И это в четырнадцать-то лет! Они из тебя всю душу вынут. И испортят тебе всю оставшуюся жизнь, потому что вынесут все подробности из зала суда и будут рассказывать о них на каждом углу. И называть твое имя и фамилию. Тебе до самой смерти придется нести на себе это клеймо. Нравится?

— Нет. А какой второй вариант?

— Если меня привлекут за это убийство, я скажу, что познакомился с Михаилом случайно, шел мимо, он вышел из машины, начал ко мне приставать, потому что был сильно пьян, а он ведь и в самом деле был пьян. Разгорелась ссора. Михаил достал нож, собрался меня ударить, но я, как бывший десантник, сумел его обезоружить и первым нанес удар. А тебя здесь вообще не было. Я тебя не видел и имени твоего не знаю. Через несколько дней ты чуть-чуть окрепнешь, и я отправлю тебя поездом в Москву. Лучше бы, конечно, самолетом, но аэропорт далеко, и с билетами могут быть проблемы, сейчас лето, все летят на юг через Москву. У меня, конечно, есть связи, я любой билет могу достать, но в этом случае слишком много людей узнают о том, что я отправлял самолетом в Москву какую-то девушку, которая выглядела очень больной. И если дело дойдет до милиции, они и до этого докопаются. Ведь в регистрации останется твое имя. Так что придется тебе ехать поездом, станция не очень далеко, я тебя отвезу и посажу в вагон, а с проводницей договорюсь, чтобы присматривала за тобой. В Москве есть кому тебя встретить?

— Есть, — кивнула Ира. — Наташка меня встретит.

— Это кто? Подружка или сестра?

— Соседка. Мы в одной квартире живем.

— Добро. Дашь мне ее номер телефона, я как посажу тебя в поезд, так сразу же ей позвоню, сообщу, когда тебя встречать. Согласна?

— Спасибо вам, — Ира снова расплакалась. — Вы такой добрый.

Она попыталась поднести к губам и поцеловать темную от загара сильную руку, ласково сжимавшую ее пальцы, но Борис Иванович сердито отдернул ладонь:

— Еще что выдумала! Ты как себя чувствуешь?

— Хорошо. Почти, — уточнила Ира, стараясь быть честной.

— Побудешь одна часика два-три?

— А вы куда? — испугалась она. — Вы меня бросаете?

— Ну не насовсем же, — рассмеялся тот. — Надо пойти привести там все в порядок.

— Где? — не поняла Ира.

— Ну там, где все случилось. Этот подонок тебя резал, там твоей крови натекло... Если милиционеры это увидят, мой рассказ о пьяной драке не пройдет. Надо на том месте, где твоя кровь, костер развести, пусть огнем все повыжжет. Заодно и посмотрю, не осталось ли твоих вещей. Рюкзачок твой я тогда еще захватил, но, может, выпало что-нибудь. А так, с кострищем-то, будет полная иллюзия, что Михаил приехал на опушку отдохнуть, развел костер, посидел рядом с ним, водочки выпил, потом меня увидел и драку затеял. И все будет тип-топ. Но это я так, на всякий случай, будем надеяться, что все сойдет гладко и никто мне это убийство шить не станет.

Ира пробыла в домике у Бориса Ивановича еще три дня. Он лечил ее, перевязывал изрезанное тело, кормил кашами и супами из концентратов, поил какими-то отварами из трав. И на протяжении всех трех дней не переставал повторять:

— Ирочка, только не вздумай наделать глупостей, я тебя заклинаю, не считай себя конченым человеком из-за того, что случилось. Сейчас ты находишься в шоке, ты болеешь, но потом, когда придешь в себя, тебе в голову могут прийти разные мысли.

— Какие мысли? — спросила Ира, когда Борис Иванович впервые заговорил об этом.

— О том, чтобы покончить с собой. Я знаю, такие мысли приходят в голову многим девушкам, которые попадают в руки насильников. Некоторые с ними справляются и гонят от себя прочь, а некоторым, к сожалению, это не удается. Девочка моя, всегда помни, что Михаил собирался тебя убить. Я взял грех на душу, прикончил гаденыша, чтобы ты осталась жива. Поверь, мне очень тяжело, это я перед тобой хорохорюсь, чтобы ты духом не падала, а на самом деле у меня на душе черно. Я ведь человека убил. И если ты не будешь жить, если сделаешь какую-нибудь глупость, получится, что я напрасно взял грех на душу и напрасно теперь страдаю. Ты меня понимаешь?

— Понимаю.

— Ты даешь мне слово, что будешь жить?

— Даю, Борис Иванович.

Много о чем они говорили за эти три дня. Потом Бахтин на своей машине отвез ее на станцию, купил билет и посадил в поезд.

С тех пор Ира видела его только один раз, когда приезжала в Кемерово вместе с Наташей. Он пришел на презентацию фильма, и Ира даже зажмурилась, не веря своим глазам, до того он был хорош, стройный, широкоплечий, в прекрасно сидящем смокинге. И рядом — молодая красотка. Они столкнулись прямо перед буфетной стойкой, за которой официант разливал напитки. Борис Иванович глянул на нее в упор и тут же отвернулся, продолжая разговор со спутницей. Но Ира не сомневалась: он ее узнал. И снова нахлынули воспоминания, нестерпимо захотелось выпить, чтобы снять напряжение. Она уже потянулась было к коньяку, как подскочила Наташа, которая, узнав про присутствующего здесь Бахтина, взашей вытолкала ее из кинотеатра и велела немедленно отправляться в гостиницу и сидеть там тихо, как мышка, пока Ира не сумеет справиться с собой. На всякий случай, зная буйный нрав воспитанницы, даже деньги у нее отобрала, только на троллейбусный билет «пятачок» оставила, чтобы Ирка не сорвалась и не напилась.

В тот единственный раз Борис Иванович выглядел холеным, благополучным и довольным жизнью. Приехал на дорогой машине, привел с собой дорогую девушку, да и одет был соответствующим образом. Ире и в голову не пришло, что он отсидел срок за убийство. Разве так выглядят вышедшие на свободу осужденные? Они выглядят как Егор Прокудин из «Калины красной». А Борис Иванович Бахтин был совсем не таким.

В последний раз он звонил после того, как по телевизору показывали «Соседей». Звонил, как обычно, в квартиру Наташи, это был единственный номер телефона, который он знал. Просил передать Ире, что видел сериал и что счастлив за нее. У нее все получилось, она стала актрисой, и он гордится тем, что она оправдала его надежды.

Она до сих пор помнила прикосновения его пальцев к своему телу, и ту ноющую боль, которая растекалась по коже, и ослепляющее жжение, которое стихало от звуков его голоса. Из памяти полностью стерлось, что и как он делал, но воспоминания о том, что она при этом чувствовала, не делались с годами тусклыми и размытыми, наоборот, эти воспоминания, то и дело возвращаясь к ней, становились все ярче и вызывали отвращение к себе самой, острое чувство вины и желание заплакать и напиться.

И вот теперь Бориса Ивановича обвиняют в том, чего он не совершал. В убийстве каких-то девяти девушек. Что это за девушки? Откуда взялся этот бред? Ну ничего, через два часа самолет приземлится в Кемерове, Ира без труда найдет редакцию той газеты, в которой работает Руслан, разыщет этого очкастого придурка и потребует ответить на все ее вопросы. А потом поедет к Борису Ивановичу. Наверняка Руслан знает, где его искать.

От аэропорта Ира взяла такси. Где находится редакция нужной ей газеты, водитель понятия не имел, и Ира предложила остановиться у первого же киоска «Роспечати». Купив газету, она без труда нашла адрес.

Пройти в редакцию беспрепятственно ей не удалось, внизу за столиком сидел охранник, который учинил Ирине строгий допрос: к кому пришла, ждут ли ее, заказан ли пропуск. Кипящая праведным гневом Ира быстро потеряла терпение:

— Нильский меня не ждет, я только что прилетела из Москвы и с ним не созванивалась. Передайте ему, что пришла Ирина Савенич, — потребовала она, нервно теребя в руках паспорт. — Просто снимите трубку и позвоните, больше от вас ничего не требуется. Если Нильский не захочет со мной встречаться, я уйду.

— А вы, конечно, уверены, что он захочет, — нагло ухмыльнулся охранник.

— Конечно, уверена, — дерзко передразнила она. — Вы сначала позвоните, а там посмотрим.

— Я не телефонистка. Вон на стенке телефон висит, сами звоните.

— Тогда скажите номер.

Охранник неохотно полез в ящик стола за справочником и невнятно пробурчал цифры внутреннего номера. Сначала очень долго было занято, но Ира терпеливо раз за разом нажимала кнопки, пока ей не ответили.

— Руслана Андреевича? Да, минутку.

Слава богу, он здесь. Только сейчас Ира начала осознавать все возможные последствия своего импульсивного поступка. Ринуться в другой город, даже не выяснив, где находится Руслан! А вдруг он в командировке и вернется не скоро? У нее никого здесь нет, ни друзей, ни знакомых, она даже о гостинице не побеспокоилась. Вот всегда у нее так получается, сначала делает и только потом думает. Вечно у нее ноги впереди головы бегут.

— Это Ира Савенич, — волнуясь проговорила она, когда в трубке послышался голос Нильского.

— Ира?! — обрадовался он. — А почему по внутреннему? Ты что, здесь, в редакции?

— Да, я внизу. Мне очень нужно с тобой поговорить.

— Сейчас я спущусь, подожди.

Через несколько минут в людном холле появилась знакомая невысокая фигура. Лицо Руслана сияло приветливостью и удивлением.

— Какими судьбами, Ира? Давно ты в Кемерове?

Вместо ответа она внезапно подняла руку и изо всей силы ударила Нильского по лицу. Руслан покачнулся, охранник выскочил из-за стола и бросился к ним, но журналист проявил чудеса реакции, схватил Иру за руку и потащил к выходу.

— Руслан Андреевич, — начал было охранник, но Руслан жестом остановил его:

— Все в порядке, мы сами разберемся.

Он буквально силой стащил ее со ступенек крыльца и увлек за угол.

— Что ты вытворяешь? Ты что, с ума сошла? Объясни, что происходит, — разъяренным голосом потребовал он.

— Нет уж, дружочек, это ты с ума сошел! И это ты мне объясни, что происходит! По какому праву ты обвиняешь Бориса Ивановича Бахтина в убийстве каких-то девяти девушек?

От изумления у Руслана даже ярость прошла. Брови поднялись над оправой очков, глаза округлились.

— А какое отношение это имеет к тебе? Ты за что меня ударила? За Бахтина, что ли?

— Именно за Бахтина.

— Ты с ним знакома?

— Представь себе, знакома. Откуда взялась эта мерзость про девять убитых девушек?

— Ну, раз ты с ним знакома, то должна знать, что он в восемьдесят четвертом году убил человека.

— Я знаю.

— И был за это осужден на восемь лет, из которых отсидел пять с половиной. В том же восемьдесят четвертом году в нашей области орудовал маньяк, который насиловал и резал ножом молодых девушек. И как только Бахтина арестовали и посадили, убийства девушек прекратились. Тебе это о чем-нибудь говорит?

— Абсолютно ни о чем, — резко ответила Ира. — В восемьдесят четвертом году, наверное, не одного Бахтина арестовали и посадили. Были и другие преступники. С какого, извини, перепугу ты решил свалить этих девушек на него? У тебя что, фантазия больная?

— А в статье на этот счет все сказано. Ты же сама читала, чего ж теперь спрашиваешь.

— Я не читала статью, я вчера по телевизору услышала про нее. Это все вранье, это твои идиотские выдумки. Ты должен немедленно дать мне возможность реабилитировать Бахтина.

— Успокойся, — Руслан крепко взял Иру под руку, — пойдем сядем вон на ту скамейку и поговорим. Я, правда, замерз, без куртки выскочил. Хочешь, поднимемся к нам в редакцию?

— Нет, будем здесь разговаривать. Можешь сходить за курткой, если тебе холодно. Я подожду.

— Да ладно, — Руслан махнул рукой, — на самом деле не так уж и холодно. Садись.

Ира села на скамейку, стараясь не разволноваться еще больше. Значит, тот парень, Михаил, был маньяком. До нее он таким же образом затащил в лес и убил девятерых девушек. И она, Ирина, должна была стать десятой. И стала бы, если бы не Борис Иванович Бахтин. Господи, она была в руках настоящего убийцы-маньяка! Она по глупости и легкомыслию связалась с парнем, который, оказывается, не случайно, не в приступе усиленной алкоголем похоти достал нож, а убивал регулярно и методично. Ее спасло чудо.

— Так откуда ты знаешь Бахтина? — Руслан пытливо заглянул ей в лицо.

— Не твое дело. Знаю, и все. И знаю, что он никаких девушек не убивал. Ты оболгал его, оклеветал на всю страну! И теперь ты обязан это исправить. Я приехала, чтобы добиться этого от тебя. У тебя есть связи, сделай так, чтобы мне дали сегодня же выступить по местному телевидению. Я не уйду отсюда, пока ты это не устроишь, слышишь, подонок? Я на шаг от тебя не отойду, пока ты сам, лично, не приведешь меня за ручку в телестудию, где мне дадут выступить в прямом эфире.

— Ну допустим, — Руслан скептически покачал головой, — допустим, я это устрою. И что ты собираешься сказать? С чем ты собираешься выступать? Будешь говорить, что я подонок, а Бахтин святой? Так не пойдет, нужны доказательства. У меня они есть, а у тебя?

— Какие у тебя доказательства? — закричала она, теряя самообладание. — Ну какие? Ты что, был там? Ты своими глазами видел?

— Я там не был и ничего не видел, но я читал материалы уголовного дела. Это все написано в статье, но для тебя в виде любезности повторю вкратце основные моменты. В восемьдесят четвертом году Бахтин убил человека. Якобы в пьяной драке. Экспертиза утверждает, что убитый был сильно пьян, а я точно знаю, что он не пил и никогда ни с кем не дрался, это был тихий и очень добрый человек. Зато другая экспертиза говорит о том, что на ноже присутствуют следы крови не только убитого, но и еще чьи-то. Этим ножом Бахтин раньше уже воспользовался при совершении другого преступления, а потом просто убрал свидетеля. Я много лет искал это предыдущее преступление, я собрал, проверил и перелопатил неимоверное количество информации, пока наконец не узнал о маньяке. И тогда все сложилось в цельную картину. Эту картину я могу отстаивать с аргументами и доказательствами в руках. А ты? Что ты собираешься этому противопоставить? Если ты собираешься просто с пеной у рта кричать, что «этого не может быть, потому что не может быть никогда», ты превратишься в посмешище.

— Я собираюсь рассказать правду.

— Какую правду, Ирочка? Ну какую такую правду ты можешь рассказать?

— Я там была и все видела, — медленно произнесла Ира, тупо уставившись на прыгающего у ее ног воробья. — Я расскажу, как все было на самом деле. Я много лет молчала, потому что Борис Иванович убедил меня, что так будет лучше для меня же самой. Больше я молчать не буду.

Она стала рассказывать, не глядя на Руслана. Ей отчего-то было легче, когда она смотрела на беззаботного воробышка, доверчиво крутившегося рядом в попытках собрать клювиком все до единой крошки от булочек из редакционного буфета. Крошек здесь было в изобилии, и краешком сознания Ира совсем некстати подумала, что сотрудники газеты, наверное, частенько посиживают здесь с булочкой, бутылкой пепси-колы и сигареткой.

— Он убил маньяка, понимаешь? И представил это как пьяную драку, чтобы меня не впутывать. Чтобы меня не таскали к следователям и судьям, чтобы я не рассказывала всем, какая я дура и шлюха. И еще он очень боялся, что я захочу покончить с собой. Все время меня уговаривал постараться это пережить достойно и не делать глупостей. Я тогда многого не понимала и не знала, а он мне не объяснил, что если рассказать в милиции правду, то ему вообще могли срок не дать или назначить условное наказание. А он добровольно пошел в тюрьму, потому что спасал меня, мое никому не нужное достоинство и мою никому не нужную репутацию. Он спасал мою дурацкую никчемную жизнь, потому что боялся, что, если меня начнут допрашивать про всякие подробности, я не вынесу позора и руки на себя наложу. А ты посмел поливать его грязью. Ты теперь понимаешь, что наделал?

Руслан молчал, и Ира осторожно повернула голову, чтобы понять его реакцию. Лицо журналиста было землисто-серым, глаза за толстыми стеклами очков казались неживыми.

— Руслан, — она осторожно коснулась пальцем его руки.

Ладонь была ледяной. Наверное, парень и в самом деле замерз.

— Руслан, тебе плохо? Может, врача позвать?

— Это был мой брат, — еле шевеля губами, выдавил он.

— Кто?

— Михаил. Тот, кого убил Бахтин. Если то, что ты сейчас рассказала, неправда, я убью тебя, собственными руками задушу.

— Это правда. Я бы не примчалась сюда из Москвы, если бы это все было не так. Мне очень жаль, Руслан. Я не знала, что это твой брат. Значит, ты из мести все это затеял? Ты просто мстишь Бахтину за убийство брата, потому и придумываешь про него всякие небылицы? Это низко. Я понимаю, что тебе сейчас тяжело, но Борису Ивановичу еще хуже. И мы должны немедленно сделать так, чтобы все узнали правду. Слышишь? Руслан, — она принялась тормошить его за плечи, — ты меня слышишь?! Ну что ты сидишь как каменный! Вставай, поехали на телевидение!

Нильский резко сбросил ее руки и вскочил со скамейки.

— Правду?! Ты хочешь, чтобы все узнали правду? А что же ты шестнадцать лет молчала со своей правдой? Я шестнадцать лет бился над тайной смерти моего родного брата, я шестнадцать лет землю носом рыл, карьеру делал в журналистике, чтобы получить доступ к милицейской информации и разобраться, как и почему погиб Мишка! А ты? Человек из-за твоей пьяной дури в тюрьму сел, срок мотал, а ты молчала. Тебе было удобно в своей теплой квартирке в сытой обеспеченной Москве. Почему ты раньше-то не призналась?!

— Я не знала, что его посадили. Я вообще об этом только вчера узнала. Уверена была, что все обошлось.

— Ах, ты не знала?! А ты хотела знать? Не хотела ты ничего знать. Тебе удобно было думать, что все обошлось, вот ты и думала. Если бы ты захотела выяснить, все ли в порядке, ты бы это сделала. Или твоя Наталья Александровна. Но вы обе приняли все как есть и спрятали голову в песок. Меньше знаешь — лучше спишь! Так, да? Ты поступила трусливо и малодушно, а теперь я у тебя получился виноватым во всех грехах.

— Руслан, не кричи, — попросила Ира. — Ты прав, и я не собираюсь с тобой спорить. Я поступила трусливо и малодушно. А ты злобно и мстительно оболгал человека. Мы оба нанесли вред Борису Ивановичу. И мы должны, мы обязаны это исправить. Если в тебе еще есть остатки совести, ты мне поможешь. Я расскажу, как все произошло на самом деле, а ты публично опровергнешь свою мерзкую статью и принесешь Бахтину извинения. Мы будем выступать вместе.

Эта идея родилась в ее голове только что. Еще пять минут назад у нее и в мыслях не было заставить Руслана сделать публичное опровержение. Она хотела только одного: дать ему по морде, высказать в глаза все, что думает о нем, и потребовать, чтобы он устроил ей выступление на телевидении.

Руслан отступил от скамейки на пару шагов, посмотрел на нее, сощурив глаза.

— Все сказала?

— Нет еще. Ты знаешь, где найти Бахтина? Я хочу с ним увидеться. Он здесь, в Кемерове?

— Да, недавно переехал из Ленинска-Кузнецкого.

— Отвезешь меня к нему?

Руслан неопределенно пожал плечами:

— Пойду схожу за курткой.

Ира смотрела ему вслед, крепко обхватив себя руками в попытке унять внутреннюю дрожь. Ее бил озноб, а лицо пылало, и руки были горячими. Бедный Руслан! Каково это, узнать, что твой любимый старший брат — маньяк, насильник и убийца. Столько лет верить в то, что Михаил — тихий добрый парень, который мухи не обидит, столько лет бороться за восстановление его доброго имени, и вдруг такое... Врагу не пожелаешь. И все равно он не имел права клеветать на Бориса Ивановича. Мало ли какие там факты у него в картинку улеглись, если включить фантазию, так из любых фактов можно что угодно состряпать, притягивая их друг к другу за уши, Игорь сколько раз об этом говорил! Он часто любил повторять, что если два факта буквально тянутся друг к другу, то проверять надо не только сами факты, но и природу силы притяжения между ними.

Что же Руслана так долго нет? Испугался и смылся, оставив ее здесь дожидаться второго пришествия? Ничего, ничего, все будет хорошо, все еще можно поправить, сейчас они с Русланом поедут на телевидение, он там обо всем договорится, она выступит в прямом эфире, расскажет всем правду о Бахтине, а потом отправится к самому Борису Ивановичу. И сделает то, что ей не удалось сделать шестнадцать лет назад: поцелует ему руку. При всех. Сколько бы народу рядом ни было. Поблагодарит за все. Попросит прощения...

Из-за угла вынырнул Руслан. В куртке, на голове кожаная кепка, через плечо — сумка на широком длинном ремне. Ира стремительно вскочила ему навстречу.

— Поехали?

— Бахтин в больнице, — сказал он подавленно. — Инфаркт.

— Как... — задохнулась она. — Когда?

— Еще утром. Я только что узнал. В редакции сказали.

— Поехали в больницу, — решительно скомандовала Ира.

— Погоди. Я позвонил на телевидение, сказал, что из Москвы приехала актриса Ирина Савенич, которая хочет сделать сенсационное заявление. Мне поверили. Через пятьдесят минут у них информационный выпуск, они готовы дать тебе три минуты, не больше. Под мою личную гарантию, что дело того стоит. Если ты хочешь выступить в прямом эфире, то надо ехать, другой возможности не будет.

— Да как же ехать, когда Борис Иванович в больнице! — возмутилась она. — Надо срочно к нему. Это ты довел его до инфаркта своей статьей! Надо немедленно успокоить его, он должен знать, что я приехала, что я здесь и собираюсь рассказать правду. Никто больше не посмеет думать о нем плохо и называть убийцей! Он должен об этом знать, это лучше всякого лекарства. — Ира бросила взгляд на часы — еще только начало шестого. — А выступить можно и в следующем информационном выпуске.

— Ира, следующий выпуск будет в час ночи, когда все уже спят и тебя никто не услышит, — устало сказал Руслан. — Ты забыла о разнице во времени. У нас уже вечер. Если не выступать сейчас, то имеет смысл отложить до завтра. Делать сенсационные заявления в ночном выпуске — глупость.

— Ладно, — решилась Ира, — поехали на телевидение. И оттуда сразу в больницу. Ты на машине?

Он молча кивнул и повел ее к припаркованным перед зданием редакции «Жигулям». На телестудию ехали молча, у Иры было неплохое чувство времени, и она в уме складывала слова во фразы, стараясь составить свое выступление, которое должно уложиться в три минуты. С чего лучше начать? «Здравствуйте, меня зовут Ирина Савенич, я актриса...» Или не надо про актрису? Какое значение имеет, кто она такая? С другой стороны, люди у нас привыкли больше доверять известным персонам, нежели дядям с улицы. Конечно, большой известности у нее нет, но все-таки если назвать свое имя и добавить насчет актрисы, то кое-кто, может быть, вспомнит, что видел ее в телесериале. Хорошо, представилась. Что дальше? Объяснять, почему приехала сюда из Москвы? Или сразу брать быка за рога и приступать к истории, случившейся шестнадцать лет назад? Да, так, наверное, будет лучше. Все объяснения можно сделать потом, в конце. Было так-то и так-то, потом она узнала, что Бахтина необоснованно обвиняют совсем в другом, и прилетела, чтобы восстановить справедливость. Спасибо за внимание. Никаких эмоций, одни голые факты. Эмоции могут иметь место, только если останется время. Эх, была бы на местном телевидении такая же программа, как «Герой дня» на НТВ! Двадцать минут в прямом эфире, да если еще с хорошим ведущим...

— Руслан, у вас есть что-нибудь типа «Героя дня»? — спросила она, прерывая молчание.

— Есть, по пятницам. Ты хочешь остаться до пятницы?

Сегодня вторник. Нет, пожалуй, не выйдет. Она сможет вернуться домой только в субботу. А может быть, остаться? Ладно, она решит это позднее, когда сначала поговорит с Борисом Ивановичем, а потом позвонит домой и узнает, как отнеслись к ее внезапному и ничем не мотивированному отъезду.

На телевидении их уже ждали. Смазливая девчушка лет двадцати с небольшим приветливо замахала рукой, едва машина Руслана остановилась возле подъезда.

— Ты выйди, я поищу, где машину поставить, а то здесь все забито, — сказал он.

Ира вышла, девушка тут же подлетела к ней.

— Здравствуйте, меня зовут Алена, я администратор информационных программ, — начала она с деловым видом и тут же сбилась на совсем девический тон. — Ой, а вы в жизни гораздо красивее, чем в кино. Я с таким удовольствием смотрела «Соседей»! Руслан сказал, что у вас срочное сообщение.

— Да. Я хочу рассказать правду о том убийстве, за которое был когда-то осужден Борис Иванович Бахтин.

— Он что, действительно маньяк? — Алена понизила голос до шепота.

— Нет. Он убил маньяка, когда тот насиловал очередную жертву. Руслан сказал, что вы даете мне три минуты.

— Две с половиной, — уточнила Алена.

— Он сказал — три! — настойчиво повторила Ира.

— Всего три. Две с половиной вам и тридцать секунд ему. Больше никак не получается, блок новостей мы сокращать не можем, ваше выступление мы ставим вместо репортажа. У нас вся программа — десять минут. Третья часть ваша. Это очень много, просто беспрецедентно, мы на это пошли только ради Руслана. Нильский — это имя.

Подошел Руслан, и они все вместе двинулись в студию. Дальше все происходило в бешеном темпе. Бегом в гримерную, оттуда — галопом в студию, на Иру нацепили микрофон и скороговоркой объяснили, куда смотреть, когда начинать говорить и как следить за временем. Рядом усадили Руслана.

— Десять секунд до эфира! — раздалось в студии.

Ведущая информационной программы поерзала на стуле, расправила плечи, приготовила лицо. На экране появилась заставка. Ира с удивлением отметила, что совершенно не нервничает. Все волнение, выбивавшее ее из колеи во время разговора с Русланом, куда-то пропало. Наверное, обстановка в студии напомнила ей съемочную площадку. Режиссер, камеры, операторы, звукооператоры, администраторы, свет, заготовленный текст. Только главные действующие лица перед камерами не актеры, а дикторы. Обстановка показалась ей привычной, и она успокоилась.

— В нашем информационном выпуске вы не увидите репортажа, — говорила диктор. — Вместо него мы предоставляем слово нашим гостям — актрисе Ирине Савенич и журналисту Руслану Нильскому.

— Здравствуйте, — начала Ира, — меня зовут Ирина Савенич, я приехала из Москвы, чтобы восстановить правду, которая была когда-то нарушена по моей вине.

Вот черт возьми, она же не хотела так начинать! Готовилась, готовилась, продумывала текст выступления и сделала все наоборот. Ну что она за дура такая!

— В августе тысяча девятьсот восемьдесят четвертого года...

Она смотрела прямо в камеру, над которой горел красный огонек, краем глаза отмечая цифры, сменяющие друг друга на табло электронных часов. Молодец, уложилась, все главное сказала, осталось еще шесть секунд.

— Борис Иванович, дорогой, если я сегодня жива, то только благодаря вам. Спасибо вам за все, что вы для меня сделали.

Огонек над камерой погас, Ира поняла, что ее лица больше нет на экране, теперь наступила очередь Руслана. Она внезапно снова начала волноваться и вдруг осознала, что не понимает ни единого слова журналиста. Никак не может сосредоточиться и послушать его выступление, вместо этого мысленно повторяет свои слова и проверяет, все ли сказала правильно.

— Я виноват перед вами, Борис Иванович. Хочу надеяться, что вы меня поймете и простите.

Это было единственное, что она сумела понять. Снова заговорила диктор, зачитала новости спорта и прогноз погоды. Все. Камеры выключены, микрофоны сняты, можно уходить. Вокруг лица, изумленные, потрясенные, осуждающе-брезгливые. Самые разные. Но ни одного равнодушного.

— Мы повторим это в записи завтра в утреннем эфире, а предварительно дадим несколько анонсов, — сказал, прощаясь, кто-то из сотрудников телевидения.

— Спасибо, — поблагодарила она и потащила Руслана к выходу. Скорее в больницу, к Бахтину. Он, наверное, уже знает о выступлении, наверняка в этой больнице кто-то смотрел новости. Ему сразу скажут, и Борису Ивановичу должно стать полегче. Пусть знает, что с этого момента никто не посмеет верить опубликованным в газете подозрениям и ложным обвинениям журналиста Нильского.

Моросил холодный дождь, неровный асфальт покрылся грязными лужами. Дорога до больницы заняла около двадцати минут, на протяжении которых Руслан не проронил ни слова. Он избегал не только разговаривать с Ириной, но и смотреть на нее. Пока ехали, она достала из сумки мобильный телефон, включила его, прослушала автоответчик. Всего два звонка, оба от Лизаветы. «Ирочка, что случилось? Немедленно позвони домой, мы волнуемся». Поколебавшись несколько секунд, Ира набрала московский номер. Не рискнув объясняться со свекровью, она позвонила Игорю сначала на работу, потом, когда там никто не снял трубку, на мобильник.

— Ирка, что за фокусы? — недовольно спросил он, едва услышав ее голос. — Ты что, с любовником смылась?

— Нет, я по делу. Вернусь как только смогу.

— Какие дела у тебя могут быть в Кемерове?

— Я все расскажу, когда приеду. Позвони родителям, скажи, что я объявилась и со мной все в порядке. Целую.

Игорь еще что-то возмущенно говорил, но она уже нажала кнопку и отсоединилась.

Здание больницы стояло в глубине огороженной забором территории, въезд на которую разрешался только санитарным машинам. Руслан остановил «Жигули» на улице возле ворот рядом с белым «Мерседесом».

— Между прочим, это машина Бахтина, — бросил он, запирая дверцу.

— Наверное, его молодая жена здесь.

Они пошли под дождем по выложенной плиткой дорожке, вдоль которой стояли горящие фонари. Время посещений больных давно закончилось, врачи, кроме дежурных, разошлись по домам, да и погода к прогулкам не располагала. На всем пути от ворот до входа в корпус им не встретился ни один человек.

Ира издалека заметила одинокую женскую фигуру на освещенном крыльце. Туго перехваченный поясом плащ, поникшие плечи, мокрые, прилипшие к голове волосы. Даже на расстоянии от женщины веяло такой безысходностью и печалью, что у Иры сердце сжалось. «Наверное, потеряла кого-то из близких, — сочувственно подумала она, — и теперь не представляет, как идти домой, как рассказывать об этом, как дальше жить с этой болью».

— Это жена Бахтина, — негромко произнес Руслан, когда они подошли ближе.

— Ты же говорил, он на молодой женился, — удивилась Ира.

— Это первая жена, Алла Григорьевна. Они уже лет десять как развелись.

Сделав еще несколько шагов, они поравнялись с женщиной, которая, казалось, их не замечала. Обеими руками прижимая к горлу широкие лацканы плаща, она смотрела себе под ноги.

— Алла Григорьевна, — тихонько окликнул ее Руслан.

Та медленно подняла голову, в ее глазах стояли слезы.

— Вы кто? — почти равнодушно спросила она.

— Я Нильский, Руслан Нильский. Я как-то приходил к вам, помните?

— Помню. Сначала вы пришли ко мне, а потом написали этот пасквиль.

— Алла Григорьевна, я только что с телевидения. Я публично признал свою ошибку и извинился перед Борисом Ивановичем.

— Теперь все это уже не имеет значения. Борис умер. Час тому назад.

— Нет! — помимо воли вырвалось у Иры. — Не может быть... Мы же все объяснили, мы все рассказали, — залепетала она, — я хотела, чтобы Борис Иванович знал, что больше никто не сможет говорить о нем... подозревать... Как же так? Почему?

— У смерти не спрашивают, почему она приходит. Она сама решает, когда и к кому являться, — медленно проговорила Алла Григорьевна. — А вы, наверное, Ирина?

— Вы меня знаете?

— Я все знаю. Я была единственным человеком, кроме вас и

Бориса, который все знал. Потому и не стала с ним разводиться, когда его посадили. Ждала его. Преклонялась перед величием его жертвы. Впрочем, это неважно... Заберите меня отсюда, — вдруг попросила она жалобным голосом. — Я больше не могу здесь находиться.

Втроем они вернулись к машине и забрались в сухой, не успевший остыть салон.

— Куда вас отвезти, Алла Григорьевна? — спросил Руслан.

— Мне все равно. Везите куда-нибудь, только подальше отсюда.

— Где ты остановилась? — обратился он к Ире.

— Нигде. Я сразу из аэропорта примчалась к тебе в редакцию.

— Устроить тебя в гостиницу?

— Не надо. Отвези прямо в аэропорт и помоги улететь ближайшим рейсом, — попросила она.

— Давайте поедем в аэропорт, — неожиданно вмешалась Бахтина. — Там люди, там жизнь... Мне будет легче.

— Как скажете, — коротко бросил Руслан.

В аэропорту выяснилось, что последний рейс на Москву задерживается до четырех часов утра и билеты на него пока есть. Ира купила билет, и Руслан повел их в бар. Усадив женщин за столик в углу, принес, не спрашивая, три рюмки коньяку, три чашки кофе и бутерброды с сыром и с копченой рыбой.

— Помянем Бориса Ивановича, — сказал он, поднимая рюмку и глядя прямо перед собой. — Мы все виноваты в том, что случилось. И я, и Ира, и вы, Алла Григорьевна. Если бы вы рассказали мне все, когда я к вам приходил...

Выпили не чокаясь.

— Борис запрещал мне рассказывать. Я дала ему слово. Сейчас это уже не имеет значения. Там, в больнице, был телевизор в коридоре. Я слышала ваше выступление. Вы сами все рассказали. Борис уже не услышал. Теперь тайны нет. Теперь и мне можно рассказывать.

Бахтина говорила короткими фразами. Казалось, составление длинного предложения потребовало бы от нее огромного усилия. В шестьдесят шестом году, когда Борису Бахтину было семнадцать лет, он совершил поступок, который в конечном итоге перевернул всю его жизнь. Он провожал свою подружку-одноклассницу после школьного вечера. Шли через опустевший городской парк, то и дело останавливаясь и целуясь. Когда их окружили четверо здоровенных лбов, выдыхающих на три метра перед собой запах перегара, Борис сразу понял, что шансов уцелеть у них нет. Его начали бить, девочку схватили и поволокли в кусты. После первого же удара Борис упал, и насильники им больше не занимались, в их глазах он ни малейшей угрозы не представлял. Он поднялся и побежал к выходу из парка, оставляя все дальше и дальше за спиной сдавленные крики одноклассницы. Он мог позвать на помощь. Мог позвонить в милицию из телефона-автомата или из любого стоящего рядом с парком дома. Мог найти что-нибудь тяжелое, камень или железный прут, и вернуться, чтобы помочь девочке. Но ничего этого Боря Бахтин не сделал. Он испугался. Испугался до помрачения рассудка, до потери сознания. Он прибежал домой, быстро разделся и забился в постель, укрывшись одеялом с головой и прижав колени к груди. Родителей не было, они уехали навестить родственников в деревне.

Избитая и изнасилованная девочка вернулась домой глубокой ночью. Насильников задержали на следующий же день, они накануне были настолько пьяны, что даже не сочли нужным скрываться после совершения преступления, ибо вообще не понимали, что сделали что-то нехорошее. Бориса вызвали в милицию. В школе сказали, что девочка ушла с вечера именно с ним, а успевшие с утра опохмелиться и оттого не особенно запиравшиеся преступники, в свою очередь, и не скрывали, что вместе с потерпевшей был парнишка, которому пришлось пару раз вмазать, чтобы не мешался под ногами. Следователю Боря сказал, что его ударили, он упал и потерял сознание, а когда пришел в себя, в парке никого уже не было. Он несколько раз обошел все вокруг, но ни подружки своей, ни приставших к ним парней не обнаружил и вернулся домой. И только на следующий день узнал об изнасиловании. Почему сразу не пошел в милицию? Потому что был без сознания и не знал, что девочку изнасиловали. Думал, что все ограничилось только тем, что его побили, а насчет себя заявлять не собирался.

По-видимому, его показания не противоречили показаниям преступников, потому что больше следователь к этому вопросу не возвращался. Да, они ударили его, да, он упал и не поднялся сразу. После этого они занялись девушкой, а про ее кавалера вообще забыли.

Еще через три дня девочка покончила с собой. Повесилась у себя дома. После того трагического вечера и вплоть до смерти девочки Борис ни разу с ней не разговаривал. В школу она не ходила, а он сам ее не навещал. Он боялся посмотреть ей в глаза. Он боялся, что она скажет: «Ты не был без сознания. Я видела, как ты убегал. Почему ты не позвал на помощь? Почему бросил меня там, с ними?»

На похоронах Борис был вместе со всем классом и слушал возникавшие то и дело разговоры о том, что несчастная не вынесла позора, что на нее начали показывать на улице пальцем, дескать, нечего поздним вечером по паркам шляться и вступать в разговоры с пьяными незнакомыми парнями. Общественное мнение провинциального сибирского городка твердо стояло на позициях абсолютной виновности женщины в подобных печальных исходах. Считалось, что если женщина не захочет, то никто ничего с ней сделать не может. Сидела бы по вечерам дома, беды бы не случилось. Группа женщин среднего возраста, скорбно качая головами в черных платках, обсуждала другую сторону вопроса. Изнасилованную девушку никто потом замуж бы не взял, так и прокуковала бы до самой смерти. Какой же нормальный мужик женится на порченой, когда порядочных девок вокруг — пруд пруди? А если еще, не приведи господи, она бы забеременела от этого случая, тогда вообще пиши пропало. Ребенку, рожденному неизвестно от кого, хорошей жизни не видать. Опять же аборт в семнадцать лет — тоже пятно на биографии.

От стоявших особняком близких подруг девочки Борис узнал, что она очень болезненно переживала допросы у следователя, которому должна была во всех деталях и подробностях рассказывать о самом изнасиловании. Ведь преступников четверо, и нужно до малейшего шага восстановить, что конкретно делал каждый из них. Кто разорвал кофточку, кто схватил за грудь, кто толкнул на землю. Кто сделал это первым, и кто именно в это время держал ее за руки, а кто — за ноги. Кто был вторым. Кто третьим. И так далее... Эта смертная мука вкупе с косыми, а то и откровенно насмешливыми и презрительными людскими взглядами и толкнула десятиклассницу на страшный шаг.

Борис шел за гробом в толпе людей и думал о том, что, если бы не боялся ее страдающих глаз и ее вопросов-упреков, если бы все эти дни был рядом с ней, держал за руку и повторял, что будет любить ее несмотря ни на что, она, может быть, не захотела бы умереть. Он дважды струсил, и теперь смерть этой девочки целиком на его совести.

Когда через год крепкого широкоплечего Бориса призвали в армию и направили в воздушно-десантные войска, юноша был твердо намерен изжить из себя любую, даже самую микроскопическую возможность снова испытать панический, лишающий разума страх. «Я больше никогда и ничего не буду бояться», — исступленно твердил он себе каждое утро, едва проснувшись, и каждый вечер, ложась на жесткую солдатскую койку.

Из происшедшего он сделал несколько выводов. Быть трусом — позорно и непростительно. Быть изнасилованной — стыдно, кроме того, это может искалечить всю дальнейшую жизнь, ибо общественное мнение до сих пор нетерпимо относится к жертвам сексуального насилия, считая их виноватыми в случившемся. Прохождение через следственно-судебную процедуру по делу об изнасиловании — настолько мучительно, что некоторые не выдерживают и накладывают на себя руки. Он, Борис Бахтин, — трус, предатель и мерзавец, он поступил отвратительно и должен обязательно этот грех искупить. Как именно искупить, он не знал. Но о погибшей девочке не забывал никогда.

Эти выводы и предопределили его поведение в восемьдесят четвертом году. Одну душу он когда-то загубил, другую спасет. Когда Алле Григорьевне сообщили, что ее муж арестован за убийство, она забыла прежние обиды и прибежала к Борису в следственный изолятор. Ей единственной он рассказал, как все произошло на самом деле.

— Боря, я найду самых лучших адвокатов, — горячо говорила Алла Григорьевна, — я обзвоню всех твоих друзей, многие из них стали крупными партийными и советскими деятелями, у них наверняка есть связи, они помогут тебе.

— Не смей, — жестко ответил Бахтин. — Никаких адвокатов. Как только в дело вступит адвокат, он моментально вытянет всю историю. В деле есть нестыковки, говорящие в мою пользу, но следователь их не видит, потому что ему надо рапортовать о поимке убийцы. Любой адвокат эти нестыковки заметит, и тогда правда вылезет наружу. Я не хочу, чтобы девочка пострадала. Так или иначе, но я действительно убил человека. А больший срок мне припаяют или меньший, это уже значения не имеет. Срок в любом случае мотать придется, со мной в камере грамотные урки сидят, они мне все растолковали. Мне не обязательно было убивать подонка, достаточно было дать ему кулаком в челюсть и стащить с девочки, чтобы остановить насилие. Я — здоровый мужик, а он — хлипкий и худой, к тому же пьяный. Я превысил пределы необходимой обороны, поэтому должен понести уголовную ответственность. А то, что я впал в ярость, увидев, что он вытворяет с девчонкой, смягчающим обстоятельством не является. Чтобы вообще выйти сухим из этой истории, надо доказывать, что имело место превышение необходимой обороны в состоянии аффекта, а никакого аффекта у меня не было, были обыкновенные ярость и злоба. Видишь, какой я теперь стал грамотный! — грустно усмехнулся он. — Запомни, Алла, никаких адвокатов и никаких жалоб на приговор в вышестоящие инстанции. Мне не нужно, чтобы в моем деле копались с повышенным интересом. Я хочу спасти эту девочку, Иру, и сохранить ей нормальную полноценную жизнь. Кстати, запиши куда-нибудь ее московский телефон, пока я его еще помню. И не потеряй. Когда вернусь — попробую разыскать и узнать, как там она.

— Я буду тебя ждать, Боря, на сколько бы тебя ни посадили. Буду приезжать на свидания, привозить передачи.

— Спасибо, но это не обязательно. Ты собиралась разводиться со мной, — напомнил Бахтин.

— Я всегда успею это сделать, если надумаю. Но не раньше, чем ты вернешься домой. Когда тебе будет очень тяжело, ты просто вспомни, что у тебя есть дом, в котором тебя ждут жена и дети. Борис, я не знаю, люблю ли тебя до сих пор после всех твоих измен. Но после того, что ты мне рассказал, я не могу тебя не уважать.

Бахтина отправили в колонию усиленного режима на восемь лет, освободили досрочно как твердо вставшего на путь исправления. К этому времени частное предпринимательство быстро вставало на ноги и крепло, и сверх меры политизированные отделы кадров на государственных предприятиях уже не были единственными вершителями человеческих судеб. Исключенный из партии за совершение тяжкого преступления и отбывший срок Борис Бахтин при прежнем режиме вряд ли мог бы рассчитывать на что-то более интересное, чем рабочий на заводе или автопредприятии. Однако все изменилось, старые друзья активно включились в бизнес, где и для Бориса Ивановича нашлось место. А уж он, кандидат технических наук, бывший директор вычислительного центра, имел опыт руководства коллективом и решения финансово-хозяйственных вопросов. Дело у него пошло успешно, он закупал за границей и перепродавал в России компьютерную технику, и никого при этом не интересовала чистота его биографии.

Иногда, примерно раз в год, он звонил в Москву по тому телефону, который когда-то дала ему Ира, чтобы он предупредил некую Наталью Александровну о приезде девочки. Звонил, чтобы справиться, как она, в порядке ли, как учится, где работает. В девяносто первом году на презентацию фильма Натальи Вороновой Бахтин отправился, совершенно не подозревая, что встретит там Ирину.

— Вы его видели тогда?

— Да, — кивнула Ира. — Я тоже не ожидала с ним столкнуться. Борис Иванович только взглядом по мне скользнул и отвернулся. Я даже не была уверена, что он меня узнал.

— Узнал. Он в тот же день позвонил мне и сказал, что ты стала совсем взрослой, — Алла Григорьевна даже не заметила, что перешла на «ты». — Взрослой и очень красивой. А когда по телевидению показали сериал, где ты играла, он был счастлив. Мы в последние годы с Борисом совсем не общались, у него новая жена, много работы, много проблем, да и жили мы в разных городах. После первой же серии «Соседей» Борис мне позвонил впервые после долгого перерыва. Говорил, что гордится тобой. И еще говорил, что его жертва оказалась не напрасной, раз ты сумела выправиться, получить профессию и стать актрисой. Он мне много раз повторял, что очень боится, как бы ты не спилась. Знаешь, на него сильное впечатление произвел тот факт, что ты в четырнадцать лет ухитрилась сесть в машину к незнакомому мужчине, выпить с ним на пару бутылку водки без закуски и добровольно лечь с ним на травку. Борис переживал, как бы ты не скатилась по наклонной... Ничего, что я при нем об этом говорю? — Алла Григорьевна кивком головы указала на Руслана.

— Ничего, он в курсе, — скупо улыбнулась Ира.

— А когда вчера появилась статья в газете, Борис сразу же мне позвонил и сказал, чтобы я не смела даже пытаться его защитить и опровергнуть ту чушь, которая там написана.

При этих словах Руслан еще сильнее стиснул зубы, так, что желваки под тонкой кожей напряглись и задвигались.

— Он сказал, что ты теперь известная актриса, — продолжала Алла Григорьевна, — и ни в коем случае нельзя портить тебе репутацию, это может погубить твою карьеру. Тебя после такого позора никто не будет снимать. У многих наших актеров так было, скомпрометируют себя чем-нибудь — и все, больше никуда не зовут и нигде не снимают. Борис не хотел, чтобы с тобой тоже так получилось.

— Спасибо, — прошептала Ира, слизывая с губ слезы.

— Да мне-то за что? Это не я, это все Борис. После вчерашней статьи началась открытая травля. Все сразу поверили, что он убил и изнасиловал девятерых молодых девушек. Вы, господин Нильский, блестяще владеете пером и умеете так построить фразу, что все допущения, все эти «возможно», «не исключено» и «есть основания полагать» теряются среди других слов. Вас невозможно привлечь к судебной ответственности за клевету, потому что при рассмотрении текста под лупой можно увидеть, что вы ничего, собственно, и не утверждаете, вы просто выстраиваете в один ряд некоторые факты и предлагаете свою версию их истолкования. Но у рядового читателя такой лупы нет, он свято верит тому, что написано в газете. А без лупы он подпадает под власть ваших эмоций и вашего авторитета и видит в статье только одно: кандидат в губернаторы Борис Бахтин — тайный растлитель и сексуальный маньяк, убивший случайного свидетеля своих злодеяний и ловко избежавший ответственности за другие страшные преступления. Газета вышла вчера утром, а сегодня в три часа дня Борю увезли в больницу с инфарктом. Можете себе представить, что ему пришлось вытерпеть за эти полтора дня? Начиная от звонков по телефону, объяснений с теми, кто организует его избирательную кампанию, скандала, учиненного женой, которая ничего не знает, и заканчивая митингом перед подъездом его дома. Толпа людей держала плакаты соответствующего содержания и скандировала: «На-силь-ник! У-бий-ца! По-зор!» Еще хорошо, что Борис собирался стать губернатором не нашей области, а соседней и вчера находился здесь, в Кемерове. Если бы он был там, где проходит избирательная кампания, разъяренные избиратели просто разорвали бы его на куски.

Алла Григорьевна помолчала немного и поднялась:

— Мне пора. Спасибо, что привезли меня сюда. Я немножко отошла, теперь можно возвращаться домой.

— Вас отвезти? — спросил Руслан.

— Не нужно, я возьму такси. Останьтесь с Ирой, она здесь совсем одна, а у меня все-таки дочь дома. И еще, Руслан... Вряд ли вам нужны мои советы, но я все равно скажу. Вам не нужно заниматься журналистикой. Бог дал вам великий дар быть убедительным. Вы пишете так, что заставляете людей безоглядно верить в то, во что вы верите сами. Но вы, Руслан, не господь, вы человек и, как любой человек, часто ошибаетесь. А как журналист, имеющий работодателя, вы порой обязаны писать даже то, во что вы не верите. Ваш талант оборачивается злом, вольно или невольно вы заставляете людей верить в ложь. Если вы честный человек, вы должны уйти из этой профессии.

Она достала из сумки расческу, провела несколько раз по подсохшим крашенным в цвет красного дерева волосам. Положила руку на плечо Ирины:

— Рада была с тобой познакомиться. Ты славный человек. Спасибо, что примчалась на помощь. Жаль, что опоздала. Жаль, что Боря не узнал. Он бы гордился тобой еще больше. До свидания. Не провожайте меня.

Ее фразы снова стали короткими, словно рублеными. Усилие, с которым Алла Григорьевна произносила слова, было таким явным, что Ире показалось: женщина сейчас упадет в обморок. Но она повернулась и быстрым шагом вышла из бара. Ира смотрела ей вслед и по подрагивающим плечам Аллы Григорьевны поняла, что она плачет.

— Ну а ты что сидишь? — враждебно спросила она, обращаясь к Руслану. — Меня охранять не нужно, я не ребенок.

— Дождусь посадки на твой рейс, — хмуро ответил он.

— Так это еще пять часов ждать, и то если его опять не отложат. Собираешься всю ночь тут торчать?

— Слушай, не надо, а? — Нильский поднял на нее полные тоски глаза. — Мне и без того тошно.

— Ладно, — смягчилась Ира, — принеси еще кофе. И бутылку воды без газа.

— Выпьешь что-нибудь?

— Ты за рулем, тебе больше нельзя, одной рюмки хватит.

— Но тебе-то можно.

— Не надо. Я потерплю. Хотя больно... Господи, — простонала Ира, на мгновение теряя контроль над собой, — как же мне больно!

Руслан молча погладил ее по руке и отошел к барной стойке. Когда он поставил перед ней полуторалитровую пластиковую бутылку «Святого источника», Ира быстро открутила крышку и прямо из горлышка сделала несколько судорожных глотков. Спазм прошел, стало легче дышать.

— Знаешь, — задумчиво сказал Руслан, отпивая кофе, — я вообще-то не сторонник искать виноватых, но тебе следует знать одну вещь.

— Какую? — равнодушно спросила Ира.

— На этих выборах у Бахтина был конкурент, которого поддерживают из Москвы. Поддерживают те, на кого работает твой свекор. Они были заинтересованы в том, чтобы любыми путями скомпрометировать Бахтина. И информацию о нем я получил от Виктора Федоровича. А он, я так полагаю, от своего сына, то есть твоего мужа.

— Ты хочешь сказать, что Виктор Федорович через тебя «слил» компру на Бахтина? — Ира поставила чашку и внимательно посмотрела на журналиста. — Ты хочешь сказать, что тебя использовали втемную?

— Как ни противно это признавать, но, по всей видимости, именно так. И боюсь, что это было не в первый раз. Мащенко не рискнул бы делать на меня ставку, если бы ему не сказали, что со мной это пройдет. Кто-то ему сказал, что через Нильского можно «сливать» информацию. Значит, это уже делали и раньше. Только я, как полный кретин, этого не замечал.

— И что ты собираешься теперь делать?

— Я? Не знаю. Ничего. Алла Григорьевна права, я не должен работать в журналистике. Не знаю, насколько справедливы ее слова насчет дара и таланта, которые у меня есть, но после того, что сегодня произошло, я должен уйти.

— Куда?

— Не знаю. Какая разница? Дворником, плотником, шофером, фотографом. Или охранником, например, в салон мод, где работает Янка, моя жена.

— Да какой из тебя охранник? — усмехнулась Ирина. — Тебя соплей перешибить можно.

— Тоже верно. В журналисты я не гожусь, в охранники тоже не гожусь. Выходит, я совершенно никчемная личность.

В его голосе неожиданно зазвучала такая горечь, что Ире стало жалко Руслана.

— Ну что ты говоришь, почему ты никчемный? Ты талантливый, ты умный, — принялась она уговаривать Нильского, словно он был обиженным ребенком, которому соседский мальчишка не дал прокатиться на велосипеде. — И ты запросто найдешь занятие, которое будет тебе по душе. Ты же можешь стать писателем. А что? — оживилась она. — Классная идея, на сто пудов. Все признают, что у тебя замечательное перо и что ты невероятно убедителен и заставляешь безоглядно верить себе. Для журналиста это опасно, нагонит туфты, а все за чистую монету примут. А с писателя какой спрос? Все же понимают, что он из головы выдумывает.

Они сидели в круглосуточно работающем баре аэропорта и тихонько разговаривали. И пощечина, которую Ира подарила Руслану вместо приветствия, и тяжелый разговор на скамейке возле здания редакции, и выступление на телевидении, и смерть Бахтина — все это, казалось, было несколько веков назад. Не сегодня и даже не вчера. Это было так давно... А сейчас за столиком сидели двое глубоко несчастных тридцатилетних людей, и каждый из них переживал собственную ошибку и собственную вину.

Рейс больше не откладывали, и в половине третьего ночи Руслан проводил Ирину к стойке регистрации.

— Знаешь, у меня близнецы родились, — неожиданно сказал он на прощание. — Две девчонки. Такие трогательные, прямо до слез.

— Поздравляю, — тепло улыбнулась Ира. — Две девчонки — это замечательно.

— А ты? У тебя есть дети?

— Не сподобилась.

— Фигуру бережешь?

— Да нет, за грехи молодости расплачиваюсь. Ранние аборты, знаешь ли, до добра не доводят. Ладно, не будем о грустном. Мой домашний телефон ты знаешь, если что — звони.

— И ты звони, — Руслан печально помахал ей рукой. — Не пропадай. Без твоих появлений жизнь становится пресной. Это в порядке шутки.

— Если ты не уйдешь из журналистики, я снова приеду, и тогда уж тебе точно пресно не будет, — пообещала Ира. — Это серьезно.

Уходя, он несколько раз оборачивался и взмахивал рукой. Лицо его было грустным и каким-то отрешенным. С каждым шагом, который отдалял от нее Руслана, Ира чувствовала, как все тело наливается чугунной усталостью. Она почти совсем не спала предыдущей ночью в Москве, потом перелет, волнения, объяснения, выступление в прямом эфире, смерть Бориса Ивановича и еще одна бессонная ночь.

В самолете она откинула спинку сиденья и попыталась подремать, но ничего не вышло. Сидящий рядом толстый дядька, по-видимому коротавший долгие часы ожидания отложенного рейса в обнимку с бутылкой, заснул мгновенно и храпел прямо Ире в ухо.

Через несколько часов она вернется домой и... Что дальше? Они уже знают или еще нет? Наверняка к вечеру узнают. Как отреагируют? Укажут на дверь, мол, не оправдала доверия, скрывала темное прошлое? Или кинутся жалеть и сочувствовать? Да нет, это уж вряд ли. Скорее всего ее ждет холодное отчуждение. Конечно, сегодня она уже совсем не та, что была в юности, прошло много лет, но... Но ведь скрывала, более того, лгала, рассказывая о школьных годах, дескать, училась, может, и не очень хорошо, но старалась как могла, много читала, боролась с тяжелыми семейными обстоятельствами. А на самом деле какие уж тут старания, если ее даже в комсомол в свое время не приняли, потому что школу прогуливала и в поддатом состоянии учителям на глаза попадалась. Спасибо Наташке, хоть не исключили, дали аттестат получить, в котором, кроме троек, ничего не было. Черт его знает, как Мащенко себя поведут. Лизавета, поборница чистоты нравов, конечно, отвернется от нее. Игорю, пожалуй, будет все равно, его только одно интересует: чтобы его никто не трогал, чтобы не мешали ему жить как ему нравится, а поскольку Ира ему не мешает, то он скорее всего будет корчить из себя благородного, оскорбленного обманщицей-женой, но великодушно простившего ее. Такое положение ему даже на руку, жена с комплексом вины для Игоря идеальный вариант, тогда она уж точно не станет ни по какому поводу на мозги капать и возникать. С виду он будет носить образ благородного мужа, а на самом деле будет жить как захочет, меняя баб раз в три-четыре месяца.

Виктор Федорович... Вот в ком самая главная проблема. Ежедневно видеть его, жить с ним бок и бок и знать, что ничего никогда не будет. Разговаривать с ним о повседневных пустяках и при этом знать, что он хотел устранить Бахтина, что он велел Игорю раздобыть сведения шестнадцатилетней давности, подтасовал их и преподнес на блюдечке Руслану Нильскому, дабы тот сварил из них омерзительное пойло. Виктор Федорович знал, что делает, ему большого труда не составило сопоставить имя, отчество и фамилию потерпевшего по тому делу с именем журналиста. Ну что ж, Виктор Федорович не зря получает зарплату в своем фонде с красивым названием. Это его работа, и он сделал ее хорошо. Он не виноват, что так вышло, он ведь не хотел смерти Бориса Ивановича, он стремился всего лишь устроить скандал, который лишит Бахтина изрядной доли избирателей. А в «сухом остатке» получается, что человек, которого она, Ирина, любит, оказался причастен к смерти человека, которому она обязана тем, что сегодня жива. И что ей со всем этим делать? Терпеть холодное презрение Лизаветы? Терпеть открытое хамство мужа? Мириться с невозможностью быть рядом с любимым человеком и одновременно все время помнить о его участии, пусть косвенном, в смерти Бахтина? Сколько же нужно иметь душевных сил, чтобы все это вытерпеть и со всем смириться! Хватит ли у нее этих сил?

«А почему, собственно, я должна это терпеть? — пришла неожиданная мысль. — Кто сказал, что я должна смириться и терпеть? Где это написано? Даже Наташка брала с меня слово, что я немедленно уйду из этой семьи, как только мне захочется. Правда, она говорила о любви и о другом мужчине... Но какая разница? Прошло восемь лет, и ничего не случилось. Никто не стал устраивать гонения на людей, сотрудничавших с КГБ. Никто не стал открывать архивы и выставлять их на всеобщее обозрение. Это случилось в Литве, но на Россию не перекинулось. Мое присутствие рядом с Виктором Федоровичем Наташке больше не нужно. Значит, я свободна принимать любое решение. Он все равно никогда не будет со мной, так зачем продлевать эту муку? Только себя истязать...»

Чем ближе самолет подлетал к Москве, тем тверже становилось ее решение. Сегодня же она соберет вещи, объяснится с Игорем и уйдет. Квартира у нее есть, на улице Ира не останется.

Когда она подъехала на такси к дому, в Москве было раннее утро. «Может, убраться отсюда, пока не поздно? — трусливо подумала Ира, глядя на стоящий рядом красный «Форд» и нащупывая в сумке ключи от машины. — Поехать куда-нибудь, хотя бы к Наташке, пересидеть часиков до десяти, пока они все на работу не уйдут, потом вернуться, собрать вещи, оставить записку и отчалить. Тихо-мирно, без всяких скандалов и объяснений».

Она решительно разжала пальцы, сжимавшие ключи, и закрыла сумку. Нет, так нельзя. С Игорем она, конечно, имеет полное право поступать как угодно, но ни Лизавета, ни Виктор Федорович не заслужили подобного хамства. Они всегда так по-доброму к ней относились, пытались, как могли, смягчить впечатление от поведения их драгоценного сынка, защищали, когда он уж совсем откровенно наглел, брали ее сторону. Даже если свекровь и ее муж намерены облить Иру презрением и отвращением, она не будет в претензии. Она это заслужила. Пусть не вчера, пусть много лет назад, но ведь она вела себя не самым лучшим образом и должна за это расплатиться. Она уже расплачивалась мучительным отвыканием от пьянства. Она расплатилась бесплодием. Но кто сказал, что она заплатила сполна? Кто сказал, что на этом все расчеты закончились? Теперь ей придется пройти через тяжелый разговор, разрыв с семьей и развод. Ну что ж, надо так надо, она готова. Это как операция, больно, страшно, но необходимо, как любит повторять Андрей Константинович.

Ира вошла в квартиру, стараясь не шуметь. Все еще спят, в комнатах стоит сонная убаюкивающая тишина. Пройдя на цыпочках в кухню, Ира притворила за собой дверь и поставила чайник. Она посидит здесь, пока они не встанут, выпьет кофе и еще раз все обдумает. Что им сказать. Как сказать. Просить ли прощения или просто признать свою вину и этим ограничиться? Погруженная в свои мысли, она не замечала хода времени и вздрогнула от неожиданности, когда открылась ведущая в коридор дверь и на пороге кухни возникла Лизавета в красивом халате, с розовым моложавым лицом и строгими глазами.

— Ты давно здесь? — спросила она тоном, предвещавшим мало хорошего.

— Час назад приехала. Вы уже знаете?

— Нам еще вчера вечером позвонили. Потом в ночных новостях передавали. Я не знаю, Ира, как мы с тобой будем жить дальше. Ты столько лет лгала нам всем, что мы теперь не сможем верить ни одному твоему слову. Можно понять и простить ошибку, тем более совершенную в ранней юности, в этом возрасте подростки вообще делают много неправильного, но ложь взрослого человека, причем ложь длительная и систематическая, непростительна. Как ты могла скрывать от нас? Рассказывать про эту историю с разбившейся машиной, делать из себя жертву чужого пьянства, вместо того чтобы признаться в своем. Как ты посмела врать, что старательно училась в школе и стремилась самостоятельно встать на ноги, несмотря на то что рано осиротела, жила в нищете и некому было тебя опекать, кроме пожилой соседки? Ты в наших глазах была героическим ребенком, достойно вынесшим все тяготы одинокого детства. А на самом деле ты была распущенной пьянчужкой. Почему ты не сказала нам правду? Почему не рассказала об истории с Бахтиным?

— Мне было стыдно. Елизавета Петровна, а вы сами стали бы рассказывать о себе такую правду?

— Со мной этого не могло случиться, — холодно ответила свекровь. — Я никогда в жизни не позволяла себе поступков, о которых мне было бы стыдно потом рассказывать. Ты вела себя дурно, так имей же смелость признаться в этом, а не корми нас на протяжении стольких лет сказками. Пойми, Ира, не то страшно, что ты в четырнадцать лет пила водку и шла на близость с мужчинами, я уже говорила тебе, что в юности многие люди делают ужасные глупости. Страшно, что ты восемь лет врала. Ты врала нам, людям, принявшим тебя в свою семью как дочь, любившим тебя, оберегавшим. И за все это ты платила нам ложью. Вот чего я не могу тебе простить. И не представляю, как мы будем жить дальше.

— Мы не будем жить дальше, — спокойно ответила Ира. — Я очень виновата перед вами и перед Виктором Федоровичем, я полностью признаю вашу правоту, поэтому я ухожу. Сегодня же. Не хочу будить Игоря, но, как только он встанет, я соберу вещи и уйду.

Такого поворота Лизавета явно не ожидала. Свою гневную речь она, совершенно очевидно, заготовила заранее, небось вчера еще фразы составляла. Уж больно гладко она говорила, тем более спросонья. И полагала, что Ира начнет оправдываться, грубить или, наоборот, просить прощения и клясться, что больше ни одного слова лжи они от невестки не услышат. Лизавета готовилась к долгому разговору, в ходе которого ей представится возможность реализовать свой недюжинный потенциал нравоучителя, воспитателя и морализатора. Святая Лизавета, всю жизнь прожившая с одним-единственным мужчиной, которого любила не столько потому, что он для нее самый лучший, а потому что так воспитана. Женщина не имеет права не любить своего мужа просто потому, что он — муж, и этим все сказано. А может, она и в самом деле до сих пор любит Виктора Федоровича с той же нежностью и страстью, как в молодости. Святая Лизавета, образец правильности и праведности. Что ж, она имеет право морализировать, во всяком случае, Ира за ней это право признает. Но выслушивать высокопарные, хотя по сути и правильные, слова она не обязана. И не будет.

— Я уверена, что так будет лучше для нас всех, — продолжала Ира, смело глядя на застывшую в дверях свекровь. — Я очень благодарна вам, Елизавета Петровна, и Виктору Федоровичу за все то хорошее, что вы для меня делали. И я не держу зла на Игоря за все то, что он себе позволял. Я прошу вас только об одном: давайте расстанемся по-доброму, без скандалов и взаимных упреков. Вы теперь все обо мне знаете, вы знаете, что я вас обманывала, и после этого мы не можем жить вместе, вы сами это признаете. Пожалуйста, давайте не будем ссориться.

Лизавета преодолела охвативший ее ступор, сделала шаг от порога и уселась за стол напротив Иры.

— Я рада, что ты оказалась разумным человеком, — произнесла она дрогнувшим голосом. — Мне пришлось выдержать длительную дискуссию с Виктором Федоровичем, я еще вчера сказала ему, что намерена настаивать на том, чтобы ты нас покинула. Виктор Федорович был против, он считал, что это дело твое и Игоря, если муж и жена хотят быть вместе, то никто не имеет права в это вмешиваться. А если ему и мне неприятно твое общество, то он готов приложить все усилия к тому, чтобы вы с Игорем жили отдельно. Если Игорь захочет, чтобы ты осталась с ним, Виктор Федорович сегодня же свяжется с риэлторами, чтобы подыскивали варианты размена.

Значит, Виктор Федорович не стал ее защищать. Он согласен с Лизаветой. Он готов сделать так, чтобы не жить с Ирой под одной крышей. Ну что ж, значит, она решила правильно. Ему тоже тяжело ее постоянное присутствие. К тому же он, скорее всего, давно уже остыл и сожалеет о том, что когда-то позволил себе увлечься. Да, Ира ему нравилась, очень нравилась, ее женское чутье знало об этом совершенно точно. Но то же самое чутье говорило, что у Виктора Федоровича это проходит. Или вообще уже прошло. Теперь ему неприятно вспоминать о своей слабости, он тяготится присутствием влюбленной невестки и готов даже роскошную квартиру разменивать, чтобы избавиться от Ирины. Да ладно, Виктор Федорович, к чему такие жертвы! Она все понимает. Она сама уйдет.

— Не нужно размена, Елизавета Петровна. Не думаю, чтобы Игорь стал цепляться за наш брак. Он давно мне изменяет, и вы прекрасно об этом знаете. Полагаю, он будет даже доволен, что снова станет свободным и останется с вами. Пройдет еще какое-то время, и вы подыщете ему очередную жену, с хорошей родословной и прекрасными рекомендациями. Ей он тоже будет изменять, потому что по-другому не может, он так устроен. Вряд ли она станет терпеть это так же долго и с таким же смирением, как я. Хотя как знать, все может быть... Налить вам кофе?

— Да, — рассеянно кивнула Лизавета, разглядывая пятнышко на пластиковой поверхности стола и пытаясь отскрести его наманикюренным ноготком. — С молоком и без сахара.

— Я помню, — улыбнулась Ира.

Она решила не затягивать процедуру, разбудила Игоря и, пока он принимал душ, брился и завтракал, уложила вещи в два больших чемодана. Поместилось все, кроме, разумеется, верхней одежды, которую можно просто сложить на заднее сиденье. Игорь, спокойно воспринявший ее решение об уходе, вызвался помочь отнести чемоданы в машину. Виктор Федорович еще не вставал, Лизавета сказала, что он накануне так разнервничался, что полночи не спал, а потом принял снотворное, и вряд ли целесообразно его сейчас будить. Убедившись, что невестка добровольно сдает позиции и уходит по собственной воле, избавляя их от необходимости разменивать квартиру, Елизавета Петровна подобрела и даже сама доставала из шкафа и выносила в прихожую убранные до следующей зимы теплые вещи Ирины — шубу, пальто и зимнюю куртку.

Один чемодан запихнули в багажник «Форда», другой поставили на пол между передними и задними сиденьями.

— В твоей квартире хотя бы мебель есть? — спросил Игорь, глядя, как она аккуратно складывает на сиденье верхнюю одежду.

— Нет пока. Но это ерунда, все можно купить.

— Дать тебе денег?

Она удивленно посмотрела на мужа. Откуда такое великодушие? Не иначе от радости, что она уходит и тем самым не дает повода для его постоянных разборок с матерью, которая небось еще вчера стала требовать от сына, чтобы тот выгнал из дому лгунью-жену.

— Спасибо, Игорек, не нужно.

— Но у тебя нет денег, — настаивал он. — Надо купить самое необходимое. Возьми, — он вытащил из кармана куртки бумажник и принялся отсчитывать купюры.

Ира осторожно, но твердо отстранила его руку.

— Я найду у кого одолжить, не беспокойся за меня.

— Зачем же искать, одолжи у меня.

— Вот видишь, — усмехнулась она, — ты уже со мной развелся. Я еще от дома отъехать не успела, а ты мне деньги одалживаешь. Мужья своим женам деньги не одалживают, они их так просто дают, безвозмездно. Спрячь бумажник, Игорек, мне ничего не нужно.

В девять утра Ира перетащила через порог своей новой квартиры два чемодана на колесиках, потом спустилась вниз и принесла остальные вещи из машины. Теперь ее дом будет здесь. Однокомнатная квартирка в Черкизове, требующая ремонта, поскольку прежние жильцы ее основательно загадили. Ничего, она справится, главное — поставить задачу, а уж силы воли, настойчивости и упорства ей не занимать. Найдет работу, не будет ждать милостей от кинорежиссеров, а станет зарабатывать чем-нибудь другим, обратится к Ганелину, он поможет, устроит ее куда-нибудь хотя бы секретарем. Она подкопит деньжат, сделает ремонт, потом купит мебель. Надо тщательно продумать, какие вещи необходимо приобрести прямо сейчас.

Ира медленно обошла квартиру, по ходу обрывая отклеивающиеся и свисавшие лохмотьями обои. Что является жизненно необходимым? Место, чтобы спать. Стол, хотя бы один, на кухню. Стул, желательно два. Шкафчик или полка для посуды. Зеркало. Шкаф для одежды. Впрочем, это дорогое удовольствие, белье, шерстяные вещи и трикотаж могут пока полежать в чемоданах, а то, что должно висеть на вешалке, можно разместить на какой-нибудь палке-перекладине. Надо попросить Алешу, у него мозги в конструкторском плане хорошо работают и руки из нужного места растут. Так, что еще? Утюг. Гладильную доску можно пока не покупать, гладить на полу, расстелив одеяло. Посуду какую-нибудь попроще, несколько тарелок и чашек, приборы, кухонные ножи, пару кастрюль и сковородку. Чайник.

Что-то много всего набирается. Знать бы, что так все обернется, она бы не стала выбрасывать старую мебель и утварь, когда освобождала комнату в коммуналке. Диванчик там был, конечно, аховый, но спать-то на нем вполне можно. Стулья были, табуретки, старые тарелки и чашки. Ах, как неосмотрительно она поступила всего месяц назад!

Телефона в квартире, естественно, не было. То есть у прежних жильцов он был, но при оформлении сделки Ира заявила, что в ближайшее время пользоваться этим жильем не будет, и не стала заниматься перерегистрацией номера на свое имя. Теперь придется заводить всю канитель с самого начала. Хорошо, что у нее мобильник есть, хотя пользоваться им постоянно — удовольствие не из дешевых. Короче, надо срочно устраиваться на работу и начинать новую жизнь. Ира достала из сумки телефон и набрала номер Наташи.

— Ты уже встала? — спросила она вместо приветствия. — Я могу к тебе приехать?

— Ты же вчера улетела в Кемерово, — удивленно ответила Наташа.

— Улетела, а сегодня вернулась. Ты еще ничего не знаешь?

— А что я должна знать?

— Ладно, приеду — расскажу, — заторопилась Ира. — Только не уходи никуда, я уже выезжаю.

Сунув в сумку телефон, она накинула легкую куртку и побежала вниз к машине.

НАТАЛЬЯ

Она успела полностью доделать сериал к майским праздникам и предвкушала две недели заслуженного отдыха, в течение которых будет помогать Иринке обустраиваться на новом месте. Ганелин с готовностью взялся помочь подыскать ей работу, золотых гор, правда, не обещал, но сказал, что постарается найти что-нибудь подходящее с зарплатой долларов в семьсот-восемьсот. Если жить скромно и не транжирить, то к осени можно будет сделать хотя бы минимальный косметический ремонт.

История скандала и смерти Бориса Бахтина несколько дней не сходила со страниц газет, Иру разыскивали журналисты и брали у нее интервью. А перед самыми праздниками Наташе неожиданно позвонил знакомый режиссер по фамилии Ткач, начинающий снимать картину на «Мосфильме».

— Наталья, как мне найти Иру Савенич? — начал он с места в карьер. — Кинулся искать, и оказалось, что никто не знает ее телефона. В карточке указан номер, а там отвечают, мол, она здесь больше не живет. Может, ты знаешь, где она? Она же у тебя снималась.

Наташа насмешливо посмотрела на сидящую рядом Иру, которая теперь приезжала к ней каждый день с самого утра.

— Ну ты еще поищи, — весело посоветовала она, — а если не найдешь, приезжай ко мне домой, она тут сидит.

— Серьезно?! — обрадовался Ткач. — Ты не шутишь?

— Какие шутки, Володя, вот она, рядышком. Дать ей трубку?

— Погоди, — Ткач помялся немного. — Ты мне сама скажи: она в какой форме?

— В хорошей. А что, тебе напели, что она растолстела до восьмидесятого размера и очень плохо выглядит?

— Не в этом дело. Просто все эти интервью, эта история скандальная... Может, она в депрессии или запила?

— Да нет, она в полном порядке. У тебя есть конкретные предложения?

— Хочу позвать ее на пробы. В моей новой картине есть подходящая роль для нее. Но ты точно уверена...

— Точно, точно. Передаю ей трубку.

Наташа покривила душой, заверяя Ткача, что с Ирой все в полном порядке. Конечно, она не запила, но ее душевное состояние оставляло желать много лучшего. Она приезжала к Наташе каждый день с утра, уезжала вечером, а промежутки между этими двумя событиями заполнялись либо тяжелым молчанием в положении «лежа на диване лицом к стене», либо слезами, либо безостановочными причитаниями то в связи со смертью Бориса Ивановича, то по поводу невозможности жить, не видя Виктора Федоровича. От нервного напряжения Ира постоянно что-то жевала и за десять дней набрала четыре килограмма, то есть поправилась на один размер. При ее росте это было незаметно на глаз, но вещи таких глупостей не понимают, и пояса юбок и брюк кричат о наборе веса так громко, что невозможно не услышать.

— Ты должна собраться, сосредоточиться и сыграть как можно лучше, — твердила Наташа, провожая Ирину на пробы. — Это твой шанс. Ты актриса и должна сниматься, а не секретарем работать.

В глубине души она понимала, что Иру скорее всего утвердят на роль, даже если на пробах она сыграет из рук вон плохо. Володе Ткачу она нужна не как актриса, способная наилучшим образом сделать конкретную роль, чтобы украсить картину, а как приманка для зрителя. В качестве приманок используются звезды, если в фильме нет знаменитых актеров, его не будут смотреть. Но звезды стоят дорого, оплата их съемочных дней съедает львиную долю бюджета картины. А тут подворачивается прекрасная возможность снять актрису, про которую сегодня все говорят и на которую зрителю будет любопытно посмотреть, и в то же время платить ей совсем небольшие деньги. Но расхолаживать Иру не хотелось, поэтому Наташа не стала вслух делиться своими соображениями.

После проб Ира вернулась расстроенная и озадаченная.

— Ты знаешь, я сыграла неважно, а все так хвалили, — растерянно говорила она Наташе.

Ну точно, подумала Наташа, я угадала, неважно, как Ирка справится с ролью, важно, что ее будут смотреть из чистого любопытства.

— А Ткач что сказал?

— Что я молодец. После праздников сообщат, берут меня или нет. На эту роль еще несколько актрис пробуются.

— Почему же ты решила, что сыграла неважно? — допытывалась Наташа. — Все хвалили, и Ткач тоже.

— Ну я же чувствую, Натулечка, я же не чурка безмозглая! А знаешь, что потом было? Я иду по коридору, а мне навстречу Грановская плывет, как айсберг в океане, такая же величественная и холодная. Ну ты знаешь, она же первая никогда в жизни ни с кем не поздоровается, если это, конечно, не всенародно любимая звезда. И эта глыба льда вдруг улыбается мне и говорит: «А вы та самая Савенич? Вы сейчас у кого-нибудь снимаетесь? Ах, не снимаетесь, только на пробы приходили? Оставьте мне свой телефон, с вами свяжутся. Хочу вас прикинуть на одну роль...» Ты представляешь? У меня ноги к полу приросли, и язык во рту замерз от ужаса.

— Да почему же от ужаса-то? — засмеялась Наташа. — Грановская тебя не убьет и не съест, только попробует. Зато если ты у нее снимешься, слава тебе обеспечена. Наша Эльза Сергеевна дерьмо не снимает, у нее что ни фильм — то шедевр. Характер у нее действительно сложный, врать не стану, да об этом весь Союз кинематографистов знает. Но режиссер она безумно талантливый, и работать с ней — огромная удача.

— Я понимаю, Натуля. Но я знаешь о чем подумала? Вот Борис Иванович все боялся, что мои приключения так испортят мне репутацию, что я никогда не буду сниматься. И я тоже этого боялась. Примеров-то было вон сколько... А оказалось, что, пока я была примерной девочкой, меня никто, кроме тебя, не снимал. Никому я не была нужна. А как скандал — так сразу набежали, и никого моя репутация не испугала. Выходит, Борис Иванович ошибался? Выходит, он зря молчал, и жена его напрасно молчала, и я тоже. Сказали бы мы правду раньше, он бы не умер.

По ее лицу снова потекли слезы, губы задрожали.

— Получается, он такие жертвы принес — и все зазря.

Наташа обняла ее, прижала к себе.

— Ириша, он не знал и не мог знать, что все так переменится. Тогда, много лет назад, были жесткие правила на этот счет. Звезда должна быть безупречной. Если бы все осталось, как было, тебя на много лет вычеркнули бы из списков актеров, которых можно приглашать на роли. Тут он не ошибался. Тебя бы даже во ВГИК не приняли с теми характеристиками, которые написали бы в школе. А они бы обязательно написали, учитывая, что ты не комсомолка и что была участницей той истории. Но кто же мог знать, что изменится не только политика и экономика, но и мораль, да еще так кардинально! Когда я рассказывала профессору Мащенко про своих сокурсников, я тоже не предполагала, что мораль станет другой, а то, что я делаю, из полезного и нужного для страны превратится в позорное, отвратительное и глупое. Когда начался скандал вокруг Прунскене, который так живо и горячо обсуждался в нашей прессе, мне и в голову не могло прийти, что пройдет всего несколько лет, и сотрудничество с КГБ вообще перестанет кого бы то ни было интересовать, даже самых яростных демократов из числа бывших диссидентов. А уж теперь-то, когда у нас Президент из комитетчиков, этот вопрос даже в зародыше существовать не может. Помнишь, как я боялась, как переживала, ночей не спала, вырезки собирала из газет... Тебе жизнь испортила. А оказалось — все было напрасно. И мои страхи, и твоя жертва. Не зря древние китайцы считали, что самое тяжелое — это жить в эпоху перемен. Мы все — жертвы этих перемен. В том числе и ты, и я. И Бахтин тоже.

— Нет! — Ира вскинула голову и с гневом посмотрела на Наташу. — Не смей так говорить! Я тебе никаких жертв не приносила. Если бы не ты, я бы не встретила Виктора Федоровича. Я прожила рядом с ним самые счастливые годы своей жизни.

— Ирка, Ирка, — грустно рассмеялась Наташа. — Ты неисправима! Твои самые счастливые годы еще впереди, можешь мне поверить.

— Я его люблю и всегда буду любить, — упрямо твердила Ира. — Это не пройдет.

— Все проходит, девочка моя. И любовь тоже. Особенно неразделенная. Пройдет совсем немного времени, и ты успокоишься, научишься жить, не видя его, потом станешь все реже вспоминать, а потом, в один прекрасный день проснешься утром и страшно удивишься: и как это ты могла думать, что умрешь, если он не будет с тобой? Вот увидишь, все так и будет.

— А как же Андрей Константинович? Он столько лет любил тебя без всякой надежды на взаимность и не разлюбил же!

— Андрей — мудрый человек, в отличие от нас с тобой. Он знал, что нет ничего вечного, а значит, я в любой момент могу осознать, что не люблю Вадима. У Ганелина-то как раз была надежда, и она его все эти годы поддерживала. Как видишь, не напрасно, он своего дождался.

— Почему ты думаешь, что я своего не дождусь?

— Потому что Виктор Федорович тебя не любит, ты ему не нужна, и ты сама прекрасно это понимаешь. Ты говоришь мне об этом каждый день. Не в том дело, может он или не может разлюбить свою Лизавету, а единственно в том, что он не любит тебя. Ты молода, красива, откровенно влюблена в него, он увлекся на несколько месяцев, поддался обаянию твоего чувства, но этим все и закончилось. Между вами слишком большая пропасть, чтобы вы могли стать мужем и женой, понимаешь? Если бы он не удержался тогда, если бы дал себе волю, то очень скоро и тебе, и ему стало бы очевидно, что ему сладко с тобой спать, но скучно с тобой жить. Ты его любишь, но ты, Иришка, ему не пара.

Ира надулась и, расстроенная, привычно улеглась на мягкий диван в гостиной, уткнувшись лицом в спинку.

В первой декаде мая Наташа помогла Ире купить подешевле самые необходимые вещи для жизни в пустой квартире. До этого она отдала ей надувной матрас, на котором Ира спала, немного своей посуды и еще кое-какие мелочи. Постельное белье и полотенца у Иры были, остались от прежней жизни в коммуналке. Теперь же они обе с упоением ездили по рынкам и универмагам, выбирая все самое приличное из дешевых товаров и самое дешевое из приличных. Андрей в виде подарка к Ирининому тридцатилетию отвез в реставрационную мастерскую кое-что из мебели, оставшейся от Бэллы Львовны и хранившейся до поры до времени в пустующей квартире, предназначенной для Алеши. Сам Алешка с удовольствием и изобретательностью создал из найденных на свалке металлических труб оригинальный кронштейн, на котором разместилась на «плечиках» вся Иркина одежда.

В приятных хлопотах и дни бежали незаметно, и сама Ира понемногу приходила в себя после потрясений и перемен в своей жизни, а двенадцатого мая ей позвонил директор картины, которую должен снимать Ткач, сообщил, что Ирина Савенич утверждена на роль, и пригласил приехать для подписания контракта. Съемки начнутся в первых числах июля и продлятся до середины сентября. А двадцать пятого мая, как раз в день ее рождения, Ире позвонили от Грановской и пригласили на пробы.

— Иринка, ты должна очень постараться, — озабоченно сказала Наташа, — Грановская — это действительно путевка в жизнь, без всяких шуток. Даже если она не возьмет тебя на эту картину, ты должна сделать все возможное, чтобы ей понравиться и запомниться. Ее одобрение и рекомендация дорогого стоят. Только постарайся не разволноваться, тогда все получится. Сегодня твой день, сегодня все должно получиться.

Еще через две недели выяснилось, что Грановская ее на роль не утвердила, но темпераментная актриса с яркой внешностью оказалась нужна другому режиссеру, который осенью «запускался» с детективным сериалом, тем самым, от которого когда-то отказалась Наташа и который временно вообще прикрыли в связи с отсутствием денег. Теперь деньги нашлись, нашлась и большая, одна из главных, и очень интересная роль для Иры. Рекомендация Эльзы Сергеевны Грановской имела при этом немаловажное значение.

— Натулечка, неужели это происходит со мной? — с изумлением повторяла Ира, сидя на диване и разглядывая разложенные на журнальном столике два контракта. — Я сама себе не верю. Сначала съемки у Ткача, потом через месяц сериал. До этого за четыре года всего одна роль, а тут сразу две, и подряд! Я буду работать, Натулечка! И никакой не секретаршей! Я буду сниматься!

К съемкам у Ткача Ира готовилась со всей серьезностью. Она уже не приезжала к Наташе каждый день, усиленно занялась своей фигурой, сидела на диете, ходила на шейпинг, работала со сценарием. Наташа с облегчением перевела дух: кажется, Ирка и на этот раз справилась, выскочила из депрессии, не успев слишком глубоко в нее залезть.

Но передышка оказалась недолгой. Как-то теплым светлым июньским вечером Андрей взял Наташу за руку и очень серьезно сказал:

— Наталья, мне надо с тобой поговорить. Скажи-ка мне, только честно, Иринкина история с Бахтиным была единственным, чего я о тебе не знаю?

— Это так важно? — удивилась Наташа.

— Это очень важно. Видишь ли, есть кое-что, чего я тебе не рассказывал, но совесть меня не мучила, потому что я полагал, что каждый человек имеет право на свою темную комнату и на свой скелет в шкафу. Ты такое право имеешь, и я обязан его уважать. Но в то же самое время такое право есть и у меня. Мы храним друг от друга свои тайны, так сказать, на взаимной основе. Однако если у тебя больше нет темной комнаты, то и мне не пристало иметь свою. Ты понимаешь, о чем я?

— Смутно, — осторожно ответила Наташа, чувствуя неприятный холодок внутри. — Ты хочешь покаяться передо мной в каких-то грехах?

— Ну, смотря как это расценивать. Может показаться, что это грех, а может, и нет. Все зависит от точки зрения. Но я должен с тобой об этом поговорить.

— Погоди, — остановила его Наташа. — Это про женщин?

— Что ты, — расхохотался Андрей. — Ни в коем разе.

— У тебя внебрачный ребенок?

— Да бог с тобой, Наташенька, дорогая моя! Я бы никогда не стал от тебя этого скрывать.

— Тогда подожди с признаниями. У меня есть еще одна комната, чуланчик такой, где живет позорная тайна. Давай-ка я сперва расскажу тебе о ней, а потом выслушаю твои признания в грехах. Это будет честнее.

Она собралась с духом. Надо, наконец, рассказать Андрею.

— Андрюша, когда я училась в институте, у нас был профессор...

— Мащенко, — подсказал Андрей, не дожидаясь, пока она закончит фразу.

— Откуда ты знаешь? — встрепенулась Наташа.

— Догадался. Не нужно мне ничего рассказывать, милая, не мучай себя.

— Но я хочу, чтобы ты знал.

— Я и так знаю.

— Ты?! Откуда? Кто тебе сказал?

— Частично Виктор Федорович Мащенко, об остальном я сам догадался. Выслушай меня, Наталья.

Она слушала, не отрывая глаз от лица Андрея, который все время, пока говорил, крепко держал ее за руку. В восемьдесят шестом году он познакомился с Виктором Федоровичем и Елизаветой Петровной. У жены Мащенко были проблемы со здоровьем, Андрей ее проконсультировал, а потом и прооперировал. Чета Мащенко вела себя в точности так же, как все благодарные больные: цветы, коньяк, со вкусом выбранные сувениры, поздравления со всеми праздниками. А в конце восемьдесят седьмого года, едва разрешили частное предпринимательство, Виктор Федорович появился с весьма неожиданным предложением.

— Вы знакомы с Натальей Вороновой, — утвердительно заявил он, — более того, вы очень тепло к ней относитесь. Я не ошибся?

— Я люблю ее, — просто сказал Андрей. — И что из этого?

— Наталья Александровна очень талантливый человек, я хорошо ее знаю, она у меня училась. Сейчас появилась реальная возможность помочь ей. Она окончила сценарное отделение, а потом, насколько мне известно, высшие режиссерские курсы. То есть она вполне может самостоятельно снимать кино. Такое, какое захочет, а не такое, какое ей велят. Как вы считаете, Андрей Константинович, стоит такое дело определенных жертв?

— Смотря каких, — аккуратно ответил Ганелин.

— Как вы смотрите на то, чтобы оставить медицинскую практику и заняться частным бизнесом?

— Плохо смотрю, — резко сказал Андрей.

Но Виктор Федорович был убедителен. Частный бизнес сейчас, пока еще мало кто сообразил, что к чему, и развернулся в полную мощь, может принести очень высокие доходы, если застолбить правильно выбранную нишу. Есть люди, вполне компетентные и обладающие большими связями и возможностями, которые помогут начать дело и защитят от желающих погреть на нем руки, будь то тихий чиновничий рэкет или громкий бандитский, со стрельбой и страшилками. А рэкет обязательно появится и пышно расцветет, без этого на первых порах становления частного капитала обойтись невозможно. Так вот, уважаемый

Андрей Константинович может не беспокоиться, как только такая неприятность начнет назревать, он будет от нее надежно защищен. Его не станут вовлекать ни в какие сомнительные сделки, ему не придется отмывать чужие «грязные» деньги. От него вообще ничего не требуется, кроме одного: зарабатывать капитал. Ведь это даст ему возможность оказать спонсорскую помощь талантливому человеку, который к тому же ему не безразличен. У самого Виктора Федоровича никаких корыстных целей при этом нет, ему ничего не нужно. Он просто благодарен доктору, удачно прооперировавшему его жену, и хочет быть полезным. А помощь и поддержку со стороны силовых структур он гарантирует.

— Как вы узнали про меня и Воронову? — спросил тогда Андрей.

— Я видел вас несколько раз вместе в Доме кино. Меня удивило, что Наталья Александровна ходит на все просмотры не с мужем, и я поинтересовался, кем является ее спутник. Нашлись любители все обо всех знать, они меня и просветили. И знаете, Андрей Константинович, я искренне порадовался, что два человека, которые мне глубоко симпатичны, оказались вместе. Вот и я подумал: раз вы так хорошо к ней относитесь, а я так хорошо отношусь к вам обоим, то просто грех не использовать имеющиеся у меня возможности.

Андрей попросил время подумать. С болью вспоминал, как Наташа делилась с ним замыслами и сетовала на то, что никому они не интересны, никто не ставит ее заявки в план, что сегодня выделяют средства только на документальные фильмы о борьбе с алкоголизмом, перестройке и новом мышлении, а человеческие чувства никого не интересуют. И решился.

Виктор Федорович ни в чем не обманул. Андрею помогли с юридическим и организационным оформлением фирмы «Центромедтехника», порекомендовали толкового и опытного бухгалтера, дали координаты людей, с которыми в любое время можно было проконсультироваться по любым вопросам. Способствовали установлению контактов с зарубежными фирмами-партнерами. Проверяли контрагентов на надежность. А впоследствии, когда предсказание Виктора Федоровича насчет рэкета сбылось, организовали надежную «крышу».

С такой поддержкой дело у Ганелина пошло с фантастической скоростью. Прошло не так уж много времени, и он смог профинансировать первый фильм Наташи — «Законы стаи». Потом и второй — «Что такое хорошо и что такое плохо». За все это время сам Виктор Федорович обратился к Андрею с просьбой только один раз, когда устраивал на работу бывшую жену своего сына. Они общались регулярно, Мащенко интересовался, нет ли проблем и не нужна ли еще какая помощь, и, кроме трудоустройства Веры Алексеевны, никогда ни о чем Ганелина не просил.

Андрей вырос в России, а не на Марсе и не верил в чистосердечные благодеяния со стороны незнакомых людей. Он долго выжидал, когда же Мащенко, наконец, откроет карты и потребует в обмен на помощь и поддержку чего-нибудь криминального. Ганелин с самого начала предполагал, что все это делается «не за просто так» и не за его прекрасные глаза, но ради того, чтобы помочь Наташе подняться и снять такое кино, какое ей хочется, готов был на любые жертвы. Однако ни Виктор Федорович, ни его супруга, ни кто бы то ни было от их имени к нему ни с какими требованиями не обращались.

Тогда Андрей перебрал список своих пациентов, знакомых и друзей и обнаружил среди них нескольких человек, имеющих доступ к самой разной информации, в том числе и комитетской. Через пару месяцев ему стало понятно, что скорее всего его никогда ни о чем не попросят, потому что сам он на фиг никому не нужен. Нужна Наталья Воронова. И не только она одна. В ходе реализации политики Горбачева произошли грандиозные кадровые перемены, в результате которых КГБ утратил значительные позиции, позволяющие влиять на умы и души населения. Было принято решение выбрать из числа наиболее способных и талантливых деятелей искусства тех, кому целесообразно сегодня оказать помощь, чтобы потом, буде такая надобность случится, в обмен на эту помощь потребовать лояльности. Духовные лидеры в нашей стране всегда были людьми искусства, чаще всего — литераторами или режиссерами. И надо заранее позаботиться о том, чтобы таких лидеров, пропагандирующих «правильные идеи», в нужный момент можно было выдвинуть из проверенных рядов.

Помощь тщательно выбранным кандидатам оказывали самыми разными способами, в том числе и тем, который использовали в случае Ганелина и Вороновой. Андрей, переварив полученную информацию, подумал о том, что выбор Наташи в качестве объекта финансовой помощи произошел не без помощи Виктора Федоровича Мащенко, а точнее, с его подачи. Дальше все сложилось само собой. Либо Наташа была любовницей Мащенко, либо он, работая на КГБ, использовал ее в своих целях, опираясь на ее искреннюю и безоглядную веру в идеалы коммунистического общества. Скорее второе, нежели первое, решил Андрей. Он слишком хорошо знал Наталью, чтобы поверить, что она могла вступить в интимные отношения с собственным преподавателем. Нет, не тот характер. Зато о ее идеализме и доверчивости, над которыми она в последние годы открыто насмехалась, он был наслышан от нее же самой.

— Значит, он все знал, — в ужасе пробормотала Наташа, выслушав Ганелина.

— Кто? Мащенко?

— Ну да. Господи, я так боялась все эти годы после истории с Прунскене! Сначала я просто переживала, чувствовала себя виноватой, обзывала себя низкой стукачкой. А потом начала бояться, что он всем расскажет про меня... Чем известнее становилась, тем больше боялась. Утешала себя тем, что Мащенко меня не идентифицирует, ведь я сменила фамилию, он меня знал еще Казанцевой. Радовалась, когда мне говорили, что внешне я изменилась до неузнаваемости. Ирка, бедная, бросилась меня спасать, познакомилась с сыном Мащенко, чтобы подобраться к отцу и выяснить, помнит он меня или нет. А он, оказывается, все эти годы помнил обо мне и не упускал из виду. Что же теперь будет, Андрюша?

— Ничего, — пожал плечами Ганелин.

— Как это ничего? Как — ничего?! — закричала она. — Они меня держат про запас, чтобы использовать! Это значит, что в любой момент ко мне могут прийти и потребовать, чтобы я распространяла какие-то их политические взгляды, какие-то их идеи! Как ты не понимаешь, они же могут сделать из меня марионетку! И я даже пикнуть не посмею.

— Не будет этого, Наташенька. В том ведомстве, о котором идет речь, сидят такие крутые профессионалы, какие тебе и не снились. Если они позволили этой информации выйти за пределы здания, значит, информация потеряла ценность. В противном случае я никогда не узнал бы об этом, можешь мне поверить. Ты им больше не нужна. Иначе твой «Голос» не позволили бы прикрыть, а тебе не дали бы снимать художественные фильмы.

— Ты думаешь? — Наташа с сомнением покачала головой.

— Уверен. На двести процентов.

Она помолчала, обдумывая услышанное. Похоже, Андрей прав, очень похоже, ведь с того момента, как она сняла свой второй фильм на его деньги, прошло девять лет. И за девять лет никто не попросил ее «отработать» за оказанную помощь. Большой срок, слишком большой, чтобы продолжать бояться. И вообще, сколько можно бояться, в конце-то концов! Сколько можно прятаться от Мащенко, вместо того чтобы открыто поговорить с ним и выяснить все раз и навсегда! Нельзя быть такой трусихой, надо иметь мужество поступать, как Иринка. Ни с чем не посчиталась, помчалась в Кемерово рассказывать правду про себя и Бахтина, чтобы спасти его репутацию. Разрушила этим свою семейную жизнь. Рисковала карьерой, но здесь, слава богу, все обошлось, нравы переменились, сегодня, чем громче скандал вокруг артиста, тем лучше. Но она ведь этого не знала, когда садилась в самолет, чтобы лететь в Кемерово, она сознательно шла на риск. Маленькая Иринка, которую Наташа привыкла считать младшей и, следовательно, по определению более глупой, более слабой и более легкомысленной, показала ей пример решительности и смелости. Иринка смогла. Так неужели она, Наташа, не сможет? Номер домашнего телефона Мащенко ей известен, надо только снять трубку, позвонить и договориться о встрече. Почему должно было пройти столько лет, почему нужно было маяться от страха и неизвестности, когда можно было давным-давно набраться мужества и сделать такую простую вещь... Встретиться и спросить. *«Никогда не задавай вопрос, если не уверена, что готова услышать ответ»*. Теперь она готова.

— Ты меня презираешь? — тихо спросила она Андрея.

— Я тебя люблю, — так же тихо ответил он. — Других слов я не знаю. Я их забыл.

С Виктором Федоровичем Наташа встретилась через два дня в ГУМе. Он сам предложил ей это место.

— На первом этаже есть замечательное итальянское кафе «Боско ди Чильеджи», можно войти со стороны Красной площади, а можно через бутик «Марина Ринальди», — объяснил Виктор Федорович. — Давайте встретимся там, не будем изменять традициям.

Ей на мгновение стало неприятно, показалось, что Мащенко намекает на их давние встречи именно в ГУМе и на возможность продолжения отношений. Наташа пришла пораньше, поболталась по парфюмерным магазинам в поисках пудры нужного оттенка, купила две пары колготок и зашла в кафе. До условленного времени оставалась четверть часа, она выбрала столик на открытом воздухе, села спиной к магазину и лицом к Кремлю и заказала свежевыжатый апельсиновый сок.

— Рад вас видеть, — послышался прямо над ухом не забытый за много лет голос Мащенко. — А мне уж начало казаться, что вы меня избегаете. Вы хотите поговорить насчет Ирины?

— Почему Ирины? — испугалась Наташа. — Что с ней?

— Это я у вас хотел спросить, что с ней. Вы же самый близкий ей человек.

Почему этот сок такой сладкий? И такой оранжевый... И вообще все не так, все не так! Сначала выяснилось, что Мащенко помогал Андрею, чтобы в конечном итоге помочь ей самой. Теперь выясняется, что он прекрасно знал о близких отношениях Наташи с Ирой. Все оборачивается не так, как ей представлялось. Какое-то вывернутое наизнанку существование. Неужели она сходит с ума?

— Значит, вы об этом знали? — обреченно спросила она.

— Наталья Александровна... Впрочем, мне привычнее называть вас просто по имени. Вы не возражаете?

— Нет, пожалуйста.

— Наташенька, я знаю о вас если не все, то очень многое. Было бы наивным думать, что я выпустил вас из виду, как только вы получили диплом и устроились на телевидение. Мы так не работаем. Я с самого начала знал, что невеста моего сына — это ваша воспитанница. Но поскольку она никогда не упоминала вашего имени, я подумал, что это и к лучшему. Я постоянно отслеживал вашу жизнь и был осведомлен о юношеских шалостях Ирочки. Поэтому с трудом, честно признаться, удерживался от смеха, когда она рассказывала о своей учебе в школе, о том, как старалась, несмотря на все трудности, получить образование. Впрочем, я не о том. О чем вы хотели со мной поговорить?

— О себе. Виктор Федорович, я глубоко раскаиваюсь в том, что позволила когда-то заморочить себе голову. Я презираю себя за то, что сотрудничала с вами. Скажите мне честно, я могу считать себя свободной или вы собираетесь еще когда-нибудь до меня дотянуться? И еще вопрос: могу ли я спать спокойно и знать, что вы никогда не разгласите информацию о нашем с вами сотрудничестве?

— В этом я могу вас заверить, — он, казалось, ничуть не удивился ее вопросам. — Об этом никто никогда не узнает, если только вы сами не расскажете. У нас не принято разглашать подобные сведения. Информаторов, Наташенька, не сдают, это закон.

— Даже если это выгодно в целях политической борьбы? — не поверила она.

— Даже если. Их не сдают никогда и ни при каких обстоятельствах. Я имею в виду — не сдают целенаправленно и умышленно. А утечка информации по чьей-то халатности или за деньги — что ж, это может случиться всегда, тут никто не застрахован. Но это бывает крайне редко. Настолько редко, что вы лично можете ни о чем не тревожиться. Вы хотели узнать только это?

— Нет, я задам еще один вопрос: вы собираетесь меня использовать в дальнейшем или я могу считать себя свободной? — резко спросила Наташа, залпом допивая сок, который теперь отчего-то показался ей слишком кислым. Неужели она нервничает так сильно, что у нее начались вкусовые галлюцинации?

— Никто вас не тронет, живите спокойно. Я ответил на ваши вопросы?

— Да, спасибо.

— Тогда вы ответьте на мои. Откуда этот тон? Почему вы разговариваете со мной, как прокурор с преступником? И почему эти вопросы возникли у вас сегодня, а не десять и не пять лет назад? Что-то произошло? Что-то заставило вас волноваться?

Подошедший официант поставил перед Виктором Федоровичем маленькую чашечку «эспрессо» и стакан с яблочным соком.

— Еще что-нибудь желаете? — обратился он к Наташе.

— Кофе, пожалуйста, и апельсиновый сок, — попросила она. Напряжение понемногу отпускало ее, и она уже могла не только понимать, кто сидит перед ней, и не только слышать его голос, но и видеть лицо. Он по-прежнему красив, Виктор Федорович Мащенко, пожалуй, сейчас он даже интереснее, чем двадцать лет назад, когда Наташа видела его в последний раз. Ему, должно быть, около шестидесяти. Такой же стройный, как прежде, хорошо постриженные густые, сильно поседевшие волосы, холеное лицо с правильными чертами, белые ровные зубы. Звезда Голливуда в идеально сшитом дорогом костюме, а не агент КГБ.

— Я жду, — напомнил Виктор Федорович, когда официант отошел от столика.

— Ничего не случилось. Просто я устала бояться и решила покончить с неизвестностью.

— А вы боялись? — Он чуть приподнял брови.

— Безумно. С ума сходила от страха.

— Напрасно, Наташенька. Догадываюсь, что толчком к вашему решению встретиться со мной послужило некое событие... Вероятно, Андрей Константинович, я не ошибся?

— Да. Он мне рассказал о том, как вы помогали ему строить бизнес, чтобы он, в свою очередь, помогал мне. И испугалась, что вы меня не забыли и собираетесь снова использовать. Потому и позвонила.

— Вам следовало бы давно это сделать. Если бы Ирочка, уж не знаю из каких соображений, не скрывала, что хорошо вас знает, наша встреча состоялась бы много лет назад, и мы прояснили бы все вопросы. Что ж, вероятно, это не поздно сделать и сейчас. Наташенька, я всегда относился к вам с безграничным уважением. Информаторов, как правило, вербуют на компре. Тех, кто помогает на идейной основе, по внутреннему убеждению, единицы. Это редчайший случай. И если идейная основа меняется по тем или иным причинам, таких людей не трогают и не пытаются снова привлечь к работе. Мы организовывали помощь не только вам одной, но вы были единственной, к кому впоследствии не пришли бы просить отдать долги. Все остальные объекты такой помощи имеют за плечами разного калибра грешки, поэтому на них можно давить. На вас давить невозможно. Вы были изначально бесперспективны для этих целей.

— Тогда зачем? Зачем вы помогали Андрею? Зачем предложили ему помогать мне, если я для вас не представляла интереса?

— Чтобы помочь. Вы очень талантливый человек, Наташа. И я вас искренне и глубоко уважаю. Я никогда, слышите? никогда не причинил бы вам вреда. Я немного злоупотребил своими возможностями, чтобы помочь двум людям, которые мне симпатичны. Это плохо?

— Не знаю, — прошептала она. Что такое хорошо и что такое плохо? Крошка сын пришел к отцу... Боже, какая дребедень лезет в голову!

— Вы сказали, что презираете себя. Вы не должны так думать. Вы не сделали ничего плохого, вы никому не причинили вреда.

— А Южаков? Валя Южаков, которого после нашей с вами встречи исключили из института якобы за прогулы и пьянство? Но мы-то с вами знаем, за что его исключили! Мы с вами исковеркали его жизнь, лишили возможности заниматься любимым делом... А потом он пришел к нам на телеканал, и я каждый раз, идя к нему в кабинет, замирала от ужаса, боясь, что в один прекрасный момент он узнает, по чьей милости был исключен, и устроит мне всемирный позор. Вы считаете, что за это я должна себя любить?

— Наташенька, — негромко засмеялся Мащенко, сверкая ослепительно белыми зубами, — выбросьте эту чушь из головы. Южаков был всего лишь исключен из института, а не отправлен за решетку, потому что его родители подняли свои связи и помогли ему. Валентина еще на первом курсе накрыли с запрещенной литературой, но не посадили, он отделался легким испугом. А потом он оказался замешан в незаконных валютных операциях, и ему грозил реальный срок. Его родители снова сумели отмазать сыночка от тюрьмы, но из института пришлось исключить, иначе вышли бы всякие недоразумения с милицией и прокуратурой. Вы к этому не имеете ни малейшего отношения, просто наша с вами встреча, когда вы информировали меня о Южакове, произошла накануне его ареста. По времени совпало, но связи никакой нет. Вы можете с чистой совестью приходить к Южакову и смотреть ему в глаза. Вы ни в чем не виноваты перед ним. А он, между прочим, очень хорошо к вам относится, вы об этом знаете?

— А вы откуда знаете? — ответила она вопросом на вопрос.

— От Южакова. Это я попросил его пригласить вас на публицистику.

— Вы?!

— Представьте себе, я. Я хотел, чтобы ваш талант раскрылся и с этой стороны. Мне ничего от вас не нужно, Наташенька, ровным счетом ничего. Мне просто хотелось вам помочь. Вы — редкий человек, штучная работа, я представлял себе, как вы с вашей нравственной цельностью и чистотой страдали и мучились, когда все переменилось и когда даже слепые котята стали понимать, что прежний режим их обманывал. Я понимал, как вам должно быть тяжело. И понимал, что наше с вами сотрудничество при вашем-то характере лежит на вашей чистой душе тяжким грузом. Мне хотелось хоть чем-нибудь облегчить вашу жизнь.

Все не так, все не так... Южаков был банальным валютчиком... Его исключили вовсе не из-за Наташи... Мащенко велел ему взять ее на проект «Голос»... Получается, что она прожила совсем другую жизнь. Думала, что прожила одну, а на самом деле прожила другую... У нее было такое ощущение, словно она шла по вагонам поезда и вдруг, перейдя из одного вагона в следующий, обнаружила, что каким-то немыслимым образом оказалась в поезде, идущем в противоположном направлении. И хода назад уже нет. Поезда стремительно расходятся в разные стороны, с каждой секундой расстояние между ними увеличивается, и ей ничего не остается как ехать в этом другом поезде, в другом направлении, потому что в первый поезд, в котором она ехала долгие годы и собиралась ехать до самого конца, ей не попасть уже никогда.

— Как дела у Ирочки? — раздался откуда-то издалека голос Мащенко. — Она нам совсем не звонит, мы ничего о ней не знаем.

Наташа очнулась.

— У нее все в порядке. В начале июля она начинает сниматься в картине на «Мосфильме», а с ноября — в сериале для телевидения, уже контракт подписала. А не звонит вам, чтобы рану не бередить.

Его лицо дрогнуло и неожиданно стало как будто мягче.

— Я ее понимаю. Мы очень к ней привязались за эти годы. Мне жаль, что так получилось и она решила уйти.

— Так лучше для всех, Виктор Федорович, — Наташа впервые за весь разговор позволила себе расслабиться и улыбнуться. — И для вас в первую очередь. Вы же понимали, что Ира страдает рядом с вами.

— Да. Вы правы, она поступила мудро.

Они расплатились, вышли на Красную площадь и неторопливо двинулись в сторону Охотного ряда.

— Где стоит ваша машина? — поинтересовался Мащенко.

— Я на метро. Не вожу машину.

— Почему?

— Не умею. Я к этому не способна. Если очень устала — беру такси, а вообще-то на метро быстрее при нынешних пробках.

Виктор Федорович проводил Наташу до входа в метро «Площадь Революции». Прощаясь, взял ее руку, поднес к губам.

— Знаете, — неожиданно для самой себя сказала она, — я начинаю понимать, почему Ирка вас так любит.

Наташа не стала дожидаться ответа, повернулась и побежала через вестибюль к эскалаторам.

ЭПИЛОГ, 2001 год

— Мать, я скоро женюсь. Ты что, не слышишь? В третий раз тебе говорю. Я женюсь на Олесе, ты ее знаешь.

Наташа с неохотой оторвалась от рукописи, лежащей перед ней на рабочем столе в кабинете.

— Я все слышу, Сашенька. Что ты от меня хочешь? Чтобы я сплясала или спела? Я приняла к сведению, что ты собрался жениться. Что еще?

— Как что? А ругаться? А рвать на себе волосы от ужаса? А рыдать? Ты, мать, неправильная какая-то. Я этот разговор все откладывал, твоих истерик боялся, тянул до последнего, а все оказалось так просто, что даже и не интересно. Ну тебя!

— Насчет «тянул до последнего» — это любопытно, — заметил заглянувший в открытую дверь кабинета Андрей. — И когда же наступает этот самый последний момент?

— Через неделю, — признался старший сын. — Мы еще в феврале заявление подали, чтобы сразу после Пасхи...

— О господи, — простонала Наташа. — Ты с ума сошел! У меня все до майских праздников по часам расписано! Ты что, раньше сказать не мог, обормотище? Какого числа регистрация?

— Двадцать четвертого.

— Час от часу не легче! Двадцать четвертого у меня весь день забит до отказа, — в отчаянии сказала она, листая ежедневник. — И ничего нельзя отменять и переносить, потому что впереди длинные праздники, а вопросы надо решать до того, как все разъедутся отдыхать. Сашка, ты меня без ножа режешь! Ну в кого ты такой урод? Папа у тебя такой обстоятельный, все четко, все заранее, все строго по графику. Да и я такая же. А ты откуда взялся? Честное слово, как будто не я тебя рожала и воспитывала.

— Ну мать, ну извини, — пробормотал Саша. — Я не думал, что у тебя все так серьезно. Ну хочешь, я поговорю с Олесиными родителями, объясню, что ты страшно занята и сможешь подойти только вечером, попозже? Они нормальные люди, не обидятся.

— Да я и вечером не смогу, двадцать четвертого в Доме кино премьера фильма, в котором снималась Ира. Она очень просила меня прийти, и Володя Ткач, режиссер, тоже просил. Я им обещала.

Андрей решительно взял юношу за плечо и вывел из кабинета.

— Работай, Наталья, мы с Сашей сейчас все обсудим и решим, что делать. Ни о чем не беспокойся.

Дверь закрылась, наступила тишина. Как хорошо, что рядом есть такой человек, как Андрей, в любую минуту готовый прийти на помощь! Наташа плотнее запахнула халат и снова углубилась в рукопись. Роман захватил ее глубиной чувств и силой страстей. Этот Руслан Нильский действительно талантливый парень! Ушел из журналистики, осел дома и написал роман. И какой роман! Так и просится на кинопленку.

Руслан объявился неожиданно. Просто возник на пороге несколько дней назад. Долго извинялся за то, что явился без звонка, но по старому номеру телефона ему никто не ответил, а у Ирины мобильник два дня подряд выключен. Он пришел в квартиру на четвертом этаже, и там ему сказали, что Воронова давно уже живет двумя этажами ниже.

— Ирка опять вовремя за телефон не заплатила, — рассмеялась Наташа. — Вот и отключили за неуплату. Это регулярно случается, она просто органически не в состоянии делать все вовремя.

— Наталья Александровна, я написал роман, — смущаясь, сказал Руслан, вытаскивая из сумки толстенную папку. — Хотел, чтобы Ира прочитала. Вы ей передадите?

— Никаких проблем, — пообещала Наташа. — Ну что же вы

на пороге стоите? Раздевайтесь, проходите, я вас чаем напою, у меня сегодня пирожки удались.

Руслан пробыл у Наташи около двух часов. Говорили обо всем: о снятом Наташей сериале, который в сентябре прошлого года довольно успешно прошел по экранам, об Ире и двух ее новых работах, о самом Руслане, его девочках-близнецах, его уходе из журналистики. И конечно, о Бахтине. Руслан рассказал о том, как год назад, сразу после приезда Иры в Кемерово, отправился к матери выяснять отношения. Ольга Андреевна переживала скандал тяжело.

— Я предупреждала тебя, сынок, не трогай ты эту историю, — со слезами на глазах говорила она. — Я ведь знала про Мишеньку. И знала, что, если ты докопаешься, наша семья будет опозорена.

— Ты знала? — не верил своим ушам Руслан.

— Сначала только подозревала неладное. Однажды Миша приехал после выходных, помылся, лег спать, а мне в сарае что-то понадобилось, я туда сунулась и нашла нож. Чужой чей-то, не наш. Ручка деревянная и вся мокрая, как будто мыли ее. В первый-то раз я значения не придала, а потом стала приглядываться к Мише, каким он приезжает после отлучек, и вижу — что-то не то с ним. И каждый раз нож мокрый. До отъезда лежит себе в сарае на одном и том же месте, потом, как Миша уедет, я проверю — нет ножа, как вернется — снова проверяю. Рукоять мокрая. А уж когда его убили, мне и вовсе тошно стало. Дыбейко Петр Степанович, участковый наш, про маньяка как-то рассказывал, который по всему Кузбассу разъезжает и девушек режет. Ой, сыночек, как я боялась, что этот маньяк — наш Миша! Как убили его, я у Петра каждый месяц спрашивала, не поймали ли этого маньяка, а Петр мне отвечает: как в воду канул. Никого больше не режет, помер, не иначе. Он шутил, конечно, а у меня аж сердце заходилось. Не хотела я, чтобы правда вскрылась. Не хотела быть матерью зверя. И память Мишенькину поганить не хотелось. А в девяностом году я узнала, что Бахтина выпустили и он давно уже на свободе, и кинулась его искать. Нашла, фамилию свою назвала. Он меня сразу принял, в кресло усадил, чем, говорит, могу служить? Я ему только один вопрос задала. Борис Иванович, говорю, скажите мне, матери, правду, вы ведь Мишу не просто так убили? Ну и поделилась с ним своими подозрениями.

— А он что?

— Выслушал и молча кивнул. Да, говорит, Ольга Андреевна, все правильно. Не нужно старое ворошить, я срок отбыл, пусть, как в уголовном деле написано, так все и считают. И вам же самой так лучше. Да мне-то лучше, говорю, это понятно, а вам? Вы-то зачем на себя вину приняли, почему не рассказали? А он говорит, на это есть причина, и мы с вами ее обсуждать не будем. Боже мой, сыночек, в какую же муку ты превратил мою жизнь своими поисками правды! Я чуть не в петлю лезла. Как представлю себе, что люди будут говорить, когда узнают, что мой сын девять девчонок загубил...

Ольга Андреевна проплакала все два дня, которые Руслан у нее провел. Семен Семенович ни в чем его не упрекал, но то и дело осуждающе качал головой. В Кемерово Руслан вернулся еще более подавленным, нагрубил ни с того ни с сего Яне, подал заявление об уходе и впал в глубокую депрессию. А потом неожиданно решил попробовать написать книгу. Роман о длинной-длинной жизни нескольких поколений одной семьи в маленьком провинциальном городке, от прадедушек до правнуков, со своими конфликтами, сложными отношениями, тайнами, которые все друг от друга скрывают, многолетними поисками истины. И, прежде чем отдавать свой труд издателям, решил показать роман Ирине.

— Почему именно ей? — удивилась Наташа.

— Не знаю. Мне так захотелось. Мне почему-то кажется, что она поймет меня лучше, чем кто бы то ни было.

— А можно мне прочесть?

— Пожалуйста. Только пусть Ира обязательно тоже прочитает, мне важно услышать ее мнение.

Иринка сказала, что читать роман Руслана Нильского — дело серьезное, и взяться она сможет за него не раньше праздников, потому что в апреле у нее почти каждый день съемки. И Наташа взялась за рукопись...

Андрей заглянул к ней через час:

— Ну как роман?

— Класс! — Наташа подняла вверх большой палец. — Попытаюсь пробить его экранизацию. Может, его никто и не напечатает, но кино получится потрясающее. Главная роль просто для Иринки написана. Впрочем, это и понятно, Руслан свою героиню явно с нее писал. Ганелин, если мое руководство откажется делать этот проект, дашь денег?

— А сколько надо?

— Много. Миллиона два долларов, лучше — три.

— Ну у тебя и запросы! — присвистнул Андрей. — А за меньше никак не получится?

— Получится, но плохо. Красивой картинки не будет. Может быть, удастся договориться, чтобы канал профинансировал проект хотя бы частично, тогда с тебя меньше возьму.

— Ладно, будем думать, как тебе помочь, — усмехнулся Андрей. — Кстати, насчет Сашкиной свадьбы мы все решили.

— Каким образом? Вы ее совсем отменили?

— Ну, не так радикально. Я полистал твой ежедневник и нашел в расписании дыру размером в час. Остальное было делом техники. Короче, ты в детали не вникай, регистрация твоего сына с рабой божией Олесей состоится двадцать четвертого апреля в пятнадцать часов тридцать минут. Ты сможешь поприсутствовать на церемонии в загсе, ровно в шестнадцать ноль-ноль я запихиваю тебя в машину и везу на Шаболовку, где у тебя встреча в шестнадцать тридцать. Годится?

— Ты — организаторский гений, Ганелин, — благодарно произнесла Наташа. — Ужинать будешь?

— Давай чуть попозже, — предложил он. — Почитай еще часок.

За ужином Андрей хитро улыбался и под самый конец заявил:

— Ты не отказываешься от своих слов о том, что я — организаторский гений?

— Пока нет, а что?

— Тогда слушай, что я придумал. Дети, я имею в виду Сашу и Олесю, получат от нас с тобой в виде свадебного подарка поездку за границу.

— Куда-куда? — переспросила Наташа, ожидавшая услышать что угодно, только не это.

— За границу. Конкретнее — в Париж, это очень романтично, для молодоженов в самый раз. Они улетят двадцать пятого утром, на другой день после свадьбы. Я двадцать девятого улетаю в Амстердам, у меня там дел ровно на один день. Вы же двадцать девятого апреля, по свежему весеннему утречку, садитесь с Иринкой в самолет и летите куда захотите. Тридцатого у нас день нерабочий, понедельник переносят на субботу, так что после двадцать восьмого в нашей стране никто работать не будет.

— То есть как это — куда захотим? — не поняла Наташа. — Я что-то не соображу, о чем ты? Куда ты нас отправляешь? Зачем?

— Так ты и не сообразишь, пока я не договорю. Ты дальше слушай. Вы с Иринкой проводите пару дней там, где захотите, ходите по магазином, покупаете себе всякую ерунду и мелете языками в отсутствие мужчин, а потом мы все вместе встречаемся в Париже, куда числа, например, третьего или даже второго прилетает Алешка. Ему целесообразно туда прилететь не раньше чем я там появлюсь после Амстердама, один он не справится, а молодоженам мешать не стоит. Если ты в принципе согласна, я немедленно начинаю решать оргвопросы.

— Я согласна, — быстро ответила Наташа и счастливо рассмеялась. — Господи, как же ты здорово придумал! Мы снова будем все вместе, всей семьей соберемся, отпразднуем Сашкину женитьбу в узком кругу, отдохнем, порадуемся!

— Тогда звони Иринке, и решайте, куда вы хотите поехать.

— Не надо никуда звонить, я и так знаю, куда она хочет. У нашей высокорослой толстушки одна, но пламенная мечта — Бавария.

— Бавария? — удивился Андрей. — Почему? Что там интересного?

— Ей когда-то сказали, что баварки — рослые крупные женщины с большим размером ноги и именно в Баварии можно купить потрясающую обувь, одежду и белье ее размерчика. Она с этой идеей уже много лет носится.

— Между прочим, это правда, — заметил Андрей, что-то записывая в блокноте. — Договорились, отправляю вас в Мюнхен, поселю в отеле «Четыре времени года», это сеть Кемпински, так что вам должно понравиться. Ты все-таки позвони Иринке, пусть завтра с утра паспорт привезет, две фотографии и справку об обмене валюты из расчета не меньше ста долларов за сутки пребывания. Запомнила?

Дни до отъезда были заполнены настолько плотно, что Наташа с трудом сосредоточилась на процедуре бракосочетания сына, одной половинкой мозга обдумывая результаты только что закончившихся переговоров, а другой мысленно готовясь к следующей встрече. Горячо расцеловав сына и невестку, она помчалась вслед за Андреем к машине, на ходу объясняя Саше, что если показ фильма вечером начнется вовремя, в девятнадцать ноль-ноль, то закончится в двадцать сорок пять, до двадцати двух ей придется потусоваться на банкете, иначе Ирка и Ткач смертельно обидятся, после чего, если Андрей за ней приедет на улицу Братьев Васильевых, то примерно в половине одиннадцатого вечера она сможет присоединиться к свадебному торжеству.

До вечера двадцать восьмого апреля Наташа крутилась как белка в колесе, едва выкроив полчаса, чтобы собрать сумку к поездке. Она любила все делать загодя, поэтому о том, чтобы собираться вечером накануне отъезда, не могло быть и речи. В суматохе непременно что-нибудь забудешь. Ира пришла к ней ночевать, они вызвали такси на половину восьмого утра и улеглись.

— Натуля, мы с тобой прямо как белые люди, — говорила Ирина на следующий день, стоя в очереди к стойке регистрации билетов. — Уж сколько лет все кругом ездят за границу на майские праздники, я просто обзавидовалась. А теперь и мы наконец сподобились. Погуляем с тобой, всякого-разного напокупаем для души и тела, красоты посмотрим! А потом я вернусь и начну читать Русланов труд. Кстати, ты сама-то его прочла?

— А как же. Мы с тобой еще поговорим об этом. Я хочу это снимать.

— Правда? — обрадовалась Ира. — Как хорошо! Он будет рад.

— И тебя буду снимать, главная роль — твоя, — с улыбкой сообщила Наташа. — Если захочешь, конечно.

— Ты еще спрашиваешь! Да я у тебя бесплатно буду сниматься. Помнишь, я когда-то тебе обещала?

— Ну уж таких-то жертв не нужно. Буду платить тебе пару долларов в день, чтобы на молоко хватило.

После паспортного контроля Ира потащила Наташу по магазинам «дьюти-фри» и вдруг замерла как вкопанная.

— Смотри, — прошептала она, показывая на моложавую привлекательную женщину в яркой одежде, сидящую к ним спиной на длинной скамье возле выхода на посадку.

— Кто это? — тоже невольно понижая голос, спросила Наташа.

— Лизавета, свекровь моя бывшая.

— Ну так подойди, поздоровайся с ней, — предложила она.

— Думаешь?

— А что тут думать-то? Вы же не чужие и не враги.

Ира сделала было шаг в сторону скамьи, когда сидящий рядом с Елизаветой Петровной мужчина протянул руку и хозяйским жестом обнял ее за плечи. Это был совершенно точно не Виктор Федорович. Более того, мужчина со спины выглядел лет на сорок максимум, об этом можно было судить по количеству седины, но ведь есть люди, которые совсем рано седеют, так что он может оказаться даже моложе...

— Вот это номер, — зашептала Ира. — Лизавета с чужим мужиком за границу летит. И еще обнимается с ним, бесстыжая! Пошли послушаем, о чем они говорят, а?

Наташа дернула ее за руку и отвела за колонну.

— Ты что дурью маешься? — строго спросила она. — Что еще за подслушивания? Увидела — и иди себе, ты с ее сыном развелась, тебя их семейные дела больше не касаются.

Ира вырвала руку и отступила на шаг.

— Я все равно пойду и послушаю. Из принципа. Не хочешь — постой здесь.

— Поступай как знаешь, — сердито ответила Наташа. — Я пойду в ирландский бар, выпью кофе. Найдешь меня там.

Она уселась в баре за стойку, взяла кофе с пирожным, достала сигареты. Ира появилась минут через десять и залезла на соседний стул.

— Чего ж так быстро? — насмешливо спросила Наташа. — Надоело чужой интим подслушивать?

— Ну сука, ну сука, — возмущенно заговорила Ира. — Она с этим мужиком уже лет пять крутит, судя по тому, как они свои зарубежные гулянки обсуждали. И после всего этого она посмела упрекать меня в том, что я столько лет их обманывала? Да как у нее язык повернулся! Старая сволочь. Да, я обманывала. Но не до такой же степени! А то, что она делает, как называется? Между прочим, он моложе Лизаветы лет на двадцать. Они еще и целуются, представляешь?

— А тебе завидно, да? — поддела ее Наташа. — Я еще посмотрю, что ты запоешь, когда тебе будет столько лет, сколько ей. Еще что-нибудь полезное узнала?

— Да нет, она все про Игоря пела, дескать, как ему хорошо живется с тех пор, как он пошел на повышение. Глядишь, и до генерала дослужится. Жалуется только, что сынок жениться не хочет, по девкам гуляет. А так все отлично.

Ира решительно слезла со стула.

— Вот сейчас пойду и поздороваюсь с ней. Пусть знает, что я ее застукала. Может, ей это всю поездку отравит. Пусть боится, что я Виктору Федоровичу все расскажу.

— Сядь! — приказала Наташа. — Никуда ты не пойдешь.

— Это почему?

— Потому. Не пойдешь. Ничему тебя, Ирка, жизнь не учит.

Мы все совершаем поступки, за которые нам потом стыдно. Или не стыдно. Но мы не хотим, чтобы другие о них знали. И как только появляется этот другой, тот, кто знает о нас что-то постыдное или нехорошее, мы попадаем к нему в рабскую зависимость. Мы начинаем его бояться и одновременно ненавидеть, потому что этот человек получает над нами власть. И нам приходится решать, что с этим делать. Или публично признаваться в своем поступке, или бояться, ненавидеть и калечить собственную жизнь из страха перед этим человеком. Ты что, хочешь стать таким человеком для своей бывшей свекрови? Ты хочешь, чтобы она тебя ненавидела и боялась? Зачем тебе это, Ириша?

Ира молча снова забралась на стул, взяла Наташину чашку с недопитым кофе сделала большой глоток. Закурила и уставилась на ряды бутылок с яркими этикетками. Через некоторое время тряхнула головой и улыбнулась:

— Ладно, проехали. Ты в очередной раз мне доказала, что я полная дура. Но это не делает Лизавету сукой в меньшей степени, чем она есть. Лицемерная сука. И хватит об этом. Расскажи мне лучше про роман Руслана.

— Сама прочитаешь, зачем же рассказывать.

— Нет, ты расскажи, — заупрямилась Ира. — Я всегда любила слушать, как ты мне книжки пересказывала. Это намного интереснее, чем читать. Ты мне подробно расскажи всю книгу с начала и до конца, а потом расскажи, как ты собираешься ее снимать. И что мне там придется делать. Давай помечтаем о приятном.

— Ну хорошо, — согласилась Наташа, — слушай. Маленький провинциальный городок в центре России, начало тридцатых годов...

Через полчаса объявили посадку на мюнхенский рейс, и они пошли к воротам. Наташа пересказывала роман последовательно, эпизод за эпизодом, и обе они мысленно видели описываемые сцены на экране.

Они не слышали, как две девушки, меланхолично жующие резинку в ожидании своего рейса, оживленно заговорили, глядя им вслед:

— Смотри, это та самая Савенич, актриса, которую маньяк изнасиловал.

— Это вокруг которой скандал был в прошлом году?

— Ну да, она. Представляешь, дурь какая? Чего было огород городить, скрывать? И мужик сидел ни за что. Подумаешь, изнасиловали ее! Делов-то... С кем не бывает?

Девушки посмотрели друг на друга, одновременно фыркнули и снова сосредоточенно принялись двигать челюстями.

Декабрь 2000 — апрель 2001 гг.

СОДЕРЖАНИЕ

Литературно-художественное издание

Маринина Александра Борисовна

ТОТ, КТО ЗНАЕТ

Книга вторая

ПЕРЕКРЕСТОК

Издано в авторской редакции
Ответственный редактор *О. Рубис*
Художественный редактор *С. Курбатов*
Художник *В. Кривенко*
Технический редактор *Н. Носова*
Компьютерная верстка *Л. Панина*
Корректор *Л. Квашук*

Подписано в печать с оригинал-макета 11.02.2002.
Формат 84×108 $^{1}/_{32}$. Гарнитура «Таймс».
Печать офсетная. Бум. газ. Усл. печ. л. 22,68. Уч.-изд. л. 23,28.
Тираж 45 000 экз. Заказ № 0202310.

ЗАО «Издательство «ЭКСМО-Пресс». Изд. лиц. № 065377 от 22.08.97.
125190, Москва, Ленинградский проспект, д. 80, корп. 16, подъезд 3.
Интернет/Home page — www.eksmo.ru
Электронная почта (E-mail) — info@ eksmo.ru

Отпечатано на MBS в полном соответствии
с качеством предоставленного оригинал-макета
в ОАО «Ярославский полиграфкомбинат»
150049, Ярославль, ул. Свободы, 97.